DU MÊME AUTEUR

AUX ÉDITIONS VERTICALES

Veuves au maquillage, *2000 ; Points Seuil, 2002 ; Prix Autres-Rhône Alpes 2000*
Ruines-de-Rome, *2002 ; Points Seuil, 2004 ; Prix du deuxième roman 2003*
Essais fragiles d'aplomb, *coll. « Minimales », 2002*
Géométrie dans la poussière *(dessins de Killoffer), 2004*
La réfutation majeure, *2004 ; Folio n° 4647, 2007*
Sort l'assassin, entre le spectre, *2006*
Fragments de Lichtenberg, *2008*
Études de silhouettes, *2010*

CHEZ D'AUTRES ÉDITEURS

L'idiot et les hommes de paroles, *Bayard, coll. « Archétypes », 2005*
Les carnets de Gordon McGuffin *(dessins de Nicolas de Crécy), Futuropolis, 2009*
Les aventures de Percival. Un conte phylogénétique *(dessins de Nicolas de Crécy), Dis voir, 2009*
Environs et mesures, *Gallimard, coll. « Le cabinet des lettrés », 2011*
Zoophile contant fleurette, *Cadex, 2012*

Achab (séquelles)

pierre senges

Achab (séquelles)

verticales

L'auteur remercie, pour leur aide, le Centre national du livre et l'Académie de France à Rome.

Achab : un pas sur sa jambe légitime,
le pas suivant sur une imitation grossière.

Acharnement et clapotis – le naufrage selon les rescapés

Moby Dick, vous connaissez ? la baleine blanche, les clapotis, le monstre apparu, disparu, éclaboussant chaque fois
qu'il se cache – d'ailleurs, toute cette histoire de chasse
terminée par un drame, ça vous rappelle quelque chose ? les
personnages, les figurants, les accessoires, les clous forgés et
les clous découpés. Et le décor ? l'inévitable décor d'océan
se donnant comme panorama et comme infini contenant :
mille millions (un petit peu plus) de kilomètres cubes d'eau
salée mêlée de chair humaine et de poissons en proportions inégales, et là-dedans des harengs frais, des requins-
marteaux, des baleines à nez de bouteille et des marsouins
hourra, des baleines à tête d'enclume, des poissons-clowns,
des poissons-chats, des hippocampes comparés quelque
part à des allumeurs de réverbères, des bélugas, des huîtres
perlières, d'autres qui ne le sont pas, ne le seront jamais, et se
sont fait une raison, des baudroies, des encornets, les restes
de la croisade de 1212, les théières de vermeil destinées au
roi Charles d'Angleterre coulées en 1633 entre Burntisland
et Leith – théières suivies dans l'ordre (à travers un fond

trouble) de pianos droits, de lingots d'or ou plus sûrement de pioches de chercheurs d'or bredouilles, de pantoufles et chemises de nuit, extraits de naissance, avis de décès, jeux d'échecs, grille-pain, portes tambours, brosses à reluire, jetons de téléphone, bibles traduites en cent vingt langues, *Grand Albert* et *Petit Albert,* livres de bonnes manières, banjos, trompettes, harmonicas, fausses couronnes du roi Richard III, casquettes de marin, fraises élisabéthaines, pages brûlées de Nicolas Gogol, buste de Tibère, cafetières italiennes et cafetières américaines, un *Catalogue systématique des mammifères marins,* des partitions de Jerome Kern, un livret d'Oscar Hammerstein, un gramophone, un Betta splendens (un parmi des milliers), un clystère, le pendentif de Rita Flowers, le diadème du Toboso, une trousse de toilette ayant appartenu à Josef von Sternberg, une autre à Erich von Stroheim, l'épave complète du *Chancewell,* les images perdues de *A Woman of the Sea,* les espadons manqués par Hemingway, les habits démodés du signor Da Ponte, l'épave du bateau d'Abissai Hyden, tous les ingrédients du cocktail Manhattan hélas trop éloignés les uns des autres, des téléviseurs, des machines à laver, un petit traité sur l'immortalité qui n'a pas dû convaincre grand monde, la pique d'un violoncelle et x couronnes de fleurs en hommage aux marins noyés.

Ceux qui prétendent s'être embarqués sur le *Pequod* et l'avoir suivi vaillamment jusqu'au naufrage, les survivants, rescapés en plein océan comparés quelque part à des brins de persil dans un bouillon de poule – ceux qui ont réussi faute de mieux à s'embarquer sur le livre, parfois clandestinement, sans payer, sans recevoir aucun salaire –, tous ceux-là veulent raconter l'histoire, tant pis si c'est pour la trente-sixième fois, en oubliant l'essentiel, en rapportant des détails inutiles, récupérés au hasard (sauvés de la noyade à la dernière minute parce que sur le moment ils les avaient trouvés précieux). Quand on le leur demande, même cinquante ans après les faits, ils ne se font pas beaucoup prier, deux verres suffisent, ils délivrent leur morceau de *Moby Dick*, les voiles, l'obsession du capitaine, la poursuite d'un seul gros poisson, une obsession assommante pour tout le monde (pire encore que la pâmoison de l'amoureux fou); ils racontent les kilomètres parcourus du détroit de Matsmaï à Cape Tormentoso, six ou sept fois le tour du globe, les grands épisodes oratoires, les tirades du capitaine (il leur en reste quelques syllabes), et à la fin du dernier jour de chasse le combat absurde d'un petit homme passe-lacet contre l'immense baudruche de baleine. Ils disent alors comment ils l'ont vu mourir, comment ils sont morts avec lui, honneur aux engloutis : leurs témoignages prennent fin à cet endroit, sur l'idée de mort collective, sur les mots de *cimetière marin*, quand leur public renonce à les croire sur parole. Parmi ces rescapés-raconteurs (étonnamment nombreux, même s'ils sont dispersés dans des bars à vin très espacés les uns des autres, et rares), certains sont plus crédibles que d'autres : tous rapportent une histoire de deuxième ou de troisième main, quelques-uns ont cet air d'apôtre aux yeux brillants qui a serré un jour la main de Dieu grimé en homme et ne s'en est jamais remis.

(*Des brins de persil dans un bouillon de poule* : on préférera éventuellement parler d'épluchures de châtaignes grillées : sombres et sèches, inanimées, à la dérive – ce n'est pas une mauvaise idée, mais là n'est pas le plus important.)

La vérité sur l'issue d'un combat

[1910] Il a fallu se défaire de son harpon et de son câble : selon la version la plus répandue, le vieux capitaine a plongé avec la baleine jusqu'au fond, il a éprouvé la noyade pendant qu'elle interprétait son agonie de cétacé, autrement dit une agonie interminable : l'écume, les milliers de tonnes et l'âme s'élevant au ciel en brassant l'eau salée[1]. En vérité, Achab s'est presque immédiatement détaché de sa proie, il est remonté à la surface : les témoins auraient dû le voir réapparaître, joyeux bouchon de champagne, vainqueur, ricanant du ricanement des vilains de feuilleton quand ils triomphent *in extremis*, immoralement[2]. (Se détacher de sa proie : la preuve de son habileté ? de sa désinvolture ? de sa lâcheté ? d'une infidélité inexplicable après tant d'années de chasse en commun ? Ou bien, malgré sa réputation de capitaine maudit, la preuve de sa chance de coquin, à qui la Fortune, enfin, enfin, montre ses dents.)

Achab ne dira pas le contraire : pendant deux ou trois minutes, le temps d'une chanson, il a été fixé à la baleine, et pendant ces trois minutes (il veut bien appeler ça portion d'éternité), il a entamé auprès d'elle une vie de couple amphibie, éphémère, ébauchant un avenir commun sous six pieds, sous six mille pieds d'eau : elle, continentale, impérieuse, éblouissante même par grands fonds, étrangère à toute forme de susceptibilité, capable au contraire de tout avaler, le navire et ses passagers, la taille d'un estomac disant tout de la capacité d'un être à amortir les coups durs

---

1. Puisqu'il s'agit de préciser, notons que ce récit, à peine différent de ladite version plus répandue, et plus ancienne, situe les faits en 1910.
2. *Immoralement* : ignobles, contents de l'être.

de l'existence. (C'est du moins l'impression du capitaine tout au long de ces trois minutes : pendant ce temps, il se bouche les oreilles et croit rendre son âme goutte après goutte.) Il connaît la sardine, un peu l'anchois, au vinaigre, et certaines variétés de morue en beignet, en brandade, mais la baleine, la baleine blanche, Moby Dick en personne, seulement par ouï-dire, et toujours de loin ; à la toute fin de sa vie de marin, le temps de la harponner (si on en croit les témoins), de se laisser harponner par elle, d'entamer le rodéo le plus rude mais le plus clownesque de l'histoire de l'Amérique océane, le temps de se noyer, il a dû s'infliger une leçon de cétologie accélérée : mœurs, anatomie, forme, tonus musculaire, tout, à commencer par cette peau semblable à rien, comparable à rien, dans quoi il a cru voir, incrustés là depuis si longtemps, des maravédis de l'époque des Rois catholiques. La baleine en retour, quand elle saisit son capitaine, elle le regarde de près, elle le compare à ce qu'elle croyait connaître des hommes : pendant ces trois minutes, elle s'offre elle aussi une leçon d'anthropologie : l'anatomie, les apparences, les intentions, l'énergie du désespoir, le grotesque supporté par la poussée d'Archimède, la virilité combinée avec les impuissances, la coriacité quand même, la boucle du ceinturon, et la tendresse – le ris de veau du fond de son âme.

Trois minutes, pas une de plus : Achab ne se voit pas faire le tour du monde accroché à Moby Dick, retenir sa respiration, respirer en urgence chaque fois qu'elle daigne rejoindre la surface, puis à nouveau se boucher le nez et se nourrir de ce qu'il trouve, des invertébrés, des délicatesses gélatineuses – jamais, croix de bois, croix de fer, il ne s'est rêvé un avenir de pendentif fixé, mais lâchement, aux flancs de la baleine, pour faire joli : il préfère la séparation. L'histoire du câble serré autour de sa poitrine est une autre légende, composée après coup par ces lettrés qui ont tant besoin d'épilogues édifiants : il s'est s'enroulé en vérité autour de la cheville, et encore, autour de la mauvaise, c'est-à-dire de la fausse : pour regagner sa liberté, il a suffi de déboucler deux sangles l'attachant, lui, le capitaine, Ulysse fielleux, à sa jambe de bois – et après sa liberté, la surface, l'air du large.

Ulysse, puisqu'on en parle, pourrait lui aussi raconter à qui veut l'entendre sa propre version de *L'Odyssée* : tard le soir, après des pintes, l'estomac rond, le coude dans la mousse de bière, les pieds dans la sciure, le regard, comment dire ? dans le vague au-delà des pintes et de la mousse, s'efforçant de revoir sans y parvenir les paysages de son pays natal, nets si possible, et dans ces paysages des figures familières. Ulysse pochtronné, jamais privé (miracle) de ses mille ruses, établirait sa version des Sirènes, avant de siffler, ou tenter de le faire, leur mélodie, *do, mi* bémol, *sol, la* bémol, *si*, puis d'enchaîner sur d'autres épisodes. Moins rusé, Achab a eu quand même la présence d'esprit de s'abandonner à la force d'Archimède, pateline mais toujours fidèle, *va piano, va sano*, jusqu'à la rive – il y a toujours une rive, quelque part, pour permettre à un survivant de faire le récit du naufrage. Les hommes d'équipage auraient dû l'apercevoir, ce n'est pas si compliqué, un malheureux à la mer toussant, crachant, bègue, cherchant dans son répertoire une réplique déterminante, façon Marc Antoine au cadavre de César ; les imbéciles étaient trop occupés déjà à le pleurer : le regretter ou se réjouir, prendre le deuil, baisser le pavillon, sonner la trompette aux morts et offrir à la Renommée le corps englouti du capitaine[1].

---

1. Le capitaine a flotté longtemps : il faut pour bien flotter un calme, une abnégation qu'on ne soupçonnait pas chez lui – on l'aurait plutôt vu couler à pic, décidément, un vieux poignard aiguisé mille fois enchaîné à une enclume, qui lui sert de mémoire, et voilà son destin.

(Autrement dit, faire d'Achab le croquemitaine que tout le monde connaît à présent : pour l'éternité portraituré sur un seul pied, comme un hippocampe, mais dans un style plus maladroit : une main tient les deux Testaments ; l'autre, la saga des Atrides.)

Il a flotté : qu'est-ce que vous voulez qu'il fasse d'autre ? sur plusieurs lieues, en s'orientant selon le Soleil, puis le soir selon Cassiopée – le Serpent, le Cygne, la Machine pneumatique, enfin le Sac de Charbon. Sur le dos, la nuit, flottant toujours, histoire de s'accorder le repos du fugitif, Achab n'a rien de mieux à faire sinon contempler les étoiles, et entretenir des dialogues d'Achab à Hercule, ou Achab à Castor, ou Achab à Petite Ourse, qui, tendrement (tendresse de bonne fée penchée sur le berceau de Pinocchio – on ne peut pas faire plus mièvre), lui indiquent le chemin du retour, vers la terre ferme. Sur l'élan de son odyssée, une fois posé le pied à terre, il titube, comme Sindbad, comme n'importe qui à sa place ; on prend ça pour un reste d'alcool, pour le réveil douloureux le matin après l'ivrognerie – ni le capitaine, ni Sindbad hypo- thétique, ni aucun autre hypothétique navigateur à leur place n'auraient l'occasion d'expliquer dans quelle mesure leur démarche d'ivrogne est le mouvement de l'épopée marine continué sur la terre ferme : il faudrait du temps pour les démonstrations, un lyrisme de poète de la mer, pas toujours bienvenu (Achab a pu être emphatique parfois, "dans les embruns", il ne voudrait pas être, en plus de ça, ampoulé).

Achab sur la terre ferme se renie en beauté

[1910] Désormais, la marine, très peu pour lui : il a déjà beaucoup donné, avec la générosité de ceux qui a) n'ont rien à perdre,

b) ne comptent pas leur dépense, c) ne voient pas le temps passer, d) ne savent rien faire d'autre, e) se sont résignés à être ce qu'ils sont, f) ont cru la passion aveugle capable de dénicher un jour ou l'autre sa raison d'être sous une pierre ou derrière une porte, g) sont enchaînés à eux-mêmes et à leur poste. Désormais, Achab désire de la terre ferme: pas même le bois des quais, stable mais toujours un peu trop meuble: les roches, le goudron, l'asphalte, le papier à cigarette, les champs à perte de vue, l'intérieur du pays, les cailloux, les Rocheuses, et pour l'eau seulement le contenu d'un godet (les points e et g sont inexacts, à mettre sur le compte de l'emphase achabéenne).

Il a su se renier en beauté (une fois de plus) – l'un des plus efficaces renégats que cette Terre ait portés, sur les continents, c'est lui: renégat à lui-même, se tournant le dos, s'oubliant, s'ignorant avec froideur et nonchalance, ce qui dépasse le reniement ou la simple trahison (mais comme tout cela devrait être joyeux: devenir le relaps vaut à ses yeux l'apprentissage d'un nouveau pas de danse aux claquettes: une légèreté supplémentaire, appelons ça corde à son arc, et la possibilité de s'esquiver encore d'un autre côté). Il était marin, soit: il avait du sel aux commissures des lèvres, dans le creux de l'oreille et le trou du nombril, il se laissait corroder en même temps que son navire dans des odeurs d'oxyde de fer; sa vie était pentue et instable, toujours inclinée d'un côté et de l'autre, sans cesse changeante, selon les vagues et la bonne tenue des navires: la ligne horizontale, il ne la connaissait plus, il l'a reniée, elle en premier, Dieu ensuite (c'était déjà des reniements, comme on excommunie ce qui nous a déjà échappé); il s'est souvenu d'elle comme on se rappelle un souvenir déjà devenu légendaire, ou des propos d'autres marins (il l'a retrouvée sur la terre ferme sans la reconnaître, en la regardant de travers : il a fallu reprendre ses habitudes de Terrien). Au temps de sa vie de marin, il aurait mis les pieds (si les calculs sont bons, si la légende est exacte) trois fois au sol, en tout et pour tout : une fois à Nantucket, une en Égypte, une en Chine où il a écrasé les orteils d'un sinologue (il aurait préféré un jésuite), le reste du temps, bon gré mal gré, fidèle à son eau de mer. Le voilà loin de tout ça à présent, en pleine ville[1] : il ne saurait plus distribuer bâbord et tribord, il ne veut plus s'en donner la peine, plus personne ne viendra l'obliger à faire la diffé-rence entre la drisse et l'écoute, ça lui rend la vie si légère ; il oublie sans effort les lois de la navigation, le vent debout, le vent contraire, le lof à la risée, les parés à virer, le tirant d'eau et l'ampleur des voiles ; ça fait des mois qu'il n'a plus vu un perroquet de près, encore moins nourri, encore moins conversé avec — et il éloigne de ses repas de midi tout ce qui peut ressembler à la double valve d'un coquillage de mer[2].

Un désarroi de 50 tonnes (dont 50 % de matière grasse)

"Un vide soudain", le jour où Moby Dick encore fière de sa dernière bataille (trois hommes à l'eau) comprend que le capitaine a mis un terme à sa chasse, non pas provisoirement, définitivement, de retour dans ses terres : plusieurs longues minutes pendant lesquelles l'immense poisson passe de la fierté au soulagement, du soulagement à une paix royale, après la paix royale, la méditation sur la tranquillité, puis des

---

1. Ses rues lui rappellent quelque chose.
2. À cloche-pied, une vie de picaro et de marchand de porte-à-porte — n'importe quoi pourvu que ce soit à pied sec.

doutes sur les vraies raisons de ce silence: s'il est de bon ou de mauvais augure. De son côté, Achab y pense chaque fois qu'un souvenir de la baleine fait son retour, inopinément, à cause d'un beignet qui flotte ou du dessin d'un paquet d'algues sur la glace pilée d'une poissonnerie: son départ doit signifier depuis ce temps-là pour la baleine un cœur brisé de près d'une tonne (immédiatement après, il s'en veut: *cœur d'une tonne* est une erreur indigne d'un marin cétologue – et *cœur brisé* est une faute de goût).

Achab sur la terre ferme se débarrasse du sel et de sa jambe de bois

Il fait remplacer sa jambe de bois, pour un prix dérisoire: il accepte de boiter, ça s'accorde à son personnage, à ses humeurs chancelantes, ça inspire des commentaires, dont les siens – mais sautiller est plus embarrassant: sur quelques mètres à la rigueur, si jamais on a le talent de tout chorégraphier, en maintenant un peu d'équilibre entre le ridicule et l'épouvante à la Nosferatu, mais au-delà de quelques pas rien n'y fait, le clown l'emporte sur l'épouvantable. Une autre jambe, à trois dollars, chez un marchand de meubles assez aimable pour scier devant ses yeux un pied de guéridon imitation Louis XVI fabriqué dans l'Oregon, trop court d'un tiers de pouce, que voulez-vous, la perfection attend toujours au lendemain. Débarrassé du sel, il a pu s'aventurer en ville[1], celle de New York, la ville même, plein ouest, tournant le dos à l'océan (qu'il sombre dans l'oubli, celui-là: qu'il s'agite, qu'il clapote, qu'il mousse, qu'il fasse des vagues pour se

---

1. 40° 42′ 28″ Nord, 74° 0′ 43″ Ouest (Trinity Church, vers Wall Street).

distraire au milieu de nulle part, qu'il avale des transatlantiques, peu lui importe, le capitaine s'en va à la rencontre des champs de seigle, "il sèmera là-dessus la graine de l'épopée"). Plus vraisemblablement, il remonte Broadway vers le nord, une banane aux trois repas du jour, puis un bretzel ou un bagel acheté à l'angle du boulevard et de la rue (tel et telle) ; à chaque pas, plus terrien, pas tout à fait homme des labours, mais enfin, piéton des trottoirs ; le voilà en ville, il en réapprend les règles déroutantes, celles de la circulation, celles de la politesse. Ses premières années de retour sont années de réapprentissage (il aurait dû s'en douter), c'est-à-dire d'humiliations, accompagnées de pédagogie, suivie d'obéissance, de stratégies d'effacement, de mimétisme, d'extrême prudence, puis de ruse, d'usage progressif des codes, de tous ces non-dits rassemblés dans une seule ville au même lieu et à la même heure qu'une légion de trois mille citoyens attendant l'ouverture des portes, un soir de première au théâtre, sous la pluie, entre la lumière des enseignes et la lumière des phares.

L'emploi à la semaine : des petits travaux : pas question pour lui de raccommoder des filets de pêche ni d'ouvrir des huîtres déposées sur un tapis d'algues et de glace : maréchal-ferrant, ou même arracheur de dents s'il le faut et si ce genre d'artisanat existe encore à l'heure des premiers pneumatiques. Après le fer à cheval, il devient cireur de chaussures, c'est un emploi emblématique, si près des semelles toute la sainte journée, une vue imprenable sur des détails qui seraient passés inaperçus, c'est dommage, il apprend à faire le tour du cuir sans toucher les lacets, il apprend à distinguer du premier coup d'œil le brun du marron, le marron du châtaigne, et six ou sept nuances de noir, satané noir jamais tout à fait noir (noir cerise, noir prune, noir pétrole, sépia, vieux sang d'encre, papier brûlé, chicot, charbon) : en douze mois de cirage, il aurait pu acquérir tout un vocabulaire de petit maître de l'Académie des beaux-arts. (Il se l'est répété pour entretenir son honneur : les pires travaux ont leur savoir-faire, la compétence au fin fond d'une cuisine de boui-boui est aussi un piège, c'est à elle qu'on demande des raisons d'être fier – même balancer d'un geste de golfeur un sac d'ordures au camion benne suppose de régler ses appuis, l'équilibre, l'élasticité, la détente et la force : au swing du champion de golf on ajoute pour le plaisir la précision du joueur de basket.) Après quoi, livreur de pains de glace, montant les escaliers jusqu'au dernier étage, son glaçon sur l'épaule protégé par un linge (on l'accueille à chaque porte ni comme le Messie ni comme les Rois mages, mais avec la reconnaissance qui lui est due, pas plus, pas moins ; on le considère d'égal à égal, celui qui reçoit sa part de glace est peut-être un livreur lui aussi). Après quoi, portier d'hôtel : c'est une forme d'ascension sociale, preuve de la liberté d'entreprendre et celle de réussir : rasé deux fois par jour, costumé rouge et jaune, avec un chapeau en forme de boîte à chapeau et dissimulant l'âge du capitaine sous, comment dire ? une facétie tout adolescente. Il ouvre et referme devant puis derrière des familles la porte de l'hôtel, puis se tient debout comme l'un de ses ornements, en comptant sans les voir, du bout des doigts, au fond de sa poche, des pièces de vingt-cinq cents – quand il n'ouvre et ne referme pas, il fait tourner des portes tambours, ce qui est beaucoup plus amusant : presque les débuts d'une vie d'artiste (musicien).

Une autre fois, il fait le marmiton, le saucier préparateur éplucheur, pour un restaurant français – chaque matin, il a ce cauchemar vrai ou faux de tresses d'ail débarquant par tonnes à la porte de service, et de l'autre côté de la porte des Léon et des Raymond taillant là-dedans à leur aise en chantant des chansons des Batignolles comme s'ils étaient au coton en train de fourrer des balles : toute leur vie le même geste familier. Tresse ou pas tresse, Achab reste en cuisine, regoûte à la vapeur d'huile chaude, entend les noms exotiques de *consommé* et *blanquette*, connaît ou croit connaître les différentes étapes d'un fromage, toutes ces hiérarchies françaises, depuis blanc, frais et mou jusqu'à noir, sec et solide autant qu'une rondelle de hockey sur glace ; il voit le lait caillé livré à la moisissure, et le chef veut se délecter de cette moisissure, associée au claquement de la langue contre le palais pour y faire exulter (c'est ce qu'il dit) une gorgée de son vin. Il a cru aussi devoir élever des grenouilles, puis leur courir après les soirs où dix snobs viennent jouer à table les artistes de la Vieille Europe, amants de la persillade telle qu'ils l'ont connue à Paris ; la plupart du temps, en vérité, il ne fait que passer des bouillies de légumes à travers une passoire en forme de cône : les Français appellent ça un chinois, et ils conservent leur sérieux (leur humour en vérité remonte à Louis XIV).

Mollesse et inertie de l'eau : la rancune molle de Moby Dick

Les aventures de Scarface ou de Little Caesar sont trépidantes sur la terre ferme, elles sont fatales après des courses-poursuites : comme elles n'ont pas lieu dans l'océan, elles ne bénéficient pas de la mollesse de ses eaux, qui accorde aux gestes les plus impulsifs la lenteur de la danse longuement préméditée : il ne peut pas y avoir de précipitation ni de ferveurs précoces, tout aussi déplorables, et non plus d'énervement, en dehors des colères du calmar, et encore, son nuage d'encre est flottant, par essence – il est agressif, mais en se diluant il prouve l'indétermination de ses causes, ce qui le rend presque élégant. Au fond des océans, il faut le savoir, plusieurs mois séparent l'intention du coup porté, et comme la baleine est lente, une défaite met des années avant de faire l'objet d'une rancœur : hésiter suffit pour laisser passer de longs mois, des saisons entièrement remplies d'expectative : deux ou trois fois le tour de la planète par les mers chaudes puis les mers de glace sous un plafond bleuté, et encore une année, encore l'expectative (ça vaudrait la peine d'appeler ça *circonspection*), avant de se décider à passer pour de bon de l'hypothèse au corps à corps.

Achab sur la terre ferme – cuir de bottes et pâte à beignets

Là où il se tient (une échoppe de cordonnier), le capitaine a le temps, comme Spinoza avant lui, de réfléchir, disons mieux, de peaufiner ses réflexions : lui (c'est-à-dire le descendant d'Abraham) taillait ses bouts de verre pour les métamorphoser dans la poussière de silice en belles bulles si diaphanes, traversées par une lumière sans doute divine, hospitalières et vulnérables à la fois ; il ne devait pas être peu fier de fabriquer chaque jour pour un salaire honnête de tels beaux symboles. Le capitaine, autre descendant, mais d'exilés comme ceux d'Irlande, de forcenés, de malchanceux, de postulants eux-mêmes fils de Prométhée, tous aussi opaques et râpeux que la bulle de Spinoza était translucide, lui, il recloue des semelles dans des parfums de colle à cuir, les ongles courts et quand même sales ; toute la journée, il remue les vieilles bottes au fond de quoi, là où la botte fait un coude, le calice de cuir conserve religieusement des odeurs de voûtes plantaires (il y a toujours un client pour lui dire : l'essence de l'homme, la sueur de son front descendue jusque-là). Il décloue, il recloue, il enfile des aiguilles, il coupe le cuir, il laisse sécher, l'éclairage est sommaire, et pendant ce temps-là il fait progresser son Éthique, dont on ne saura jamais rien. Après la baleine vient le moment de l'introspection : douze heures par jour à remodeler des bottes pour des clients pressés, l'esprit flottant presque aussi libre que, mettons, le poisson rouge dans son bocal, il a tout le loisir d'étudier Achab, l'achabéisme, l'achabité, la geste achabéenne, le style achabesque, la maladie et le syndrome d'Achab. Parfaitement anonyme ici-bas, devant ses semelles, incognito sous le nom de McNamara (celui-là ou un autre) emprunté à un mousse perdu en mer pour avoir mis le pied sur une savonnette, il lui arrive pourtant d'avoir des nouvelles de lui-même, sous forme de souvenirs : il compare sa renommée perdue au filet de fumée d'un cigare mal éteint à l'autre bout du monde, lui parvenant affadie, presque douce et presque bienveillante.

Il cuisine des beignets (pour d'autres que lui, tout aussi "vaillants travailleurs", du genre à être fiers d'avoir des insomnies – très tôt le matin, jusqu'à très tard le soir) : pêcher dans l'huile des boudins de pâte, ça le console sans doute de la chasse à la baleine : une victoire à chaque coup, chaque prise la bonne, l'écumoire, le papier absorbant, et pour bénir la capture le sucre saupoudré en trois coups de poignet, rien d'autre ; il nourrit des légions entières à l'aide de kilomètres de pâte, et la confiture pour cacher la misère de la pâte (du temps où il chassait le cachalot, il prétendait remplir les millions de lampes à huile d'une cité comme Boston – ceux qui le connaissent le diront, il a toujours eu un sens aigu des conséquences, il en faisait toute une histoire). Il vend des journaux (à l'abri d'une guérite inconfortable aux quatre saisons, proposant en tout œcuménisme des bulletins de paroisse et des magazines de filles nues, dessinées en gaine rose) ; il résiste au sommeil toutes les nuits derrière le comptoir de l'hôtel pour accorder sa faible hospitalité à des voyageurs de commerce arrivés en retard par le mauvais train : deux demi-spectres, le voyageur, le gardien de nuit, se saluent sous un éclairage un peu jaune un peu vert, le voyageur s'en va chercher le sommeil sous sa couverture, le gardien multiplie les ruses pour se tenir debout : les mots croisés ne suffisant pas, ni les romans d'horreur, il faut avoir recours à l'eau froide ou accéder à un stade d'insomnie lucide par le raisonnement[1]. Il donne son sang, bien sûr : contre une prime fixe et un lunch presque chaud, providentiel, aussitôt disparu ; il remplit sans y penser des poches transparentes, avec le vague et étourdi sentiment d'accomplir, enfin, le destin de Jésus (qui se saignait lui aussi, aux quatre fleuves, trouvait du charme aux sandwichs, reniait son orgueil chaque matin trois fois avant le chant du coq, et en dehors d'un sentiment de désarroi (disons encore : circonspection) ne laissait pas beaucoup de traces derrière lui).

Il ramasse les poubelles (l'aube toujours, il se vante de nettoyer la scène avant le début des choses sérieuses) ; il vend des machines à coudre, c'est un pèlerinage nécessaire pour faire de soi un self made man, l'homme aguerri, à qui personne ne pourrait plus reprocher son confort – la machine à pédalier de porte-à-porte est l'abnégation, le

---

1. Il existe des huîtres silencieuses / Aucun être silencieux n'est amusant / Quelques huîtres ne sont pas amusantes.

sacerdoce, l'humilité comme prélude à l'orgueil, l'épreuve après quoi s'enrichir est permis, comme se pâmer au paradis après avoir porté des sabots sans chaussettes (le cilice); il soulève de nombreux cartons, déménage des pianos, court après des rats, étale de hautes affiches sur des panneaux à l'aide d'une brosse à perche trempée dans la colle, évite les poissonneries comme la peste mais accepte de vider les volailles, après quoi la tentation est grande à la tombée de la nuit de devenir chauffeur de taxi, son volant, son compas, sa corne de brume, le devoir de connaître aussi bien que le fond de son âme les rues se croisant à angle droit: triompher des avenues après avoir vaincu le courant de Weddell et le courant de Ross.

Pendant ce temps-là, il se défait de Moby Dick: qu'on ne vienne pas lui parler d'immortelle rancune: quinze jours après avoir mis les pieds sur la terre ferme et remonté Broadway jusqu'à la 70e Rue, il peut considérer la baleine comme un amusement d'enfant et le nom de Moby Dick comme celui d'une des sept danseuses à grosses jambes d'un théâtre du quartier, de celles qui entonneront bientôt les premiers airs de Cole Porter[1]. Le blanc qui aurait dû le [1916] hanter encore un demi-siècle et lui servir de remords après avoir incarné la rancune, le suivre ni de trop près ni de trop loin, six pas en arrière, et se rappeler à son bon souvenir à quelque coin de rue, et pour finir frapper à la porte de sa chambre d'hôtel, macabre, clinique, à l'heure de l'huissier (il frappe à la porte, le blanc, le blanc lui-même, sans forme ni visage, et s'applique à lui ton sur ton comme l'évidence même: la mort couchée sur le mortel) – eh bien, tout ce blanc épouvantable s'est confondu sans honte avec les rouges

---

1. Par exemple *Something's Got to Be Done* dans *See America First*, février-mars 1916.

et les jaunes les plus prononcés d'ici-bas; il compose à présent des couleurs de dentifrice sur la brosse, pour une hygiène divertissante; par petites touches aussi, il occupe des coins de buanderie, parfois des manchettes de chemise: mais à ces manches, Achab pardonne, il pardonne aussi aux plastrons[1].

Il renie la marine, il oublie l'odeur du poisson mort mêlée à celle de l'huile brûlée et de la rouille, il s'en débarrasse sans regret possible, aux autres la nostalgie des choses avariées; il oublie comment un unijambiste compense le tangage, il ne saurait plus désormais replier une voile (si tant est qu'il ait su faire ça un jour); il considère Moby Dick comme une baleine à bosse parmi les milliers de baleines à bosse traînant leur ventre depuis la mer des Sargasses jusqu'au désert de l'océan Indien. (Oublier la baleine, vous pouvez me croire, rien de plus facile pour lui: en l'absence de modèle, il oublie même à quoi pouvaient ressembler toutes les baleines blanches, les grises, les bleues; il faudrait se creuser la tête en vain pour retrouver à main levée sur le papier le dessin d'un poisson, un compromis d'ovale et de triangle.) Une vraie stature de fermier, à présent: l'homme de la terre, ignorant tout de l'iode, un garçon de l'arrière-pays pour qui une rame, il fallait s'y attendre, est une pelle à grain – sa jambe de bois n'est plus une histoire de combat du marin contre les monstres, mais un accident de moissonneuse, comme ça arrive si souvent par ici, au pays des machines lancées sur leur élan.

---

1. Il faudra reparler de cette couleur blanche.

Hypothèses sur les débuts d'une rancune cétacéenne

Moby Dick n'est plus une baleine blanche, mais une baleine blanche avec un grief – son intelligence devrait y gagner, à croire que l'apparition d'une conscience dans l'histoire de l'Évolution a été déclenchée un beau matin par la rancune : avant ça, une adorable bêtise opulente de mammifère ; après ça, les débuts de l'intelligence tourmentée, assise sur un clou, attentive au moindre bruit, acérée et insatisfaite, creusant toujours davantage, à commencer par elle-même, dans l'espoir de trouver du réconfort ou l'explication de sa colère. Moby Dick en vient presque à s'affûter[1] : la vengeance est un objet nouveau pour elle, le besoin de comprendre l'incite à combiner d'autres formes de raisonnement avec toutes les variétés de la rancune, la rancune mélancolie, ou soif de justice, ou comptabilité, compétition, mimétisme, ou renversement du syndrome de Stockholm, puis voracité, projet de crime parfait, ébauche d'un portrait du genre humain – et voilà comment le désir de vengeance incite à concevoir l'anthropologie d'une part, d'autre part le Droit, le Droit du point de vue de la baleine, puis une Éthique "déployant ses corollaires de la Polynésie à l'embouchure du Saint-Laurent". Toujours parmi la confrérie des cétologues, les plus enthousiastes émettent l'hypothèse (émettent puis chérissent) selon laquelle Moby Dick aurait été capable si elle en avait eu le temps de reconstituer les chapitres de la *Phénoménologie de l'Esprit* (d'autres disent *Critique de la raison pure* ; ils se querellent, et pendant ce temps-là la question de savoir si la baleine est mâle ou femelle est négligée une fois de plus).

---

1. Ce n'est pas aussi simple : l'affût altéré par le sommeil.

Achab sur la terre ferme – visite aux angles droits

Achab, spécialiste des beignets à l'huile ou ombrageux cordonnier dans des tons de havane, devient maintenant étranger au monde des baleines : incapable de distinguer une espèce de l'autre, confondant cachalot et bâtonnets de surimi, bâbord et tribord, levant et ponant, thalassa et pelagos ; le *Pequod*, il prend ça pour un alcool fort, Moby Dick pour une marque de biscuits bon marché (gaufrettes, crème, graisse végétale), Starbuck pour un prédicateur de la 42ᵉ Rue, et le ressac pour un pardessus ; il cède ses derniers pulls marins à des représentants des orphelinats de Newark, pauvres à souhait, pleurant un peu, la goutte au nez, juste ce qu'il faut de reconnaissance et de belle ingratitude de gueux à l'adresse de son mécène (le retour à la dignité passe par le renoncement à la gratitude) ; il jette dans l'Hudson ce qui restait au fond de ses poches et risquait de faire de lui au 84ᵉ étage de ces tours un vieux marin fichu consumé dans la nostalgie des Rugissants, et ne rêvant que d'une chose : redire à des auditeurs muets debout derrière ses rideaux comment il a vu la Terre de Feu un matin de mars à travers la brume, pas plus tangible qu'une queue de chat. Il veut se vouer au contraire à toute une neuve mythologie de la Terre : il veut des histoires d'humus, d'arbre sec, de mosaïque de sol déshydraté, de montagne, de désert de sel, de jour réfléchi sur une étendue ocre ; en quittant l'angle de Broadway et ses losanges de cuir, il pourrait choisir de se poser en équilibre du mieux possible sur un âne et la pioche à l'épaule, la barbe jusqu'au nombril se faire prendre pour un trappeur, une pépite d'or dans chaque dent creuse (mais qu'est-ce qu'il connaît des

trappeurs ? et nous, qu'est-ce qui nous en reste ?). Dès demain,
la colline, ses touffes d'herbe, ses éboulis, ses guêpiers, sa
flore tenace et capiteuse, les épinettes bleues et blanches,
l'arbre Mathusalem, et bientôt les lichens, les dicotylédones,
pas un seul mérou à l'horizon, Dieu merci, pas de poisson-
chat, rien de ces viscosités incertaines et traîtresses du fond
des mers, là où rien n'est jamais exactement ce qu'il prétend
être – s'il le faut, Achab se convertit aux religions adéquates,
il se fait adouber ermite, ton sur ton, ocre sur ocre, desséché
lui aussi, profondément mystérieux, habitué à la solitude au
point de ne plus attendre : rien ni personne : ni la pluie, ni
l'assistante sociale venue régulièrement à flanc de montagne
retirer de leurs antres des vieux moines orthodoxes rongés
par la vermine, oubliés des impôts. La colline, le désert et
sinon la grande ville : l'urbanisme sauvage puis calculé, les
grands travaux et les détails, les millions d'âmes habilement
combinées les unes contre les autres, tête-bêche, côte à côte,
lovées et repliables (et encore itératives, alternatives, intermittentes et successives) – la ville d'Amérique, suffisamment
à cran, et surtout bienheureuse à son aise pour étendre sans
scrupules sa fierté orthogonale sur des millions d'hectares.
(Le poisson-chat ne se mange pas, il se dissèque dédaigneuse-
ment dans l'assiette du bout de l'ongle, à condition d'avoir
les ongles comme des griffes – le plus difficile est ensuite de
considérer ce qui est comestible, ce qui ne l'est pas, et le faire
avec gravité (mais ni humour ni gravité ne donnent bon goût
au poisson-chat).)
   La mégalopole (soyons grandiloquents) : après l'océan
et ses méduses, un vrai jardin d'enfants, Achab pourrait y
déceler des pièges en raisonnant, mille par hectare, ça ne
rendrait pas sa promenade moins agréable – selon ses maigres
et infidèles souvenirs, l'océan était fuyant, imprévisible, veule

et l'instant d'après vindicatif, puis faussement enchanteur, toujours des promesses jamais tenues d'îles de Calypso et de barrières de corail : et surtout, l'infamie de l'océan vaut par l'infamie de ses habitants. La ville au contraire est toute franchise (c'est du moins l'avis du capitaine : et ça donne une idée de sa fatigue à ce moment-là de sa vie) : des angles nets, visibles au lever du soleil, au coucher du soleil, et toute la sainte journée, reflétant nettement le ciel s'il est bleu uniforme ; la hauteur des tours n'est pas la marque du mépris ni de l'arrogance, c'est avec un peu de hiératisme la perpétuation vers le haut de certitudes acquises au ras du sol : des certitudes de réparateur d'ascenseurs (ou de celui qui lave les carreaux en s'élevant à la force des bras). Achab sait qu'il trouverait s'il s'en donnait la peine dans certaines ruelles l'hostilité même, les lois de l'hostilité, le combat pour la nourriture, la distinction des espèces entre prédateurs et proies, le dernier degré du pragmatisme, son aboutissement ou son dévoiement, c'est selon ; quelqu'un lui montrerait par une lucarne allongée deux adorables vieillards s'attendrissant l'un l'autre en se serrant la gorge[1]. Il serait toujours possible d'ajouter des chats borgnes, des chiens crevés, l'obèse soulevée par six pompiers et allongée dans une civière pour voir la lumière du jour, la vitre brisée, la serveuse de bar, le pain de viande, le linge, la corde à linge, le retour du mari ivrogne et du mari qui ne l'est pas, des vers homériques chantant la fermeture d'usines, le commerce, des meubles éventrés, le sommeil d'un adolescent à l'abri des escaliers de secours, des saignements, pas de pharmacie, l'organisation des ventes bon marché semblables à de la résignation et de la roublardise, l'espoir d'une joie cherchée

---

1. Cela dit, les animaux marins ont tous un pressentiment qui les rend soupçonneux.

puis trouvée ou contrefaite dans le marchandage des choses d'emblée dérisoires, dans le trois fois rien considéré comme une fête et dans l'aubaine de deux chemises pour le prix d'une. Le capitaine pourrait conduire ses visiteurs par les ruelles, saluant tous les chats borgnes par leurs prénoms et délivrant son absolution aux filles perdues, s'il en trouve (rien de garanti), il montrerait les cordes à linge, où elles commencent, où elles finissent, les comparant à ses hamacs, puis l'écureuil sur la corde, des fenêtres guillotines donnant sur des cuisines, la vapeur des repas ou de la blanchisserie, des femmes fatiguées, des jeunes garçons rêvant de véhicules sans savoir si le plaisir de la combustion l'emportera sur celui du voyage, ou le contraire. Il ferait le malin, ethnologue des petites gens, chanterait la fable entendue ailleurs, celle des pauvres du côté des faubourgs à mélasse, dans des arrière-cours, montrerait du doigt la fissure le long de la façade et le trou dans la veine d'un bras (son regard docte, la compré-hension logée dedans) ; il vous dirait comment les familles reconnaissent sans le toucher le ventre d'une fille mère et prophétisent du bout du doigt les dix-huit années à venir – une fois rendu là, Achab se permettrait d'être encore plus vertueux, rhapsode observateur des êtres minuscules, attentif à la beauté des naufrages, des rescapés et de la nourriture serrée dans des emballages coriaces ; il serait seul à voir des beautés imperceptibles, il verrait l'élégance ou à défaut des formes de grâce accidentelles, la couleur des rideaux d'une chambre, ou cinq siècles de culture d'Espagne résumés dans une poêle à frire ; en soulevant des chatières, il ferait surgir des talents, des mélomanes, des gardiens de bibliothèque, des archivistes, des anciens de la guerre qui ont dessiné la guerre sur leurs bras, des preuves d'amour, des marques de respect, des traces de paumes sur les rampes, et d'aussi belles et dignes rancœurs parce qu'elles supposent de la mémoire, des conflits séculaires, presque l'entrée dans la légende, de la patience, de l'abnégation, mais aussi des orgueils incompatibles ; puis une fleur dans un vase, et dans une autre chambre l'exacte reproduction de la *Madone de l'Annonciation* : une adolescente, la lecture de *Superman*, les preuves de la virginité, un lis, un verre transparent, une lucarne donnant sur le dehors, la prudence, la crainte, l'incrédulité, un chandail bleu tirant sur le noir, et à la porte un jeune beau nigaud blond, mordoré, aux souliers pointus, venu là pour transmettre un message : l'invitation au cinéma.

Achab en ville – heureuse absence de destin

Et maintenant que sa baleine a disparu, qu'il a survécu comiquement à sa mort, se retrouvant seul sur terre, il doit poursuivre son chemin, appelons ça comme ça, en se privant de toute espèce de fin. Ça pourrait le conduire vers une vie de vagabond sans honneur – au contraire, il compte mettre au point son aristocratie et faire de l'absence de destin la condition d'une vie bien accomplie.

[1912] Est-ce qu'il est possible de vivre sans se tenir en permanence dans la direction d'un cachalot blanc – le cachalot à l'autre extrémité de la rue ? Pour se rendre à cette autre extrémité, jouant ici le rôle de destination, le piéton peut compter seulement sur la force de l'habitude, un pied devant l'autre : l'absence de destin ne devrait pas être pour lui une absence de raison de vivre et le piéton engagé le long de ces rues dépourvues de baleine doit posséder assez d'esprit pour convertir l'absence de destin en désinvolture : une approximative liberté de célibataire le dimanche en queue de chemise, en pantoufles, tous ses deuils accomplis, révolus, comme ses devoirs, toutes ses dettes réglées, en tout cas mises de côté pour longtemps, disparues avec son dernier navire, les amours elles aussi consommées, du moins l'illusion, et la rancune devenue un insignifiant, quoique très joli, morceau d'ambre jaune dans quoi "le temps a bien voulu piéger une mouche" (jolie tournure, comme l'ambre lui-même). Les héritages touchés, mangés et bus, oubliés, soldés avec le reste, aucun sentiment d'appartenance à aucune lignée, ni aucune gratitude à offrir en échange d'un bon conseil d'arrière grand-oncle, ni reconnaissance à faire valoir x années après à Dieu seul sait quelle figure paternelle taillée grossièrement dans une souche – ni promesse faite, maintenant à honorer, ni vœu contracté à l'enfance devenu peu à peu mouton centenaire sous un meuble, ni don précoce de violoniste accordé au berceau par trois muses, sinon quatre, peu à peu converti en faculté de tirer un thon rouge au bout d'une corde. Rien de tout cela, qui inscrivait Achab dans un long récit à l'échelle d'une vie, un début prometteur, une fin de rassasiement, entre les deux les épreuves, les erreurs, quelques friandises ; le voilà sans destin, et c'est ce qui lui permet maintenant de marcher avec cette superbe souplesse (on dirait un monsieur élégant ravi d'avoir renoncé à se rendre à l'hippodrome sans renoncer à porter son haut-de-forme), croiser les beaux gosses sans envier leur sort, voir les vitrines sans désirer leur contenu, approcher des jupes de dame de la 5ᵉ Avenue sans calculer ses chances – aussi de prolonger ses grasses matinées sans craindre d'avoir perdu son temps : quel temps ? et perdu où ? consacré à quelle mésaventure ? dans quelle mesure préférable à ces noces de soi à son sommier ?

Un paradoxe à la Pessoa : quand l'homme s'est entièrement débarrassé de son destin, volontairement ou accidentellement, la liberté née de son insouciance et de sa quasi-défaite fait de lui le seigneur qu'il avait voulu devenir précisément au sommet de sa destinée – dans son giron, même, comme on dit son fauteuil. (Au fait, le destin l'aveugle sur sa propre destinée, qui est de n'avoir pas de destin, de n'en avoir jamais eu, de l'avoir inventé comme il a inventé la raison, les mathématiques, Dieu, la peine d'amour et le souci de la biographie – il l'aveugle et l'empêche d'être chaque jour livré au jour, et retarde le moment où il comprendra enfin comment accomplir une vie en s'abandonnant aux éléments. Le destin l'incite à se donner des noms étrangers au sien, ils le font se tromper sur son sort sans qu'il soit capable toujours d'inventer l'art du masque – mais il a inventé le masque, il a eu cette présence d'esprit, elle lui vient de l'abandon, pas de l'idée de destin, et le masque maintenant lui permet de parler de destinée sans courir le risque de s'y conformer – c'est une hypothèse comme une autre.)

Moby Dick (revanche de)

Voilà comment on reconstitue les faits : 1) Moby Dick paisible fait *n* fois le tour du globe sur son vieil élan, 2) Moby Dick prend conscience d'une plaie en forme de demi-lune quelque part à la surface de son immense corps, 3) Moby Dick se remémore le combat, elle élabore l'idée de préjudice, puis elle lui donne un nom, 4) Moby Dick sécrète sa rancune, 5) Moby Dick échafaude une pensée à peu près complète, pragmatisme compris, sur la seule prémisse de sa rancune, 6) "un raisonnement habile est une joie pour toujours", ça n'empêche pas Moby Dick de vouloir satisfaire rapidement son désir de vengeance, quitte à s'en tenir à des méthodes plus rustiques: chasser le capitaine Achab, où qu'il se trouve, sur toutes les rives, lui réservant un chien de sa chienne. Pendant des années, en s'aventurant toujours plus près des côtes et de tout ce qui flotte, les voiliers tant qu'il y en a encore, les vapeurs quand on les met à l'eau, les chalutiers, les bateaux de pêche, les boutres, les jonques, les pédalos, elle traque son vieux capitaine: Achab mêlé aux autres hommes, confondu avec eux, sinon caché derrière par pure humilité – Achab dont Moby Dick devine le haut du crâne dissimulé par une foule, à la façon du connoisseur[1] capable de déceler Vélasquez derrière un groupe de nains et naines d'Espagne peints par lui-même. Sans doute un effet de la rancune: l'impression de le voir partout, le vieil Achab, Chinois en Chine, Arabe en Arabie, Inuit au Pôle, Abénaqui ailleurs, pêcheur d'ambre jaune sur la Baltique, réfugié peul, ou bantou, et Terre-Neuvien pleurant la fin des cabillauds, et encore ailleurs mystique brahmane immergé dans l'océan Indien jusqu'à la poitrine (son plexus).

(La baleine a connu sa jeunesse, elle l'a mangée, elle l'a laissée loin derrière elle, vers des épaves de caravelles, au pied des barrières de corail, elle a vécu plusieurs fois son adolescence, elle en a éprouvé dans des fonds obscurs les petites affres, parmi des encornets, elle a éprouvé la soif d'aventures, elle a accompli vingt-cinq fois son voyage en Orient, jusqu'en Inde, elle a perçu à des milliers de lieues du Gange les effluves mystiques, des courants tièdes, auréolés, couleur d'arc-en-ciel; puis elle a pris de l'âge, elle a mûri en s'épanouissant, toujours plus ample, elle s'est déniaisée au contact d'un cachalot, elle lui a trouvé l'âme tendre mais butée, après quoi elle est partie en déniaiser d'autres, jeunes

---

1. À peu de chose près un connaisseur, mais en plus moelleux.

35

et moins jeunes, donnant-donnant; des années après ces récréations, elle a subi, cultivé puis dorloté d'autres formes de maturité, certaines joyeuses, certaines épouvantables; elle a vieilli au fil des ans, croisant parfois des pieuvres de son enfance elles aussi réduites à peu de chose, toussant de l'encre, ce qu'il leur reste, dans le regret du bon vieux temps; elle a côtoyé des troupeaux, puis les a quittés, retrouvé une solitude loin de tous à l'âge d'être arrière-grand-mère, elle a subi des harpons de toutes sortes, accueillis le plus souvent avec philosophie, se sachant assez bien en chair pour absorber les infortunes; elle a tourné encore dix fois complètement autour du globe, retrouvé dix fois les Açores, dix fois les glaces de Baffin, dix fois les Sargasses, elle a salué encore cette tortue géante déjà célèbre au temps de Pline l'Ancien (soi-disant): dix fois le tour, au risque de contracter un orgueil de grand voyageur.)

Chasser Achab : n'importe où, n'importe lequel

Myope, affligée d'un commencement de glaucome, l'esprit encombré de chansons des marins d'Argos ou des pêcheurs du temps d'Haroun al-Rachid, qui se confondent: fatalement Moby Dick s'épuise, elle ne se montre pas toujours à la hauteur des épopées (ou : de sa mission). Ovide racontait ses histoires de dauphins, et Pline lui aussi pouvait presser le mouvement en parlant de poissons volant sous le nez des aventuriers: tout cela était vif, donnait l'idée d'un monde jeune et de drames menés sans attendre – mais qui veut raconter les aventures de la vieille Moby Dick doit faire avec sa lenteur, tenant compte de l'âge, miséricordieux, des maladies et des insuffisances, de la peau dure, d'un moi toujours plus pesant avec les années, attiré vers le sol (heureusement, il y a la poussée d'Archimède – toujours elle –, elle sauve provisoirement).

Il lui faut un capitaine Achab, n'importe lequel à n'importe quel prix pour ses retrouvailles vengeresses, aussi appelées vengeances réconciliatrices : il suffit d'une seule silhouette sur une plage, à n'importe quelle heure de la journée, une silhouette approximativement achabéenne, une jambe un peu raide, un chapeau noir, le teint aussi, la barbe, la cicatrice, et aussitôt – je cite des témoins – "la mâchoire outrancière du Léviathan par-dessus les vagues", des éclaboussures de la taille d'un moulin, un tremblement, l'alarme, l'ombre portée d'un cachalot sur un petit homme, son sort scellé en un rien de temps : aussitôt la bête disparue, la mousse à la surface des eaux mêlées d'un peu de sable (mais cette mousse dure moins d'une minute).

Guetter le capitaine, son quant-à-soi de héron, le bruit de sa jambe de bois contre le pont, percevoir d'assez loin son odeur et avoir l'ouïe fine pour entendre, appuyée sur ses accents toniques, la langue de Shakespeare, *What care these roares for the name of king*[1], le repérer sous le vent, le viser, regarder à deux fois, comparer ce très vieil Achab à celui de l'ancien temps, c'est-à-dire de la dernière fois, le reconnaître et en mettre sa tête à couper, fonder sa certitude sur l'attitude de ce maigrichon debout sur la jetée fumant sa pipe, et enfin parvenir à son but, ô oiseau Simurgh, se réjouir, se congratuler, comment disent les livres ? exulter de joie, sa proie à portée de main, savoir qu'on va enfin pouvoir reprendre l'histoire là où, frauduleusement, on l'avait abandonnée – alors souffler, surgir, se cambrer, grimper au ciel, "fondre sur sa

1. *La Tempête* – les tout débuts.

proie", gober Achab, se tromper de bonhomme, ne pas s'en rendre compte, et puis s'en rendre compte, recommencer le surlendemain. (Peu importe, Moby Dick refermera un jour ses mâchoires sur la bonne proie, heureuse d'accomplir des retrouvailles après trente ans de séparation : et cette fois elle ne la lâchera pas, elle la tiendra pour mener jusqu'à son terme une histoire si mal engagée.)

Achab en ville[1], collectionneur de fortuit

N'insistez pas, il ne veut pas s'en souvenir (de Moby Dick) : elle a été trop longtemps pour lui justement un souvenir, entendez par là un mélange de mensonges, de libido, de pulsion du moi mal placée (*Ichtrieb*) et de mauvaises fables de marins pour marins diluées dans de l'eau.

[1912] Dorénavant (Achab abuse du mot *dorénavant* depuis qu'il l'a lu écrit sur la vitrine d'un restaurant : *la maison ne fait plus crédit*), il veut être sans souvenirs : le blanc de la baleine, ce sera le blanc des faux cols, de la meringue sur la tarte au citron, avec un peu de chance le blanc des draps de lit où Calypso et lui fileront un amour parfait : paresseux et insistant (reste à savoir où se trouve Calypso et qui elle pourra bien être : si le capitaine criait son nom, qui l'entendrait dans les étages de son immeuble, jusqu'au dernier ?). En profiter, en profiter : le capitaine veut être l'homme d'aujourd'hui tel qu'on en fait la promotion aux Amériques, l'homme du matin même, de la dernière pluie, qui se crache dans les mains pour construire une nouvelle ligne d'horizon,

---

1. Cette fois, 40° 42′ 48″ Nord, 73° 59′ 53″ Ouest – coordonnées de Chatham Square, pour faire simple. (Toujours la bonne ville de New York, anciennement Nouvelle-Angoulême.)

joue à pile ou face en lançant des rondelles de steak haché sur des plaques chauffantes, l'homme entièrement tourné vers l'avenir, lundi visant jeudi jour de paye et samedi sur-lendemain de paye, samedi prophétisant dimanche jour de déglutition et lundi jour où l'on se remet à penser au jeudi tout en tournant des manivelles. Au Nouveau Monde, paraît-il, on ne demande pas à un vieux chien Saint-Hubert & Bernard comme lui de décliner son passé : lui demande seulement quel salaire contente sa misère, sa taille de tablier de garçon de course et le choix d'un jour de congé, Pâques, Noël, soit l'un soit l'autre – c'est en tout cas les rumeurs qui parvenaient aux baleiniers en provenance des côtes, accompagnées de mouettes (dans leur bec, des rameaux d'olivier et des souvlakis de chez Minos). C'est vrai, ce n'est pas tout à fait vrai : voilà un pays où un monsieur menacé par ses dettes vide son compte en banque plus rapidement 1) qu'un paquet de cacahuètes, 2) que partout ailleurs, et déménage sur un coup de tête, s'appelle Alfred dans le Maine puis Henry en Californie ; mais les jours derrière lui ne sont pas entièrement effacés, ils ont une façon parti-culière de se perpétuer : ils ressemblent à ce crucifix en bois, de la taille d'un stylo plume, cloué quelque part sur un mur, qu'on ne voit pas, qu'on finit par deviner du coin de l'œil, et qui depuis cet instant nous toise comme si ce petit Jésus de plastique exerçait sur nous un reliquat d'autorité. Un charcutier à la retraite peut s'inventer une existence de petit rat de ballet russe, et vice versa, tôt ou tard quelqu'un viendra lui demander s'il a rédimé ses péchés – et dans ce pays, mieux vaut s'être repenti de ses crimes que n'avoir jamais fauté, la renaissance a encore son petit prestige : on aime l'effort de l'alcoolique converti à l'eau en bouteille, ça fait de lui un homme, au sens kitsch du mot, ça n'abolit pas le Mal avec un M majuscule mais autorise à ses voisins des formes pathologiques de pardon.

Bon an mal an, il s'en sort : il parvient à négliger l'Achab des anciens jours (un camarade devenu pénible à force de rabâcher son amitié sur le même ton), il se donne, au cul, des coups de pied d'aujourd'hui, il se réveille chaque matin ou presque très Homme Nouveau, Brave New World, Chant de Moi-Même, il est son origine et sa fin, son visage tel quel lui tient lieu de référence, il n'a pas d'autre pedigree, il ne prononce même pas ce mot, il laisse les Edward III aux dynasties de la dinde sous vide. Il explique pour l'instant sa longévité par la négligence[1], il l'explique à lui-même par sa désinvolture à l'égard de ces années de pêche en mer, effacées d'un coup d'éponge ; s'il le fallait, il l'expliquerait aussi par la trahison : parce que en se faisant appeler Smith ou O'Connor, il peut aussi truquer sa date de naissance, toutes les années lui appartiennent, tous les jours du calendrier se rendent à sa disposition comme lui à la disposition de tous les jours ; il a pris soin de saborder ce qui pouvait l'être, et le reste, il en fait des courtepointes. La malédiction du gros poisson, il s'en est défait (il s'en vante, en tout cas) : il va pouvoir vivre comme les autres, s'abandonner au hasard, un peu doux, un peu raide, se lover, mais oui, dans les bras du fortuit (le voilà lyrique en parlant de contingences : plus le thème est trivial, plus il y met des rubans bleus) ; comme les autres, ses semblables, il sait ne pas être désigné, il craint davantage l'œuf avarié que le doigt de Dieu, il n'espère pas être inscrit dans un livre, même Grand Livre, il ne se console pas en faisant dépendre ses souffrances d'un Méphisto jouant

---

1. D'après certains calculs, l'ex-capitaine a dépassé les soixante ans ; il ne les fait pas, il en fait davantage.

avec son corps peu à peu hérissé d'épingles; son repos, il ne le fait pas dépendre de l'absolution divine, au lendemain du Jugement, en remerciement de l'œuvre accomplie: ce sera un repos humain et sublunaire comme il le voit s'accomplir les jours fériés, la fenêtre ouverte, la radio à tue-tête, le linge pendu au fil, toujours ce même fil, le pyjama ouvert, ni peigne, ni cure-dent – à la vaisselle de la veille, toujours dans l'évier, on attribue le charme des fausses ruines.

Moby Dick (laborieuse revanche de)

La Vieille[1] se promet de déloger son homme où qu'il se trouve, quitte à y passer sa vie d'Arctique à Antarctique en oubliant tout le reste, faisant de chaque chose un jalon sur le chemin de sa vengeance, mérous compris: étoile Polaire, bancs de harengs dans la Baltique d'où naissent les aurores boréales. Des années de recherche sur des kilomètres, un interminable sillage derrière elle, long à se refermer, et au bout du voyage, au lieu du vieux capitaine, un type qui lui ressemble grossièrement, un inoffensif arrière-grand-père sur sa véranda en Californie, qui admirait le Pacifique, assis seul pour fumer son tabac loin de sa famille, tranquille, n'emmerdant personne ("nom d'un chien"), ravi d'avoir tant d'espace pour lui seul, sous un ciel de fin d'après midi, la lune en même temps que le soleil: trop beau pour durer. Sa Quête aurait pu être admirable, on en aurait tiré une *Toison d'or* stupéfiante, et voilà en fin de parcours le fait divers le moins épique, de l'ordre du quiproquo, un brave monsieur Wilson capturé à la place de l'autre, payant pour ses fautes

---

1. Entendez par là Moby Dick.

sans le savoir, avalé par une allégorie de monstre étrangère à sa propre destinée, l'allégorie d'un autre, le châtiment d'un autre – Moby Dick myope et à vrai dire peu regardante ne le concerne en rien, mais elle l'emporte, lui et sa pipe, laissant sur la rive quelques traces de pas, un nuage de fumée, le tabac de Virginie – le vent l'emportera bientôt.

Elle renonce à ses facultés au cours d'un long dépouillement, presque sensuel, étalé sur près d'un demi-siècle – ce n'est pas une défaite, mais sur le moment une forme d'épure, l'abandon du superflu, l'oubli de soi et de ses opinions qu'elle croyait les plus précieuses (elle ne le croit plus) ; faisant le tri entre l'essentiel et l'accidentel, elle aurait pu approcher de jour en jour une forme de sagesse océanique, plus sûrement aqueuse – en vérité, elle se ratatine : pas encore la sénilité, mais pas loin, un mélange d'amnésie, de distraction (cocasse, considérée de la rive), de confusion parfois poétique parfois pathologique, et des périodes d'absence, la baleine oubliant de remonter à la surface pour prendre son petit bol d'air (elle s'en souvient au dernier moment : on ne perd pas facilement ses petites habitudes). Certains parleront de démence précoce (puis, réflexion faite, de démence advenue au moment propice : il faut bien conjuguer un jour vieillesse et pensée fumeuse – le faire alors avec grâce) ; en une trentaine d'années de chasse au capitaine Achab, la baleine collectionne les échecs – d'abord sans se défaire de ses captures, les additionnant, les thésaurisant comme des biens assez pauvres valables en grande quantité seulement – les conservant au chaud, au souvenir de Jonas et du morbide Pinocchio, dans son ventre, comme si son estomac déjà extraordinaire à lui seul pouvait raisonnablement passer pour un cabinet de curiosités. En Californie, ce monsieur Wilson fumeur de tabac ;

le long des côtes du Labrador, un certain monsieur Petigrew, aux ancêtres français (il chiquait sur la plage pour conjurer la pluie de novembre); vers les îles Salomon, Don Miguel Aldrovandi, regretté par sa famille déjà du temps de son vivant; à Colombo, Johan de Witt; dans le golfe d'Oman, George Pollard; aux îles de la Madeleine, Yoshiro Tomiji; au Groenland, Tom Timor; au bord du Maine, Richard Bentley, qui s'est vigoureusement débattu.

D'un automne à l'automne suivant, le véritable Achab [1912-1913] remonte Manhattan de travers pour s'éloigner le plus possible de la rive (il n'est pas fou: on dirait le pragmatisme d'Amérique mettant un terme aux dérives d'un dément de Shakespeare) – pendant ce temps, des sosies du capitaine s'exposent au danger sur différentes plages, dans des circonstances comparables: de solitude, de pipe au bec, de chapeau contre la pluie, de vieillesse à la recherche d'un peu de calme loin des foules, de jambe raide et parfois, c'est plus rare, de répliques empruntées à Falstaff. Des copies de moins en moins ressemblantes, il faut bien l'admettre, au fil des années: d'abord des prodiges de gémellité ou de mimétisme, puis des ressemblances plus libres, maniéristes, comme la copie du maître par un élève plus talentueux mais moqueur, et parfois même je-m'en-foutiste; après quoi quelque chose comme des parodies d'Achab, l'exagération, l'euphémisme, la synecdoque, la caricature, jusqu'à des doubles injurieux; enfin des personnages sans plus aucun rapport, désinvoltes, de pire en pire, les premiers venus gros et gras alors que le capitaine a toujours été le porte-parole d'une admirable maigreur tendue. Puis les captures de Moby Dick semblent être des portraits reconstitués après coup, au petit bonheur, pour se débarrasser du problème, des interprétations d'interprétations, la sublimation d'Achab suivie de sa dégradation, sa métamorphose en quatre ou cinq traits noirs et raides à qui on prête une existence graphique, comme un J majuscule tombé d'un livre par l'ouverture en faisant un bruit de hallebarde. Moby Dick perdant le souci de la ressemblance (les scrupules des premiers temps) convoite des piétons de toute nature, pourvu qu'ils fassent à peu près illusion, seuls sur une plage (la solitude suffira à la longue : tout homme seul est achabéen) – des hommes et des femmes, des filles mélancoliques, des veuves de marins trempant leur pied dans du sable noir et pensant à la pendaison, des adolescentes se prenant pour l'une des Sirènes. Quoi qu'il en soit de ces jupons et de l'envie d'être une Sirène, Moby Dick trouve toujours dans sa proie quelque chose d'Achab, toujours, qui ne se voit pas au premier regard mais se goûte plus profondément : façon pour la baleine de révéler comme une vérité rare une part d'achabéisme commune à tous, enfouie sous plusieurs épaisseurs (selon ce qu'on en sait, l'achabité est enfouie, voilà pourquoi il faut mordre dedans).

L'authentique capitaine (le seul vrai) ne le sait pas, mais il mène une vie de rescapé, à chaque minute, tournant des beignets dans l'huile de friture, masquant la friture sous un nuage de sucre, rendant à son client la monnaie elle aussi retournée dans l'huile – personne pour lui dire à combien de morts il échappe, toutes les vingt-quatre heures : ça lui rendrait la vie plus heureuse, et donnerait (peut-être) du sens au retournement du beignet dans l'huile.

Achab en ville – les bonnes manières

Il doit maintenant apprendre[1] : à dormir, à flâner, à se tenir au comptoir, à tenir la hampe du wagon de métro, à lutter contre l'avaleur de tickets, à enjamber des endormis, à faire l'amour à cinq centimètres d'une fenêtre guillotine, à serrer contre lui des sacs de provisions, à rire aux histoires de la radio, plus tard[2] rire aux paroles de la télévision, à défendre de vieilles convictions, à les faire dépendre d'inconcevables et peut-être inexistants Pères fondateurs, à creuser la tombe des Indiens, à lutter contre la Couronne d'Angleterre, à se préoccuper de coléoptères domestiques, à parler de dératisation, à saluer des voisins distants d'une porte, de deux portes, de trois, chacun différemment, à bénir les hurlements d'une voisine, à l'imaginer d'après le timbre de sa voix, à marcher sur un sol immobile, à voyager verticalement, à sourire à l'adresse d'autres mâchoires carrées qui lui sourient, à présenter son plateau-repas au regard sans jugement de la caissière, à attendre d'elle une forme d'approbation, à faire tomber dans des gobelets les pièces du pourboire, et demander de l'aide à des banquiers qui sont des hommes à la voix tempérée porteurs de nouvelles jamais bonnes, inaccessibles derrière un comptoir de trois pieds de large.

Dormir comme les autres, ne pas s'abandonner à son éternel sommeil achabéen aux dents frottées les unes contre les autres, dormir à la façon terrienne d'ici, la façon urbaine : l'hiver près des radiateurs à l'écoute de l'eau dans les tuyaux, des va-et-vient du voisinage, laborieux d'abord, exténués

---

1. À propos de bonnes manières : voir plus loin.
2. Bien plus tard.

ensuite, d'un tic-tac de montre, ce genre de tic-tac minuscule qui sait envahir toute une pièce – l'été, la fenêtre ouverte pour inviter chez lui l'air chaud de toute la ville (et avec ça des sirènes de minuit à l'aube, sans pause, lui suggérant, à lui le dormeur, pendant qu'il dort, la permanence d'une vie en dehors de son lit faite de courses-poursuites). S'entraîner à déplier le journal quotidien, voilà encore un exercice nouveau (sur le pont du navire se lisaient régulièrement les marques du temps, on pouvait trouver aussi quelques traces d'une prétention à l'archaïsme, mais les nouvelles portées par de vieux cormorans venus des côtes n'étaient pas nées d'hier). Achab a dû apprendre à choisir chez le marchand de journaux un titre parmi des dizaines d'autres, des vindicatifs, des suggestifs, des pragmatiques et des sensationnels, apprendre à distinguer les gros caractères des petits, se familiariser à cette hiérarchie, cheminer avec la gazette sous le bras jusqu'au banc ou la table de café, alors déployer l'immense voile, regretter de n'avoir pas les bras plus grands, de manquer ridiculement d'envergure dans ce monde où l'actualité occupe autant d'espace, se recroqueviller pour éviter d'embarrasser le voisinage (combien d'yeux épargnés de justesse au cours de sa période d'apprentissage, quand il faisait trop brusquement ce geste d'ouvrir son journal, un geste de propriétaire terrien et d'orateur, tout à la fois : il n'avait pas encore compris que disparaître dans tout ça de papier suppose d'abord de tenir compte des circonstances les plus proches (triviales)). Il a découvert dans ces pages des histoires déclinées sur plusieurs colonnes jusqu'au pied de la page, interrompues de temps à autre par l'éloge d'un vermifuge digne de l'ambroisie (après tout, pourquoi pas ?) ; il lit des nouvelles de strip-teaseuses égorgées et de pur-sang vainqueurs dans la deuxième, la cinquième, la sixième course,

ou le même pur-sang tombé avant le virage, des histoires de
lois sur le grain de maïs, d'un gouverneur remplacé par un
autre bien meilleur, d'une route, d'une violoncelliste, d'un
microbe, d'un chanteur de charme, de milliers de tonnes
de poissons, de bandits mexicains, d'Habibullah émir
d'Afghanistan, de batailles, d'un charlatan, d'une médaille
du mérite et encore le vermifuge égal de l'ambroisie.

Des échecs (le jeu)

Il s'approche des jardins les jours de beau temps pour se [1913 et suiv.]
tenir près des joueurs d'échecs – l'hiver, la pluie, la neige,
dans des cafés où les amateurs se rassemblent deux par
deux : ils se taisent, ou bien quand ils ne se taisent pas
approuvent d'un monosyllabe le coup joué par l'adversaire,
parce que l'adversaire est un ami, ou désapprouvent d'un
autre monosyllabe leur propre maladresse : toute la partie
perdue sur le mouvement d'un seul petit pion. Mener une
partie entière, Achab en serait incapable, surtout à cause de
ce roi impotent presque immobile – à son incompétence de
joueur, il faut ajouter sa frustration à l'idée de ne jamais
pouvoir manipuler comme il le voudrait le roi au centre
pourtant de cette bataille, une case à gauche, une case à
droite, rien qu'une, tandis que la tour traverse tout l'échiquier – ce roi qui a l'or du royaume sur le crâne mais fait
des piétinements d'ours incapable même de prendre la fuite.
Mais regarder les affrontements, il aime faire : il tient sa
place parmi le petit groupe de spectateurs, qui s'y connaissent
sans rien en dire, ont une patience égale à la somme des
patiences des deux adversaires, regardent fixement sans
envie ni sévérité, donnent l'impression parfois de maintenir

le jeu en l'état à la seule force de leur regard, qui garantit l'équité, apprécie les belles figures dessinées lentement, et assure la perpétuité de toutes les parties fondues en une seule. À son tour, Achab rejoint sa chaise, la retourne, s'accoude au dossier, laisser brûler sa cigarette, lenteur pour lenteur, semble comparer en se taisant cette partie-là avec une autre, presque pareille, disputée il y a un demi-siècle entre Paley et McCulloch.

Alors : l'espoir de se familiariser à nouveau avec les lignes droites, et y retrouver goût, en consacrant ses heures de congé à l'observation des carreaux clairs et sombres de l'échiquier : une sorte de remède à toutes ces années de louvoiement sur les eaux, remède aux cercles, à la mollesse des lignes, à l'incertitude, à la nausée métaphysique éprouvée tôt ou tard par un homme quand il prend appui sur un plancher instable. (L'instabilité est amusante les premiers jours, une fantaisie de fête foraine servant de prélude à des épopées plus risquées – après quelques semaines l'instabilité n'amuse plus mais dérange comme les défauts d'une baraque en ruine (on peut dire aussi "caprices d'un instrument d'époque") – les années passent, les marins n'y pensent plus, ils compensent la flottaison par leurs mouvements de jambes, il faut alors qu'elles soient un peu chancelantes.) Le fou et le cavalier semblent réfuter la rectitude du jeu d'échecs, le vieux capitaine les considère pendant longtemps comme des éléments étrangers à un jeu aussi pur, s'invitant d'eux-mêmes, les suppôts de la diagonale ; avec les années (années d'observation des joueurs, toujours les coudes appuyés sur le dossier d'une chaise, au jardin, dans le café), il s'est fait à l'idée : même le trajet du fou est une variété acceptable de ligne droite comparé à tout ce qu'un marin et son navire sont obligés de subir en plein milieu de l'océan (pour faire plaisir à son navire, pour faire plaisir à l'océan, aux Sirènes si elles sont là).

Le monde comme volonté et comme rumeur lointaine (quasi-monologue)

Des rumeurs : vingt ans de pêche en haute mer sans poser le pied sur un embarcadère, pas même un ponton de bois, ça suffit pour convertir, aux yeux du capitaine et des marins les plus sensibles, le monde ordinaire en un ensemble parfois mal arrimé de palais, de trésors, de gouffres, d'ordures envahissantes, de chemins, de confiseries, de vitrines, de véhicules, de lanternes et de bains publics : d'où Achab se trouvait, pas facile de distinguer la terre ordinaire de Bagdad selon le roi Shahryar – en temps voulu, il a fallu faire le tri, rendre à Bagdad ce qui appartenait à Bagdad, et à New York, New York. Cette ville (et, par déduction, ce monde), il en a entendu parler : vingt années passées sur la part aqueuse n'étaient pas seulement vingt années de périples à se prendre pour un descendant d'Ulysse par Circé, c'était aussi vingt ans loin de la part sèche du monde, à s'en écarter de plus en plus, à lui vouer d'abord un peu de nostalgie, à entretenir à son sujet des souvenirs de plus en plus courts : il en restait des morceaux éloignés les uns des autres, séparés par de l'eau noire – et après ces derniers souvenirs, un oubli entier, d'une certaine manière plus fidèle que les souvenirs. Pendant ce temps, il a prétendu régner sur des hectares de vaguelettes ; il avait sa cour, soi-disant immense en vérité croupionne ; il avait un sceptre, il y prenait appui, il avait de l'envergure et criait comme Jupiter écorché vif : mais à cinquante mètres de son cri, c'était déjà le silence : toute sa fureur n'aurait pas réveillé une mouette endormie sur un tonneau vide. Tort ou raison, il s'est voué à la part flottarde du globe: maintenant incapable de dire[1] s'il était question alors de vocation, de facilité, de goût, de hasard ou de pure frime de gamin des rues déguisé en pirate et soumis (obéissant) à son costume (il est un être humain, frime et vocation s'entre-mêlent, comme hasard et fatalité, et en tant qu'être humain plusieurs fois vainqueur, vaincu, gratifié et mutilé, il sait comment l'accident vient parfois des passions profondes); il a exploré son navire, il le connaissait par cœur, jusqu'à en être dégoûté, il avait pris l'habitude de vivre sur quelques pieds carrés, d'avoir en face de lui toujours la même face, de marin, de tourteau ou de soleil levant; il avait sa cour à ses pieds, donc, et tout autour l'océan, ridules, ridules, ridules, ridules, éclaboussures à l'infini, assez de prétention façon Caligula pour se désigner roi des Clapotis Intermi-nables (cinquante marins à son service avaient, eux, assez de bravoure pour le croire).

Mais ces années à ne voir que la vague, et derrière la vague la même vague et puis une autre, à s'empiffrer de ce paysage fait de milliards de mètres cubes (et encore, mètres cubes d'eau), ces années l'ont rendu étranger au monde sec, et pour être tout à fait franc, ce monde ne lui a pas toujours manqué. Pas le temps de cultiver le regret, sa vie de marin étant monomaniaque, par nécessité – devenu cul-de-jatte, il aurait pu se greffer tel quel à la proue du *Pequod* et se trouver crédible: furieux, le regard noir, droit devant, écumant à l'encontre de l'écume. Il faut imaginer sa situation: les hommes de l'équipage, eux, arrivent et repartent, ils sont

---

1. Amnésie volontaire, hypocrisie, modestie, extrême générosité (une vérité pour chacun, chacun la sienne).

jeunes et moins jeunes, ils viennent des villes portuaires, ils y ont laissé une épouse et sa mère ; au capitaine, ils donnent en chiquant des nouvelles du monde sec : là où s'élèvent les bâtiments, là où l'on danse le charleston (c'est nouveau, ça, le charleston) – lui, capitaine morfondu, bien dans son rôle, fait mine de ne rien entendre, il passe entre les gréements. Malgré sa fureur surjouée, il lui reste assez de jugeote pour imaginer le monde sec d'après des on-dit : et sur ce monde sec, vingt ans de villes bâties selon des plans, de batailles gagnées et perdues, de soldats recousus dans des cliniques, de fêtes, de Nouvel An, de noces, d'inventions miraculeuses, de Benjamin Franklin et de Thomas Edison, de filaments dans des ampoules, de moteurs à explosion, de vieilles charrues reconverties en automobiles, de futures Ford T carrées, noires, monstrueuses et reproduites à l'infini, de biplans, d'audacieux aviateurs, de filles qui n'ont pas froid aux yeux ni sur une aile d'avion ni sur une scène de Broadway, parce qu'on parle d'accroche-cœurs et de jambes dénudées jusqu'aux genoux (pour croire aux jambes nues et à la Ford modèle T, il faut avoir le sens du spectacle).

Maintenant qu'il y est, il faut s'y faire : dès le petit déjeuner, sauter sur des tapis roulants, des trains en marche, constater en ouvrant les volets cette fumée de machine en route depuis la veille et toute la nuit, comprendre au même moment son infamie de dormeur, parce qu'il se repose (et même s'abolit) à l'heure où tout fonctionne déjà (boire son café, ce n'est pas boire un café, c'est prendre sa part de l'universelle consommation de café, disons placer sa tasse sous des robinets qui n'ont jamais cessé, ne cesseront jamais, de verser du jus noir, pour soi et pour les autres, tant pis pour ce qui tombe à côté, tant pis pour ceux qui n'en ont pas). Sur le pont du *Pequod*, un morceau de vieux pain est un morceau de vieux pain, on le regarde attendri, il existe, eh oui, pour lui-même : rassis peut-être, immangeable s'il persiste, couvert de ce moisi qu'on voit en haute mer, mais lui-même – en ville, un carré de pain de mie pour faire ces sandwichs plats et tendres n'est pas seulement un carré de pain, mais la millionième partie d'un pain interminable, sans commencement ni fin, offrant à chaque seconde l'une de ses tranches au temps qui vient.

Si vous saviez l'idée qu'on se fait du monde sec depuis le monde humide : une idée construite par l'oubli et (il faut bien l'avouer) par la mauvaise foi, chaque matin plus désagrégée, entamée par l'eau de mer ; on apprend à ne plus savoir comment se dessinent les villes, comment elles tiennent debout, comment trois puis neuf millions d'âmes les habitent, comment ce monde sec peut rester sans craquer sur ses bords le réservoir d'un si grand nombre d'hommes ; on finit par mêler désert et cité populeuse, on doit avoir lu ça quelque part dans la Bible, le sable, les rues, tout ça du même sec minéral, plus ou moins hospitalier aux hommes. (Et voici une autre des théories achabéennes : tant qu'un être humain est occupé à vivre, il ignore tout de la mort, vivre lui prend tout son temps ; il a beau le savoir, il passe d'une idée de la mort à une autre, il en fait des croquis parfois justes, parfois faux, mais à tous ces efforts la mort sera traître, je veux dire la vraie : elle ne laissera à personne l'occasion de la comparer avec ce qu'il imagine.) Les marins embarquant sont des menteurs, des imbéciles, des borgnes, des rêveurs, des naïfs, des jacasseurs ; ils s'attribuent des aventures, ne savent jamais le nom des choses, mais tant bien que mal ils parlent, et lui, le capitaine, rassemble leurs témoignages (peut-être pour le jour où, fatigué d'être fatigué du monde, quand il ne voudra plus avoir l'eau de mer sous les yeux, quand dans son âme tombera l'eau des pluies de novembre, les pires, il reviendra du côté ferme de ce monde et brandira ses carnets disant aux hommes, après les avoir salués comme les Indiens savent le faire : je ne vous ai jamais perdus de vue). (Ajoutant : j'ai entendu parler de vous, de ce que vous faites, du reflet de vos vitrines et de vos véhicules, j'ai entendu aussi parler de vos théâtres tels qu'ils sont devenus : j'ai imaginé les façades ouvertes donnant sur la rue, le rouge alternant avec le jaune (pourquoi le rouge ? pourquoi le jaune ? je ne sais plus), les escaliers larges, la politesse en échange d'un ticket d'entrée, les couloirs courbes, les portes s'ouvrant sur des petites pièces elles aussi rondes ou ovales penchées sur un petit gouffre par-dessus un balcon, les fauteuils rouges et minuscules, tout juste bons pour une fesse, les lustres immenses, de la taille d'une pieuvre disparaissant dans les plafonds, la cérémonie du silence au moment où les lampes s'éteignent, les dos droits et cambrés, les paires de jumelles, les rideaux levés, alors des paysages pas toujours crédibles (à dire vrai jamais) de clairière, de bosquet, de patio en Espagne, ou de pont-levis, ou de boudoir, ou de sérail à mille coussins et cent narghilés, ou de lande d'Écosse, ou de couvent, encore en Espagne, et même le pont d'un navire, un navire baleinier, pourquoi pas, reconstitué, invraisemblable, orné de voiles qui sont une moustiquaire au-dessus d'un berceau, et sous ces voiles, des marins, encore plus exotiques, poupins, rayés, un bandeau sur l'œil ou le crochet au bout du bras – ceux qui les regardent se laissent enchanter (on aura l'occasion d'en reparler).)

*Première capture, première erreur, première satisfaction
quand même*

Sa première capture n'était même pas un homme, mais une souche noire, le reste d'un pin brûlé par l'orage, enfoncé dans le sable et tendu vers l'océan comme le sont les pins maritimes dans une posture ambivalente, un peu la détresse, un peu le défi. Sur le moment, la baleine ne s'en cache pas : le plaisir de la victoire, des instants d'euphorie et de sérénité immense, la justification accordée à toute chose depuis le commencement des temps, parfaitement, l'orgueil de contenir à la fois le trophée et le butin. (Moby Dick éprouve des sentiments bien connus du capitaine – il pourrait lui en parler pendant des heures, ce serait une forme de réconciliation entre ennemis, lui disant : voilà le miracle, non seulement le vengeur satisfait remplace l'amertume par la joie, la pingrerie par l'épanouissement, mais sa gloire apaise toutes les douleurs, y compris les douleurs secondes étrangères à la rancune, comme la rage de dents ; il connaît les heures déroutantes de la réconciliation avec lui-même, il entrevoit la possibilité de l'amour-propre, il devient prophète guilleret, il envisage un avenir où la mortification du boiteux est remplacée par un narcissisme qui relègue la honte très loin. Les incertitudes ne sont plus le mauvais sang mais l'incitation à la curiosité ; de vieux contentieux trouvent leur solution d'une façon spontanée, dionysiaque, ils tombent en désuétude et c'est un bonheur supplémentaire de constater l'équivalence de la résolution et de la désuétude ; tout ce qui a nourri la vengeance depuis des années passe pour une version vindicative et même sportive de la générosité, la pierre est plus douce au toucher, les gueules vulgaires des matelots deviennent de pittoresques faces pour Mark Twain et Conrad, où se lisent la vie difficile mais la bonne volonté.)

Comment reconnaître sa proie ?

La Vieille privilégie les promeneurs solitaires, parce que sa vengeance est un combat singulier, et parce que l'achabéisme (on l'a appris) est avant tout une solitude – Achab ou l'Achab possible se promène seul, il est inaccompli, elle le reconnaîtra à ce trait d'inachèvement (pas à cause de sa jambe, à cause de sa rancune non consommée) ; il ne fulminera plus mais aura le visage de celui qui vient tout juste de s'arrêter de fulminer ; il y aura ces reflets de boutons de vareuse, à quoi elle le repérait déjà au temps où elle le fuyait, et elle reconnaîtra sa façon particulière d'enfoncer le piquet de sa jambe dans le sol pour marquer à chaque pas un droit de propriété.

*Des faux papiers, de la vie nouvelle, des identités
acceptables*

Le pays du nouveau départ : c'est ce qui se raconte un peu partout, ce que déclarent parfois certaines enseignes (si ce n'est pas un nouveau départ, c'est tout de même un nouveau quelque chose : un nouveau chocolat fourré), repris sur un ton moins bariolé par les hommes eux-mêmes, de l'un à l'autre, assis sur des banquettes de restaurants où l'on prodigue comme une manne nécessaire et routinière toutes sortes de saucisses nappées de quelque chose rouge, ou jaune. Voilà : le pays du nouveau départ, des naissances successives, des rédemptions pas toujours complètes mais enfin, grosso modo, l'un dans l'autre, on s'en contente – et pays de la virginité accordée à certaines choses sous certaines conditions. Il suffit (c'est du moins ce qu'il paraît) de s'avancer vers tel inconnu dans l'un de ces restaurants à saucisses nappées de jaune[1], se tenir à son aise sur sa chaise (c'est une aisance d'honnête homme, c'est-à-dire d'homme qui a soldé ses dettes, purgé son alcoolisme, retrouvé son Dieu devant sa porte, "comme sa bouteille de lait" : il porte l'équité en lui, la laisse transparaître sur son visage, et conformément aux règles de l'Église réformée pourrait devenir demain, ici même, le pasteur des brebis égarées), et une fois sur la chaise, sûr de soi, de son inculpabilité, attendre du voisin qu'il nous adresse la parole. Combien de fois Achab, le capitaine, ex-capitaine, pour achever de se défaire de son passé bavard, est allé se jucher sur un tabouret en forme de selle de tracteur pour y recevoir l'adoubement de son voisin : la reconnaissance du nouveau venu, le redépart de zéro par la seule force de la parole, l'absolution accordée d'avance, le pardon aux péchés dont on ne veut rien savoir, l'invitation faite sur un ton de docteur à repartir du bon pied, à rédimer son compte en banque, et s'il le faut vraiment se refaire une vie neuve dans un État voisin, plus clément. Si la courtoisie des gens d'ici incite au renouvellement de soi et aux paris sur l'avenir (même paris gratuits), alors Achab ne va pas s'en priver, prêt à raconter son passé proche sous forme de projet pour le lendemain, et si la politesse c'est se réinventer de façon très urbaine sans craindre de gaspiller sa salive, alors il se réinvente. Quand on lui demande son nom, il fait pour lui-même ses adieux au nom si difficile d'Achab, et donne

---

1. Jaune difficile à définir : ni or, ni paille, ni safran, ni même moutarde à proprement parler – chrome, peut-être.

Sam, ou John, ou Brad, ou Paul, ou Artie et quelquefois Joe, seulement Joe, comme la pièce la plus facile à retrouver au fond d'une poche – et encore Barnaby ou Tingleton pour le plaisir de faire sonner plusieurs lames de vibraphone, en même temps qu'on élabore le principe d'un état civil à plusieurs voix : soi-même comme soi-même plus le chœur autour de soi-même. Pendergast, Mulridge, des variations de Henry James quand il notait dans ses carnets des noms pour tous ses personnages, beaucoup plus de noms que de personnages mais bientôt, qui sait, un personnage pour chacun de ces noms – et pendant ce temps-là, pendant qu'on prononce ces syllabes, le nom d'Achab s'éloigne inéluctablement, sur l'eau d'où il était venu, disparaît bientôt, faisant preuve d'un détachement presque vexant pour Achab lui-même.

(Sous le nom de Tingleton ou Pendergast, il peut donner corps à ce qui s'appelle une matinée.)

En tant que Sam, bottier, en tant que Reinhardt, livreur [1915] de journaux (le lancer du baseball du dimanche pour faire coïncider, au bout d'une longue courbe, par-dessus un jardin, l'angle de la porte près du paillasson et le paquet roulé bien ficelé du *New York Times*) ; en tant qu'Abe courtier d'une maison d'assurances, derrière un panneau à angle droit, où il consulte des fiches et serre un gobelet de café dans sa main, un gobelet mollissant ; sous le nom de Mike chômeur triste mais valeureux, qui taille des encoches pour chaque jour écoulé (perdu) ; sous le nom d'Artie père d'une fille devenue miraculeusement violoncelliste, dans la lumière, à mille lieues de là où il se trouve pour en parler, prononçant des noms russes et fréquentant le Walhalla. Quand il porte le nom de Joe, un nom comme la tige d'une clef sans panneton, il est marchand de pancakes : il en est pourvoyeur et bientôt spécialiste, intarissable pendant des heures au sujet d'une chose apparemment si simple, capable de tout dire de l'influence du sel contrariant la levure. Achab est ensuite Tim ou Clinton, puis Barnaby, s'offre des heures de bon matin en guise de rédemption et de seconde chance, aborde ce temps du matin sous le nom de Tim comme manieur de chausse-pied et de décapsuleur, ou Clinton revendeur de vieux livres – et en face de lui, son voisin lui donne la même approbation, toujours, un élan nécessaire pour être Tim, si c'est Tim, le temps que ça dure, ou pour revendre ses vieux livres. Parfois même, il est plus audacieux : ce n'est plus le cireur de chaussures, ni le spécialiste du pancake, mais un jongleur, un fil-de-fériste, l'amant d'une cantatrice qui en a eu dix-sept autres mais les a tous dénigrés, ou un soldat de Pancho Villa congédié pour avoir osé porter de trop longues moustaches (il outrepassait l'orgueil de son chef).

Et voilà le plus merveilleux : on le croit sur parole (le merveilleux est prosaïque dans un décor de cafetière et de décapsuleur (il doit une part de son miracle, on ne sait comment, au décapsuleur)) : Tim aussitôt prononcé est aussitôt accepté pour Tim, et Joe accepté pour Joe de la même manière, cette même facilité des choses d'emblée évidentes : des douanes poreuses ici-bas, pour un temps, et pas la moindre méfiance d'herméneute qui voudrait tant découvrir Jack derrière Joe, sinon Thomas derrière Tim ; au lieu de la surinterprétation, l'hospitalité aux paroles dites, ces superbes hochements de tête dont parlent tant de romans sans leur rendre grâce, ni en dire d'ailleurs quoi que ce soit, cette force d'acceptation permettant à des inconnus de se coudoyer au comptoir, chacun son tabouret. En plus du nom, ce qui est admis, c'est tout le reste, la ferme familiale, la grange, la naissance, les petits métiers, les années de formation, le picarisme, le vagabondage de maître en maître, des vies d'apprenti imprimeur, des anecdotes de pierres jetées dans la vitrine ou de déniaisage compliqué : Achab n'a pas de mal à cesser d'être Achab, et cesser de l'être de mille façons différentes, engendrant, sans se donner trop de misère, mille non-Achab appelés Tim ou Joe, tenant lieu d'anges rédempteurs. Pendant ce temps, Moby Dick cesse d'être Moby Dick, pour s'appeler Petula, et puis Pénélope, et puis Rosamonde, parvenue à ce stade sous les traits d'une mésange, après quoi il n'est pas difficile de voir en elle, disons, une bouteille de rhum, ou un vieil alambic de bouilleur de cru, aux fumées remarquables. Vingt ans de chasse à la baleine deviennent des années de sacerdoce mormon à la recherche de la Vérité sous la forme d'une lumière blanche, ou vingt ans sur le Mississippi à éviter des écueils, ou vingt ans à exterminer des arthropodes à chaque étage de la ville, ou même parfois, plus crédiblement, des années à lutter contre le démon de son propre alcoolisme (Achab disait : face à un public si honnête, il n'est pas possible d'être menteur).

Sur le Pequod, *Achab essaie d'imaginer une métropole de douze millions d'âmes d'après des bribes de paroles, de métaphores et des exemples concrets*

Pour comprendre comment une ville de cette sorte s'y prend pour contenir douze millions d'habitants[1], un capitaine isolé (dans la fréquentation de quelques vieux cormorans noirs, démunis et penauds : on ne peut rien en tirer) ne peut pas faire mieux, croire à ce qu'on lui rapporte : il colle les ragots bout à bout, il en fait un ensemble cohérent, sa

---

1. Trois millions au tournant du siècle, n'exagérons rien – les autres arriveront plus tard.

cohérence taillée en pièces le lendemain – alors, il recommence. Les villes ont grossi de tant et de tant depuis qu'il a quitté l'Amérique pour Londres, et même depuis son départ de Londres : on lui montre, pour l'affranchir, la pâte à pain levée de la veille, et l'accouplement des lapins réglé sur la suite de Fibonacci (un classique, Frédéric II la connaissait déjà). Si les lapins ne lui disent rien, le capitaine (notre capitaine, mais ça pourrait être n'importe quel capitaine) peut considérer tour à tour 1) les rumeurs au sujet de la bibliothèque d'Alexandrie, l'incendie de tous les livres, les quatre mille bains chauffés pendant six mois aux flammes de cet incendie – 2) d'autres rumeurs à propos de harems, encore moins fiables mais déroutantes puisqu'elles se frottent aux grands nombres en leur donnant une forme concrète ; sur ce sujet, les connaissances alternent avec les ignorances, en écho peut-être au damier blanc et noir où se promènent les concubines au moment même où on les évoque (le harem : milliers de coussins, milliers de dames, milliers de ragots de ce type) – 3) comparée au harem multiple et fantasmatique, l'hypothèse du moine Siger de Brabant à propos d'une âme unique partagée par tous les hommes (une âme unique, des millions d'hommes, l'ambiguïté du partage, les politesses que ça représente, la préséance, des susceptibilités entre complices à l'heure de diviser le butin, et des portions de plus en plus réduites à mesure que la population augmente) – 4) les quæstiones quolibeticæ, à Paris, rue du Fouarre, ou du moins ce qu'on peut encore en comprendre – 5) les policiers de la Keystone, tous nombreux, en uniforme, maladroits et vulgaires, filmés par des caméras à manivelle en train de courir après un malfaiteur quelconque (pure hypothèse, un lièvre inattrapable) ou de franchir une barrière trop haute pour leurs pieds plats – 6) l'art nouille, comme si la mollesse (le devenir-nouille) des balustrades, du fer forgé, de la poutre d'acier même, sans compter bien sûr les lettrages tentés toujours par une certaine nouillité naturelle, comme si cette mollesse donc était la condition nécessaire à la vie en grande métropole : sans mollesse nouille, pas d'affluence – 7) la ville de Santa Fe construite sur ordre d'Isabelle la Catholique autour d'une autre ville, Grenade, tenue par les Mahométans, pour l'assiéger définitivement – 8) des légendes à propos d'Incas (ou c'étaient des Aztèques ?), de découvreurs et de prêtres jésuites toujours prompts à évangéliser (c'est leur petit péché) : les Amérindiens avaient eu l'idée d'envoyer des filles à demi nues en guise d'émissaires et de porte-parole, les pères jésuites les recevant selon les chroniques avec toute la froideur qui convenait – 9) d'autres légendes plus récentes, alors peut-être plus exactes, au sujet des voitures de monsieur Ford, de leur couleur noire unanime, des chaînes de montage, des ouvriers les bâtissant la semaine, les chevauchant le septième jour. (Parfois aussi, le capitaine se demande comment la ville de douze millions d'âmes s'y prend pour trouver à tous ses habitants douze millions de visages, autant de noms, en évitant les redondances, et en moins grande quantité, mais quand même, suffisamment de clefs d'appartement, toutes de formes différentes.)

Si tout cela échoue (il conviendrait d'expliquer comment les policiers de la Keystone ou les émissaires nues aux jésuites permettent de mesurer les capacités d'accueil d'une ville), le capitaine peut appliquer la méthode fournie un jour de mer moutonneuse par un autre capitaine, celui du *Grompus*, en hurlant d'un bateau à l'autre, en faisant de grands gestes des deux bras, une syllabe, un geste : comparer la multitude et la simultanéité d'une immense ville à l'omniprésence de Dieu (l'omniprésence telle que les pasteurs nous en rebattent les oreilles le dimanche). (Si le vieux capitaine consent à accorder l'omniscience au bon Dieu (on ne sait jamais), il est en tout cas incapable de lui attribuer l'omniprésence, il ne faut tout de même pas exagérer : l'Ancien et le Nouveau Testament sont au contraire la Compilation des Absences et des Éclipses de l'Intermittent Seigneur – on aura l'occasion d'en reparler.) Quand Achab a demandé (un autre jour) au capitaine du *Mise-en-bouche* s'il faut croire à l'existence de ces villes surpeuplées dont on entend parler de plus en plus souvent, le maître du *Mise-en-bouche* lui a répondu : l'homme peut être trompé en tant qu'être s'absorbant dans son monde sensible, mais non en tant qu'être doué de jugement – c'était une citation de Grégoire de Rimini, elle ne datait pas de la veille, elle avait déjà fait de l'usage, Achab ne l'a pas reconnue, d'ailleurs, il ne l'a pas comprise, confondant jugement avec tourment peut-être, et s'il l'avait comprise, il ne l'aurait pas crue.

Achab non-capitaine et voisin placide

Achab devenu bon voisin cesse d'être capitaine – ce n'est pas tout à fait exact : il fait le non-capitaine : il le fait posément, distraitement, désinvoltement, il le fait comme il respire, ou somnole, ou cuve son vin – en introduisant deux tranches de pain de ménage dans le toaster, l'oreille tendue dès le petit matin (petit matin en ville) vers le chant si léger de la résistance quand elle chauffe, le regard attentif, autant qu'il peut l'être à six heures, au resurgissement du pain grillé, le pain transfiguré, à la fois altéré et sublimé, prêt à se sacrifier au cours d'un bref repas, oint d'un peu de marmelade.

En accomplissant cette cérémonie du grille-pain, Achab fait le non-capitaine : il ne donne pas d'ordres à travers son porte-voix, il ne clopine pas devant ses hommes pour les subjuguer, il ne fait pas tendre les voiles, il ne s'oblige pas à étaler sa carte marine pour conjurer l'égarement en pleine mer et se doter, en public, d'un talent de navigateur ; il ne prononce pas ses imprécations, il ne se tire pas à quatre épingles, il ne donne pas tout ou partie de son intransigeance, il ne fixe pas du regard les récalcitrants, il ne se place pas au-dessus du commun des mortels, confié aux mains d'une divinité de l'océan qui en ferait sa savonnette – non : il se contente de faire le voisin, le locataire d'immeuble, associé aux éléments humbles des jours de la semaine, ni plus ni moins consistant que la mie blanche mâchable oubliable du pain, et ni plus ni moins performant que son toaster.

Ses voisins sont des créatures étonnantes : elles font cuire des tranches de haddock et de caoutchouc à l'heure où il faudrait dormir, elles portent des talons jusque dans la chambre, elles s'en servent avec ferveur, elles chantent des mélodies, combattent fréquemment des chaudières plus vieilles, plus compliquées, plus furieuses qu'elles, et finalement échouent à lutter parce que le combat est inégal : l'hostilité de la machine envers l'être vivant n'est pas nécessairement plus forte, mais son entêtement est infini. Achab découvre pour la première fois cent cinquante boîtes aux lettres serrées les unes contre les autres, sans pouvoir accorder beaucoup de crédit à ces contenants : sept sur dix s'ouvrent d'un revers de la main, laissant déborder des contenus dérisoires – pas tout à fait dérisoires à y mieux regarder s'ils n'en finissent pas de proclamer l'émerveillement (la merveille elle-même), les soupers du roi, les mille et une nuits, l'Eldorado et les affaires, la gratuité et la pizza comme le nouveau jardin du paradis semé de tomates en pulpe[1].

De la restitution infamante

Quand Moby Dick prend conscience de son erreur (ça arrive), elle rend le captif au monde d'où il vient, sans une parole d'excuse : pas vraiment une seconde naissance – mais tous ces hommes capturés par la baleine, ayant eu la chance sans le savoir d'interpréter le capitaine Achab pendant une matinée (certains l'ont fait avec talent ; revenus à terre, ils conservent quelque chose de cet achabéisme parfois difficile à concevoir), ces hommes une fois délivrés papillonnent à l'air libre, s'étourdissent, comme (au choix) un conclaviste après un mois entier de délibération, ou l'ermite revenu en ville un soir de paye, ou le mort ressuscité avant l'heure, sensible à la lumière du soleil, sensible aux couleurs, à nouveau, éternuant pour fêter ça, et surpris d'être entier. C'est aussi une épreuve, si le pauvre bougre de piéton capturé à Miyako retrouve sa liberté en Nouvelle-Écosse, sans argent, sans petite monnaie, sans un dictionnaire anglais-japonais : pour lui, alors, la nécessité d'entreprendre le voyage retour suivant une ligne longue à la Phileas Fogg, ou d'entamer une seconde vie, sur ce bout de terre ingrat.

Être vomi par le Léviathan : pour Jonas de l'Ancien Testament (l'ordalie émétique) et pour tous ceux qui se sont sentis Jonas un jour de malchance, la vomissure est une délivrance, mais une délivrance qui désoblige : le délivré

---

1. Tout cela, dans les environs de Burling Slip – la pizza viendra à son heure, comme on le sait (et la margherita, copernicienne, héliocentrique).

a beau faire, saluer la lumière du dehors, il se sent tout de même un petit peu rejeté, il s'en va rejoindre la rive à la nage accompagné de sa honte (une bouée jaune autour de sa taille). J'ignore comment Jonas a surmonté le sentiment d'humiliation pour s'en remettre seulement à la liberté chérie (vent, horizon, oiseaux de toutes les espèces, et quelque part, hypothétique, la bienvenue des vahinés de Gauguin) : pour ne pas se vexer d'être aussi spectaculairement vomi, il faut peut-être en effet la modestie du vrai chrétien ; l'esbroufe de l'écrivain voyageur marche aussi.

Achab en ville tient compte de ce qu'il voit

Achab, qu'il le veuille ou non, tient compte de ce qui l'entoure (il lui arrive de se cogner, ce qui pourrait tenir lieu de révélation, dans un autre contexte) ; il laisse venir à lui, il a au bout des doigts l'encre des journaux imprimés tout à l'heure ; il tient compte des panneaux de signalisation, de l'alternance des lumières, de l'impatience de cent voitures, de l'empressement des taxis, de l'énorme ventre noir des sacs remplis de détritus et déposés au crépuscule sur le trottoir en guise d'offrande et de bannissement, comme s'il y avait quelque part Caliban à satisfaire ; il tient compte de la foulée des piétons, de ceux qui marchent et ceux qui courent, des vagissements venus de la poussette, de certaines allures conquérantes, et d'autres démarches beaucoup moins conquérantes, piteuses, des hommes sans destination véritable, sans direction, comme lui, chez qui la lenteur oisive cherche à dissimuler en l'habillant un certain désarroi et cherche à signifier avec une mollesse incertaine une forme d'honorabilité ou même de souveraineté de rois et reines pauvres, processionnant en majesté, l'après-midi tout à eux, devant leur ventre, épanoui – marcher lentement signifiant être bientôt arrivé, en avoir fini avec les dépenses inutiles, avoir accepté la victoire ou la défaite avec la même élégance : une élégance remontant à si loin maintenant, elle est imperceptible sous un tas de linge sale. Achab tient compte des hommes et des femmes pressés, tout le contraire de ces piétons sans destination, il note la beauté de leurs valises et l'angle du col de la chemise, il voit les plis du fer à repasser ; il voit aussi comment ils se rassemblent quelque temps après l'aube dans un wagon de métro pour s'y tenir debout, civilisés, et mettre dès le début leur netteté à l'épreuve – c'est le moment pour eux de se demander si la cravate est de la bonne couleur ; ils acceptent de s'exposer debout pour recevoir les premiers jugements de la journée, qui sont des jugements d'endormis, pas de juges, d'hommes et de femmes à leur tour soumis au jugement et déchirés entre la confiance d'une chemise neuve et la trahison de l'accoutrement, de la sueur, du mauvais pli ou de cette étiquette qui se dresse vers le ciel depuis une heure et qui n'obtiendra jamais rien en échange de sa prière. Il arrive au vieux capitaine de se lever tôt, les ombres des immeubles sont allongées vers l'ouest et portent les unes sur les autres, pour fréquenter lui aussi ces wagons, en amateur, en dilettante, et voir comment les autres accomplissent les premiers pas de la journée, conscients d'être encore lisses et bien peignés et de ne plus l'être bientôt, en attendant de comparer plus tard la ligne claire un peu contrainte du matin à la fatigue luisante et dépeignée du soir, sans y voir une défaite, seulement la nature du jour, sa façon de faire avec les hommes. Achab ex-vieux capitaine se tient là assis ou debout selon les heures, avec parfois le sentiment que les femmes en tailleur trop court et les hommes à la cravate trop verte lui demandent son jugement, à lui, à lui seul : son coup d'œil, son approbation, sa désapprobation peut-être, dans tous les cas son pardon, il est trop tard pour se corriger.

Tient compte d'une certaine humeur maussade diluée dans l'espace et le temps, incertaine d'elle-même dans ses détails, portée par des visages qui s'ignorent par discrétion tout en se fréquentant chaque jour dans des miroirs embués ; elle est inoffensive du seul fait d'être partagée ; tôt le matin, dans ces wagons où l'on pendule, où l'on se penche vers l'avant ou vers l'arrière avec un sens de l'équilibre acquis au fil des ans pour compenser au millimètre près les mouvements d'un train, une espérance peut-être frauduleuse se combine avec la fatigue et la sobre rage d'avoir dû quitter sa chambre pour un monde de bordereaux (un juste milieu se trouve, bon an, mal an : ni trop d'espoir, ça ferait un peuple de béats, ni trop d'abattement). Le vieux capitaine y voit aussi (c'est-à-dire dans les traits du visage et la façon de se tenir en équilibre, les mains libres, en lisant un journal, et chacun se prenant pour une écuyère blessée), il voit la marque d'une dignité composée le matin même avec les restes de la veille, parfois inspirée par la posture des gangsters élégants, dans les films.

Tient compte des hommes en retard, donc d'un emploi du temps susceptible, d'horloges murales en fer et en bois qui nous dépassent d'une ou deux têtes, à qui il faut donner un coup, au passage, et d'une carte perforée dans la fente pour faire sonner la cloche ; des camions empêchant l'avancée d'autres camions, et de délicieux problèmes de géométrie dans l'espace, délicieux s'ils étaient abstraits et si les volumes se laissaient dessiner tendrement à la craie sur l'ardoise, au lieu de quoi ils sont la masse intraitable d'un poids lourd venu de loin pour délivrer – délivrer allez savoir quoi, mais c'est immense, et c'est nombreux, le client n'attend pas, le fournisseur à l'autre bout du pays, où il fait déjà jour, où il fait encore nuit, a donné ses ordres. Le vieux capitaine entend du coup des syllabes prononcées par-dessus un moteur, il voit des gestes des deux bras, la toute petite tête d'un homme dans la machine (elle pèse huit tonnes, elle repose sur soixante-six roues, un seul pot d'échappement dressé comme une cheminée ressemble aux plus gros des tuyaux de montre de l'orgue de Saint-Eustache à Paris) ; la petite tête porte sa casquette de travers, elle exprime la compétence et la préoccupation, la grosse machine manœuvre par petits allers et retours, si petits qu'ils sont ridicules ou donnent une idée d'un travail d'Hercule à la cuiller et au plumeau ; la petite tête regarde dans trois miroirs et à travers deux vitres alternativement, elle a des mouvements d'oiseau, qui a le bec petit mais dur et cornaque maintenant un éléphant stupide[1]. Il tient compte des pâtisseries rondes, un trou au milieu, recouvertes de rouge ou de jaune sucré sur des carrés de papier blanc, et de la convoitise d'hommes en veston se donnant pourtant une allure de chasseur de daim attiré par l'odeur des peaux et par le sel du sang ; il tient compte des grands gobelets de café avec leurs couvercles, la lutte dans une seule main du chaud contre le froid, la reconnaissance chaque fois qu'un piéton porte son gobelet à sa bouche, mais une infime appréhension, et la grimace, la chaleur s'accompagnant d'amertume, on ne peut pas tout avoir – il tient compte aussi de tous ceux qui tapent du pied contre un sol gelé pour faire venir l'autobus.

---

1. Angle de Broome et Orchard St.

Achab, préquelles

Achab a eu une enfance précédée d'une petite enfance : [1851] c'est ce qui se raconte et, après tout, pourquoi pas ? on trouvera toujours des nourrices de cent vingt ans taries d'une mamelle pas de l'autre pour prétendre avoir allaité le petit Achab avant ses premières dents, et par la même occasion Abraham Lincoln, sur l'autre genou, chacun son téton, l'œil perdu dans le vide à la recherche, qui sait ? d'un avenir glorieux[1]. Qu'est-ce qu'il en a fait de cette petite enfance ? il l'a échangée contre un lézard, une bille, une boîte contenant une autre boîte, un os de quelque chose et une image un peu osée – le lézard mort, il l'a échangé contre quatre stylos plumes, dont un au moins en état de marche ; la bille, contre un livre écrit en espagnol ; la boîte, contre une autre boîte, à peine plus jolie ; l'os de quelque chose, il l'a mis dans la boîte, et l'image glissée sous l'os, pour faire de la boîte une variété unique, comme un mélange de reliquaire et de bréviaire cochon (de chambre noire). Et selon d'autres versions, il a fait disparaître sa petite enfance comme si c'était les traces d'un larcin – le même jour, il s'est débarrassé d'une pièce de 25 cents, d'une carte au trésor, d'un bracelet de vrai Sioux et d'une petite clef pendue à une ficelle maigre ; sur le coup, il n'a pas voulu prononcer des adieux solennels : à ses yeux, une telle solennité appartient encore à l'enfance.

---

1. Dans cette version de ses mésaventures, Achab futur capitaine voit le jour en octobre 1851, à Emerson, Kentucky.

Sermons et paroles entendus dans des temples de bois peint

[1860] Dans les temples de bois peint en blanc[1], Achab au temps de sa jeunesse entend des paroles de pasteur, peu importe quel pasteur, il devine les contours de la syntaxe, et petit à petit, au lieu de se familiariser, le cœur ouvert, avec les héros chanceux ou malchanceux des deux Testaments, il commence à se familiariser avec des usages : parce que avant l'aventure ou la mésaventure des hommes, il y a pour lui grossièrement les manières de les prononcer en chaire (plus tard, Job et Esther, et Ruth, et Tobias, et les Apôtres, certains raffinés vertueux comme des mousquetaires du roi à mouchoir de dentelle, d'autres maladroits et rustiques, plus tard, ils apparaîtront derrière les mots prononcés pour les appeler, leur familiarité sera alors distancée et toujours repoussée au lendemain – aujourd'hui encore, Achab attend de faire véritablement connaissance).

Tous les dimanches ou presque, une fois terminées les cantates chevrotantes, Achab devient attentif pour tenter encore une fois de déduire des règles utiles d'après ce qu'il entend dire d'une voix neutre, de bout en bout de la cérémonie – utiles pour vivre plus tard, vivre le jour où il sera nécessaire de vivre, disons plutôt vivre le jour où il sera devenu impossible d'éviter de s'y mettre. Bien sûr, il est question de grains de moutarde, de pain levé ou pas levé, de serpents et de chèvres, de ténèbres et de tessons, apparemment rien de commun avec la réalité (quelqu'un tousse) triviale, énumérée concrètement, retrouvée dès la fin de la messe à la sortie du temple : réalité de bornes jusqu'au

---

1. 38° 21′ 14″ Nord, 83° 15′ 9″ Ouest.

bout du chemin. À l'âge de douze ans, "de raison incomplète", Achab a de larges oreilles, elles font face au vent, dissimulées ni par le chapeau ni par le col de la vareuse, elles ont quelque chose de la générosité rose d'un coquillage, et celle d'un bénitier d'église catholique, elles s'ouvrent et désirent percevoir, mais leur passivité engendre parfois le silence, allez savoir par quel miracle (ou quelle perversion du miracle) – tant pis, il tend ses deux oreilles, il veut entendre comme Damascène désirait voir, convaincu d'une chose : l'assiduité des hommes serrés contre des bancs, leur concentration, cet air d'affamés résignés et calmes face à des broches de poulets rôtis mais interdits, tout cela n'est pas, ne peut pas être inspiré par des histoires de Bédouins de six cents ans couchant la nuit avec leurs servantes. Il doit y avoir autre chose, non ? des leçons plus profondes, des secrets, des formules dites à ceux qui ont besoin de martingales – des années avant de faire le capitaine, Achab tient à rattraper au vol par petits morceaux ces secrets ou ces formules, des sous-entendus pour demi-initiés, et tant pis s'il y en a bien peu, tant pis s'ils sont pauvres.

Le plus souvent déçu – pour être honnête déçu tout le temps, revenu bredouille à la maison (il aura le temps de devenir virtuose dans l'art d'être bredouille), comparant sa bredouillerie aux butins qu'il imagine, des butins vils, utilitaires, se disant chaque jour : la ferveur de soixante-dix hommes et femmes que rien n'oblige ne peut pas être justifiée par ces histoires de pêche miraculeuse – ou alors une fois, à la rigueur, s'ils sont pris par surprise, mais à la longue, à force de redites, la multiplication des pains reste la multiplication des pains. Parfois, de ces longues messes, il rapporte des petits trésors, sans savoir s'ils vont durer (à l'occasion d'un voyage sur la côte, il a connu la déception du coquillage[1] : le coquillage sublime et luisant sur la plage, passant d'une sorte de jaune à une sorte de parme, mais de retour à la maison, terne comme l'ongle d'un vieux pied, d'où émane une odeur de morue) : il en rapporte la moitié d'un proverbe, la réponse de Dieu courroucé à Job qui se plaint, les traits d'humour de Jésus le Christ, sa bonhomie, comme s'il savait[2] anticiper par sa simplicité d'amateur de camping sauvage vingt siècles d'exégèses, et des plus torturantes. (Un matin, par exemple, c'était une phrase de saint Augustin : *notre âme grouille d'innombrables fantômes.*)

Achab liftier

Marchand de beignets ne dure qu'un temps : on renvoie le commis une fois qu'il s'est entièrement recouvert d'huile de friture, incapable de s'en défaire (l'eau de son dernier étage, froide, et le savon lui-même assez huileux selon son espèce) ; le commis se retrouve cent septième sur la liste des [vers 1917] chômeurs, derrière un géant basketteur, devant un grutier le cou dans sa minerve ; il inspire un peu de pitié sur sa seule jambe, il pourrait la montrer comme une blessure de guerre à Gettysburg, c'est une idée qui lui viendra plus tard : pour le moment il se contente de prendre appui dessus et mimer le cavalier des jeux d'échecs. Puis quelqu'un, considérant sa tête de marin malmené, sa jambe de bois, son hâle fameux un peu pâli dans les cuisines à beignets, son regard de vieillard qui a vu Ultima Thulé, a jugé Achab assez folklorique pour porter un uniforme de liftier, assez vénérable

---

1. L'orteil d'Achab le Jeune dans l'eau de l'océan : c'était alors une première.
2. *Comme s'il savait* : de toute façon, Il sait tout.

pour inspirer confiance. (Le vieil Achab accepte l'offre – son orgueil de capitaine a atteint un tel niveau qu'il ne reconnaît aucune humiliation, et s'il la reconnaît, s'il se penche vers elle, il ne se laisse pas amoindrir, il en fait un croquis. Il a su mener son navire jusqu'au au 40e parallèle de l'hémisphère Sud[1], il doit savoir maintenant guider un ascenseur jusqu'au 40e étage ; comme il a appris à être superstitieux, il saura éviter le 13e – et puis, assez savant calculateur de route pour presser le bon bouton, choisir 37 pour 37.)

Achab monte et descend : ça ne résume pas l'existence du vieux garçon liftier, mais en fait une acceptable caricature – et nous donne une idée de ses impressions, après la houle exagérément compliquée, le va-et-vient élémentaire. Le capitaine se retrouve dans une structure stable, pas tout à fait placard, pas tout à fait véhicule, un petit peu des deux ; bien sûr, le vestibule est confortable, on peut en convenir sans y vivre, surtout s'il s'agit comme ici d'un ascenseur de bel immeuble d'un beau quartier, l'un des premiers du genre, avec tout ce que les prototypes peuvent avoir parfois d'exubérant ; un véhicule doux sans histoires ; immédiatement, dès le premier pas, les preuves d'une hospitalité mesurée mais réelle, remarquable en des temps si difficiles, où l'on accorde seulement un tabouret à l'heure du déjeuner. Achab avait affronté vents et marées, vents et marées, sans jamais savoir quelle île du diable pouvait se cacher derrière la prochaine vague, il devait faire avec la rondeur du monde, mais une rondeur désagréable, trompeuse, on ne le dira jamais assez, les lignes les plus simples y deviennent des procès tordus – le voilà aujourd'hui maître de son véhicule, carré et terrestre même s'il paraît avoir des velléités d'envol (il s'est parfois

---

1. Rugissant lui aussi, allez, comme l'époque à venir.

demandé si l'ascenseur est un avatar de l'avion ou bien une déduction tirée de la ligne horizontale). Voilà Achab maître de son lift, à 42 étages, 41 sans le 13e, bien huilé, apparemment solide, sifflant et vibrant mais comme il faut, plus lourd en apparence que l'ensemble de ses passagers, une haute glace sur l'un de ses bords, pas la pénombre du boudoir, assez de lumière pour que l'ascenseur reste un lieu de convivialité rapide, sérieuse entre travailleurs, et dans un angle quelque chose comme un petit poste de pilotage.

Rien de plus facile alors pour lui : il avait dirigé le *Pequod*, qui avait tendance à pencher sur un bord ; d'un seul doigt maintenant, il n'a pas de mal à faire avancer son ascenseur six cents fois le matin, six cents fois l'après-midi, un bon millier de ces allers-retours qui n'ont jamais eu raison de son sandwich ni de sa bonne humeur, ni de ses facultés intellectuelles. En quelques jours, Achab apprend à régler l'efficacité de sa volonté et de son esprit à l'efficacité de l'ascenseur : à la ligne droite de sa trajectoire, tout le contraire de ces périples en mer qui se laissent dessiner si mal, à main levée : à partir de ce "tout le contraire", Achab aurait pu écrire ses Mémoires de marin contrarié. Il connaît sa machine : il sait quand elle grince, à quel étage, quand elle fatigue, comment lui donner ses ordres et quel soin il convient de lui offrir : le soir, un peu de graisse et du repos pour la refroidir, rien de mieux entre minuit et six heures que l'immobilité absolue, conséquence du travail achevé – sous les cintres, pendant que claquent de lointains gréements.

Achab le Jeune usurpe Dieu pour tenter de Le comprendre
– variations sur Son absence

La curiosité ne lui suffit pas toujours : être Dieu à la place de Dieu, comme être le diable à la place du diable, c'est devenu un exercice spirituel accompli régulièrement dans l'espoir de comprendre quelque chose à tout ce fatras de la métaphysique. Il ne s'agit pas alors de mysticisme, mais d'un travail de comédien : consciencieusement, le jeune Achab à [1866 et suiv.] quinze ans ou à peine plus envisage le fait d'être Dieu comme un contrat, comme une façon de faire, une usurpation passant par le maquillage, les costumes et les nombreuses répétitions, autrement dit l'usurpation pardonnée par l'artifice (le savoir-faire est la circonstance atténuante de l'usurpation – le capitaine en est convaincu depuis des années ; et pour lui, compétence veut parfois dire exagération). S'autoproclamer Dieu sur scène (dans sa chambre) pour le plaisir du jeu, pour s'époumoner, pour se lancer des défis remarquables, pour se donner du fil à retordre, pour franchir une marche encore au-dessus de Richard III, pour rentrer dans la peau du personnage, découvrir en accomplissant Ses gestes Ses plus intimes motivations, rire du rire de Dieu et pleurer les pleurs de Dieu tout en puisant rires et pleurs dans un fonds uniquement achabéen, un fonds local limité, mais rendu sans compter – voir comment le comédien se maquille quand il veut se diviniser, comment ensuite il se défait du rôle.

S'il était Dieu à Sa place : oui, il pleuvrait sur le crâne de Noé, il rebondirait de manière innombrable sur des surfaces élastiques, il se perdrait dans des quantités d'eau déjà présentes, il se donnerait à peu de frais le sentiment

d'insignifiance, délicieux quand on a aussi l'omnipotence ;
il serait grisâtre et monotone, sa colère se diluerait elle aussi,
pour se rendre moins violente peut-être, moins arbitraire, et
rendre les fautes des hommes moins graves – en quarante
jours de Déluge, il convertirait le châtiment en simple après-
midi pluvieux (et donnerait aux hommes les feux de cheminée, les dominos, le porto et les traits d'esprit pour convertir
une deuxième fois l'après-midi pluvieux en aubaine). Il prendrait un malin plaisir à pleuvoir, à s'étendre sur la Terre et
s'éparpiller universellement, il trouverait sa monotonie élégante, il l'offrirait aux hommes, il varierait de l'averse au
crachin et, comme Dieu sur les damnés[1], il aurait du mal
à s'interrompre. Il tonnerait, il serait foudroyant parfois
(mais pas toujours), il serait injuste d'un bord à l'autre de
la voûte céleste, pour comprendre l'injustice, il traverserait
ses épaisseurs de nuages dans le seul but de donner un coup
de son marteau, puis un autre coup, puis un autre coup
encore, sur ce clou rouillé, Job : "jusqu'à ce qu'il n'en reste
que la tête au ras du sol" (et voilà pour lui). Il disparaîtrait,
il ne s'en priverait pas (est-ce que Dieu S'en prive ? je veux
dire, le Dieu véritable ? est-ce qu'Il n'est pas connu pour
Ses vacances remarquables ? – et ne venez pas me parler de
la lumière ombre de Dieu selon Marsile Ficin). Le jeune
Achab usurpateur bien mieux que l'Original va lui aussi visiter ses domaines loin des hommes, ses propriétés infinies ;
il ne doute pas de l'existence à perte de vue de ses arpents,
où il s'avance ; il s'accorde à lui aussi les bénéfices de la perspective, il n'y a pas de raison : il diminue avec la distance
et son rétrécissement devient son effacement. Il s'escamote,
mélange de tonnerre inverse, de ravalement de Sa salive, et

---

1. Les disgraciés.

de désinvolture; il laisse planer au-dessus des étangs et des créatures sa distraction, devenue son indifférence, jusqu'à ce qu'elle tourne au mépris, comme un ciel changeant du mois d'avril – il sait compter sur les hommes pour réfuter son mépris, par gentillesse (en se donnant du mal, ils finiront par y voir l'énigme, la pure énigme, le goût de Dieu pour des cachotteries qui les dépassent).

Pour l'étude systématique de son Seigneur, Achab le Jeune aurait fait douze puis vingt-quatre variations sur l'absence, selon ce qu'il en sait au titre de créature mainte fois abandonnée : l'absence joueuse, l'absence facétieuse, l'absence primesautière, l'absence mutine, l'absence maligne, l'absence envoûtante, l'absence aguicheuse, l'absence délicieusement frustrante, l'absence douloureuse tout aussi délicieusement, l'absence électrisante, l'absence qui intrigue et celle qui énerve, l'absence brutale, l'absence vexée, l'absence sévère, l'absence méditative, l'absence n'en-pense-pas-moins, l'absence déchirante, l'absence du chagrin refusant la consolation, l'absence de l'incompréhension réciproque, l'absence de longue incertitude, l'absence du désarroi divin, l'absence glaciale, l'absence terrible, l'absence tourmentée et tourmentante, l'absence de colère muette, l'absence du désert inaccompli, l'absence du regret et du quasi-renoncement (du remords), l'absence des comptes non réglés, l'absence honteuse, l'absence abasourdie, l'absence de l'erreur tragique, l'absence coupable, ou l'absence accusatrice, l'absence de la tempête pour bientôt, l'absence de l'abandon définitif, l'absence de l'amnésique, l'absence du criminel en fuite, l'absence cynique, l'absence abolition de toute chose, et l'absence remplaçant la création du monde en sept jours par une menace indéfinie – mais qui sera l'inverse du "cela est bon".

Achab le Jeune cherche à comprendre le genre humain en lisant les guides de bonnes convenances

[1866]   Il y a eu des guides de bonnes convenances, Achab Junior les a lus en urgence : ce qu'il voulait, c'est atteindre une race (la race des hommes) encore inconnue de lui en traversant ces histoires de fourchettes à poisson, de chapeaux soulevés, de baisemain et de lettre de condoléances au neveu d'un pasteur après la mort de sa sixième chèvre. Pas le chemin le plus facile, depuis la fourchette en argent jusqu'à l'essence du genre humain (en apparence, pas le plus facile) : le jeune Achab s'y est engagé vaillamment, un pied devant l'autre, convaincu de pouvoir tirer un jour une synthèse imprévue et miraculeuse de l'art de saluer, des règles pour prendre congé et du respect envers les militaires en retraite (selon qu'il leur manque un bras, ou les deux, ou un bras et un œil, et ainsi de suite : la déférence est exhaustive). Il y cherche un dessin général, unique d'un bord à l'autre de l'existence, au lieu de ça il déniche des petits morceaux étrangers les uns aux autres, l'impression d'un livre composé de ragots (c'était pourtant un guide obséquieux), transmis depuis toujours, rapportés dans ces pages sans réfléchir, à la va-vite, parce qu'il fallait les retranscrire, voilà tout. L'humanité s'y délabre à chaque page en accédant aux bonnes manières : tant pis pour Achab, l'anthropologue naïf, ces guides au lieu de faire deviner le genre humain le laissent à l'abandon, ou bien passent joliment à côté ; ce n'est pas une fatalité : même en rapprochant bout à bout les éléments d'une vie futile, ils auraient pu dire un peu de la vérité du genre humain, l'air de rien, avec une certaine grâce triviale. En plus d'être généreux quand il ouvre les pages d'un livre, Achab est acharné, vous pouvez me croire sur parole : il échoue, il recommence au début, il violente les pages en passant de l'une à l'autre, il leur donne une seconde chance, il compare le dernier chapitre au premier, il cherche la lueur d'intelligence, il se dit tant de désinvolture contient une part de vraie science, à la longue il se croit seul à chercher le propre de l'homme à la rubrique des pinces à escargot, mais seul plus sûrement triomphant ; sûr d'une méthode un peu sauvage, un peu roublarde, une méthode de chapardeur (à qui les témoins tournent le dos), il accorde une raison souveraine aux manières de table, à l'art de nouer une cravate, il veut voir toute la métaphysique et le funèbre partout ailleurs impalpables dans les condoléances (tant et tant de tournures) ; il veut voir le cœur de la passion dans l'œillet du jeune homme venu balbutier chez son futur beau-père, grizzli de taille moyenne gardien des mystères de la procréation ; il voit un portillon ouvert sur les énigmes et les truismes du sexe dans l'art de demander la main de la fille d'un gouverneur ruiné par le charbon du seigle (ou "main de la fille d'un douanier enrichi par une invention inavouable") ; il espère trouver une description, la seule valable, de l'humilité dans l'art de prendre congé, et le portrait de la dignité consciente d'elle-même dans l'art de tenir une tasse de café, puis la porter à la bouche, puis la reposer, et déglutir en silence (y compris dignité d'un ressemeleur).

Il y met du sien, c'est le moins qu'on puisse dire : tout de même, deux ou trois fois, il se croit sur le point de trouver, au lieu de l'essence de l'homme, un échantillon de cette essence (ce qui n'est déjà pas si mal) : là où on l'attendait le moins, dans un journal local, au milieu d'un article consacré à l'art de cirer les moustaches. Il croit enfin triompher, s'approprier une part du mystère de l'homme, inaccessible depuis toujours, déposée ici par négligence à la disposition d'un seul curieux, s'il s'égare dans les parages ; il pense saisir le commencement de la queue de quelque chose, de quoi comprendre le comportement erratique des hommes, leur inconstance, leurs plaintes, leurs désirs, la multiplicité de leurs désirs incompatibles les uns avec les autres, comprendre leurs efforts et les efforts contraires, les sommes nulles, la volonté de régner si souvent convertie en art consommé d'obéir – comprendre leurs réveils difficiles, les mariages malheureux, les délices de perdre aux cartes, les délices aussi de s'épuiser le plus vite possible et tant d'ingéniosité dans l'art de se nuire – mais au dernier moment, ça ne marche pas.

La Bible également, il l'a lue – il l'a lue comme on lirait les aveux d'un ivrogne présumé violeur arrachés dans la nuit, récusés le matin même (il n'a jamais su donner une meilleure description, laissant la métaphore, si c'est une métaphore, l'analogie, si c'est une analogie, s'expliquer seule avec la Bible). Sa bonne volonté d'anthropologue s'applique aux pages de l'Ancien et du Nouveau Testament pour y chercher, mais avec un espoir plus flou, le genre humain (il espère peut-être le trouver à l'intérieur d'une figue, comme on en trouve dans le livre de Nahum). Il relit Job, décorne des pages déjà cornées, il recommence par le tas de fumier, où on ne peut s'empêcher de retourner toujours, les ulcères et les tessons pour gratter les ulcères sans jamais les soulager (n'importe qui à sa place aurait agi de la même façon en suivant la même piste banale : à la recherche d'une description extérieure et intérieure de l'homme, on se dirige tout droit vers le fumier de Job : si le mystère de notre présence sur Terre et la résolution de l'énigme de notre être (et le portrait

du genre humain) ne s'y trouvent pas, c'est à désespérer).
Les malheurs, l'injustice, les deuils, les lamentations, Dieu
cinglant dans ses répliques, Dieu clouant le bec des hommes,
Dieu se faisant irrétorquable, et en face de lui Job malingre,
malingrement vindicatif, Job qui ébauche un vermisseau de
reproche mais qui se désagrège en reprochant, et dévoile
comme on se dénude sa défaite intellectuelle chaque fois
qu'il prononce la première syllabe d'une accusation : là, le
jeune Achab en est certain, se trouve une clef de la manière
de vivre parmi les hommes, pas trop profondément enfouie
sous le fumier.

Mais Job est décevant, il ne donne pas ou il donne peu,
à croire, les insignes du genre humain se trouvent moins
dans ses imprécations souffreteuses que dans les cinglantes
répliques en plain-chant de Dieu, baryton et basse à la fois
(Il a pris la parole et ne la lâche plus : ce qu'on appellerait
tenir le crachoir s'il n'était pas question du Seigneur).

Alors peut-être Noé, le vieux Noé, le charpentier bénévole,
qui cloue des planches[1], rentre du foin par boisseaux et
dévoile plus tard sa nudité ordinaire coupée du charme,
comme un échantillon (allez savoir) de la nature humaine
(de ce qui attend sa descendance quand le Monde recom-
mencera de zéro). L'enfant Achab avait déjà entendu toutes
ces histoires sept fois cent fois sous les toits du temple, à
côté de silhouettes assises à angle droit, les chevilles serrées,
silhouettes saisies (on aurait dit le gel) par le souci de se
montrer ferventes face aux planches, postulant le Seigneur
derrière les planches, ou mieux : dedans (le Seigneur présent,
pauvre de lui, dans chaque poignée de porte). L'enfant Achab
levait la tête, voyait passer entre lui et la charpente un peu

---

1. Combien en tout ? allez savoir – pour un bâtiment de 300 coudées par 50 et par 30.

profane un peu sacrée les chèvres de l'Ancien Testament, les chars de Judée, l'âne transmis depuis Élie jusqu'à Jésus à Béthanie, le même âne, trottant au-dessus des fidèles; il a vu aussi voguer lentement, pesamment (comme il pesait), le bateau de Noé, alourdi encore par son absurde forme carrée incompatible avec l'art de naviguer, et malmené par l'incompétence de Noé, qui n'a jamais été Ulysse. Quand il retrouve Noé en feuilletant sa bible ("bien des années plus tard"), Achab reconnaît le charpentier, son empressement d'artisan excité par une commande impossible mais payante (sans doute payante, on verra bien), et surtout enflammé par un Client qui a une voix forte – à cet endroit précis, Achab croit bien trouver une leçon sur le genre humain, la première de toutes, élevée au rang d'axiome[1]. Le propre de l'homme, ce serait ça, alors: ni la capacité de souffrir tout en glosant sur sa souffrance, ni l'ingéniosité de Noé la bouche pleine de pointes de charpentier, mais l'empressement à répondre aux commandes: pas tout à fait l'obéissance, la nervosité du petit artisan soucieux de son chiffre, conscient d'un délai plus impérieux que la fin des Temps. (Pas de chance, les révélations ne durent pas: avant de disparaître, elles se changent en souvenirs, à la manière d'un soir ou d'un jardin, puis en vague satisfaction – vient le jour où Achab aura oublié celle-là, et devra s'en souvenir, si l'envie lui vient, en se pressant le citron.)

Alors, peut-être Ésaü, l'histoire du frère berné par le frère; tout de même pas Lot, l'élu parmi les non-élus, le seul juste de la ville pas mécontent de vivre dans le voisinage des damnés? disons Jonas, ou Zébulon fils de Léa dont le destin aura été de vivre sur les rives et de grimper sur les

---

1. Ce qui fait la préciosité c'est: être en or *et* tenir dans la main.

82

navires – si ça ne va pas, il ne reste plus qu'à se tourner vers des livres de cuisine.

Achab liftier – à propos de véhicule

Sur le *Pequod*, Achab[1] avait appris à tenir compte de tout avant de faire un seul mouvement : des courants, de la géodésie, de la trigonométrie, du poids des choses, de l'équilibre et du déséquilibre, de la loxodromie différente de l'orthodromie, de l'inertie des vieilles bécanes, de la rouille et des marchandises mal réparties ; il fallait se rendre du point *a* au point *b* sachant *a* et *b* indifférents à la fatigue d'un capitaine gouverné par des lois absconses. Les trajets en pleine mer sont toujours tordus par la nécessité : se plier à cette maudite rotondité du monde et faire avec la susceptibilité des peuples au bord des côtes (il y a aussi le scorbut et l'hiver) ; la coquetterie, l'héroïsme, le pragmatisme marin et le sens de l'honneur incitent à accomplir de grandes courbes avant de se donner le droit d'atteindre sa destination – Achab ne s'y est jamais habitué[2].

Mais enfin, les navires sont aussi des véhicules : on y dort, on y vit, et pendant ce temps on avale ses milles nautiques[3], le réveil a lieu toujours loin de là où l'on s'est endormi ; les véhicules secouent leurs passagers, tombent en panne, reprennent la route, combinent distance et temps, renferment dans des habitacles, protègent plus ou moins de la pluie, contiennent des tonnes de ceci ou de cela, poivre et

---

1. Le Vieux, cette fois.
2. Rectitude débonnaire et domestique de l'ascenseur.
3. 1 852 mètres, soit 72 913 pouces (environ).

porcelaine, la contingence est une manne, ils s'en gavent, et ils se montrent capricieux : pour toutes ces raisons, ils sont des véhicules. Alors, l'ascenseur ? qu'est-ce qui lui manque pour être vraiment un véhicule ? un véritable plan de route, peut-être, quarante étages ne pouvant prétendre être quarante points de fuite ou quarante ports, et la distance entre eux ne pouvant prétendre passer pour un voyage, avec des imprévus, des escales, l'appel des bœufs du Soleil (ça change des Sirènes) et la circonspection des marins sur la mer d'huile. Les navires (le *Pequod*, en premier) sont des bâtiments exagérément penchés, le capitaine au temps de sa capitainerie n'a pas de mal à se sentir épique à bord : l'épopée à cause de l'inclinaison, à cause du bruit dans les ramures, à cause de l'écume brassée au contact d'un bateau de passage et d'un océan fortuit, l'écume elle-même contingente – il fallait se baisser, virer de bord, reprendre ses calculs, interroger l'horizon qui ne donne jamais de réponse, et admettre l'ici comme une coordonnée imparfaite (traîtresse) (ici comme "le bâillement du dieu de la localisation"). Tant d'inconvénients, sans compter les repas de viande séchée, trois fois par jour la même viande, c'est le prix à payer pour vivre sur le mode épique – maintenant, Achab dirige son ascenseur, il n'y a plus de traîtresse, plus rien ne penche, c'est une série de parcours rectilignes sans les soucis du vent : bien sûr, la tranquillité du liftier se paie cette fois d'un manque d'épopée, tant pis, tant mieux, le vieux capitaine en a suffisamment soupé, il ne veut plus rien savoir des aventures si les aventures sont le tangage et le mal de mer (le mal de mer contenu dans l'épopée, l'épopée contenue dans le mal de mer). Chaque fois qu'il appuie sur le bouton du 37ᵉ étage, Achab liftier fait l'éloge de la cabine d'ascenseur, franchise, absence de surprise bonne ou mauvaise, la monotonie peut-être, mais demandez à Sindbad secoué par sa vingtième tornade s'il ne préfère pas un peu de monotonie – la moquette monotone – au lieu des gouffres. Dans l'ascenseur, l'allégeance mathématique et mécanique à la ligne droite verticale, celle définie par la chute ; on y subit la routine paisible, ou plutôt pragmatique, mais on a au moins le plaisir de voir une double porte s'ouvrir sur une saynète à chaque étage.

(À force de combiner des arcs de cercle pour suggérer au bout du compte une ligne droite, on apprend vite à devenir roublard : des pères jésuites pourront venir rassurer le capitaine, disant Dieu, Dieu lui-même écrit droit à l'aide d'une écriture courbe, leur consolation, l'absolution jésuite aura l'air d'un diplôme en louvoiement. Revenu sur la terre ferme, le vieux capitaine doit dissimuler le mieux possible ses manières, ses mœurs louvoyantes (en vérité, des compétences) ; il veut se réinitier à la rectitude, peu importe comment, auprès des joueurs d'échecs par amour pour les échiquiers, comme on l'a vu, auprès des joueurs de dames, auprès des maçons s'ils se servent encore d'un fil à plomb ou dans un cabinet de comptable parce qu'on y trace des colonnes dans des livres ; comme il n'arrive pas à se défaire de ses manies, il fait l'éloge de l'ambage comme d'autres font l'éloge du yoga ; il continue de louvoyer, il s'attribue un titre artiste pour donner de la noblesse à son hypocrisie.) (Ajoutons ceci : pendant toutes ses années de liftier, pas une seule fois le capitaine Achab n'a redouté une mutinerie – ça a failli lui manquer : pas la mutinerie, pas la crainte, mais l'idée de la contenir chaque jour "par l'effet de son silence".)

Inertie de la baleine

Pour voyager, il faut compter sur les courants et sur une vieille inertie : l'essentiel de sa vitesse lui vient, à ce qu'il paraît, d'un élan donné par une arrière-arrière-arrière-(etc.)-grand-mère née au temps des Royaumes combattants, ou d'avant ça encore, quand Sima Qian déchiffrait l'histoire de Chine sur des carapaces de tortue. Elle avance en aveugle, sa vie se prolonge depuis si longtemps, elle incarnera bientôt l'immortalité ou l'espoir de durer, les mortels compteront sur elle pour vivre, elle deviendra alors un gros et lourd principe vital, fait d'un peu de chair et d'un peu de plâtre, les descendants des hommes épatés par le phénomène viendront toucher sa peau pour tenter de sentir son pouls à travers une bonne épaisseur de graisse. Il paraît qu'elle va d'Arctique à Antarctique comme un humain se retourne dans son lit, d'un bord à l'autre, retrouvant l'oreiller, sa seule certitude : Maldives, Açores, Terre-Neuve, baie d'Hudson, elle les reconnaît sans y penser, les lieux passent sur sa peau, ils l'acceptent à leur tour comme une vieille familiarité, un morceau de la rive détachée par l'usure, peut-être.

Achab liftier – vie de liftier

[1917]   Une vie de liftier peut devenir exaltante : pas un seul calmar géant, d'accord, mais le cœur de la nature humaine[1], l'humanité diverse dans un espace réduit, côtoyée de près, parfois étudiée sans en avoir l'air, pour se tenir au courant

---

1. La voilà.

(le capitaine est de ceux qui ne peuvent pas voir un échantillon de tissu sans le frotter entre le pouce et deux autres
doigts : il n'en déduit rien, il n'a jamais été tailleur et tous
les tissus se ressemblent, mais il ne peut pas s'en empêcher,
il mime l'admiration, la méfiance et la connaissance
d'amateur). Le travail consiste à maintenir dans un habitacle
aussi serré et rougeoyant un niveau élevé de civilisation : il y
aurait là tout pour initier les hommes à des passions inces-
tueuses, il convient au contraire de faire de ce placard un
lieu aussi magistral que le hall d'un palais de justice :
criminels et victimes s'y croisent au bras des avocats, se
jettent des regards haineux, mais la haine malgré eux est déjà
devenue protocolaire, et eux dorénavant doivent s'en
remettre aux textes sans jamais défaire leurs cravates. (Les
légendes sont nombreuses à propos d'ascenseurs, il en court
au moins autant que sur le Minotaure : on parle d'amoureux
s'ignorant au rez-de-chaussée, se reconnaissant au premier
étage, dans les prémices au troisième, engagés au septième,
confirmés au neuvième, en pleins feux de l'amour du
douzième au vingt-cinquième, épanouis puis las du vingt-
cinquième au trentième, puis vidés de leur substance, du
moins de celle qu'ils contenaient, sereins et graves, rappelés
aux réalités premières, dégrisés puis responsables, déjà vieux
au-delà du trente-cinquième étage, sur le point de s'abandonner, se défaisant avec lenteur, désunis au palier du trente-
septième à l'instant où les portes, en s'ouvrant, font
déboucher deux amoureux hors de leur histoire d'amour
dans un monde de lumières crues et de couloirs où d'autres
aventures plus étales les attendaient depuis le début : avec un
prologue, un milieu et une fin.)

Comment Achab le Jeune a prémédité sa sortie

[1867] Prudence extrême, prudence excessive, méfiante d'elle-même ("la queue du lion fuyant le lion en cage") : Achab le Très Jeune est resté des années en retrait, dans un chez-soi difficilement localisable[1], comme on dirait au bord du fleuve Babylone, avant de se décider à s'aventurer dans le monde (s'aventurer sera toute une histoire : prédire les bonnes et les mauvaises rencontres, et accepter, en quittant son éternité casanière, de devenir anecdotique, le fortuit étant selon lui le véritable lien des uns aux autres – ni l'affection, ni l'hostilité). Des années de précautions, à l'ombre : pendant tout ce temps sa réflexion s'est mêlée de méfiance, allez savoir en quelle proportion, Achab le Jeune a laissé venir à lui le moment où méfiance et réflexion allaient devenir un même mouvement naturel de la pensée, pour des buts assignés, précis, et attentive aux détails – surtout une pensée acceptant d'être trompée, dans certaines circonstances, si elle y consent, toujours prudente, et cette fois généreuse. Il prémédite consciencieusement, sans être dupe des dangers de la préméditation quand elle se prolonge sur des mois, il devine le jour où les préparatifs deviendront préparatifs d'eux-mêmes, n'auront besoin de rien d'autre (la longévité d'Achab l'Ancien[2] s'expliquera peut-être de cette façon : une longue préméditation à l'âge de la retraite, ne supposant aucun changement d'aucune espèce, et capable de patienter sans désirer voir les choses advenir (l'attente pour l'attente)).

(On s'attend à ce qu'il s'éternise, seul dans une chambre

---

1. Pas si difficile : 38° 21′ 14″ Nord, 83° 15′ 9″ Ouest (au risque de se répéter).
2. *Longévité d'Achab l'Ancien* : voir plus loin.

peu à peu initiée aux mystères simples de la camera obscura (la lumière du jour, un trou dans les volets), pourtant Achab le Jeune finit par franchir le seuil, ses maladresses deviennent à l'extérieur la preuve de son existence confrontée aux faits de plus en plus nombreux; il constate les choses imparfaites, elles aussi, il les avait déduites, il les avait prévues, il sait aussi sans le vérifier que les atomes de Lucrèce tombent sur les routes de travers.)

Un univers ni tout à fait mou, ni tout à fait dur, les inconvénients cumulés de la mollesse et de la dureté (pour la mollesse, l'absence de fiabilité – pour la dureté, le sommeil difficile), un univers où l'inconstance est une condition de la survie (ou de la vie elle-même, depuis les têtards jusqu'aux grands mammifères), un monde qui a aussi ses tiroirs à deux fonds, ses portes donnant sur des murs et des enseignes trompeuses: avant d'y poser le bout de son pied, Achab a bien fait de se préparer, quitte à le faire mal et de travers. Le jeune gamin, sixième ou septième né de parents longs et maigres maniant la fourche et oscillant de l'ombre à la lumière comme deux hêtres dans la hêtraie, le gamin s'efforce de rassembler les conditions de sa vie future – des précautions dictées par la méfiance, la méfiance née du peu qu'il a déjà pu voir. Il ne conçoit pas qu'on puisse vivre sans avoir répété auparavant trois cent soixante-six fois le geste de l'existence, en vérifiant dans un miroir la progressive exactitude – d'abord des maladresses, plus tard, petit à petit, avant d'être virtuose, de quoi sauver les apparences. Ce qui lui est inconcevable, ce n'est pas l'infinité d'un univers sans origine connue mais la spontanéité des gestes et des paroles adaptés par miracle à toutes les circonstances – une spontanéité apparente, pas moins miraculeuse, pratiquée par tout le monde sauf lui, à peine assez vaillant pour faire le constateur:

l'improvisation n'est pas de l'ordre du crédible, il ne peut pas
ne pas y avoir de ruses élaborées d'avance dans le silence
des cabinets, remâchées, reprises autant de fois que nécessaire, modifiées au coup par coup, recalculées le matin même
une dernière fois ; il ne peut pas ne pas y avoir de plans
recopiés les uns sur les autres, améliorés sans cesse, hérités
du père au fils, tenus secrets, réputés meilleurs que celui
du voisin, pourtant imités du voisin. Personne parmi tous
ceux qu'il a pu voir depuis sa fenêtre n'a pu être assez fou
pour se risquer dehors dans les embûches sans se préparer
d'avance, vingt ans s'il le faut d'interminables leçons auprès
d'un de ces maîtres qui donnent déjà suffisamment mais en
savent toujours plus long et comptent sur ce qu'ils taisent
pour se rendre admirables. Ou si ce genre de maître n'existe
pas, comme il y avait des maîtres de musique et des maîtres
d'escrime, les hommes doivent puiser l'essentiel de leurs ruses
auprès d'autres hommes, qui les tiennent d'autres hommes,
parce qu'elles ont fait leurs preuves, et leur valeur se mesure
à l'ampleur du bouche-à-oreille. D'autant plus vrai, tout
cela, que la préméditation doit s'ajouter à la préméditation
et qu'à l'heure où le jeune Achab ébauche ses pense-bêtes
au revers d'un papier d'emballage d'autres beaucoup plus
malins que lui perfectionnent une stratégie tenant compte
d'une deuxième stratégie, la deuxième dessinée d'après l'idée
qu'on se fait d'une troisième, la troisième tenant compte
de la première – c'est ainsi, il ne suffit pas de se méfier du
monde, mais de la méfiance qui s'y trouve : en quantité, ça
équivaut ni plus ni moins aux esprits vitaux de Paracelse.

Les convenances en plus des règles de la grammaire
distillées goutte à goutte par des initiés à ceux qui ne le
sont pas ou le sont à moitié, les codes de la vie urbaine,
les éléments de la phonétique (distinguer un accent d'un

autre, et donc le nord du sud), les lois de la navigation, les codes de procédure, tous les codes possibles, celui du droit du commerce, celui de l'application des peines, celui des cirques ambulants, des pharmaciens, des exploitations agricoles et des villes frontalières – et dans la catégorie de la courtoisie, les préceptes amoureux, l'autre grammaire de la sexualité, y compris les parades nuptiales, tout ce qu'il faut savoir alors de la danse et du chant, de l'habit, de la lumière, de la prédation et de l'indifférence mesurée, et encore ces menus détails qu'il s'agirait de connaître avant de s'y frotter au risque de les manquer, de les manquer toujours (aussi pour éviter d'être inévitablement celui-qui-passe-à-côté, et de le rester jusqu'à la fin de ses jours, vierge comme un œuf de ce savoir, sans trouver les mots, sans oser les réclamer, parce qu'on ne mesure pas même notre droit à réclamer).

Achab le Jeune a tant prémédité : guettant le moment impossible où il pourrait se dire enfin prêt, débarrassé de tous ces doutes pourtant lentement mis au point par l'étude (il est conscient aussi d'une chose, lui, l'homme trop prudent, l'homme du calcul des trajectoires : ceux de son espèce ne peuvent jamais se sentir prêts : l'assurance suscite un vide, le vide l'inquiétude et l'inquiétude contredit l'assurance ; il n'y a pas de procession triomphale, et d'ailleurs nulle part à aucun moment le mot *triomphe*). Une fois dehors, au lieu d'être un piéton naturel, il est l'homme de la ruse permanente, une ruse positive (une ruse de bonne foi, la main sur le cœur), mais enfin, ruse tout de même : et au lieu de la spontanéité, il fait preuve d'un extrême contrôle de soi – il jalouse la souple insouciance des méduses. D'autres ne tarderaient pas à lui reprocher ses calculs : ils fouilleraient ses poches, les pantalons, l'intérieur de la veste, pour en tirer ses pense-bêtes, des diagrammes, des tables de multiplication et des tableaux de verbes irréguliers, ils verraient dans son regard les traces de tant de lectures préventives, y verraient les preuves d'une sournoiserie sans exemple : les trucs de l'homme suspect bientôt coupable – le bon sens leur vient spontanément avec le lever du jour, ils considèrent la réflexion comme le symptôme du comploteur au milieu des braves gens.

Achab le Jeune est assez lucide pour le comprendre, son destin épiméthéen est de vivre toujours en retard, sur les autres et lui-même (celui qu'il aurait dû être) : le temps perdu et les erreurs accomplies à jamais ineffaçables lui tiennent lieu d'empreinte et remplacent sa signature : il s'avance trop tard vers les hommes avec son visage de dernier-né ébloui par la lumière du jour, il imite les gestes de la sympathie, sachant pourtant l'imitation de la sympathie étrangère à la sympathie ; on le regarde de biais, lui-même tient sa place sur le côté pour justifier les diagonales – il y aura à chaque instant une demi-seconde d'hésitation (toujours la même demi-seconde) le désignant lui étranger parmi les semblables ; il aura des cartes dans la manche et de la ficelle aux poignets, on ne pourra pas lui adresser les paroles de la sincérité à l'adresse de la sincérité, on voudra se montrer rusé face à l'homme astucieux. Comme il a été un moine bénédictin, et moine préméditant, il a maintenant sur la figure les traces de la préméditation, elles ressemblent aux traits de la fatigue extrême, à la fixité de celui qui doute et à l'empreinte d'un oreiller – comme corollaire à sa prudence, la confiance ne lui est pas autorisée, ni l'amitié spontanée des hommes, ni la passion spontanée des filles, ni l'écoute spontanée des auditeurs, ni la sympathie du garçon de comptoir coupé à la ceinture, ni l'approbation du passant, ni le salut. Au lieu de l'amour spontané des hommes et des femmes (il a tant rêvé à cette réciprocité banale – le troc de l'amour, il l'avait appris dans des ouvrages, il s'était entraîné devant la glace, pour rien), il reçoit par petits morceaux des marques de respect lapidaires – et on lui parle à travers une grille, on surveille dans son regard une lueur, telle ou telle, convaincu de ne pas savoir la déchiffrer; on décortique ses syllabes pour les ranger à la bonne place avant de les lui rendre, puis on ne se donne plus cette peine, on prend le malentendu pour une façon de s'en sortir, certains même se demandent si le langage des signes ne vaudrait pas mieux que toute tentative de parole; Achab le Jeune se rétracte, on prend ça pour un stratagème, on veut lui donner ruse contre ruse, on lui rend sa raideur trait pour trait, et considérant sa maladresse comme une obscurité de grand thaumaturge on se montre stupéfait – la stupeur, alors qu'il attendait des effusions. (La ruse ne lui a rien valu – il a cru échapper à ce piège par le recours à la *sprezzatura*, la feinte de ne pas feindre: mais elle non plus n'a pas marché: il l'avait apprise dans un livre[1].)

Le solitaire mûrit longuement à l'ombre (il apprend à avancer des pions l'un après l'autre sur un damier); quand il apparaît à l'issue d'un certain délai, il ne peut pas faire autrement, il le fait sous l'aspect d'un homme de la contre-façon, même contrefaçon pauvre, ou tendre, ou implorante; il est le naïf qui proclame son amour du théâtre parce qu'il y reconnaît le lieu intermédiaire entre l'adhésion et le refus; il est censé aimer les œuvres baroques, il doit y trouver son compte, il continuera d'aimer par fidélité les sempiternels jeux de miroirs, les sempiternels discours au sujet des sempiternels jeux.

---

1. Supposant une maladie contagieuse: mouchetée, piquetée, extraconjugale.

Achab liftier – des passagers

Quand douze personnes entrent dans son véhicule, l'air d'avoir une même origine et une seule destination, un seul appétit, il ne reste plus beaucoup d'endroits où poser son regard, et ces endroits doivent être neutres, ils sont la tapisserie de l'ascenseur, les boutons des étages, ou la pointe qui brille à la chaussure du liftier – et parfois le col de son costume : pas sa personne à proprement parler, mais les éléments de sa personne. Lui, s'offre comme objet de tous les regards, et cette fois, je vous l'assure, sans sa cabotinerie de capitaine : se laissant reconnaître, se laissant ignorer, magnanime et humble dans les deux cas, se laissant chosifier sans douleur avec un talent qui ne se laisse pas remarquer lui-même ; il est neutre, il fait beaucoup d'efforts pour être insignifiant, à la longue il atteint une insignifiance choisie (parmi les usagers de son véhicule, combien lui attribuent une existence en dehors de l'ascenseur, au septième étage par exemple, desservi par un escalier ?).

Le matin, c'est l'heure des foules : le liftier doit déployer toute sa compétence (rapidité, habileté, fermeté courtoise), il a une heure pour acheminer la moitié de la ville au travail dans un seul gratte-ciel avec le sentiment de faire monter avec la température le mercure dans le long tube d'un thermomètre jusqu'à son extrémité ; pendant cette heure, il partage la fièvre, il est au rythme, il est conscient de l'urgence, il la reconnaît ; il pourrait la saisir à ce moment-là et pas un autre (ensuite, ce sera trop tard, l'urgence comme fait et comme sentiment se sera diluée, dispersée dans les étages, à l'horizontale), il fait reposer sur ses épaules une partie de la responsabilité, il participe au succès du jour, il veut orchestrer des scherzi du diable en agitant les mains, en tournant la tête brusquement (brusquerie de serin en cage); il pourrait courir si c'était nécessaire, il règle son ascenseur sur d'autres machines déjà en route à la même heure, la cafetière, la machine à écrire, l'horloge, le téléscripteur, les rotatives et le central du téléphone. Il voit défiler un millier de garçons et de filles si pressés qu'il croit bien ne plus jamais les revoir de sa vie, partis prendre le train pour toujours; il s'étonne de les retrouver le soir, les mêmes garçons et les mêmes filles, dans un ordre différent, un agencement nouveau chaque soir; la précipitation est revenue, elle a changé de direction, et elle s'est empesée, la fatigue ou quelque chose comme le manque d'espoir lui donne une majesté qu'elle n'avait pas le matin même, une majesté respectable comparée à l'énergie de l'aube, si naïve, cet appétit sans objet – mais c'est une majesté trompeuse, la fatigue l'emporte finalement, ce qui est majestueux arrivera plus tard, s'il arrive, et donnera aux garçons et aux filles le sentiment d'avoir bien rempli leur journée.

Il faut imaginer l'impression du liftier quand les portes de sa cabine s'ouvrent : il se tenait seul, il descendait solitairement, moelleux et passif dans un long mécanisme, il était silencieux dans son habitacle un peu rouge, un peu noir (il aurait pu voir là-dedans un avant-goût de la mort, mais il a renoncé depuis longtemps à s'expliquer l'au-delà par le jeu des métaphores), en tout cas il n'avait que lui-même, les portes s'étaient refermées sur son corps et il pouvait prononcer son prénom à voix haute[1] sans interpeller personne – et voilà maintenant que ces portes s'ouvrent sur une lumière blanche et trente visages tournés dans la direction du liftier, trente

---

1. Evert – pour Evert Duyckinck.

inconnus se poussent à sa rencontre pour partager son sort – tous les matins, toute l'année, la scène se répète cent fois, des portes de catafalque s'ouvrent sur un peuple d'inconnus venus l'embrasser comme un frère.

Achab le Jeune – des tropes

Achab est un mauvais lecteur, surtout à ses débuts, doté d'une mémoire trop courte, pauvre ou attachée à d'autres objets plus volages, par exemple le chant de tel oiseau d'une saison sur l'autre ; il est spontané, il est bref, sa lecture ressemble à un emportement soudain suivi d'une lassitude radicale, et à nouveau l'emportement – il devait ouvrir et refermer ses livres toutes les trois secondes, avec des mouvements d'éventail, ou plutôt de soufflet. Personne ne l'a prévenu (personne n'étant là pour le faire : lui apprendre à poser des collets puis se saouler à la gnôle oui, mais déchiffrer ?) : du coup, dans les pages d'un livre, il ne s'est pas attendu à rencontrer en butant ces fichues métaphores (et un peu plus loin, un autre obstacle, un trope, et sinon des analogies, apparemment plus limpides, d'une candeur de discours de Mr Smith au Sénat – tout cela revenant au même, à ses yeux). Des histoires, d'accord, il s'y attendait, des paysages, des prosopopées, un personnage, un autre personnage, des dialogues, des conversations adossées au paysage, la didascalie alternant avec des brins de bruyère ; s'attendait aux rencontres miraculeuses, aux coïncidences décidées depuis la première page, à la répartition des coups du sort, à l'obstacle de dernière minute sur le chemin d'une héroïne, à des instants de pause, à des batailles et à l'issue de la bataille, à des généalogies, au poids de l'hérédité, au retour inopiné dans une taverne d'un passé proscrit jusqu'alors, à l'intervention du confident, à son mutisme, sa relégation et sa bonne volonté utilitaire; à l'enchaînement des circonstances, à la prouesse et à la ruse, à un deuxième obstacle surmonté, remplacé par une autre embûche; à l'intervention du peuple dans le lointain, disons une procession de pénitents, à l'horizon, en ombres nettes; ils s'attendait à voir tel Philémon ou Barnabé monter sur son cheval, en descendre, allumer un cigare, méditer sur la fragilité des coquilles d'œuf, écraser le cigare dans l'œil de son futur beau-père, fuir toutes sortes de représailles, quitter l'État du Missouri, changer de nom, Philémon pour Barnabé, porter un chapeau plus pointu, se faire élire sénateur, et retomber dans la débauche, et ainsi de suite; il s'attendait aussi à voir des mésaventures illustrer parfaitement les mœurs de l'époque au nord-ouest du Vermont, et le nom de chaque chose nouvellement inventée: le phonographe au moment du phonographe – mais pour ce qui est des métaphores, ces choses maladives, il ne possède ni indices ni préventions: au point de se sentir trahi, parfois, en plus de la surprise.

Ses premières métaphores l'inquiètent: quelque chose de l'ordre de la pathologie, la sienne et celle du monde, elles ressemblent à un symptôme de mauvais augure, elles sont le signe de la maladie, son véhicule, enfin la maladie elle-même (il a tort, mais c'est laborieux de donner tort à soi-même). Bien souvent, Achab le Jeune ne peut pas s'empêcher de voir dans telle métaphore l'équivalent d'une pustule à la surface d'un visage, si nettement découpée, si purement sphérique, sans compter le point de son attache, qu'elle semble ne pas vouloir appartenir à la peau (et l'embrasse toutefois): paraît venir d'ailleurs, de derrière, et tenter de se frayer un chemin jusqu'à nous à travers le visage du malade (et

Achab, à moitié satisfait, se demande s'il est honnête d'avoir recours à une métaphore pour exprimer son désarroi face à la métaphore). (Pourtant, il n'en démord pas, il garde cette idée de pustule: la première métaphore qu'il a pu lire lui a fait l'impression d'une erreur, pas une de ces belles erreurs volontaires inventées par des logiciens pour tenter le diable, une erreur liée à un sentiment de honte, étrangère à l'écriture, comme si elle venait d'ailleurs elle aussi, de derrière la page qu'elle traversait.) Il croit sur le moment en rencontrer une seule, première et dernière, la surmonter, faire une enjambée prudente, pour continuer sa lecture: toute la politesse du gentleman quand il a su passer une incongruité sous silence – il y voit un écart, à la fois la faute de goût et la faute de grammaire, bien sûr un peu divertissante, disons déconcertante, comme une première étape vers l'émerveillement, mais tout de même inopportune: par exemple l'irruption du paysan mal élevé dans le salon d'une fille de marquise, marquise elle-même. (Il se reconnaît dans cette figure de paysan, ça rend son malaise plus épais encore, plus épais: l'usage sans précaution de la métaphore fait entrer des pommes et des cerises dans un récit où il ne devrait y avoir ni cerises ni aucun fruit de ce genre, et pendant ce temps, Achab plante ses bottes boueuses là où personne ne les a invitées: le même malaise, la même bâtardise, une bâtardise fertile, peut-être (infiniment de *peut-être*), mais fertile dans plusieurs siècles et loin d'ici, si la fertilité devient un jour une conséquence retardée de la bâtardise.) Une métaphore et puis deux, et puis dix-sept métaphores avant la fin du chapitre, pas moins, où il est question dans le désordre de forêt, de nuage, d'étoile, de rose, de cochon, de tulipe, de mouche, de farine, de cheval, de nacre (celle d'un coquillage), de la chevelure de Bérénice, du ventre de Baubô, de paille, de ruisseau, d'un autre cheval (hennissant, celui-là), et d'un mors : cette fois, pas de doute, il ne peut plus être question d'accident mais d'une forme maladroite de beauté, ou d'expression, ou des deux à la fois, ou d'un divertissement tapageur, ou de l'exhibition de ses maigres trésors.

Dans ces circonstances Achab le Jeune est à ses débuts un lecteur interrompu sans cesse : quand ce n'est pas la cloche du déjeuner, les travaux des champs, la foudre, la chute de cheval ou le sommeil de plomb soudain à minuit, c'est lui-même qui s'interrompt, pour manifester sa circonspection – il voudrait prendre métaphoriquement la métaphore avec une petite pince. (Il voit les autres caracoler – lui, pas si fou, tout fier de cette malice inédite, venue à l'idée de personne, préfère s'arrêter, perdre le fil est le salut de son intelligence (pauvre de lui) : il referme un livre, le recommence ailleurs, trois pages plus loin, trois pages plus tôt, le lendemain.) (De fait, mais cela est un détail de l'existence achabéenne, ses dix premières années de lecture donnent lieu (pas toujours) à des malentendus – il a fallu revenir ensuite sur ses interprétations, les corriger ou en faire son deuil, et constater par exemple que tel livre écrit dans la lignée mélancolique et analytique de Schopenhauer par un schopenhauerien était en vérité un recueil de recettes de cuisine. En déversant sa maigre bibliothèque rassemblée dans un baluchon, il redécouvre en plus du livre de cuisine un manuel de jardinier, ses guides de bonnes convenances, plusieurs bibles, toutes exactement semblables à la faute de frappe près, des catéchismes, un manuel d'instructions pour les jeunes mariés, une histoire de Moose Jaw par un érudit local, une interprétation de la comète de 1835 par un mormon, un guide pour soigner les poules, un dictionnaire anglais-espagnol et les contes d'Andersen dans leur langue d'origine (entre autres – pour le reste, quelques

99

Shakespeare, quand même). Il en a été le premier surpris, persuadé jusqu'alors d'avoir lu puis absorbé (compris, et donc rendu justice à) des livres de sagesse orientale s'offrant à moitié seulement à leurs lecteurs, des romans psychologiques renonçant à toute intrigue pour laisser transparaître une beauté pure accompagnée d'inquiétude, et d'autres livres où il était question du comportement des grands nombres à l'approche de l'infini, et d'autres comparant la mort à la lumière du matin, d'autres faisant se rencontrer Mercure (le dieu) et le président Lincoln, ou bien le même avec le Juif errant, et de la poésie, et les notes d'un humoriste.)

Toutes ces métaphores? une monstruosité agréable, sans doute inutile – plus tard la réticence du jeune Achab est remplacée par l'indulgence, pas encore la compréhension, à l'équilibre du refus et du désir, à mi-chemin de son puritanisme et de sa pulsion de vie – l'indulgence étant pour lui à ce moment précis la moins mauvaise façon de lire. Alors, il les met de côté, il leur fait subir le sort du gravillon trouvé dans un plat de lentilles, les considérant un instant avant de s'en débarrasser, mettant sans le savoir dans cette considération toute son acuité de dénicheur de brocantes remarquables (ou une acuité d'archéologue pas très méthodique, mais chanceux). Ensuite, il les relève, il les collectionne, il en fait des compilations d'abord paresseuses puis systématiques, étonné à chaque fois de l'avènement d'une métaphore à la surface de la lecture – plus tard encore, il les étudie, il les conserve près de lui; il agit comme agissaient avant lui les petits romantiques quand ils se prenaient pour de sérieux savants indispensables à la Nature elle-même (les romantiques weimariens de la catégorie Académie des Sciences et de l'Émerveillement facile), il rassemble les échantillons de la monstruosité pour leur donner au moins la forme non monstrueuse d'une collection d'objets, raisonnée, sous la surveillance des sciences tératologiques (Achab se console à l'idée que la tératologie, elle, n'est jamais monstrueuse).

Et ensuite? il prend goût à ces écarts à peine avouables mais délicieux, il devient amateur puis demi-connaisseur au cours d'un long apprentissage échappant en grande partie, il faut bien l'avouer, à sa volonté – vient le moment où, au lieu de les éviter, il se met à les attendre, languit si elles manquent, les capture dès qu'elles pointent, les devance, les appelle, s'y attarde un peu trop longuement, perd le fil pour le seul plaisir de se goberger de ces choses incongrues et pourtant si cohérentes d'un point de vue de syncrétiste amateur – il les désire, il leur applique l'appétit du toxicomane, il voit en elles l'essence même d'on ne sait trop quoi. Et comme il est seul à se goberger de la sorte, rien ne le retient, la théorie doit nourrir le plaisir : il voit dans les métaphores la brèche vers d'autres mondes, non pas la trame de la pensée, mais l'intervalle entre deux idées, l'intervalle même, peu importe les idées, peu importe si elles existent (rien n'existe moins que ces idées). Pour finir il y tient, il les croit dur comme fer : trois cents pages de fables lancinantes ou huileuses à force d'être fluides, trois cents pages de cavalcades de diligence depuis Samarcande jusqu'à Trébizonde, ou bien Trébizonde-Samarcande, c'est trois cents pages de pure esbroufe, le prétexte laborieux pour véhiculer des métaphores, une par page au moins, six ou sept au mieux, y compris celles du plus mauvais goût, parce qu'elles sont parfois voluptueuses – véhiculer des cargaisons d'étoiles comparées à des yeux, ou le contraire, et non pas tel ou tel héros Salvatore de Mange-prune dans la diligence Trébizonde-Samarcande.

C'est l'occasion de se réconcilier avec la faute de goût : toutes ces métaphores récupérées dans les pires romans de

chevalerie, et des romans d'amour, des histoires d'orphe-
lines, de princesses volées au berceau, de veuf visité par
des fantômes, de jeune marié découvrant le secret de sa
naissance, Achab se les dépose de côté pour plus tard dans
l'espoir de les arracher à ces pages et que le temps leur donne
une vertu insoupçonnée : et alors il s'en servira, à quel usage ?
au nom d'un mystérieux on-ne-sait-jamais. Ailleurs, dans
d'autres livres peuplés de moins d'orphelins, il trouve encore
à la centième lecture d'autres de ces métaphores, invisibles
jusque-là, un écart de langage, la preuve de la maladresse
et d'un manque évident de savoir-vivre, mais aussi (le
jeune Achab respire une poudre d'or inexistante) les ingrédients d'une sagesse tenue secrète pour d'obscures raisons,
et distillée de cette manière, par petites touches, par petits
bouts inopportuns, un peu ici, un peu là, en comptant sur
une attention lâche.

Les mains pleines, et les poches : riche de cette richesse
sans limites mais sans valeur, en vrac, le jeune Achab a pu
se croire fin prêt : le temps venu pour affronter le monde,
enfin, et commencer par mettre un pied dehors et quitter
ce chez-soi de préparatifs, de préméditations et de pensées
profondes s'engloutissant en elles-mêmes. Toute cette
virtuosité, celle des autres, la parole facile, la souplesse du
danseur, l'élégance naturelle, le bon endroit au bon moment,
les vertus de naissance et le bon timbre de voix, bref, tout
ce qui lui manque, il croit pouvoir se l'acheter pièce par
pièce avec la monnaie de ses métaphores – et ce n'est pas
seulement pour se donner l'élocution qu'il n'avait pas.
Plusieurs dizaines de ces moignons de métaphores compilées
dans un certain ordre (fidèle à sa manière de faire), et parmi
elles des paniers de fleurs, des cargaisons de fruits, des ponts
lancés entre une Madone vénitienne et la queue d'un cheval,

des rapprochements gênants, des mariages audacieux ou blasphématoires, des rencontres forcées, des étoiles comme des dames hautaines, des oreilles comme des porches[1], et encore beaucoup de roses et de lis venus des romans d'amour, des glissements de sens et des incongruités virtuoses mais grossières : si avec tout ça le jeune Achab ne parvient pas à adresser la parole à une jeune fille de la ville, c'est à n'y rien comprendre – Achab a eu souvent l'occasion de ne rien comprendre. En plus de pénétrer incognito, majestueusement, le cénacle des hommes appartenant au monde extérieur (le mystérieux dehors), il avait prévu d'éblouir : son aisance située au-delà de l'aisance commune : la faculté de s'adapter, bien sûr, mais assez d'esprit recueilli miette après miette pour enchanter, en parlant toujours d'autre chose, en dessinant des cercles presque parfaits loin du sujet de la conversation, en s'enivrant de ce voyage, en se faisant passer pour Vasco de Gama polytrope, qui ne perd jamais de vue l'idée d'un centre fixe à condition de baguenauder, de faire dans l'eau des ronds de plus haut sens, adressant au passage à quelques interlocuteurs le salut du nomade au sédentaire, un salut très respectueux.

Riche inutilement – quoi de plus humain, typiquement humain, typiquement achabéen par la même occasion : en l'occurrence, riche de tous ces débris de métaphores arrachés à des livres et qui auraient gagné à y rester – riche pour rien de ces choses débordant de ses poches, des cadavres, des totems, des fossiles, du verre taillé, des plumes trempées dans la peinture, des échantillons de tissu, des blasons brisés à sénestre, une corne de narval se faisant passer pour celle d'un cheval : à ses yeux, un prétendu héritage de l'Europe des

---

1. Une heure comparée à une feuille d'or battue pendant des siècles.

humanistes, des Lumières, et de Shakespeare, débarqué en Amérique. (En secret, il se l'avoue : ce sont des métaphores de seconde main, plus pitoyables à cause du vernis, pas à cause de l'usure, le vernis remplaçant l'usure – elles n'ont plus rien de l'Europe des savants, rien des poètes amoureux-sans-cesse, rien non plus de l'Allemagne des philologues, de l'Angleterre, de l'Italie de la querelle du dessin contre la couleur telle qu'il a fini par se l'imaginer ; elles prétendent on ne sait comment parvenir jusqu'ici par rebonds d'Italie et d'Allemagne comme si elles étaient un butin disputé sans adresse, échappé des mains de ceux qui se disputent, dégrin-golées ensuite jusqu'en Amérique, jusqu'aux pieds d'Achab. Elles prétendent être des vestiges, ou bien, plus justement, il le prétend à leur place en se donnant à peu de frais le titre d'antiquaire chanceux : il déterre un louis d'or chaque fois qu'il veut replanter une patate. Le jeune Achab croit pouvoir aller à la rencontre des hommes, comme un dieu maigre couleur d'endive blanchie à l'ombre, après des années passées à apprendre seul derrière sa porte les rudiments de l'humanité – pour le Christ, la caution, c'était ses blessures, elles devaient suffire pour faire de lui un être humain, elles lui donnaient en tout cas assez d'aplomb pour apparaître et pour prétendre, goguenard, presque obscène, partager le sort des mortels – pour Achab, sa pauvre assurance, ayez pitié de lui, c'est un carnet rempli de métaphores, parfois sublimes, le plus souvent bon marché (mais à cette époque, dans le système achabéen, la métaphore vulgaire et la métaphore sublime se valent exactement : il ne s'agit pas de ce qu'elles sont, mais du monde extra-livresque auquel elles voudraient appartenir, et de leur rôle, disons les choses comme ça, de psychopompes).)

Il aurait fallu le voir sortir de chez lui, un certain jour, après avoir relu quelques pages, pas tout à fait mûr, pas tout à fait larvaire non plus, encombré de toutes ses préméditations et poussant devant lui son baluchon de figures pour s'en servir au cas par cas, peut-être coup pour coup, comme il l'a vu faire dans des livres, lui le témoin de ses propres lectures : des verroteries pour apaiser l'étranger belliqueux, par exemple, ou la main posée sur son cœur. (Il se souvient aussi de ce crayon taillé en pointe obstinément et planté dans l'œil du Cyclope – par bonheur il n'en avait qu'un : son unicité, ça mérite réflexion, appelait le sacrifice – : on pourrait croire à un exploit d'hommes forts unis pour et dans un même élan, un exemple de la splendide discipline des athlètes de la Grèce ancienne : en vérité, ce bâton pointu, c'est l'humiliation infligée par le scribe à la brute épaisse.)

Achab le Jeune débute dans la carrière (de comédien)

La vocation d'acteur ne naît pas en touchant du doigt la fraise du grand comédien venu jouer *Coriolan* dans la cour de l'école ; c'est plus ordinaire que ça, et à la fois plus évident (lumineux : une révélation ou un réflexe inné) : quand un créancier vient frapper à la porte de la famille pauvre pour réclamer le paiement de ses dettes, quand père et mère se cachent derrière le rideau, en retenant leur souffle, et le tout petit Achab répond au créancier d'une voix limpide que ses parents, ouvrez les guillemets, ne sont pas à la maison – le créancier s'incline, tant de sincérité candide, il rebrousse chemin, Achab le tout petit prend pour la première fois la mesure de ce qui sépare la vérité d'une autre espèce de vérité, toutes les deux habitables.

[1857]

Comment se sauver de la routine

Sans toujours se donner la peine de philosopher avec précision, Achab pourrait donner raison aux anciens gnostiques (levés comme lui du pied gauche) : la chair contrainte, le retour du soir et du matin, les nécessités de la soif et de la faim, les conséquences pittoresques, troublantes et le plus souvent ineffables de la soif et de la faim, les mouvements de convection du ventre, le flux et le reflux de l'air dans les poumons, l'acharnement du cœur, un peu abrutissant il faut bien l'avouer : et voilà pourquoi les jours se ressemblent. L'éveil est parfois une gloire, le début d'un combat encore privé de noms et de mots pour le décrire, la fanfare, les trompettes, l'amour vibrant pour quelque chose et la certitude d'aboutir, à Dieu sait quoi, mais aboutir – parfois, mais parfois seulement ; plus souvent (sous le plafonnier oscillant de la cabine, puis sous le plafonnier absurdement, macabrement fixe d'une chambre[1]), l'éveil est pour le vieux capitaine la reprise de l'éveil du jour d'avant, ou de celui d'avant.

Encore la sonnerie du réveil, encore la voix d'un transistor, les noms de Mexico et Panama (c'était hier Panama suivi de Mexico), la suite des suites des guerres anglo-afghanes, le café, le même fleuve de café dans lequel pourtant on voudrait ne jamais se baigner deux fois, le matelas sur des vieux ressorts qui refuse de se laisser quitter, le même effort pour se lever, le même que la veille, réussi hier, inutile ce matin, preuve que nos victoires ne survivent jamais plus d'une nuit, les mêmes pantalons, la même chaussure, et si ce n'est la même

---

1. À l'angle de la 7ᵉ Avenue et de la 60ᵉ Rue.

chaussure, le même pied, le regard de l'ongle du gros orteil, ni d'amour, ni de reproche, de considération cyclopéenne. Heureusement cette histoire maussade risque de finir bien : Achab pense avoir trouvé le moyen spirituel et concret de supporter le retour des jours à l'identique, sa découverte est le fruit d'une belle déduction, même si elle ressemble à un défi lancé par un rigolo à l'adresse d'un autre rigolo : il nous suffirait (Achab n'en est pas tout à fait sûr) de considérer la routine comme une répétition au double sens de répétition théâtrale et de recommencement d'une expérience de science dure, selon des protocoles sévères modifiés d'un rien d'une fois à l'autre – alors la permanence des choses n'est plus une dérisoire forme d'éternité, elle est l'insistance nécessaire afin de mettre au jour, allez savoir, des vérités ignorées jusque-là, à notre corps défendant, mais qui, c'est à parier, ne nous rendront pas meilleurs.

Voilà peut-être, avec un demi-siècle de retard, une conséquence de tant d'années passées à faire le comédien de Londres : selon lui, le retour des mêmes mots chaque matin (le salut de la dame qui balaye, par exemple, et lui présente sans se retourner l'os de son coude), le retour des mêmes paroles est l'amélioration des paroles de la veille, prononcées cette fois avec plus de retenue, ou plus d'allant, ou de moquerie et de sècheresse, corrigées selon la version de la veille, dans l'espoir de mieux faire – faire mieux signifiant captiver un public. (Ce qui revient, selon le capitaine, à appliquer ce vieux poncif du théâtre de toute chose, mais pour de bon, et y croire posément sans romantisme, et même sans baroquisme : admettre cette hypothèse pour la vertu triviale de ses conséquences.) Nous voilà sauvés, l'ennui n'a plus cours, remplacé par l'attention, par la fidélité rigoureuse ou relative aux textes du répertoire, à nous de déduire notre euphorie d'après l'euphorie du vieux capitaine le matin où, d'un trait de plume[1] (imaginons ça comme ça), il théorise sur un coin de table la *répétition de chaque jour considérée comme un perfectionnement de troupe de théâtre au travail*: il ne craint plus de sombrer dans la folie, du moins pas dans celle-là, il ne redoute plus les bonjours, les bonsoirs, il leur tend une oreille attentive, il veut percevoir des nuances inaudibles hier encore, et au lieu de s'affliger, il jauge, dans la peau du critique, se souvenant des ordres lancés depuis la nuit de la fosse d'orchestre par un metteur en scène quasi jupitérien à sa troupe de jeunes gens répétant *Roméo*. Il y a trois jours encore, Achab était un pantin soumis aux mouvements de l'air – désormais, il soigne son retour, il bondit de son lit avec au cœur l'idée que nos vies sont une suite de répétitions générales, en costumes, dans l'attente d'une prochaine, future, lointaine, et idéale représentation: elle nous délivrera alors, mais pour de bon, comme le fait la bouddhéité de l'inlassable recommencement des aubes (il dit exactement: pénible ressac de l'aube). Vivre, alors, même paresseusement le dimanche en traînant sa pantoufle sans jamais la soulever, c'est apporter une nuance, et la routine est l'épuisement des versions, une exhaustivité d'œnologue, et la recherche d'un sens caché dessous le sens flagrant; la pantoufle se traîne chaque jour avec plus de subtilité, la retenue dans l'expression, l'expression quand même présente – fatalement viendra le jour où, par un trait de génie, Achab décryptera le secret de sa cravate nouée un million de fois: même cravate, même nœud, mêmes petits pois de la cravate.

---

1. Pas un trait, une volute, plusieurs volutes à la suite; ce qu'on pourrait appeler des fanfreluches.

Moby Dick – de l'immensité, de la placidité, de l'âge,
de la dissolution

Être baleine : le sentiment d'être immense, un sentiment immense lui aussi, lent à venir, se propageant pendant des jours de la queue à la tête le long d'un corps dont rien, au fond, ne saurait faire le tour : si bien que ce sentiment d'immensité, tenant lieu de conscience de soi, se perd en chemin : il se promène : du coup l'idée d'être une baleine pour une baleine demeure quelque chose d'imparfait. Il lui arrive de se croire fine et maigre, faite d'une seule tranche, comme une page, et de flotter ainsi plus librement ; elle a pu se figurer creuse et compartimentée, elle s'est comparée à des épaves de caravelles, décousues, hérissées mais superbes (sa jalousie est récurrente) ; six mois de suite elle s'est tenue couchée sur le flanc au fond de l'eau avec la dignité d'un navire de bois aux armes de Sa Majesté Catholique. (Elle ne peut pas être fière de son immensité : elle la doit entièrement à la densité des eaux, à quoi elle doit aussi toute son insouciance, ses cabrioles de jeune fille quand elle était jeune fille, sa paresse déployée plus tard majestueusement sur un fond majestueux, tout effort reporté au lendemain ; sur terre, elle le sait pertinemment, elle s'écroulerait sous son poids, elle finirait par être lugubre, des enfants auraient vite fait de danser sur son cadavre, elle adopterait par mimétisme la morosité des vaches : sans doute élégante, mais inébranlable dans sa tristesse ; sous l'eau, une baleine est pesante, on en connaît pourtant qui ont la grâce d'un impondérable ravioli, à point dans son bouillon.)
(Elle est généralement placide, ce qui lui suffit comme

bonheur; la douleur ne lui est pas étrangère, mais les fibres nerveuses sont ce qu'elles sont, dans les abysses, pour un animal de cette taille : quand la baleine se pique à un oursin, la douleur est si lente à traverser son corps immense, elle lui parvient sous forme de nostalgie.)

Passé un certain âge, la bête ne veut plus faire le tri entre souvenirs directs et patrimoine commun de la mythologie – de l'histoire naturelle : tout ce qui arrive, tout ce qui est arrivé, comme passe d'armes de monstres à Poséidon, ou glissement de terrain, ou massacre d'esturgeons par les Ukrainiens d'Odessa, ou légende de dragon faisant des petits dans la mer du Japon, tout cela lui arrive, et si ce n'est déjà fait, finira par lui arriver compte tenu de sa durée. Elle vieillit, elle a passé l'âge, même, de parler de vieillesse, avec le temps elle se voue entièrement à son inertie, et des millions d'animalcules au fond des océans, impatients et nerveux, crevettes, araignées d'eau, anémones, toutes choses vibrionnantes, parfois pénibles, la regardent passer, rien ne l'arrête. Elle s'assourdit et s'aveugle, elle s'offre des plages d'oubli de plus en plus longues, elle est saumâtre au moins autant que l'océan : à force d'y tremper, elle a fini par lui ressembler, flottant comme il flotte, se corrompant comme il se corrompt, lui et elle donnant l'hospitalité à tout ce qui coule, comme ces escarboucles espagnoles datant du Siècle d'or (en fait, il s'agit plus souvent de plancton). Elle finira par se dissoudre, il suffira de pas grand-chose, elle sera alors gorgée d'océan, l'océan se gorgera de son moi, il y aura pour finir cette certitude, elle aussi diluée, la certitude de vivre et de se déplacer encore un peu, à peine, à l'intérieur d'elle-même.

Achab confesseur

De Quasimodo à Quasimodo, pendant une année entière,   [1920]
le capitaine fait le métier de prêtre, dans une église reculée,
à peine perceptible, entre deux hauts murs de brique (une
rue négligée par les services de nettoyage, comme si le Christ
là non plus n'avait jamais mis le pied). On ne lui demande
pas de diplôme, les fidèles ne lui reprochent jamais les
minutes de sa liturgie ; son latin, de toute façon, fait l'affaire,
grosso modo, il fait entendre des mots qui conviennent, ils
tombent à l'eau à peu près à la bonne place ; il suffit la
plupart du temps de parler d'anges et de Satan. Les cloches
sonnent de jour en jour quoi qu'il arrive, le vent tourne les
pages de papier bible, on finit par compter sur lui, le prêtre
et ses ouailles s'en remettent aux courants d'air – et pour ce
qui concerne la confession, Achab s'est toujours engouffré
bravement entre les planches de son confessionnal, le client
auprès de lui obtient toujours facilement son pardon. Une
année entière, des dizaines de confessions, bientôt des
centaines, à raison de six ou sept par matinée, ce que jamais
Achab n'aurait pu croire dans un quartier aussi désert (plus
de currywurst que de crucifix dans les vitrines) : par centaines,
des histoires de cuisines, de querelles, de naissances, d'autres
femmes, d'alcool, de voisins et de crimes parfaits élaborés
pour les faire taire – Achab, en matière de meurtre, a
entendu défiler toute la famille, y compris les degrés de la
parenté pour qui notre lexique n'a pas prévu de noms.
(Toutes les variétés de l'obsession du sexe, également, mais
pour elles, Achab trouve toujours un nom ; elles sont dites
avec précaution, et au final, il faut bien l'admettre, la prudence l'emporte sur la vraie perversion. Il faut supposer

l'endormissement du prêtre après une centaine de ces turpitudes, une centaine de crimes dits au lieu d'être accomplis : Achab tiré de sa somnolence croit souvent devoir donner sa permission au lieu d'un vrai pardon.)

Achab confesseur (suite)

On croit s'en sortir facilement : la confession a l'air si simple de l'extérieur, scandaleusement simple, encore la preuve de la perversion papale, l'un des vices sacramentaires mis au point à l'époque où l'Église de Rome était au sommet de sa puissance (Raspoutine avait survécu à son empoisonnement grâce au sucre contenu dans le gâteau, et qui avait débilité le cyanure – pour un bon nombre de luthériens, l'Église romaine ressemble à cette pâtisserie) (pour certains Siciliens fils de la Méfiance, la confession est un rituel inventé par des abstinents pour se repaître au moins du récit de pauvres lubricités). La confession est apparemment simple, sa simplicité vient en partie de la désinvolture du prêtre, à qui on devrait pardonner en retour : il marche à petits pas feutrés, il se signe mais sans se fatiguer, il s'installe dans son confessionnal comme vous et moi dans la cabine d'un photomaton, il penche la tête liturgiquement sans écouter vraiment ses fidèles, et quand il sent venir le point final, dans un souci de simultanéité, il pardonne, il prononce des mots en latin, il veut que la magie opère. Pour le capitaine, en tout cas, rien de plus facile : peut-être à cause de son inexpérience, de sa distraction à l'heure des messes de son enfance, parce qu'il a lu la Bible en dilettante et qu'il a retenu de tout le génie du christianisme des dizaines de proverbes, mais des bribes seulement, utiles au temps où il jouait Shakespeare, et plus tard, quelquefois, sur le navire.

Au commencement, il s'y prend mal : Achab croit que la désinvolture suffit (désinvolture imitée des Jésuites et des prêtres ordinaires, les prêtres du dimanche – mais à y bien réfléchir, sa désinvolture lui vient aussi des garçons de bar chargés de faire les cocktails) : quand il se rend compte qu'il a perdu le fil d'une confession, trop tard, le pécheur a dit son péché, le récit de ses turpitudes est parti explorer des terres inconnues, a fait intervenir de nouveaux personnages, Achab ne sait plus qui est qui, les prénoms se mêlent, le récit le plus ordinaire ressemble à une suite d'allusions obscures, belles en tant que telles, d'une poésie involontaire, sans doute fragile et sans doute fausse – si bien qu'au bout du compte le capitaine ne sait plus comment accorder son pardon : et ça, il ne l'avait pas prévu. (Achab n'a pas entièrement tort, pourtant, le pardon peut très bien bénéficier de la désinvolture, et du coup se présenter au pécheur comme un pardon préparé d'avance, comme un plat à emporter, indépendant de la confession et de ses détails, les petits creux, les petites bosses de la confession – pour cette raison, l'abso-lution du capitaine est toujours intacte et fraîche.) Parfois, "soudainement[1]", aux deux tiers d'une confession, Achab le Confesseur se réveille en sursaut, se disant dans l'urgence que, peut-être, très probablement, les paroles dites par le vieux fou ou la vieille folle de l'autre côté de la cabine ne sont pas seulement des syllabes hypnotiques et ennuyeuses prononcées pour la cure, mais contiennent "en elles-mêmes" quelque chose comme une signification intimement liée à

---

1. Charles Dickens, *Aventures de Monsieur Pickwick*, chapitre XXIV, *Dans lequel M. Peter Magnus devient jaloux.*

la façon d'être dites. Le capitaine exprime confusément une intuition claire pour lui seul – quoi qu'il en soit, il s'oblige à se redresser, il se frotte les paupières du haut puis, pour le meilleur et pour le pire, se remet à suivre les récits du vieux fou et de la vieille folle, lui-même docile, presque docte – à la fin de quoi, *ego te absolvo*, toujours dit d'un ton nonchalant afin de rendre les drames primesautiers (supportables), mais en parfaite connaissance de cause.

Il a somnolé bien souvent, à la verticale : mais il ne se peut pas que le capitaine, dans sa tenue de faux pasteur des pauvres, n'ait pas retenu certains détails des confessions, avec un peu de chance ce qu'on appelle les moments clefs, les éléments les plus utiles (le mot exact est *pertinents*) pour son pardon – puis au-delà du pardon chrétien, dont on finit par se lasser, utiles pour la bonne compréhension du récit. On est en droit de croire le capitaine plus riche d'une collection de peccadilles après toutes ces séances d'agenouillement : des peccadilles jusqu'au meurtre, rangé par gentillesse au rang des peccadilles – notés de l'ongle sur la cire de son accoudoir, puis reportés sur un carnet, puis tapés à la machine à écrire, les mots de la tentation, ceux de la gourmandise, comme l'inventaire d'une bonbonnière, ceux de la jalousie, de la paresse, comme l'inventaire de sa literie, et bien évidemment de la luxure, l'anatomie du corps ordinaire, mais aussi le trousseau de la jeune mariée, le contenu de la penderie, le dictionnaire de la médecine, le catalogue des raisons de ne pas agir et la litanie des noms de la chose excrémentielle. Longtemps après avoir quitté sa fonction sacerdotale, d'ailleurs illégitime, Achab a reconnu avoir pris un certain plaisir en rassemblant un si grand nombre de synonymes, bien au-delà de ce qui nous est humainement nécessaire ; le plaisir, comme les synonymes d'ailleurs, comme la soutane faite d'un morceau de rideau, n'aurait pas été compatible avec la dignité d'un vrai prêtre.

Le capitaine a pu jalouser des prêtres de cent cinquante ans d'âge, dépositaires de tout, une bibliothèque dite par des éphémères, prudents et craintifs, humblissimes, humiliés en dépit du pardon, dite aussi à travers une grille, d'où elle ressort en petits morceaux, comme si la grille était une râpe – ils doivent être riches à présent de tout ce qui leur a été confié, à moitié perdu par le confident, heureux de s'en défaire, inconscient de sa petite richesse (d'autres à leur place, infiniment plus malins, en auraient fait des livres). Riches d'un demi-siècle de confessions et de tout ce que cela représente, des mésaventures, des fonds de conscience, des rêves irréalisés ou réalisés et le remords après la réalisation, la déception et la culpabilité donnant sur d'autres aventures, elles aussi dites à confesse, parce qu'à tout prendre, dans le doute, le plus prudent est d'en avoir honte – et puis, des noms, des histoires, des postures, les sonnets de l'Arétin retrouvés par hasard, des nombres stupéfiants, puisqu'il est dit que le péché est aussi une question de combien de fois ; et des témoignages sur le temps, sur l'espace, sur la banquette arrière des autos. Ils doivent être remplis à l'heure qu'il est, avoir la taille de saint Thomas d'Aquin quand il était encore vivant, farci de châtaignes et de poires, et quand il écrasait sept sommiers sous son poids – ils les gardent pour eux, ils ne les distribuent pas pour faire l'aumône, ils les feuillettent le soir pour trouver le sommeil : pour s'oublier lui-même, faute d'avoir péché, un saint homme passe en revue les turpitudes des autres.

Achab vieux garçon d'hôtel

Il lui est arrivé de récupérer la savonnette bleu lavande, rose rose, jaune camomille, à certaine dame dans sa baignoire, qui l'avait laissée s'enfuir : pour bien faire, il faut la courtoisie du muezzin, celui qui s'aveugle avant de monter ses sept cents marches pour ne pas voir, de si haut, parmi toutes les dames de l'Arabie heureuse, celles qui prennent un bain de soleil.

Achab le Jeune et les minstrels

[1864 et suiv.] Ces années où on voit le jeune Achab fuir les temples à l'heure des cérémonies, pas pour courir les champs de maïs, pour passer les angles de plusieurs rues et se défaire à chaque coup de pied donné au cul d'un chat de tous ces "en vérité en vérité je vous le dis", il lui arrive de trouver refuge dans un théâtre, disons l'un de ces petits théâtres, bateaux-théâtres, ou granges, ou épiceries, aménagés une fois par mois pour mériter le nom de cabaret : il a entendu la musique de loin, il a reconnu le banjo et la clarinette, les dés à coudre sur la planche à laver, et par-dessus le banjo des morceaux de tirades drolatiques où il est question de Royaume pour un Cheval (entre autres). Dans les cabarets, Achab voit les minstrels, il en oublie l'église, il se purge des deux Testaments et des quatre Évangiles en se laissant aller au spectacle des sketches et d'une musique faite de coq-à-l'âne ; il se laisse à parts égales épater et séduire, l'art du spectacle commence pour lui par une absolue passivité, la sienne, qui ne durera pas, mais sait faire son office – des années plus tard, après l'Amérique, après Londres, sur le *Pequod*, il tentera de partager ses premières joies sans bien y parvenir (il essaiera la confidence, puis il déclamera, sans succès) : sa fascination de voir non seulement des Blancs d'Amérique se déguiser en Noirs en se peignant le visage, mais à leur tour des Noirs se déguiser en Noirs d'après le déguisement des Blancs, une traînée claire autour des lèvres : dans ce déguisement de Noirs en Noirs le jeune Achab avait eu l'intuition de saisir quelque chose comme la clef des beaux-arts, ou l'un des secrets du monde lui-même, le monde séculier, hélas sans lui donner un tour précis : trop tôt sans doute, ou trop d'impatience.

Ça lui plaît, ces minstrels, la grossièreté de leurs déguisements, il faut l'entière bienveillance des spectateurs depuis le premier jusqu'au dernier banc pour faire de ces maquillages un art de la représentation – toute l'illusion comme art est un don du public payant aux comédiens de maigres salaires. Tombé là par hasard (il ne veut pas parler de destin, encore moins de vocation, c'est tout à son honneur), tombé là par hasard, le jeune Achab évadé de la messe se réjouit de voir le banjo, la clarinette, l'accordéon et le triangle, et un tuba pour les notes basses, bien meilleur que la trompe du dies irae : pour la première fois, dans ce décor de trombone à coulisse, son esprit "encore encombré des paraboles de Jésus-Christ", qui laissent entre les dents "des graines sucrées de figues", entend parler Shakespeare – bien entendu, sans le reconnaître : Shakespeare recomposé, comme un *mincemeat*, loin de l'idée que devait s'en faire James Burbage. N'empêche, c'est déjà un peu Shakespeare, Hamlet au banjo, l'instant d'après Othello avec un chapeau de feutre, Desdémone entamant avec lui un duo étranger à sa tragédie mais qui lui donne du corps, à se demander si la Desdémone de Venise ne chantait pas pour elle-même de ces chansons écrites entre l'Ohio et le Missouri. Achab s'y verrait bien, lui aussi, l'accordéon, le banjo et la flûte, trois ou quatre pas de danse pour mettre en branle la tragédie de Macbeth – du moins si la chose est aussi limpide en dépit de tout ce qu'on a pu lui dire au sujet du vieux théâtre d'Angleterre (le vieillissement du théâtre élisabéthain est plus obscur et complexe que celui, déjà fort remarquable, du stilton – allez savoir, il y a quelque chose de commun entre le stilton et les grands folios de Shakespeare : à l'un et l'autre le condiment de la moutarde forte). On raconte qu'il postule une place d'acteur musicien : il tire de sous un lit un banjo à une corde lui tenant lieu de caisse claire, il évite une fois la messe, il se prive d'un sermon sur la colère, sur la ville et sur le bateau qui voguait vers Tarsis, il fait le tour d'un cabaret jusque dans la ruelle et la sortie des artistes pour voir comment les Noirs, une fois chose faite, fatigués, se démaquillent en Blancs.

Si le jeune Achab déserte les temples et leurs prêches au sujet de l'arbre sec (ou de l'aveugle guéri, et même un jour du fils prodigue) (seul dans son coin Achab alterne entre le soulagement de s'ennuyer et l'inquiétude d'être concerné), s'il passe par la porte de derrière et se rend au cabaret où il embrasse la troupe des minstrels blancs et noirs confondus, c'est pour le plaisir de faire jouer enfin son banjo à une seule corde ? ou pour s'offrir à son tour la transfiguration, l'autre transfiguration, grand public, racoleuse, de la négritude ? pour voir et éprouver sur le tas ce que signifie être théâtra-lement noir ? ou pour fréquenter la danseuse, à qui un jour on finira de fil en aiguille par demander les secrets de sa danse, puis un autre jour l'autre secret de son nombril ? ou pour trouver le prétexte à sa première fuite – ce qui donnerait naissance à la légende du jeune villageois emporté par le nomadisme d'un cirque à son passage : une troupe de clowns et un seul éléphant souffrant d'un ulcère valant bien les douze apôtres du Ier siècle. En vérité, c'est déjà pour Shakespeare : Achab le Jeune accepte n'importe quelle pitrerie de trompettes et de sketches farcis de jeux de mots pourvu qu'il y ait Shakespeare, qu'on l'atteigne un tant soit peu ou qu'on le contrefasse : Othello sur une chaise berçante, Richard III en garçon vacher, et Jules César crooner reprenant sur les marches rouges du Sénat la *Ballade du malchanceux* : au dernier couplet le dernier soupir, et des applaudissements de connaisseurs.

Certains disent, Achab est entré dans la troupe, l'unique corde de son banjo a dû séduire son directeur au premier coup d'œil : une preuve d'humilité, le symptôme de la pauvreté vaillante et inventive, la dernière ruse d'Ulysse prêt à traduire spontanément corde de banjo en filin de radeau ou fil de canne à pêche (le jeune Achab n'inspire pas la pitié, il sait être virtuose sur une seule corde ; c'est aussi faire la preuve qu'un jour ou l'autre il sera prêt s'il le faut à se lancer dans la carrière simple et frappante de funambule). Il pratique depuis ce temps-là Shakespeare en amateur : les cent têtes du public remuent dans l'obscurité, on leur envoie depuis la scène un bon *To be or not to be*, ou un *Hiver de notre mécontentement*, puis un *Dite par un idiot, pleine de bruit et de fureur*, les cent têtes réagissent comme il convient, elles ont déjà entendu si souvent cette histoire d'Être et ne pas être, sans doute pas à l'église, au cimetière peut-être, ou dans un bar, là où il y avait un beau parleur ; le public à cent têtes remercie, sa reconnaissance est un rire commun ou une ferveur plus discrète, une allégresse que rien ne vient entraver ; il y a une forme d'approbation à cent hochements de tête depuis les fauteuils vers la scène, et sur la scène une forme embryonnaire de gratification ; alors, en échange de la ferveur, les minstrels noirs et blancs font l'offrande d'un duel de Montaigu à Capulet : c'est un *bis*, et cette fois, on a de la danse en plus d'avoir de la poésie importée de la Vieille Angleterre, dans des cruches.

Pendant des mois, il apprend à parodier Hamlet (*Paître ou ne pas paître*), Antoine devant le corps de Jules César (*Citoyens romains, prêtez-moi vingt-cinq cents*), Prospero (*Je suis de l'étoffe dont est cousue ma sandale*), et un mélange de Macbeth et de quelqu'un d'autre (*Le monde est une bourgade dont je ne veux pas me rappeler le nom et qui ne signifie plus grand-chose*) ; il combine Rosencrantz avec Jump Jim Crow, il entend jouer Richard III sous l'autre titre de Bad Dicky, puis *Julius Sneezer*, puis *O'Tillow*, puis *The Moorcocks of Venice, Roomers and Juleps, Beaucoup de bruit pour les joyeuses commères*[1] ; il donne la réplique en sifflant, il joue de son banjo entre la mort de Desdémone et une danse de plantation ; puis il commence à s'ennuyer, il ne rit plus quand Prospero parle de sa sandale ou de son esprit dilué dans le rhum léger, il voudrait passer aux choses plus sérieuses, preuve que tant de farces peuvent inculquer la gravité.

Apprendre la désinvolture auprès de la Grande Métropole

Pas de malentendu, la ville n'est pas pédagogue (à la rigueur pédagogie de Merlin ironique disant le faux pour avoir le vrai) : on y apprend la désinvolture pour s'en sortir au cas par cas, en guise de bonnes manières ; il y a les trucs de la proie pour échapper au prédateur et les coutumes non écrites du client pour saluer le monsieur du comptoir ; la désinvolture

---

1. *King Bear (of Arkansas), Leisure for Pleasure, Much Agog about Nothing.*

s'apprend au contact de milliers d'autres désinvoltes, en se frottant au velours des murs, en se laissant justement élever puis redescendre dans une cabine d'ascenseur, en se souvenant des stratagèmes bientôt obsolètes (ils échapperont frivolement à la muséification) des speakeasy pour boire l'alcool au temps de son interdiction, en considérant le cocktail lui-même comme l'un des combles de la stratégie frivole, à savoir le mélange des couleurs criardes pour noyer le goût infâme de la contrebande. La désinvolture la plus noble et élégante (pas désinvolture de nihiliste au bord du suicide, ou de cynique habitué à ne jamais tenir parole) s'apprend à la lecture de l'affiche du jeudi qui remplace et réfute la grande réclame du mercredi ; ou bien en voyant voisiner sans agressivité le marchand de crème glacée et le marchand de pierres tombales puis, ce voisinage devenu une habitude (jeune coutume de trois ans), l'autre habitude d'entamer la glace à la fraise le cul posé sur un bout de marbre.

Et puis, les enseignes, les fières annonces "Depuis 1899", les rabais abrupts accordés à des choses, ou bricoles, ou bébelles, ou cossins, avant-hier encore vendues à des prix de carrosse, l'alternance de surenchère et de braderie, dans les deux cas l'affaire du siècle pour le client *et* pour le revendeur. (La désinvolture élégante, à l'équilibre de l'insouciance et d'une certaine désillusion, née à force de voir tous ces marchands consacrer leur vie à faire de vrais cadeaux, des aubaines, enrichir leurs clients à force de bonnes affaires, mais au lieu de finir ruinés, mourir au sommet de leur fortune.) Les reflets, les reflets de reflets, les noms des rues, les infidélités d'un quartier à l'autre, les miséreux et l'indifférence tout autour, pas même hautaine, distraite ; la course des livreurs de journaux, les directions opposées et pourtant l'une et l'autre de la plus haute importance et pour la juste destination, les distributeurs automatiques de tout ce qu'on veut, les fragments de Gershwin joués par un amateur avant d'acheter sa clarinette.

William Shakespeare perdu de vue

Shakespeare aussi a eu ses années perdues (comme le testament de son père John, introuvable lui aussi, soi-disant authentique, retrouvé sous un toit de Stratford-upon-Avon, soumis à un expert qui ne l'a pas jugé valable) : des années blanches ou noires situées entre son départ de Stratford et son apparition à Londres sur des listes de comédiens (du moins l'apparition de son nom). Et pendant tout ce temps de sa disparition, quoi de beau ? des lectures de classiques le faisant voyager jusqu'à la Rome de César et la Grèce des dieux-machines ? ou des aventures avec toutes les filles de l'Angleterre, les brunes, les blondes, les garçonnes, pour nourrir des sonnets, écrits plus tard pendant des épidémies de choléra. L'erreur à ne pas commettre (si par exemple le capitaine Achab devenait biographe de Shakespeare, pour passer le temps, ou pour payer le prix de son admiration), c'est de choisir les années perdues pour y situer le moment d'une métamorphose du petit Will en Shakespeare, au cours d'une floraison réglée sur le règne finissant d'Élisabeth Ire – comme si devenir Shakespeare, quand on en porte le nom, c'était avoir un matin d'abord l'idée de Desdémone, puis celle d'Othello, et puis de proche en proche. Non, non, pendant tout ce temps-là, aussi bien, le jeune William Shakespeare apprend le métier de boucher : dépecer un bœuf, mais le faire avec vaillance, volubile toujours, en déclamant – l'espoir que déclamer, d'une façon ou d'une autre, aide à vivre. (D'après la vie brève de Shakespeare par John Aubrey, Shakespeare avait dans son voisinage un fils de boucher, son exact contemporain, doté d'un talent au moins aussi grand – il est mort jeune, ça n'est pas dommage : en plus d'un génie fils de gantier, on en aurait un deuxième fils de débiteur de saucisses, et tout autour sept fois sept prétendants au titre d'auteur de leurs œuvres.)

Achab au delicatessen

Achab accède au titre d'habitué dans quelques delicatessen tenus par d'autres vieux capitaines errants, eux aussi fatigués de voyager sans fin, eux aussi accomplissant le geste simple (providence triviale) de s'asseoir à la seule place libre : la pertinence de s'asseoir. Avec le temps, à force d'ouvrir et [1920] de fermer la même porte à la même heure, de faire tinter la clochette, de goûter à tous les plats du petit menu, d'en renier quelques-uns, de préciser ainsi lentement par ses refus le contour de son appétit, et donc de son jugement, son caractère, enfin son moi, l'épiphanie de son moi devant des spécialités d'Europe centrale, Achab s'attire les faveurs réservées à ceux de la famille ; elles sont modestes. Muet et monolithique, l'accueil fait à l'habitué, parfois même un peu rude, une rudesse qui est, soyons-en sûr, l'épiphanie de la fraternité : Achab sait lire, non pas l'Amour Fou, ni le Pardon Définitif, mais l'Acceptation et le premier degré de la Reconnaissance dans le geste d'assembler la purée en un tas dans son assiette avant de la servir : tout cela tient à si peu de chose, perceptible seulement par le patron et son client réunis tous deux à cet instant par la faculté de percevoir, qu'ils s'offrent l'un à l'autre (et dont ils sont tellement fiers).

Mais enfin ça existe, ça advient, la purée est là pour le dire, son dessin ne fait aucun doute dans l'assiette, elle ne signifie pas l'amitié à proprement parler, ce serait précipiter les choses, mais la syllabe juste avant la première syllabe de l'amitié.

On l'imagine débarquer de loin : quand Achab prononce les cinq mots nécessaires à sa commande puis aux formules de politesse, il fait remonter à la surface plusieurs accents rencontrés partout ailleurs – c'est sans le vouloir, et c'est discret, il compare ça au cheminement de sa chaleur depuis le col de son manteau jusqu'à ses propres narines. Les Polonais pensent qu'il vient de Pologne : il a connu les hivers, la soupe de sarrasin grillé, l'hébétude et la ferveur, les synagogues comme un refuge ; il sait de quoi se farcissent les pierogi. Et s'il était l'un de ces génies de la Vieille Europe exilés en Amérique (le pays des existences européennes ratées comme l'avait dit l'un d'entre eux), laissant derrière lui tout son bazar, ses trésors, des manuscrits et de la brocante d'Empire. Ici, tout seul, assis au-dessus d'un demi-pickle (ni tout à fait cornichon, ni tout à fait concombre, indécis lui aussi) et de tranches de viande fumée aussi nombreuses que les pages d'un livre, il n'a l'air de rien, le vieux capitaine, il n'a même plus la capitainerie pour lui, ni le faisceau des pirates, il a l'air déchu d'une ancienne dignité irrécupérable, sa mélancolie n'est pas flamboyante comme elle avait pu l'être ; il a fait tout ce chemin jusqu'ici pour faire preuve d'indifférence. À coup sûr, il a connu lui aussi l'Europe à baldaquins, l'empereur François Joseph Ier (pas Alexandre le Grand), il vient d'un monde où l'on suivait des funérailles à cheval à travers toute la ville consentante, il a vu les derniers fiacres de l'Empire, il n'a pas pensé les retenir, les derniers couvercles de chope ; il a vu des insurgés, et au milieu des insurgés les mêmes chevaux qui servent aux funérailles, ou presque les mêmes, sans le plumeau (le plumeau était pour les obsèques).

Les habitués du delicatessen amateurs de *smoked meat* et de chou en saumure s'imaginent des trésors fabuleux inversement proportionnels à cet air lamentable, cet air de guichetier congédié, de Baal Chem Tov cachant sa sainteté sous la bêtise : une telle misère fidèle à sa routine ne peut pas ne pas contenir en vérité une richesse ; sinon la richesse, la désignation de la richesse par des mots choisis, sa conservation dans son journal intime ; il lui suffira d'un seul geste du doigt, celui qui a une bague, pour rapatrier de Hanovre ou de Budapest une cargaison entière de ses biens et de ses œuvres – et alors, elles auront quelle forme ? ce sera les 70 danseuses de ballet surgissant hors du gâteau de mariage ? ou un essai fondamental sur les nombres transfinis ? la preuve mathématique de l'existence de Dieu. Il leur fera à tous la surprise, un de ces matins "semblable à tous les autres", et alors ce sera pour eux une demi-surprise seulement, pour lui le plaisir entier de l'offrande et de la victoire après ses années d'exil de vaincu – ils seront reconnaissants tout de même, ils n'applaudiront pas à moitié quand il ressortira de sous son manteau (son manteau enfin dévoilé) l'autographe de François Joseph, et fermé par la mèche de cheveux d'une ondine le livret d'une pièce qui a fait le tour du monde. (Toutes ces hypothèses font tourner la tête des plus sensibles : sous le coup de l'émotion (Achab ne la détrompe jamais, il ne prend pas cette peine), il y a parfois des tournées d'alcool – les plus enthousiastes s'interdisent de le serrer dans leurs bras de peur de briser cette construction fragile.)

De la jambe de bois

Pendant son séjour loin des eaux, il a donné (pour faire simple) 99 explications à sa jambe perdue, 99 en échange d'une seule, c'est dire sa générosité ; Moby Dick est l'un de ces récits, passé pour l'instant sous silence, les autres sont des histoires de terre ferme, en pleine ville, Frankfort (mais dans le Kentucky) ou Londres : d'accident de la route, de trappe malencontreuse ou d'échelle branlante. Il aime particulièrement l'idée de la gangrène née d'une éraflure, autant dire rien, soignée par l'amputation : il apprécie cette démesure entre la cause et la conséquence, il l'évoque chaque fois qu'il veut dénigrer d'autres chaînes de causalité, ou au moins s'en moquer (l'histoire invraisemblable, le scénario mal ficelé) ; il aurait pu les graver toutes, synoptiquement, sur sa jambe de bois, pour servir de pense-bête, pourquoi pas de conjuration.

Un accident d'auberge, ou bien les guerres indiennes, les dernières après Little Big Horn et Wounded Knee, après cet emplumé de Buffalo Bill, l'homme à tout faire décoré de franges et de guirlandes : n'importe quel sauvage ferait l'affaire, Cherokees, Nez percés, et alors une embuscade, une douzaine de ces campeurs-cueilleurs sortis de nulle part, la cérémonie du scalp (simple concession à l'amour des symboles), et l'autre cérémonie, plus rare, du coupe-jarret. Ou bien, une naissance difficile (combien de naissances difficiles ?), un vétérinaire impressionnable, pas de forceps, pas de césarienne, des os comme une tige de sureau – ou bien la lame d'une grande faux couchée dans les blés, patiente et rouillée depuis des années, disposée à attendre d'autres années encore, l'hiver et l'été, le passage d'un gamin pressé, avec une pomme. Ou bien une variété de syphilis, et alors la fausse jambe associée aux filles de mauvaise vie, à la maison où elles travaillent, au fauteuil de la salle d'attente et pour finir aux quatre pattes du fauteuil, terminées en griffes de lion. Quand il se sent assez en forme pour faire le prophète (levé du bon pied), Achab parle volontiers d'une fantaisie de la nature, le contraire du veau à deux têtes, en signe de quelque chose, il ne précise pas quoi, de bon ou de mauvais augure.

Achab le Jeune s'embarque pour Londres

En 1939, sur un bateau parti d'Angleterre pour New York, Benjamin Britten a le temps de composer *The Sword in the Stone*; un siècle plus tôt environ[1], sur un bateau (un autre) parti d'Amérique pour Londres, Achab le Jeune n'a le temps de composer aucune symphonie, mais le programme d'une carrière d'acteur shakespearien: elle débutera par des auditions.

Achab le Jeune, apprenti comédien à Londres

Une fois sur place[2], il espère conquérir tout Shakespeare, par la lecture d'abord, ensuite l'interprétation: c'est un projet grandiose de jeune homme, à l'âge où l'on ne doute de rien (et pourquoi douter, d'ailleurs?): tout Shakespeare, puis tout Marlowe, Tourneur, Ben Jonson et Thomas Dekker,

---

1. Moins d'un siècle en vérité: en 1870.
2. 51° 30′ 18″ Nord, 0° 4′ 43″ Ouest – environ.

la splendeur macabre tourmentée du siècle d'Élisabeth, qui culmine au jubilé de 1600 comme à la crête d'une vague d'inquiétude (je cite Achab – il faut lui pardonner ses approximations, elles sont l'enthousiasme même). Il compte bien jouer n'importe quel rôle de n'importe quelle pièce, elles lui plaisent toutes pourvu qu'il y ait au moins une mort – et cette mort, Achab en soit témoin.

[1870 et suiv.] Plus tard, il veut interpréter ces morts si bien écrites – c'est sans doute une preuve d'humilité, tout le contraire du cabotinage, allez savoir, en tout cas le désir de s'effacer, même spectaculairement, d'évoquer la fragilité de son moi et la démontrer sur scène : finir humble, écrabouillé, réduit à rien, comme Richard III, qui n'avait plus que sa patte folle à quoi s'accrocher, finir comme Hamlet plus raplati encore, misérable et ridicule, choisissant le ridicule pour remède à toutes ses impossibilités. Il se le promet : l'ensemble de ces agonies interprétées par Achab le Jeune sur une scène seront des morts infligées à lui-même théâtralement, pour conspuer son cabotinage au moment où il s'exprime, lui faire ravaler l'orgueil, ou harmoniser tout ce qui était en vrac jusqu'alors : la fierté et la honte, l'orgueil, le désir d'être vu et celui d'en finir, les lectures macabres, l'autre désir ardent d'échapper à sa peau et d'en finir avec soi-même (il y a eu de nombreux projets de la sorte). (D'ailleurs, à Londres, Achab va volontiers à la rencontre de ses confrères, des jeunes gens encore en âge de refléter le monde, ou de croire le faire, persuadé de trouver chez eux des hommes sensibles, accablés d'être eux-mêmes, partageant les mêmes projets : mourir soixante-dix fois sur scène, recommencer le lendemain, peaufiner ça, chorégraphier, varier le ton, mourir devant témoins en étalant avec soin sur un linge blanc une petite tache de couleur rouge, et mourir le soir d'après d'un seul cri lancé depuis la coulisse (en vérité, Achab se trompe : mourir, ça n'est pas toujours leur tasse de thé).) (Ça serait la moindre des choses, selon Achab, vouloir sortir de sa peau comme le renard bleu du baron de Münchhausen : une juste détestation, une juste méfiance : trop peu donc pour s'étrangler soi-même dans son sommeil, suffisamment pour ne pas se perdre dans l'amour infini de soi, ou pire que l'amour, la concorde, la paix perpétuelle. Qu'on puisse vivre dans le proche voisinage de soi et s'en réjouir perpétuellement, voilà bien une énigme absolue pour Achab le Jeune et pour Achab l'Ancien, à cette occasion d'accord l'un avec l'autre, presque réconciliés.)

Il traverse la Tamise jusqu'à la rive sud, il s'en va visiter dans les ruelles autour du fantôme du Globe, le théâtre, des maisons qui embauchent : il a son accent d'Américain d'Amérique mais il a son Shakespeare dans la poche arrière de son pantalon, les *Sonnets*, les investigations délicieuses, les amours ambiguës, il a des extraits de *Coriolan*, il sait réciter par cœur le commencement de *La Tempête* (*On coule, on coule*, et les imprécations du magicien sur terre), par cœur aussi la tirade de Prospero par-dessus sa victoire en forme de naufrage, la tirade du renoncement : la fête terminée, les acteurs envolés dans le vent, notre vie de l'étoffe des songes (mais les songes, de l'étoffe de quoi ?). Il veut devenir comédien, on lui rit au nez quatorze fois de suite, ou quatorze fois quatorze fois (le souvenir exagère), à cause de son jeune âge, de ses moustaches encore trop courtes – il y a aussi ses origines péquenotes d'Amérique, elles s'entendent, il suffit qu'il prononce le mot *jabberwocky*. Il a beau prétendre avoir passé son adolescence en mer sur les traces de Marco Polo qui prenait la licorne pour un rhinocéros, les directeurs de théâtre (assis quelque part dans l'ombre, sur un accoudoir) persistent à voir en lui un grand gamin du Colorado nourri au maïs, élevé dans la détestation du roi d'Angleterre.

Déjà un succès de l'acharnement, à force de se présenter aux mêmes portes des théâtres de Londres, il obtient des auditions, debout seul sous une lampe qui rallonge l'ombre de son nez : *Bos'n – Here, master, what cheer ?* – pour la quatorzième fois un directeur de troupe sur son accoudoir préfère le reconduire, avec une courtoisie tout anglaise, colonisatrice et polie (elle ne frôlerait pas un coude du coude). On lui fait comprendre à quel point, n'est-ce pas, l'art est difficile, pour tout le monde, et le métier d'acteur un sacerdoce, le sacrifice de soi, la paye maigre, le désamour des hommes, une retraite tardive, la fosse commune et la chaux vive après une vie passée dans des auberges de poste. Pour convaincre, Achab aurait pu inventer plusieurs versions de son enfance jusqu'à l'âge de vingt ans (d'ailleurs, il l'a fait, il avait du temps pour ça) : enfance de fils de rien élevé au bord d'une pêcherie, gardé par son oncle buveur, découvrant Shakespeare sous forme de page roulée en boule au fond d'une botte pour la tenir droite, et depuis ce temps-là jouant Guildenstern pour lui seul, mais avec génie, dans la chambre de la tante, le dernier miroir de la maison (il commence par Guildenstern, chaque chose en son temps, Horatio ce sera pour plus tard, Achab le Jeune calibre ses rêves d'après ce qu'il sait de la désillusion).

Là, pour de bon, il apprend à faire le monsieur (ce sera bientôt le capitaine) : jouer son rôle, porter la voix, rassembler son public, en tenir compte, s'assigner des objectifs remarquables, évoluer sur un fond peint avec précision, aux couleurs tranchées, tant pis pour le mauvais goût, soigner ses entrées et ses sorties, ponctuer de répliques justes une existence bordée au commencement et à sa fin, projeter pour donner au spectateur du dernier strapontin l'impression d'être concerné par des malheurs venus de l'étranger (le Danemark), attendre la réplique de l'autre, la connaître déjà par cœur et la prévoir mais l'entendre comme une phrase incongrue, lui donner alors une réponse élégante prévue depuis longtemps. Il apprend à tirer toutes sortes de cordes sans prononcer une seule fois le mot *corde*, à faire des nœuds, grimper jusqu'à des cintres par-dessus l'île de Coriolan, s'y prendre pour un singe (c'était avant de perdre sa jambe), accrocher ces ficelles à d'autres ficelles encore, et voir "comment montent et descendent les rideaux sur le monde". Il apprend à composer un personnage – pas une mince affaire, même pour un cabotin-né, bientôt interprète de lui-même : s'époumoner ne suffisant pas, il faut consulter son répertoire, choisir un costume, des postures, et combiner si c'est possible un peu de psychologie humaine (l'observation, les voisins, les semblables, l'âme des pauvres) avec beaucoup d'artifices (les plumes au chapeau de tout à l'heure ; et pour Shylock, la coiffure traditionnelle). Il aurait pu recueillir sur des carnets des épiphanies lui permettant maintenant de répéter les gestes d'un répertoire humain, la parodie et l'hommage : les mains de la nourrice, l'expectative du vieux sans dentier, les politesses de deux inconnus devant une porte, la pudeur et l'impudeur, les danses nuptiales, l'intransigeance et la puérilité des marchands, l'obscénité du saint homme et la sainteté des maquerelles, et le sourcil caressé par le majeur dans le sens du poil quand un monsieur ment. (Plus tard, il devra se contenter d'observer les mérous – tant pis, il s'en contentera, on doit pouvoir camper Othello d'après l'étude d'une pieuvre, et Prospero d'après un turbot, dissimulé à plat sous une fine épaisseur de sable, tout au fond.)

Achab le Vieux – apologie paresseuse du matin

Se laisser donner le baptême juste après le réveil, avant le déjeuner, peut sembler être une bonne idée pour vivre au mieux le jour qui pointe : un peu d'eau fraîche, l'aspersion, l'ondoiement, des mouchillures, le moi confirmé dans ses certitudes – et du coup l'orgueil flatté, l'ego d'égal à égal avec le Soleil (d'égal à égal avec le cercle polaire, plutôt : fermeté de la banquise et convergence des méridiens sur un seul point). En vérité, quelle erreur : l'homme prudent selon Achab doit tout faire au contraire pour retarder le plus possible le moment de son baptême (ou pour mieux dire son re-re-rebaptême : un par jour) ; d'où parfois ces grasses matinées dans un lit sous des draps où l'ex-capitaine essaye d'échapper à l'enrôlement du jour, dissimulé aux neuf dixièmes jusqu'au-dessus du menton, et remuant sous ses couvertures l'air chaud de la nuit, le sien, l'extrait des pensées personnelles. Voilà le programme : feindre de ne pas être reconnu pour échapper à la reconnaissance, ne pas se reconnaître soi-même ; avant de s'identifier dans un miroir se prendre de court et mettre au point une réfutation du miroir (l'inélégance, l'imprécision, les douteuses lois optiques, le mensonge, les délais, l'aberration de la lumière) ; compter ou faire mine de compter sur l'anonymat de l'homme à peine réveillé, nu, fantomatique, pyjaméen, dans un collant chair de Fantômas, pour agir librement : à sa très grande guise (une telle liberté de farfadet de Shakespeare qu'elle ne tient pas compte des critères de légitimité) ; ouvrir grand sa crédulité pour se convaincre, toujours à poil, de la supériorité tactique de l'anonymat ; se donner des gages de cambrioleur, de petit amour avec ses flèches et ses cibles, ou de Mercure quand il s'insinue à l'aube sous des portes de chambre, au titre de lumière du petit jour; se donner aussi l'allure de l'amant rejoignant un chez-soi plus officiel – lui-même se prenant pour l'homme qui a des ailes, parce qu'il les a battues une bonne partie de la nuit.

Le vieux capitaine le rabâche à peu près chaque matin à sa voisine du rez-de-chaussée, Viola, qui fait chauffer des fers à cheveux en racontant des histoires anciennes (et oublie toujours le coin d'évier où elle a déposé sa cigarette): les matins sont des moments de haute fragilité, à quelques minutes près la journée se joue, va savoir, l'avenir aussi bien, si notre avenir est cette suite de journées sans attaches, indépendantes les unes des autres, mais se ressemblant assez pour prétendre contribuer à la même vie. Parfois, Viola fait friser des cheveux, parfois elle crache sur un autre fer en forme de chaloupe, d'un crachat délicat, pour voir s'il est suffisamment chaud, s'il va métamorphoser encore le drap froncé en pure surface blanche étale – dans les deux cas, elle écoute, en prend, en laisse – (ces matins de haute fragilité et donc d'attention suprême, ça lui vient peut-être de ses années de chasse au poisson, quand il fallait décider au saut du lit, et quand "chaque matin vous attendait de pied ferme (je le cite) ailleurs que la veille au moment de s'endormir").

Le matin comme moment propice – le café, les volets ouverts, la météorologie, quel ciel à travers la vitre pour quel type de journée, ensoleillée radieuse, alors trompeuse, ou noire et pluvieuse, sans merci ni fausse promesse, ou la neige et le gel pour rendre précieux tout ce qui ne l'était pas; la douche, le constat de soi-même, la réconciliation ou l'hostilité, ou un pacte durable, silencieux et respectueux; puis les nouvelles du journal ou de la radio que le capitaine veut comparer parfois à ces brins de laine dépassant d'un pull, accidentels, pathologiques, signes d'une petite anomalie : l'extrémité reliée continûment, on le sait, à un tout pour l'instant ordonné et solide, bientôt délabré et filasse pour peu qu'on se mette à tirer dessus (tirer dessus : mélange de curiosité morbide et de sadisme bien intentionné – Achab compare si régulièrement les bribes de nouvelles au fil d'un pull de laine, c'est devenu un lieu commun, puis une tradition, puis une vérité confirmée : le brin de laine, le gros pull, tout le savoir-faire du tricot, admirable quand on le connaît mal, lui donnent raison).

Le matin comme moment propice et dangereux : pas seulement à cause de la nudité, pas seulement à cause du sommeil non plus, mais parce que le matin est l'heure des proies : Achab en est persuadé, tout homme est encore pour quelques minutes une proie, pour Dieu sait quel prédateur, parfaitement abstrait peut-être, la prédation seule suffit planant au-dessus des œufs brouillés : ça dure un court instant, rien de plus, bientôt les vestes seront boutonnées jusqu'au col, il y aura du café chaud, et encore la certitude d'un autre café chaud, la main sur la barre de métal droite et fixe du métro. L'heure des toutes petites ruses – en général, d'ailleurs, l'heure des toutes petites choses : des poésies brèves et des nœuds de marin dans des queues de cerise, des lignes de la main regardées pour ce qu'elles sont, lignes de la main, sans lecture, sans prophéties ; et des méditations miniatures, les yeux fixés au centre du cercle dessiné par la cuiller dans la tasse de café, le prenant pour cible (Viola renonce depuis longtemps à faire le lien, dans les histoires de son voisin, entre cercle de la petite cuiller et refus du baptême).

Comme il ne porte plus le nom d'Achab, et ne fait plus le capitaine, son dernier bouton de vareuse donné à un aveugle, pas dupe pour autant, il pense avoir berné tout le monde : le destin, les voisins, les employeurs, l'état civil, la mort et ses biographes – il se prend pour un tueur de dames aimable, mélomane, sorti de prison, prêt à toutes les amabilités pour effacer un passé de tribunal. Son anonymat, il le fait durer jusqu'à midi, puis six heures, en attendant d'être assez entraîné pour le prolonger jusqu'au soir et s'endormir avec, serré contre lui, perdu pour perdu.

Achab et le jour d'aujourd'hui

Il y a l'aujourd'hui[1] coquille de noix, l'aujourd'hui levé du pied gauche, l'aujourd'hui bonne nouvelle semblable à la moitié d'une mangue, l'aujourd'hui piqûre de moustique, l'aujourd'hui bouchée de brioche, l'aujourd'hui parfum de poulet rôti perçu par la fenêtre ouverte, l'aujourd'hui de vent contraire, l'aujourd'hui lettre dans la boîte, l'aujourd'hui silhouette sans identité, l'aujourd'hui d'éternuement violent, l'aujourd'hui de sieste et de méditation, l'aujourd'hui d'alcool fort, l'aujourd'hui pluie soudaine, l'aujourd'hui remords indéterminé, l'aujourd'hui mélancolie presque agréable, l'aujourd'hui de trouvailles, l'aujourd'hui de réconciliation avec ses jours d'enfance, l'aujourd'hui lecture d'une page réconfortante, l'aujourd'hui éclat de rire abondant et sincère, l'aujourd'hui saine défiance, l'aujourd'hui de leçon apportée par un détail, l'aujourd'hui écureuil en équilibre sur le fil, l'aujourd'hui bonhomie du vidangeur, l'aujourd'hui corne de croissant, l'aujourd'hui un seul nuage au ciel bleu, l'aujourd'hui de vêtements neufs, l'aujourd'hui d'orange

[1921]

---

1. Sur l'air de *You Do Something to Me*.

sanguine, l'aujourd'hui verre d'eau fraîche, l'aujourd'hui pénombre de chambre, l'aujourd'hui grisaille et ciel gris, l'aujourd'hui d'insouciance ponctuée de petites craintes, l'aujourd'hui morceau de pain sec, l'aujourd'hui mélodie sans début ni fin, l'aujourd'hui jeu et complexité du jeu, l'aujourd'hui proposition futile, l'aujourd'hui enjambement de canal à hauteur de l'écluse, l'aujourd'hui photographie trouvée dans une vitrine, l'aujourd'hui mauvaise nouvelle attendue mais étouffée, l'aujourd'hui petit triomphe bien suffisant, l'aujourd'hui de nombril et de menton, l'aujourd'hui d'innocence de coude de petite fille, l'aujourd'hui de main sur la hanche, l'aujourd'hui rêve paresseux, l'aujourd'hui de jour à travers les volets, l'aujourd'hui de paupières fermées, l'aujourd'hui de nu, l'aujourd'hui de langue tirée, l'aujourd'hui de moitié d'abricot posée la veille dans une assiette, l'aujourd'hui de mot laissé en son absence, l'aujourd'hui de vigueur soudaine inexplicable, l'aujourd'hui enthousiasmes et pleurs, l'aujourd'hui lendemain. L'aujourd'hui corde à linge, l'aujourd'hui odeur de lessive chaude, l'aujourd'hui retard de messieurs importants, l'aujourd'hui patience à l'arrêt d'autobus, l'aujourd'hui livre de comptes, l'aujourd'hui lapin d'Alice, l'aujourd'hui route condamnée, l'aujourd'hui sirène lointaine, l'aujourd'hui chant de la voisine, l'aujourd'hui montagne de meubles d'un déménagement, l'aujourd'hui gorge sèche, l'aujourd'hui règlement de contentieux, l'aujourd'hui première rencontre, l'aujourd'hui page cornée dix ans auparavant, l'aujourd'hui intuition de la Chine, l'aujourd'hui départ de chalutier, l'aujourd'hui lumière du jour sur le lit, l'aujourd'hui ventre sur le ventre, l'aujourd'hui désenchantement dans le miroir, l'aujourd'hui pas si mal, l'aujourd'hui de la fierté éternelle, l'aujourd'hui quelque chose retrouvé au fond d'une poche, l'aujourd'hui médicament jeté à la poubelle, l'aujourd'hui noces de tyran entendues à la radio, l'aujourd'hui sourire de croque-mort, l'aujourd'hui autre face du disque, l'aujourd'hui fermeté venue d'ailleurs, l'aujourd'hui menace, l'aujourd'hui fin de la menace, l'aujourd'hui réponse tant attendue, et le temps qui s'est accroché à la roue de la voiture.

Achab, souffleur

Avant d'apparaître sur scène, avant même son premier rôle de Caliban, il a connu le dessous de ces planches, à commencer par le premier, où tombe la poussière par à-coups chaque fois que Macbeth, par exemple, hurle contre les trois sorcières (ou contre lui-même) en tapant du pied : la poussière sur le crâne du régisseur égaré ici-bas (il vaut celui du fossoyeur). Beaucoup plus tard, il a des brochures en main, il passe sa tête par un trou en demi-lune surmonté d'une petite niche, entre deux bougies, et là, fait le souffleur, les soirs de représentation. Les fosses, les costières, les deuxième et troisième dessous, les coups lointains du brigadier, c'est déjà ça, c'est un peu le théâtre pour un jeune garçon nourri des *Sonnets* et des émerveillements du *Songe d'une nuit d'été* : il se contente d'un décor au ras du sol, l'œil au niveau de la planche, directement la planche – le nez au plus près des bougies, il trouve le moyen de se laisser enchanter, les chevilles de Desdémone qui passent et repassent douze fois à la scène 4 de l'acte III (il a compté), les mouvements de robe, le visage d'Horatio étendu mort qui le regarde, lui, dans son trou, à sa hauteur, égal à égal, frère à frère (il prend ça pour une invitation) – et tombant de plus haut, une voix de baryton, Othello ce soir-là, Brutus

[1871-1872]

le soir d'après. Achab en voit, des tragédies, cruelles, sans
espoir, des comédies, des féeries, des drames historiques, les
descendants de Jean sans Terre qui se cherchent des poux
depuis 1217 ; il les voit, mais horizontalement, une chorégraphie de chaussures, le talon et la pointe, les sandales des
conjurés de Jules César, au mieux des mollets jusqu'aux
genoux, et s'il prend la peine de lever les yeux vers un Acteur
sublime, très long, en contre-plongée, porte-parole de
Shakespeare, il se tord le cou, il juge Shakespeare et le métier
d'acteur sous ce drôle d'angle : un ventre énorme, une tête
au contraire comme une toute petite pomme de pin posée
sur un plat rond, et qui déclame *The winter of our discontent.*
   Il pourrait maintenant interpréter les pièces d'après ce qui
se passe au ras des semelles, à la plante des pieds, là où (on
peut toujours rêver) le cabotinisme s'interrompt (il pourrait
tout aussi bien y prendre racine) : comparant la poussière que
fait tomber Hamlet à la poussière de Henry V, la poussière
des batailles, celle soulevée par la précipitation des porteurs
d'enseignes, l'autre poussière plus énigmatique, du moins
pour le public, de Puck Robin Goodfellow, le farfadet,
quand il s'avance lui aussi de planche en planche vers son
public et considère à ses pieds la tête du souffleur Achab :
un potiron de plus dans la clairière de ces nuits enchantées.
Le répertoire, il l'a répété ainsi, en dessous des drames puis
le menton au ras des planches, la tête prise dans cette drôle
de guérite, moitié cloche à fromage, moitié boîte aux lettres
(elle lui faisait aussi l'effet d'un casque : un guerrier grec au
pied du mur, tenu de se farcir Homère sans jamais monter
à l'assaut). S'y reconnaître dans cet anglais quand on vient
du Kentucky, ça n'est pas simple[1], il faut garder un doigt

---

1. Il compare cet anglais au fil de la couture, dessus, puis dessous, puis dessus.

sur la brochure et ne rien perdre des dialogues (qui parle? qui répond?) – et quand il s'agit d'un duo d'amour, Achab le Pudique doit se tenir prêt à intervenir, au cas où (stupéfiant *au cas où*, semblable à un diable à ressort), s'insérer dans le silence qui s'allonge entre deux répliques, en imitant les précautions du serpent – sa précision aussi, née de l'opportunisme.

À vrai dire, en deux ou trois ans de métier de souffleur, Achab est intervenu sept fois, mais ces sept fois, il s'est comporté à merveille: la grâce, la pertinence, le sens de l'opportunité, l'ange qui passe à table ne pourrait pas faire mieux. Le reste du temps, on lui confie la seule patience, l'infinie patience et la fumée des lanternes (il aurait senti pour la première fois l'odeur de la baleine: la baleine convertie en deux heures de spectacle "qui ne signifie rien"), les orteils de ses camarades gros comme, allons, gros comme toute trivialité vue d'un peu trop près – la patience, la fumée noire, Shakespeare par cœur d'un bord à l'autre, tout un répertoire sur le bout de ses doigts, Iago, Pistolet, Horatio, les Joyeuses Commères, Cymbeline, la fille du roi de France, Bénédict, Béatrice, le Substitut, Paroles de *Tout est bien*, Elbow de *Mesure pour mesure*, tout le monde, toutes les didascalies. Les comédiens, les vrais, sur les planches, à l'air libre, à la lumière des lampes à huile; les spectateurs assis plus ou moins confortablement à leur fauteuil, jugeant, appréciant, l'un et l'autre à la fois; et lui, le jeune Achab d'Amérique du Nord, dans son petit bathyscaphe, aux trois quarts enfoui sous le plancher, la tête sous la cloche, écoutant dire Shakespeare avec ou sans talent. (Mais un beau jour ("un beau jour"), il s'en mêle pour de bon: il ne se contente pas de souffler la réplique, il la prononce en se dressant à la place de l'autre, il surgit de sa boîte d'un bond, on a dû voir ce bond depuis l'orchestre, prenant Achab pour l'un de ces rigolos que Shakespeare ajoute parfois aux drames, un gnome sur la lande, porteur d'une métaphysique d'auberge. Il aurait pu se cogner à sa cloche, retomber dans son trou de souffleur, jurer au diable et la putain, ajouter ce diable et cette putain au vent de l'acte III du *Roi Lear* sans trop dépareiller, au lieu de ça, il se retrouve sur le pont pour accomplir son coup d'État de ménestrel, pousser pour de bon le vieux Lear au bas de son trône, et comme ça ne suffit pas, hors de la scène, vers la coulisse, vers les cordes, qu'il y réapprenne l'art du comédien – une fois sur place, Achab brûle les planches, devient Lear à la place de Lear, donne au vieux roi une ampleur inégalée, tire des larmes, expose le désarroi du vieux père et du souverain déchu, évoque la fin des temps et des débuts plus menaçants que la fin, arrache la cécité à ses symboles, trouve plus de grâce sordide en dehors des allégories, attire la pluie d'Angleterre sur son visage, attire le vent, maîtrise les deux crépuscules et pour finir s'escamote comme un vieux roi doit pouvoir le faire, un vieux roi aussi comédien que possible. Voici l'heure de son triomphe imprévu : l'orchestre et le parterre saluent Achab, à la fois jeune espoir et vieux roi désespéré, criant de vérité, par qui s'expriment les troubles de notre époque – Achab le Jeune salue, sans vouloir accorder trop de valeur à ce qu'il est censé signifier, son époque de désarroi, pas très sûr de savoir incarner le déboussolement des hommes au tournant du siècle, il y a tant de raisons d'être déboussolé, et tant de façons de l'être. Mais bon, il salue une dernière fois, il s'apprête à essuyer l'engueulade du roi Lear, l'authentique, il appelle le rideau sur lui comme il appelait tantôt la pluie, et une fois le rideau tombé retourne précipitamment (c'est du moins l'avis des témoins) dans son trou de souffleur – pour ça s'inspire d'autres histoires de gnomes disparaissant dans des trous de la taille d'un œil noir.)

Il voudra se vanter de l'héroïsme sentimental, de la vie de bohème, des repas de poissons pannés et frits, du papier gras, des petites pointes de douceur, des camaraderies d'artistes, l'un se prenant pour Falstaff, l'autre pour Bottom, plus modeste – les jours n'étaient pas faciles tous les jours, comme disait l'un des cintriers, entre une guerre contre les Français et le retour de Fortinbras. Le jeune Achab apprend à courber le dos, il devine comment vingt ans de métier de souffleur finiront un jour par lui donner un profil de vieux Shylock agrippé à une seule rondelle de métal, une seule – n'empêche, pour l'instant, il s'y fait, la souplesse de vingt ans néglige les raideurs de soixante, et les réfute d'avance, on trouvera bien d'ici là le moyen de donner au vieillard un coup de pied de jeune homme pour le remettre en selle ; il chemine dans ses domaines, entend les ressorts du lit de Desdémone, qui est aussi le lit de Gertrude, explore un peu plus loin des couloirs ne menant à rien, sauf à l'humidité de la Tamise. (Un peu plus tard, façon de le monter en grade, on lui confiera le soin des accessoires : le chant de l'alouette quand elle interrompt les amours, c'est lui, et le sang de Macbeth vainqueur de tout un océan, c'est lui aussi, il porte les flacons, les lampes tempête ou les lampes d'horizon, et tend le couteau aux assassins de Gloucester : le bon endroit, le bon moment.)

Achab à Londres, second régisseur

Les manches à crevés, les épées au flanc, fausses épées, les [1873] ventres de Falstaff, faux ventres, et les différents nez qu'il porte en fonction de la saison, les robes de Lady Macbeth, celles de Cordélia, Régane et Goneril, dans cet ordre ou dans un autre, tout cela frôle Achab au passage quand il tient le poste de second régisseur, côté jardin, et vérifie sur son carnet puis à sa montre s'il est l'heure maintenant de faire hurler le vent du roi Lear (dans ses carnets, il est question d'assassinats et de trappes anglaises). Il n'a pas d'écrouelles, il lui importe peu alors d'être touché ou non par la reine comédienne dans le rôle de Cordélia, ou plutôt il devrait avoir cette indifférence des hommes fatigués d'attendre, qui ne croient plus, n'ont jamais cru d'ailleurs, au miracle du toucher thaumaturge. Et pourtant, il les aime, ces frôlements, il compare celui de la robe à celui de l'épée, il se dit qu'il prend part à la mise en scène, du moins à la mise en condition : il a été pendant un instant un petit obstacle sur le chemin de l'acteur de génie, à la fois Mederick Woolcock et le comte de Kent déguisé en Caius, à la fois Simon Furness et Edgar fils de Gloucester déguisé en Tom de l'Asile de fous ; il a croisé leur route, il a fait petitement partie de leur univers, et son coude placé un tout petit peu trop à droite a pu dévier d'un rien des trajectoires magnifiques, "volant au passage un extrait de leur magnificence" (non, ça, c'était trop leur demander). (On lui pardonne ses superstitions : non seulement le jeune âge, mais ses premiers pas dans le monde du théâtre parsemé d'interdits jusque derrière le dernier fond, et où la moitié des gestes accomplis à côté de la scène sont apotropaïques – puis, elles lui inspireront plus tard ses meilleures envolées, sous des orages un peu plus réels (allez savoir) : d'ailleurs, les superstitions des comédiens de Londres lui permettront un jour de comprendre les grigris des îles Kokovoko.)

Il faut voir comment le comédien (tel ou tel comédien – toutes ces observations ne valent qu'à l'instant même, et se laissent difficilement transporter, comme un cadavre délicat d'hippocampe[1]), comment un comédien prend sa respiration avant d'entrer en scène, parce qu'il tient à confondre les planches avec un bassin d'eau profonde, comment un autre se frotte le nez une dernière fois pour conjurer le mauvais sort de l'éternuement et de la goutte traître, et un autre crache sans viser en l'absence de crachoir, parfois sur la chaussure du jeune Achab, parfois sur son sandwich, et un autre se frappe la poitrine d'un geste de Mohawk déconverti dans l'oubli ou le reniement du vrai signe de la croix.

Les années comptent peu, mais les jours davantage (le temps semble être pour le capitaine une suite de soirs et de matins, de recommencements, de fatigue alternant avec un certain enthousiasme : l'année reste une mesure abstraite, assez peu concevable, y compris au moment des célébrations, la Saint-Sylvestre par exemple, ou un anniversaire personnel fêté en secret, seul sur le pont, sans effusion : un claquement des mâchoires et un seul long soupir). Chaque jour, chaque nuit, donc, pendant ces mois d'apprentissage, alors qu'il attend le soir où il pourra déclarer à son tour *"A horse, a horse, a horse"*, le jeune Achab observe les acteurs, les actrices, tous jusqu'au plus petit rôle, à l'instant de se tenir sur le seuil et d'avancer dans la lumière, au signal. (Parfois, le signal c'est lui, invitant Lady Macbeth, d'une main posée sur son épaule, à rejoindre son épouvantail de mari – il s'agit de pousser, mais pas trop, d'être familier et confraternel, mais sans excès, en gardant son rang.) Il les voit de près, partage leur souffle et les effets de leur anxiété (pour les plus sensibles d'entre eux) ; il pourrait collectionner les diverses formes de trac, certaines infiniment discrètes, conservées par gêne entre

---

1. Ou cadavre d'hippocampe délicat ?

le menton et la gorge, comme un mouvement de la pomme d'Adam, sans importance ; il voit aussi des hommes trembler, ses yeux se font à la pénombre, il perçoit le doute dans le regard de ceux qui ne doutent jamais, il connaît les ruses pour désamorcer le trac, et elles aussi, il les collectionne, les facétieuses et les violentes, observant toujours d'aussi près le mauvais ménage du trac et de la fanfaronnade à l'encontre du trac ; il admire la désinvolture quand elle est la consé-quence de l'anxiété la plus profonde et de l'esbroufe salutaire, et comme il se tient à deux doigts des visages, il remarque comment le masque de Richard III, passant de loin pour la gueule du parfait sale type, est composé de quinze nuances parfois incompatibles, certaines étrangères à Richard, à son temps, à son destin et à ses meurtres : tant pis, elles contri-buent, qu'elles le veuillent ou non, à sa réputation, celle de Gloucester.

Il voit le trac, il voit les maquillages s'effondrer avant même d'être devant les feux, il compare les visages pâles, il ramasse des mouchoirs – il est témoin aussi, plus souvent qu'il ne l'aurait cru, de royales indifférences, au-dessus même de la désinvolture, la tranquillité pour elle-même, installée en elle-même, serrée entre deux accoudoirs, prenant le trône pour un fauteuil et vice versa : le roi Lear par exemple, qui fume, qui regarde sa montre, pensant au dernier train ; un autre soir, c'est Jules César, et le bâillement de Jules César, qui bâillera une fois encore pendant le discours de Marc Antoine, certain cette fois de ne plus avoir à se montrer, sauf les saluts, qui ne comptent pas. Il y a aussi Macbeth : combien de fois le jeune Achab a pu l'entendre parler au monsieur des lumières, un monsieur tout à fait aimable, qui adore les tourtes à la viande (Achab voudrait être son ami) : il partage avec lui une recette de ragoût irlandais avant de changer brusquement d'avis et de faire les dix pas en direction des trois sorcières.

Et parmi les acteurs, parmi Falstaff et Ophélie, ceux qui ont des trucs, ceux qui se mordent le pouce, ceux qui récitent une dernière fois pour eux-mêmes, pour Achab peut-être, ceux qui renâclent, ceux qui s'accrochent du mieux possible à la scène qui se joue depuis dix minutes, devant eux mais de travers, pour se montrer de dos ; d'autres conjurent le mauvais sort, ils prient les saints catholiques et leurs ancêtres d'Écosse, s'ils ont de l'influence, d'autres passent par diverses obscénités, ni visibles, ni audibles, mais réelles, Achab est là pour en témoigner – il est aussi témoin de toutes sortes de maux de ventre, certains mélodieux, d'autres plus sourds, évoquant je ne sais lequel des leitmotive wagnériens ; il est témoin de la peur panique, du coup de pied (le sien) pour exorciser la peur panique, témoin de certains cynismes, du jeune dandy et du vieux beau, et même parfois de la jeune première, ce qui n'empêche pas d'avoir beaucoup de talent ; et témoin des ruses pour appeler à soi, à la dernière minute, l'inspiration ; témoin de la cabotinerie, de l'emphase de l'acteur avant même d'avoir à faire l'acteur, témoin des longues écharpes et de celui qui les adore pour les grands gestes qu'elles lui demandent – et témoin de certaines pannes tragiques, de l'oubli total, pas seulement de la pièce, l'oubli du monde tout autour. Il y a eu aussi la fatigue l'emportant sur la Tragédie, la peur de mal faire, l'espoir d'y parvenir, le calme souverain, le calme minéral, un autre calme désabusé, et le professionnalisme, l'amour de l'exactitude, le plaisir d'en faire partie, la fierté d'être là à l'instant propice et de s'avancer du bon pied, toujours le même depuis quinze ans ; et la résignation, la certitude de ne plus pouvoir reculer, le désir et la peur du ridicule, un bout d'orgueil laissé intact par la peur et le ridicule, et parfois, pas si rare, l'impatience, l'envie naïve d'aller sur scène pour se jeter dans les bras du personnage. À leur retour, c'est encore autre chose, les comédiens rapportent de la scène (c'est une lande) des éléments que le jeune Achab ne reconnaît pas toujours ; ils le frôlent cette fois dans le sens inverse, et c'est le soulagement, ou la fatigue, un mélange de fierté du travail accompli et de certitude d'être passé à côté de l'essentiel.

Amusant, tout de même, de voir Hamlet le prince et *Hamlet* la tragédie, de travers, par la tranche : les déplacements ne sont plus dramatiques, mais un peu guindés, les comédiens semblent glisser le long d'une poutre à pas chassés ; et puis, on voit le verso des trônes et des vaisseaux, on sait à quoi s'en tenir quand le roi Henry V s'en va à la guerre ; il y a de quoi se sentir, à tort, plus malin. Achab a le temps de contempler par la tranche le champ de la bataille d'Azincourt, mais de l'autre côté d'Azincourt et de ses milliers de morts, c'est-à-dire à sept mètres d'ici, l'autre coulisse, un autre petit régisseur, qui consulte lui aussi son registre, tient ses cordes, et le regarde droit dans les yeux.

Noces d'Achab et de Martha Dolittle

[1870] Encore sur le sol américain, le jeune Achab a convolé en noces, et même justes noces, une nuit, dans l'obscurité, une seule petite lanterne dans un coin qui lui allongeait la figure (il n'a pas eu de mal à lui attribuer des vertus allégoriques, n'importe lesquelles : cette lampe, c'était l'espoir, le flapi espoir domestique, c'était l'enthousiasme un peu forcé, l'œil de Dieu à travers ses pasteurs et un verre jauni, la pudeur au chevet du stupre qui ne sait pas encore comment être stupre, c'était la préfiguration du lendemain, la raison éclairant la pulsion brute, l'esprit de la fête au lit des jeunes amants, le guide sur le chemin compliqué (escarpé, encombré, périlleux, glissant, oblique, mouvant, escamoté) de l'amour, des restes diurnes, un pense-bête, une faible part de raffinement, des privautés visuelles, l'œil du constateur des choses accomplies, le garant de la chasteté des accouplements, ou un accessoire pour faire l'amour comme le faisaient Mercure et Philologie en plein ciel, avec aux pieds des ailes : et là où les amants se rejoignent, un sexe rencontrant l'autre, un papillon monarque).

Son épouse, il ne l'a pas vue dans son lit bien longtemps : le plus long et le plus durable, c'était l'église, le pas des paroissiens, les gestes de la belle-famille, les admonestations, les mercis, les fausses joviales, une lenteur de funérailles, si bien qu'il a cru se tromper de jour : beau dernier, à la traîne, le dernier du cortège. Selon certains, le parfum de la lampe à huile a repoussé le futur capitaine loin de son lit de noces, parti remonter à la source de ces odeurs d'huile de baleine – la vérité est évidemment ailleurs, elle se cache et quand elle se montre, c'est une autre façon de se cacher (air connu) : personne ne sait pourquoi il a abandonné sa chambre, laissant seulement dans l'oreiller l'empreinte de son visage, le capitaine non plus ne saurait pas donner d'explications sérieuses : il y a eu les noces, des personnages découpés dans du papier blanc, un banquet, cette lanterne qu'il ressasse, la lumière sur l'épouse, une attente dont il ne savait fichtre rien, une drôle de façon de s'en remettre à Dieu en s'allongeant sur le dos, une fenêtre noire, la nuit, le froid, un port tout au bout, compatible avec le froid, et le lendemain matin, sur ce navire en partance pour Londres la figure d'Achab le Jeune, debout, veuf de lui-même.

Il n'y a pas eu seulement l'oreiller de sa nuit de noces : dans un certain nombre d'autres coussins il a laissé l'empreinte de son visage, sans s'attarder, son absence plus durable que lui-même en costume et chapeau (lui putatif, elle légitime). On ferait une liste, une toute petite liste, de ses nuits passées sur le bord du lit, assis, encore en bottes, hésitant, faisant de son mieux pour hésiter, parce qu'il croit l'hésitation la meilleure part de cet amour romanesque dont il entend toujours parler, voyant passer des chiffres devant ses yeux, ceux des minutes, contemplant la cloison, supposant une autre chambre derrière cette cloison. Les hasards l'ont quelquefois conduit jusqu'à ces bords de lits, assis dans la même posture, avec la même lampe, la nuit, la cloison, l'oreiller pour y laisser son empreinte, toujours les bottes aux pieds – chaque fois, il a fait grincer le sommier, mais c'était le temps de choisir entre rester et partir, et chaque fois, au bout du compte, il est reparti, en profitant du dernier rebond, pas le plus vif. Il prend la fuite, il a toutes les rues pour sécréter l'idée d'un regret, puis la formuler à voix haute, il prononce son mea culpa et sur cette belle lancée rédige son absolution – un peu plus tard, il composera des chants de marin d'après les grincements du sommier, ça ou un bandonéon, pour lui, c'est à peu près le même air ; et pour se racheter il improvise une *Vie de Mary* ou une *Vie de Sharon*, depuis la nuit de son départ jusqu'au jour de leurs funérailles, leur offrant au passage des maris fidèles, présents jusqu'au bout (un charpentier – Achab imagine des clous énormes).

Achab le Jeune apprenti comédien – des petits rôles

En quinze années[1] de théâtre amateur, semi-professionnel, [1874-1891] professionnel, routinier, il a eu l'occasion de tout jouer, les serviteurs jusqu'aux rois selon leurs dynasties, leurs familles, et dans l'intervalle (durant les mêmes quatorze années) les deux commères de Windsor, le marchand de Venise, Shylock et l'adversaire de Shylock, des Tudor et des Lancastre, un cousin des Capulet et un autre des Montaigu, ce qui lui a donné sans doute le sens de l'adversité : d'une certaine adversité résolue dans une certaine concorde. (Il se dit : il quittera un jour le monde du théâtre en conservant en lui, comme un initié, la coïncidence des contraires : non seulement il en sera le dépositaire, garant de l'amour entre ennemis Lancastre et Tudor, mais il l'accomplira : elle devra compter, pour exister, sur sa pauvre entreprise.)

Il a joué les messagers, les assassins, les pages sans une ligne de dialogue, les supplétifs, les rigolos de la troupe, le jongleur et l'un des deux clowns dans la fosse (pas le fossoyeur, l'autre) qui retire pour les trier les ossements du pauvre Yorick – il a interprété le balcon, il a interprété la corde à nœuds accrochée au balcon ; combien de fois il a failli mourir noyé dans son petit rôle au tout début de *La Tempête*, criant *Bos'n* et s'épuisant pour voler la vedette au milieu des gerbes d'eau lancées depuis les deux coulisses ? Dans *La Tragédie du roi Lear*, le capitaine de la scène 3 de l'acte V qui répond *Je le ferai* à l'ordre de tuer Cordélia ; dans *Macbeth*, l'esprit en forme de chat ; dans *Roméo et Juliette*, l'apothicaire fournisseur de poison ; dans *Titus Andronicus*,

---

1. Un petit peu plus.

le paysan pendu parce qu'il a voulu rendre service, dans *Lear* encore le messager venu annoncer la mort d'Edmond; dans *Antoine et Cléopâtre*, le troisième soldat chargé de dire *Bonne nuit, bonne nuit* aux deux autres; et dans la même pièce l'eunuque Mardian répondant *Oui madame* à la question *Connais-tu le désir?*

Il a traversé les drames historiques en se faufilant sous des branches basses, loin des guerres de succession et des querelles de fratrie, fier comme un paysan qui regarde les princes par en dessous et se laisse volontiers tenir à l'écart – jusqu'au jour où, retiré de sa discrétion hypocrite, il a bien dû jouer les princes ou les ducs à son tour, en prenant cette fois sa part de ces vieilles engueulades de blason à blason. Il a porté toutes sortes de couronnes, certaines branlantes comme un couvercle sur un bocal de cornichons, d'autres pesantes comme un tympan; il a eu affaire à des cousins idiots, à des pères prostrés, à des mères vindicatives, ligotées à des proues de navire et pourtant fulminantes; il a joué l'une après l'autre les trois filles du roi Lear, histoire de regarder en prenant tout son temps les deux côtés de l'ingratitude; il a tenu des rôles de fantôme, il a même été deux fois le chaudron des sorcières, et la lune du *Songe d'une nuit d'été*, passive; par-dessus tout il a collectionné les rôles d'usurpateur comblé et ceux d'héritier légitime balancé dans la fosse.

Usurpateur comblé, il a joué la fausse modestie, il a fait tenir son règne à la mauvaise foi mais aussi au hasard; du coup, il s'est donné des airs d'homme fragile conscient de sa fragilité: à chaque pas s'avançant vainqueur et sur le point de perdre; comme Dieu et sa Bible se font parfois discrets, il a remplacé la foi chrétienne par une superstition omnivore (tantôt gloutonne, en cas de colère, tantôt fin gourmet, gastronome, quand il s'agit de faire le mystérieux), il a prié des divinités païennes, il a caressé des amulettes de Scandinavie ou du folklore celte, il a mangé à tous les râteliers, il s'est appliqué à adorer les faux dieux pour que les imposteurs se portent secours les uns aux autres; il a craint (il a interprété la crainte) de voir les éléments, ciels et sauterelles, le punir de ses infâmes tromperies – mais en attendant la colère des météores, si jamais ils se préoccupent d'un escroc parmi des milliers d'autres, il joue la prospérité, il interprète l'usurpateur prêt à jouir de son poste dans une éternité maintenue artificiellement : lui sur son trône, ses gardiens de part et d'autre.

Puis, il a joué plusieurs nuits de suite le contraire du bâtard couronné : le fils légitime qu'on a envoyé guerroyer en sandales sous la pluie dans de quelconques plaines anglaises ; il a appris à jouer l'orgueil blessé, blessé chaque jour, à se réveiller l'injustice au ventre, à maudire puis accumuler ses malédictions, ses injures, pour en faire au final un livre de stratagèmes, cousu fil après fil pour la reconquête du pouvoir – ce qui suppose aussi (et là se tient tout le génie profane et autodidacte de l'héritier déshérité) savoir métamorphoser un catalogue d'injures en pages de philosophie. Il a interprété plusieurs fois ce moment unique où le perdant s'achemine vers la place du vainqueur, sans bien savoir encore s'il doit noyer sa mauvaise humeur devenue caduque ou la convertir en autorité.

Achab le Jeune apprenti comédien – Richard III

Il interprète Richard III un jour de chance, pour remplacer [1884] un certain Manfred Bishop malade, au pied levé, devant le public un peu distrait des shakespeariens du dimanche : en répétant du premier acte jusqu'au dernier, il apprend à maudire, à travailler sa rancune, encore un plaisir tout nouveau, une rancune de printemps, la fleur avant la cerise, mais qui lui fera de l'usage ; il s'entraîne à avoir des ennemis nombreux, cultivés, disparates, hauts en couleur comme les démons et les anges d'un tympan de cathédrale, confondus les uns dans les autres, et des ennemis de toutes les langues, parfois tendres à la manière des nourrissons au parfum de lait caillé, parfois vénérables, vieux, parcheminés Égypte-ancienne, frottés au sable de Louxor : son adversité, une hospitalité au-delà de toutes les hospitalités. En Richard III, il apprend à frapper de stupeur, à semer la terreur en soumettant le sol de son pied bot, et risquer à la longue de confondre l'admiration et la haine ; il voit dans les flambées de Richard des erreurs à ne plus commettre, mais cherche longtemps à comprendre quel chagrin peut inspirer à un homme ce désir d'être haï en grande pompe, comme si la haine unanime pouvait le purger de son moi, le renvoyer du monde, le laisser dépourvu de tout ce qui permet à un homme de paraître en public, et dans un décor de désert lui épargner le pénible devoir de vivre. Il apprend à préméditer des meurtres, le meurtre de tous sans exception : l'idée d'un massacre poussé à un point tel, un point d'abstraction, il ne s'agit plus de corps pourfendus mais de pure rhétorique, d'une vision exclusive du monde – et de la vie, comme victoire de la solitude sur le solitaire.

Richard III ou sa dépouille lui enseigne comment un homme peut prendre le large, histoire de terminer sa vie dans une autarcie d'empereur sans empire – disons, d'empereur après la combustion de son empire, parti à cheval, cheval de cendres fumantes, sur des chemins, vers des landes :

il y mènerait une vie de repli beaucoup plus grandiose que celle d'un simple ermite couleur brou de noix, ce serait une solitude de roi du monde déchu condamnant les pays à se passer de sa souveraineté, s'étalant seul face au soleil, noir, renfermé, presque nocturne : la cape et l'éternelle résignation du comte Dracula, mais encore en lui des certitudes indestructibles. Par la même occasion, il en apprend long sur la tricherie des hommes, sur les discours interchangeables, et sur la naïveté des grands calculateurs (il était temps) – mais il s'initie avant tout à l'art de boiter devant un public : chose pas si facile, du moins pas comme on peut le croire de l'extérieur, depuis un fauteuil de théâtre, nous autres assis, ne boitant pas. Il le note pour lui-même, en guise de pense-bête sur son avant-bras : boiter ne doit pas être un renoncement à chaque pas, suivi du renoncement au renoncement, même si ce double jeu le séduit, mais une façon d'avancer un peu trop à droite, un peu trop à gauche, jamais de front. (La claudication : le poids du monde ? l'accablement exprimé avec élégance, la complainte de la terre trop basse ? la charge du gouvernement que les gueux ne peuvent pas comprendre ? ou le souvenir d'anciennes batailles, si anciennes qu'elles échappent même aux historiens et renvoient à un monde englouti, à des batailles maintenant absurdes, à des affrontements d'armée fantôme contre armée fantôme pour des raisons aussi étranges de nos jours que l'anneau des Nibelungen, des batailles sans la guerre qui ne sont plus que batailles, à savoir fer contre fer pendant qu'un prêtre fait des grands gestes ? Ça pourrait être ça, la claudication de Richard, le vestige du vestige du vestige, l'idée de querelle archaïque dont on retrouve la trace longtemps après l'avoir perdue de vue sans pouvoir en déduire quoi que ce soit. Selon Achab le Jeune (il a un faible pour ses propres interprétations), quand Richard boite, il donne ostensiblement l'impression de vouloir entamer une danse en brisant le rythme régulier de la marche : ce serait la preuve de son bon fond, en somme, l'indiscipline de celui qui veut quitter un défilé pour aller au bal saluer des filles. Le lendemain, c'est autre chose : le boiteux s'incline, se redresse, s'incline, fait face au sol, face au ciel, et ainsi de suite, comme s'il acquiesçait lentement, douloureusement, à contrecœur, mais acquiesçait à rien de précis, peut-être à l'univers lui-même, avant de changer brusquement d'avis.

Achab dans le rôle d'Ophélie

Il a tenu le rôle d'Ophélie et, depuis, il prétend la comprendre mieux que personne, il pense la connaître comme une sœur et s'en souvenir en l'imitant. Sur scène, quand il s'agit de flotter, Achab est impeccable, il n'a pas son pareil : il compose une mort déconfite mais introduit un peu de solennité et d'orgueil dans la déconfiture – beaucoup d'Ophélie se croient vaincues parmi les algues, on ne voit surnager que le découragement, l'à-quoi-bon, ce genre de chose, et la mort affadie passe pour le prolongement de la déraison, un vide au bout du vide ; Achab seul sait mettre un peu de vigueur en mourant douze fois dans sa robe : du mordant, de la poigne, avant de se laisser aller doucement à la dérive ; il y ajoute peut-être déjà le désir de vengeance qui prolonge la défaite sous la forme d'une promesse de victoire, et empêche les morts de se dissoudre absolument (mais ceci est une extrapolation). Toute la malice verbale qu'on peut entendre chez William Shakespeare au cours de certaines joutes, Achab est capable de la faire paraître une seconde fois dans Ophélie noyée, selon sa façon de maintenir sa tête dans le prolongement de son corps, comme s'il esquivait des répliques cinglantes et affûtait ses arguments. On raconte aussi : jouer la jeune Ophélie, sous le signe de l'eau humide et froide, se noyer douze fois pour elle, dénouer ses cheveux, suivre le sens du courant, c'est pour Achab le Jeune un premier apprentissage marin : tant pis si c'est une eau de théâtre faite de draps soulevés, retombés, de grande bâche verte et noire animée par des ventilateurs. Tandis qu'il interprète en fermant les yeux l'agonie d'Ophélie trahie par ce gandin d'Hamlet, il apprend à ondoyer[1], il découvre la physique des vagues, il la trouve capricieuse, et voit l'incertitude plus redoutable que la puissance ; sur le dos, blonde et rousse, la ceinture défaite, il fait connaissance avec la part aqueuse du monde, à jamais indissociable pour lui de l'idée de chagrin, de pays perdu, de jeunesse emportée par les drames, de noces impossibles, de dérisoire malchance, le malheur faute d'avoir su comment rire de la situation.

Les autres scènes, peu importe : seule compte la dernière, Ophélie au ras des flots découverte par des servantes, déjà convertie en suite de métaphores et cernées de fleurs, reconduite trempée vers sa famille, vers Hamlet sec, lui, comme un cure-dent (pas comme l'os du fossoyeur). Des années plus tard, le capitaine s'en souviendra : avoir flotté, mieux que ça, interprété la flottaison – il se vantera de savoir mieux que personne comment on flotte et se laisse dériver quand on est à la fois l'acteur en vie, le personnage sacrifié, le corps flottant soumis aux règles des corps flottants, l'image de la noyade et celle de la sublimation de la noyade. Parce que être Ophélie, il ne faut pas se leurrer, ce n'était pas

---

1. Pas seulement onduler – l'exercice exige de la retenue.

couler vulgairement ou faire la planche, c'était autre chose, beaucoup plus harmonieux, situé entre navigation, nage et abandon au fil de l'eau : on fait mine de se noyer pour lire les vaguelettes une par une (voilà sa formule favorite, il la répétera souvent).

Achab dans le rôle de Shylock

Il a joué cent vingt fois Shylock, cent vingt fois la livre de chair, ses histoires de dettes impayées, de débiteur intraitable et de créancier s'étouffant dans son bon droit, y mêlant des souvenirs d'injustices proscrites depuis longtemps peut-être mais vivaces – cent vingt fois, il a prononcé la tirade du monsieur incongru revendiquant le droit d'être confondu avec tout le monde. Ce que ça lui apporte de se tenir cent vingt fois sous le chapeau de Shylock ? à apprendre comment l'humilité peut être frondeuse ? Ou il découvre une autre modalité de la solitude, différente de celle de Richard le boiteux : solitude en compagnie des chiffres, des écritures, des études à minuit, des secrets du monde indéchiffrables, solitude au sein de pays étrangers, profitant d'une hospitalité ambivalente qui regarde à travers la fente du volet pour voir si l'hôte, derrière, mérite la générosité à chaque instant de sa vie.

Il apprend à composer des états d'âme d'humilié, à faire de l'humiliation autre chose que l'humiliation, en faire l'instrument de mesure de soi, une façon de se toiser, toiser son ombre, et faire glisser sur sa peau presque amoureusement un mètre ruban pour se tailler un costume selon de justes proportions, ou bien un cercueil. Il apprend à plaider, à démêler justice et injustice, bien et mal, puis à les mêler à nouveau, trouver une vérité plus sensible, plus humaine (moins efficace, mais tant pis) dans la confusion : le tribunal est une pièce plongée dans le noir et l'ocre, peu de lumière, et tas sur tas des sacs où tiennent ensemble, mais mal, les pièces d'un dossier d'accusation. (En jouant ces comédies, ces drames, Shylock et son "chatouillez-moi, vous m'entendrez rire", Achab croyait prendre des leçons de netteté, saisir le genre humain échantillon par échantillon, regardé de près, dessiné avec soin, comme ces collectionneurs de cabinet de curiosités collectionnent le monde, mais une chose à la fois (c'est l'idée qu'il s'en fait). Il ne s'attendait pas à prendre au contraire des leçons de confusion, à devoir chercher là où les suspects se réunissent, en vérité se mêlent, sans désigner un seul coupable, où la mauvaise foi l'emporte sur la sincérité sachant au bout du compte obtenir une vérité de la lassitude et d'un concours de carnaval, pas de la distinction des faits. Il aime raisonner, parfois, il lui est arrivé très souvent de préférer la spéculation à la jalousie, il a collectionné des livres de mathématiques sans les comprendre, se disant son incompréhension est aussi le produit de tous ces calculs ; il a joué à ces jeux qui dépendent des nombres, il a fait passer la lumière du soleil à travers des lentilles de verre, et puis il a lu les livres où sont rappelées les lois en s'efforçant d'oublier qu'elles ont été écrites par des hommes – mais en devenant Shylock cent vingt fois de suite, il comprend [vers 1887] comment les visages se perdent dans un brouillard qui est le leur. Il apprend à être coupable, à s'en remettre, s'en relever, à y trouver même les prémices de sa justification : l'honneur, pas tout à fait, mais au moins des raisons d'être fier, de se trouver bon après avoir essuyé la sentence.)

Martha Dolittle, quelque part entre Akkad et Sumer

À l'heure où Achab le Jeune s'embarque pour aller retrouver à Londres Desdémone et ses chansons tristes, madame Achab, veuve inopinément, entame ses chansons tristes à elle, celles de son cru, dans un lit à moitié vide, façon de saluer le jour qui vient, et ses alouettes : si les couplets tristes de la demi-veuve Achab (Martha Dolittle de son nom de jeune fille : il lui revient à présent) rejoignent quelque part les couplets nostalgiques de Desdémone, l'histoire ne le dit pas – elle devrait le faire, elle aurait dû, l'histoire manque à bien des devoirs (mais dans de telles circonstances, le superflu et l'essentiel se confondent). S'en tenir à un abandon aussi trivial, la demi-veuve Achab ne compte pas s'y résigner – accueillir victorieusement la défaite, lui offrir une hospitalité de vainqueur, ça, oui, c'est dans ses cordes : dans son tempérament et dans l'ordre plus palpitant des choses. (Elle se réveille, il a fichu le camp, il a emporté ses sabots avec lui, il a mal refermé la porte, et maintenant elle claque, elle exprime un désarroi tremblant et penaud étranger à la vraie vigueur de Martha Dolittle – la demi-veuve se lève, remonte ses jupons, embarque sur le premier navire, le deuxième, et passe le reste de sa vie à pourchasser son capitaine, sur un élan tragi-comique, consciente de parodier des chasses plus dramatiques ? Ou alors, elle se vexe et se voue au Seigneur, elle lui demande une consolation, un divertissement, il en est si avare : habitué qu'il est à faire ses pardons et ses paraboles. Elle ne peut pas se lamenter ni se griffer le visage comme les affligées de l'Ancien Testament, elle enfile plutôt ses bottes de pluie et retourne aux champs, parce que la vie continue,

la terre est dure, l'obstination et la nécessité serviront de
bonheur passable[1].)

Une histoire venue de loin, de Mésopotamie sans doute,
entre Akkad et Sumer, met en scène une jeune épouse
amoureuse d'un taureau blanc : n'importe qui à sa place
serait allé consulter un médecin pour s'entendre parler de
purge ; au lieu de ça, elle a préféré se déguiser en génisse pour
vivre une saillie sans commune mesure – une fois, au moins
une fois, et s'en souvenir le reste de ses jours (en conserver
les traces le plus longtemps possible). Eh bien, cette jeune
épouse d'Akkad ou de Sumer, Martha Dolittle en a entendu
parler, son histoire lui est parvenue, en ses terres, sous la
forme d'un sermon sur l'intempérance, et naturellement elle
a voulu s'en montrer digne.

Achab le Vieux s'initie à l'art de l'oubli

L'oubli, Achab en pratique à peu près toutes les formes,
les plus crues, les plus douces, les hypocrites et les naturellement soporifiques, semblables à la venue du sommeil ; il a
éprouvé l'oubli du coupable, l'oubli de la souffrance par la
négation de la souffrance, l'oubli à cause du grand âge, l'oubli
pathologique et l'oubli de pur ennui, l'oubli par habitude,
l'oubli par avidité, curiosité et gourmandise, qui recouvre
les images d'autres images, sans se corriger. Une fois le pied
bien posé sur la terre ferme, il a renié l'immense poisson :
mais ce reniement était de la violence, la suite de la rancune
et, d'une certaine manière, il était encore la rancune – il a
fini par le comprendre, on oublie difficilement en tapant sur

---

1. *Proverbes* 30, 19, dans la version du roi Jacques.

des couvercles de poubelles avec un marteau : l'oubli est un art plus retors – mais comme il le répète souvent à monsieur Kowalski, de la charcuterie hongroise, il est si difficile de raisonner la déliquescence. En vingt années de chasse à la baleine, accoudé à son même bastingage, Achab avait eu le temps de peaufiner sa rancune, de pure esbroufe comme on le verra : l'ennui, le loisir, les après-midi morts chaque fois que la mer est calme, et par-dessus tout l'absence de baleine, tout cela permet de faire de sa rancune un chef-d'œuvre de la patience, et avec le temps donné à l'acharné, l'acharnement finit par ressembler à un vrai talent d'artiste, lisible dans son œuvre : une brique polie jusqu'à devenir un miroir, pour reprendre un exemple célèbre ; il faudrait maintenant élaborer l'oubli sur le même modèle, pareil soin, pareille minutie profonde, presque obscène, l'acharnement de celui qui frotte la brique et finit par se reconnaître dedans.

Par chance, cette ville comme toute ville paraît propice à l'oubli (ça reste à vérifier) : des embranchements à chaque carrefour, et beaucoup de carrefours, beaucoup de directions par où une chienne pourrait égarer ses petits, et le chien de la chienne abandonner les siens – alors, pourquoi ne pas y perdre volontairement, à l'issue d'une promenade, une rancune de marin profondément gravée dans le bois. De fait, Achab trouve en ville un bon millier de gueules de poubelles ouvertes, d'une avidité incomparable, à la mesure de la ville, et dans ces gueules, il a pu jeter un par un les attributs de son achabité : le chapeau, le soulier, la jambe de bois, les pages du journal de bord et le sextant : la ville est aussi un prodige d'avalement, et cet avalement les poubelles le suggèrent, elles inaugurent aussi la digestion. Achab peut espérer ici recouvrir ses souvenirs d'une crème fouettée tombée d'un siphon, chez le marchand de crème glacée, qui s'est donné des allures italiennes, un peu de vert, un peu de rouge de part et d'autre d'une bande blanche ; il y a les petites sollicitations, on en découvre toujours d'autres, l'échoppe est remplacée par l'échoppe, des boutiques vieilles d'un demi-siècle ferment du jour au lendemain, elles donnent à leur fermeture la pompe de la chute du Temple et sont oubliées le mercredi suivant, on étale une affiche sur une image, le rideau n'est jamais tiré deux fois sur la même vitrine, et encore, le contenu de la vitrine doit représenter si possible joliment l'impermanence même – et faire envie, comme s'il était possible d'avoir envie d'une disparition. Il devine que pour exister ici le plus simple est parfois de disparaître, c'est-à-dire disparaître sans cesse, recommencer le lendemain, et choisir pour exemple l'éva-nescence des petits receleurs – prendre le temps qu'il faut, mais arranger sa disparition, et si l'on dure, du moment que l'on dure, au moins se consumer : presque une question de politesse (c'est une ville d'échéance : on n'en finit plus de cesser, dix millions d'âmes payent leur terme, en font une question d'honneur et une nécessité, beaucoup pensent au délai du soir se réveillant chaque matin[1]).

Achab le Vieux s'initie à l'art de l'oubli, suite

Vient le jour où l'immense poisson est confondu avec la toile cirée sur une table de cuisine : c'est-à-dire s'y confond entièrement, y disparaît : à ce moment-là, si le nom de Moby Dick était prononcé comme une déformation du nom de Richard Mobsley, il n'évoquerait plus rien, sinon le fond d'un frigidaire, un quart de flétan panné aussi carré qu'un as

---

1. La mort dissimulée par tant de signes avant-coureurs.

de pique – sa jambe de bois, il l'attribue une fois pour toutes à un accident de tramway : il serait capable de montrer les lieux du drame et d'y verser une larme, toujours la même.

Achab le Jeune dans le rôle du prince Hamlet

[1888]   Achab enfile un jour les pantoufles du prince Hamlet : son tour est venu après beaucoup d'autres, il a prononcé le *To be*, sans choisir dans le répertoire la seule expression négligée par tous ses prédécesseurs, la seule disponible, mais en faisant de son mieux, à sa manière : il y a eu, il le sait, des *To be* affirmatif, des *To be* de sermon sur le Jugement dernier, ou sermon sur le péché comparé aux vertus, des *To be* de juge, des *To be* d'insomniaque, le genre de *To be* résonnant dans le silence d'une chambre à coucher au moment de se tourner d'un côté puis de l'autre ; des *To be* d'incertitude au réveil, quand le miroir est moucheté et le vin de la veille n'aide pas à se souvenir ; des *To be* enragés, *To be* de colère, le refus de choisir étant l'intransigeance, la mauvaise tête et le désir impérieux de suivre une troisième voie entre *To be* et *Not to be*, une voie erronée, absurde, tant pis, pourvu qu'elle tranche (ce n'est pas le refus de choisir, plutôt le refus d'hésiter). Il y a eu des *To be* langoureux, à soi-même, *To be* de complaisance parvenant mal à devenir *To be* de consolation (et la consolation un raisonnement arrachant le consolé à sa détresse) ; des *To be* de pure rhétorique, étrangers à eux-mêmes, froids, contemplant la syntaxe à trois pas de distance, des *To be* malheureux, confus, puisant leur sincérité dans la confusion, des *To be* patients et suspendus, dans l'attente d'une réponse venue d'ailleurs, apportée par l'une de ces hirondelles réfugiées dans des courants d'air tiède ; des *To be* agacés, mille fois revenus sur le tapis, sans résultat, ni solution, cherchant le salut, mais quel salut, dans la redite; *To be* fatigués, *To be* honteux, *To be* de fossoyeur désinvolte ou de jeune homme profondément touché par le trou vide d'une fosse; et *To be* interrogatif, *To be* cherchant quelqu'un à qui parler: un inconnu porteur depuis toujours de la réponse.

(*To be* d'homme moins jeune qu'il n'y paraît, mais peinant à convertir sa lassitude en sagesse, *To be* d'amoureux des hypothèses, préférant la spéculation à la rancune; *To be* de danseur, éternel danseur, éternel chorégraphe, pour qui le désarroi est nécessairement un pas de danse, déjà dessiné quelque part; *To be* d'abandonné, pour qui *To be* et *Not to be* sont la même chose (l'alternative, une illusion de midi); *To be* de solitaire, choisissant avec sérieux les nombreuses issues de la mort selon Sénèque; *To be* de joueur de cartes, *To be* de jeune gaillard se souvenant d'une nuit d'amour, préméditant la nuit prochaine, se demandant si l'une et l'autre ont lieu pour de bon; *To be* de celui en proie aux affres (ou, parfois, aux douleurs exquises) de la métamorphose, sur le point d'aller saluer l'homme qu'il sera devenu; *To be* de goguenard, ne croyant ni en *To be* ni en *Not to be* et les adoptant tous les deux; *To be* d'exaspéré, voyant l'alternative comme la même mouche, toujours la même, revenue d'un été à l'autre se poser sur le dos de la main – et *To be* ennuyé, *To be* joyeux, *To be* de méfiance et de mépris, *To be* de toutes choses se valent, *To be* de la peur calmée, *To be* de l'angoisse à l'idée que le temps continue de s'écouler, *To be* de l'homme pressé de fourguer *To be* et *Not to be* au premier venu, comme un fardeau, pour s'en débarrasser.)

Celui du jeune Achab, il est comment? un *To be or not to be* d'incertitude (ni la certitude d'être, ni la certitude de ne pas être, ni la certitude de pouvoir hésiter et choisir – et quand il parle, sa voix tremble), l'air de ne plus se souvenir, mais sincèrement, du *Not to be* après avoir fait résonner le *To be* sur la scène, laissant alors *To be* se prolonger seul dans le silence, ridicule et du plus haut sens, censé tout contenir, énigmatiquement, mais passant plutôt pour le bégaiement d'un idiot grandi parmi les chèvres. Quand finalement arrive le *Or not to be*, c'est un soulagement, le jeune Achab remarche sur deux jambes, la délivrance ne vient pas d'une promesse de la mort comme salut, mais qu'il existe l'alternative, un non-A pour nous soulager de l'existence du A ; il en découle la guerre, la volupté, le désir, le mercantilisme, peu importe, le balancement a eu lieu, il a lieu encore : l'un des deux est mensonger quand l'autre est véritable, les répéter dans la foulée nous permettra de croire qu'on gagne à tous les coups.

À force de répéter dans sa loge de comédien le monologue d'Hamlet, dans l'espoir, un jour, qui sait ? de le dire, autrement mieux que ce nigaud de Stanley par exemple (l'allure d'un épicier pesant le pour et puis le contre), Achab le Jeune s'est approché de plus près, de plus près encore, du prince Hamlet, avec le sentiment, sur le moment énigmatique, d'aller à la rencontre de lui-même (c'est une illusion ordinaire). Il n'entre pas dans la peau du personnage, non, qui le fait vraiment ? mais il l'escorte, il le serre, il pourrait être son ombre propre, ou le revers d'Hamlet quand il fait face à son public : avec lui, il marche, la marche fait naître Elseneur, elle maintient en vie un château, et les crimes, et la question sur les crimes ; il lui emboîte le pas, il voudrait le suivre d'assez près pour confondre suivre et précéder ; faute de s'identifier, faute de se confondre, il danse, il remet ça, on dirait un tango, Hamlet ou lui répète son *To be*, et puis son

Not to be, il recommence *To be* suivi de *Not to be*, pendant ce temps, il marche, considère les cent pas comme la chorégraphie la plus simple accordée à son monologue (qui n'a pas marché de la sorte? qui refuse de se laisser attendrir?). Encore un pas *To be*, encore un pas *Not to be*; ce faisant ne boite pas vraiment, mais respecte à chaque aller-retour le rythme asymétrique de l'iambe, court long, court long, court long – jusqu'à ce que le choix entre *To be* et *Not to be* ne soit plus un souci de garçon tourmenté, sans ses livres, mais l'affaire d'un promeneur délivré de la destination.

(Plus tard encore, vingt ans plus tard, puis quarante ans, il lui reste quelque chose de ces répétitions de *To be* et de *Not to be* – il attribue arbitrairement l'un à sa jambe, l'autre à la patte de bois: redire le monologue l'entraînait à marcher.)

Achab le Vieux garde son histoire pour lui

L'immense poisson, il ne veut plus en entendre parler, [1924] surtout pas par lui-même, comme curriculum folklorique ou comme Dit du Vieux Marin – il lui faudra tomber dans la mouise la plus profonde et sèche, à l'image d'un verre de martini vide, pour accepter d'échanger un morceau de l'histoire de sa vie de pêcheur contre un repas, avec l'espoir que ses récits de chasse lui feraient un jour mener la grande vie au coin d'une rue et d'une avenue, dans un théâtre: sauvé de la Déchéance par la Dramaturgie. Alors, soit, il se replongera dans ses histoires de stockfisch, de cordes sales, de balancement, de mer mangeuse d'hommes, de rancune biblique et homérique; il ne se contentera plus de brader des souvenirs par bouts, contre un œuf au plat, il rassemblera et il réordonnera toute cette mémoire défaillante qui a beaucoup donné au rhum sans espoir de retour ; il donnera, quitte à mentir ; il a appris dans quelle mesure la dramaturgie repose sur l'infidélité.

Apprendre la rancune sur scène

La rancune comme œuvre d'art ne s'apprend pas en récitant Shakespeare, mais le répertoire shakespearien au complet récité à voix haute est une école efficace, plusieurs fragments de la rancune immense s'y retrouvent, presque tous ; les rassembler pour en faire un tout considérable d'un seul tenant est le travail d'une demi-vie d'acteur. Achab le trop Jeune peut n'avoir aucune idée de la rancune avant de se mettre à jouer : et alors, sa colère, son fiel, les tourments, les insomnies, tout ce qui en découle (les repas froids par exemple), il ne peut pas s'en aller les chercher à l'intérieur d'un quelconque lui-même, où tout se trouverait : au moment de jouer un jaloux sur scène, jaloux doublé d'un rancunier, il doit en passer par une reconstitution (faire semblant d'être un comédien, puis faire semblant d'être rancunier, compter sur ses semblables pour lui servir de modèles puis pour approuver son jeu en tant que modèles). À force de mimer sur scène un mécontentement très élaboré, très maniériste, ne reposant sur rien de vraiment authentique, pas même le souvenir d'une morsure par un chien sorti d'un champ d'orge, une rancœur pas très crédible à ses débuts mais convaincante si elle insiste, le jeune Achab en vient à mettre au point pour lui-même puis pour ses camarades un florilège de sentiments mauvais, de la famille de la bile noire, depuis la mélancolie jusqu'à l'énergie rageuse va-t-en-guerre, poussant à deux cents mètres ses postillons (environ une encablure) : ça ne convainc personne.

(En vingt ans de pratique, il peste contre à peu près tout le monde, contre un rival, contre Pompée le traître, contre Mowbray et Richard II quand il joue Henry Bolingbroke, contre sa fille préférée et les tempêtes, contre les terres plates inutilement vastes qui s'interrompent par une falaise sans crier gare pour le seul plaisir de nuire – et quand on lui offre la tête de Richard III sur un plateau (c'est-à-dire le rôle), le jeune Achab exulte à l'idée de patauger libre de ses mouvements dans un bassin de vaste rancune (je le cite) : exprimant sa méfiance vengeresse envers le roi, la reine, son frère, ses ennemis et ses alliés, son écuyer, son cheval, le mors du cheval et l'anneau du mors : une méfiance universelle attachée aux plus petits détails, et qui soulève chaque caillou pour voir s'il n'y aurait pas là-dessous un lombric intrigant sur qui exercer sa vengeance, du talon – une fois épuisé ce catalogue du monde (*index rerum*), Achab, en tant que comédien, se jugera prêt à tout.)

Apprendre la rancune sur scène, suite

Toute la haine rassemblée de Richard III ne pèse rien à côté de la rancune de Prospero : le sentiment si doux de sa vengeance, parfois comparé à un voile, à deux notes de luth au milieu de l'après-midi séparées d'une demi-heure, ou au brouillon d'une ballade résistant à l'écriture et gardant pour elle seule les moyens de sa composition (on l'a comparé aussi à l'attente, quand l'attente élabore en plus de spéculer – mais il ne faut pas croire tout ce qu'on dit). Bien sûr, Richard III a le tonnerre avec lui, shakespearien le tonnerre, et son catalogue des cadavres, debout, couchés, avec couronne, sans couronne, impubères, sans défense, les morts faciles et les morts coriaces – Richard III Gloucester aurait ajouté le cadavre de Richard III Gloucester à ce fameux catalogue s'il avait fallu impressionner davantage (celui de son cheval aussi). Ne parlons pas de Macbeth, ni d'Othello, les mains d'Othello serrées autour du cou des femmes et des hommes coupables, quel intérêt, quelle crainte réelle, et quelle mise en scène ? rien que des doigts forts pénétrant des gorges molles. (Et Iago ? oui, admettons, lui aussi élabore, sa vengeance est un bel échafaudage, ses machinations s'étalent sur sept jours et ses piliers (je cite de mémoire) prennent appui sur sept nuits, il lui arrive d'avoir recours à des jeux d'écriture, il sait combien de temps prend un jeu de mots, par exemple, pour devenir mortel – admettons.)

On aura beau dire, rien ne vaut Prospero, l'éternité de Prospero, sa sagesse agaçante de raccommodeur de filets de pêcheur, ses livres abscons et ses lectures qui ne désabsconsent rien, son côté malice-de-vieux-singe associée à sa légitimité de duc chassé de son pays par moins légitime que lui, Prospero et son génie du ralentissement, de la procrastination, circéenne procrastination, et qui semble avoir fait de l'attente sa principale machine de guerre. Sa lente, sa décennale vengeance en impose : Prospero, mine de rien, sur son île qui était un chapeau de paille de Milan jeté dans l'océan, a su mettre au point sa revanche (pour de bon mettre au point : mettre en scène), il lui a fallu pour ça des années de lecture, Hermès, tout le corpus, mais aussi les gnostiques retirés de la fosse aux lions, les livres d'astronomie, le *Miel des calculs*, l'optique d'Alhazen, les Arabes algébristes et les Arabes poètes, le *Traité sur le Rien* de Charles de Bovelles ; il a aussi appris à construire ses marionnettes, il a appris à démêler leurs fils, à leur peindre une bouche et parler à leur place ; il s'est laissé visiter la nuit par les succubes, pas pour se livrer à eux, pour les saisir par la manche et avoir avec eux une conversation sérieuse. Avec le temps, Prospero a eu la bonne idée d'élever la vengeance au rang d'art total, aux autres d'en prendre de la graine : des rimes, des contre-rimes, des emblèmes, de l'encre et des trompettes, une machine à vent, des souffleurs, un aboyeur, du magnésium, des comédiens, un chœur mixte, ce qui suppose aussi de la musique, le côté rhapsodie de sa vengeance, les corne-muses, les flûtes en *do*, les flûtes en *sol*, le vent par-dessus le vent, de grands panneaux et de grandes voiles, des monte-charges, une petite légion de figurants, leurs entrées et leurs sorties, une mécanique au moins aussi susceptible que celle des gréements ou des orgues, les gréements d'un trois-mâts au temps d'Élisabeth.

Moby Dick comme île plus ou moins déserte

Il lui est arrivé, au moins une fois, de donner l'hospi-talité à des naufragés : c'était à une époque de naïveté et de croyances (de voyages merveilleux), des prêtres-marins à bout de forces, pas très experts il faut bien le dire, sont venus jusqu'à elle, la prenant pour une île, tirant sur des rames de leurs bras maigres de théologiens, la tonsure brûlée par cent jours au soleil. (Leur barque, leur barcasse, parvenue presque intacte, c'est déjà un miracle, après des semaines de vagues hautes et profondes, de courants contraires, de brumes soufflées par Hobbididance, l'esprit malin, de priva-tions et de prières de ventres creux gargouillant jusqu'au ciel pour apitoyer un Dieu nourricier.) Ils clapotaient : combien de malheureux clapotent de la même façon : fiers, valeureux, n'empêche, barbotant, faisant des bruits de cochonnet dans une baignoire – les hommes, elle ne les connaissait pas beaucoup, en ce temps-là, mais elle connaissait déjà au moins leur fierté proportionnelle à leur aptitude à se ridiculiser sans cesse. Elle leur a servi d'île, pas contrariante ; c'est à peine si les moines l'ont réveillée quand ils ont planté l'ancre, puis arraché les planches de la barque pour faire un feu, là où l'île est le plus plate : elle n'a pas éprouvé la brûlure, seulement l'idée de l'idée de brûlure. Selon une légende rapportée bien plus tard, elle a laissé les petits moines finir leur première messe avant de plonger et de les noyer, eux, en pleine mer – ça n'est pas tout à fait vrai, mais les légendes disent bien ce qu'elles veulent, surtout quand il est question de baleine, et question de miracles arrivés à des moines dans les siècles séparant l'Empire romain de Charlemagne.

Le retour des mammifères dans l'eau des océans
– explications et gloses

Le retour des mammifères dans l'eau de l'océan (il y a longtemps : l'ancienneté ne doit pas faire taire notre curiosité, au contraire – il nous reste d'excitantes énigmes fossiles) : plus personne n'est encore en vie pour nous servir de témoin, ceux qui assistaient aux événements n'avaient pas la présence d'esprit d'écrire leurs impressions (et sur quelles tablettes ? il faudrait imaginer des glyptodons munis de stylos plume), et les destins se diluaient dans la durée longue. Ce retour, c'était un jeu, un défi ? un défi joueur peut-être ? une plaisanterie de samedi après-midi aux conséquences incalculables – c'était le simple désir de prendre le frais au treizième jour de canicule, un simple divertissement devenu une habitude, puis un mode de vie, puis une manie de l'espèce – ou bien c'était pour fuir allez savoir lequel de ces lézards géants, inadaptés, maniéristes, l'animalité redessinée par le Parmigianino. C'était à l'ère Cénozoïque, la période du Paléogène, peut-être l'étage du Lutétien, cette époque était sans merci, il fallait avoir du peps pour survivre, nul n'avait le droit de ne pas être optimiste : n'empêche, la mélancolie a pu saisir déjà l'âme et le corps d'un peuple de mammifères, le peuple tout entier, comme les Finlandais quand ils ont du vague à l'âme, et les conduire à l'eau, pour s'y noyer, une pierre au cou : alors la baleine d'aujourd'hui, si pleine, si tonique, incapable de nier sa propre surabondance, serait la persistance de la vie dans le désir même d'en finir : tout ce qui batifole une fois les suicides accomplis.

Ce n'était pas la nostalgie du temps où le cheval était un protozoaire : de la prudence, plutôt, et de l'hésitation – ah, l'hésitation : il fallait voir les grands animaux terrestres hésiter, faire un pas dans une direction, un pas dans l'autre, sans oser décider d'un parcours si lourd de conséquences : piétiner alors à mi-chemin du monde sec et du monde humide, comme Achab, des millions d'années plus tard, un pied sur l'échelle du navire, l'autre encore sur le quai, en train de se demander si tout cela en vaut la peine.

De la fuite de Londres – pourquoi Achab le Jeune
a subitement fui Londres

(Sur une carte du monde, terrestre et marine, depuis la côte est d'Amérique du Nord jusqu'aux îles de Polynésie, de la Terre de Feu à Terre-Neuve, de Panama à Galway en Irlande, les trajets du capitaine Achab représentés sous forme de lignes courbes, certaines à l'encre noire, certaines au crayon, laissent en blanc un seul lieu quelque part vers Londres. On y trouverait quoi? peut-être le crâne de Yorick, une croix au sol pour servir de point de repère lors de la dernière réplique (c'est une allégorie, toujours: "dernière réplique"), et en s'agenouillant au bord du fleuve un indice de la taille d'un brin de tabac.)

[sept. 1891]   Pour justifier son départ de Londres on ose supposer un assassinat – mais qui, et de quelle manière? entre le heurtoir et la porte, sous le coup de l'alcool, le coup de la passion, à condition d'accorder à l'abstème jeune homme des addictions vivaces à Londres, inexistantes partout ailleurs (mais pourquoi pas: la bière de Londres, celle qui avait déjà échauffé Christopher Marlowe, a pu saouler Desdémone puis la jeune Héro de *Beaucoup de bruit pour rien*). Le meurtre d'un inconnu par Achab le Jeune est difficilement concevable; il a le mérite d'être épique, il oblige à l'audace des malfaiteurs fuyant les juges, de quoi entamer une seconde vie de marin, avec panache, ou du culot faute de panache: droit devant soi, une baleine blanche purement hypothétique, et loin derrière, la raison de sa fuite. (Si ce n'est pas un meurtre, c'est le vol, l'argent du spectacle dans une boîte, et le départ moins glorieux du voleur.)

Il est toujours difficile de reconstituer des mésaventures d'aussi loin (le temps compté en décennies, l'espace rendu confus par de si nombreux allers-retours) – le vieil Achab en sait quelque chose: combien de fois il a tenté de resituer sa baleine sur une carte en reconstituant son trajet depuis le premier jour, et s'il le fallait en remontant plus haut de génération en génération jusqu'au premier coup de nageoire de la première baleine, l'ancêtre par qui tout est advenu?

Il y a des années de ça, Achab était le jeune comédien de la troupe, entre Ariel et Robin Goodfellow, les gestes avaient une évidence perdue avec les années, la mémoire des faits était un souvenir immédiat, une mémoire fraîche, celle qui ressemble le plus à la chair d'un agrume ; et les traces aussi étaient fraîches, elles venaient d'être faites (tout venait à peine d'arriver), le bois de la table blanc à l'endroit où le couteau avait mordu, et partout ailleurs chaque chose encore pourvue de sa couleur, la sienne, qu'elle possède : bleue l'encre, rouge le sang, comme à l'instant de lire *sang rouge* dans les livres d'Alexandre Dumas et d'y croire, pour une fois. Mais de loin, après des années, ou sur place quand on y retourne après une longue absence, il reste quoi de ces satanés instants présents ? plus rien de la brutale spontanéité des gestes, rien ou presque de l'entaille du couteau, et ainsi de suite, rien du bleu ni du rouge ni des prétendues passions de pure esbroufe qui pouvaient encore subjuguer et dont on doit maintenant chercher les noms, les noms savants, les noms populaires, dans des dictionnaires. (Vient le moment (comme l'écrivait Casanova, cinquante ans plus tard, pour évoquer l'instant de jouir), vient le moment où même la trace aurait besoin de laisser une trace avant de disparaître.)

Sur place, à Londres, trente ans plus tard, allez donc retrouver un cadavre : fouiller le limon des bords de la Tamise, creuser une cave, déplacer le mur du théâtre où la troupe a dû répéter *Peines d'amour perdues*, sous des poutres, en été ; ensuite rassembler deux cents os plus six os d'un corps humain, étudier de très près chacun de ces deux cent six comme on approche le nez d'une peinture *a fresco* pour y deviner le nom gravé au couteau d'un visiteur du siècle précédent, retrouver la trace et donc la raison d'un meurtre, et "sur les lèvres de ce qui nous reste de plaie" (c'était une cicatrice dodue, printanière, c'est maintenant un trait sec sur un fémur) les marques du style achabéen. Si possible, encore, retrouver une empreinte de pas (une semelle, un poinçon, une semelle, un poinçon) dans la boue fraîche puis dure, dessinant les premiers pas d'une fuite, le prélude avant l'allemande et l'allemande avant la courante, retrouver une pièce d'un souverain tombée de sa poche dans la rivière, puis un brin du costume d'Achab, puis un poil de sa barbe, puis dans une lettre cachetée réapparue chez un notaire, miracle, les aveux de son crime (ne pas pouvoir s'empêcher de faire le récit de son crime après l'avoir commis, c'est à mettre sur le compte de l'adolescence frêle).

Si on décide d'être favorable à un achabéisme reposé, plus tranquille, alors l'homicide nous est impensable : on ne saurait pas faire tenir Achab le Doux entre l'assassinat d'un inconnu à Londres et le massacre de mille baleines sur tous les océans, mille pour le prix d'une seule. Même au temps de sa jeunesse londonienne il a l'impétuosité calme : quand on le provoque en duel, il renonce à s'y rendre, il envoie à son adversaire une boîte de chocolats, un mot d'excuse à l'intérieur, préférant l'humiliation du moment qu'elle laisse en vie (ça fait de lui le frère de Cyrano de Bergerac : capable d'écrire pendant la nuit, en plus d'une *Critique du duel*, un *Éloge de la paire de gifles*, un autre de *L'humilité bien vécue*, donnant soif de vivre) ; il n'avait pas de couteau en poche et même ses amours se menaient d'une drôle de manière douce, comme le frottement d'un rideau sur le bois de la fenêtre entrouverte, juste avant l'été.

Il n'y a pas eu d'homicide, mais un malaise plus profond, fortuit mais insoluble ; une mésentente, une trahison peut-être, une parole de travers, un poème de circonstance composé dans l'euphorie mais une fois lu, sur le papier, catastrophique et insultant, ineffaçable ; ou bien Achab comédien a ouvert la mauvaise porte donnant sur des accouplements auxquels il n'aurait jamais dû assister – il pense presque aussitôt à Danaé et Jupiter, il se dit que les motifs d'une vie humaine sont en nombre limité, le coït et la fuite font partie de ces motifs.

De la fuite de Londres – fuite de Shakespeare assassin de Christopher Marlowe

Achab propose un jour à ses marins l'hypothèse (réfutée par la vraisemblance) selon laquelle devenir Shakespeare, devenir cet homme sans biographie, sans visage, masqué par ses différents rôles, et déguisé en génie universel tout en laissant comme dernière trace un testament de petit-bourgeois aigri, devenir Shakespeare était la meilleure façon pour l'assassin William de fuir le meurtre de Marlowe – c'est-à-dire fuir la justice immédiatement après avoir planté sa dague dans l'œil droit de son jeune ami Christopher, un soir de 1593. (Au sujet de l'assassinat de Marlowe, toutes les interprétations ne se valent pas, mais elles se réunissent au même endroit, dans une auberge des bas-fonds de Londres, et au même moment, la nuit du meurtre ; elles prononcent différents noms de coupables, supposent parfois Shakespeare assassin, Marlowe allongé dans son sang, plus rarement le contraire, Marlowe meurtrier prêt à fuir et Shakespeare déjà mort, bleuissant. Elles évoquent toutes une querelle tournant mal après une addition trop salée, parce que Touchstone le bouffon y fait allusion dans *Comme il vous plaira*, et qu'à ce moment-là Shakespeare le fait parler ; la plupart pleurent la mort d'un jeune poète prometteur, leur chagrin va avec la véracité immédiate des faits ; d'autres ne veulent pas pleurer mais se réjouir comme on se réjouit en voyant venir le coup de théâtre, elles ne veulent pas faire l'aumône d'une mort lamentable au brillant Christopher Marlowe : l'histoire d'une addition salée dans une auberge entre jeunes gens ivres est en vérité tout ce qu'un auteur encore débutant dans l'art de construire des intrigues est capable d'inventer en quelques heures pour justifier sa disparition : le voilà officiellement mort, on présente un quelconque cadavre aux autorités, celui-là ou un autre, pendant ce temps il trouve refuge à Vérone, où il prend le nom de Shakespeare, où il écrira *Roméo*.)

Sans le couteau planté dans l'œil de Christopher, Shakespeare n'aurait pas eu besoin de se cacher sous vingt drames et quinze comédies, passant des uns aux autres, avec à l'intérieur de chaque pièce assez de rideaux et de portes, de cloisons, de trappes sous le tapis, pour échapper plus sûrement à certaine vigilance. Bien entendu, ça n'explique pas tout : le corps angélique, caravagesque de Marlowe mort à vingt ans et quelques, un peu rose, un peu bleu, ne justifie pas les chefs-d'œuvre à lui seul – pourtant, les dates correspondent, les premières pièces de Shakespeare apparaissent dès le lendemain du crime, et le vieux capitaine trois cents ans après les faits s'acharne à croire aux liens de cause à conséquence : des liens logiques à peine biaisés par la magie en cours au temps d'Élisabeth Iʳᵉ.

De la fuite de Londres – autre version, encore plus extravagante, de Shakespeare assassin et fugitif

(Ou bien, c'est plus confus encore, Francis Bacon s'en mêle, on fait intervenir des membres de la famille royale : au lieu d'un seul Shakespeare, sept amateurs et hommes de

lettres, connus ou inconnus, postulent au titre de Shakespeare : ils se réunissent ce soir-là quelque part près du port,
William Stanley, Édouard de Vere, Walter Raleigh, en tout
sept impétrants dont William Shakespeare lui-même, fils
de gantier venu de Stratford. Sept Shakespeare se donnent
rendez-vous au bord de la Tamise pour en finir avec ces
usurpateurs qui se font concurrence : que le véritable génie se
dévoile, qu'on se décide à l'unanimité moins une seule voix
(la sienne), qu'on tire son nom au hasard dans un vase ou
bien qu'on vote à main levée – enfin, bref, qu'on le désigne et
les autres s'effaceront : retourneront à leur vie non shakespearienne, respectable pour autant. (Sept William Shakespeare,
peut-être même huit si on compte mieux : un William
Bacon Shakespeare, un William Marlowe Shakespeare, un
William de Vere et Stanley, pourquoi pas un William Ben
Jonson Shakespeare, ou un Iago Shakespeare, un Andalou du
Middlesex, qui est ce qu'il est sans jamais l'être.) La réunion
devait respecter certaines règles, rien de tel que les malfrats
pour mettre au point des codes d'honneur, passé minuit, la
parole aurait dû prendre le dessus, après tout ce sont tous
des familiers de la rhétorique, mais il faut croire que la rhétorique n'a pas suffi, faute du bon mot au bon moment : l'aube
a donné à voir un seul vainqueur et six cadavres, tous plus
ou moins Marlowe, le visage dans le limon anglais – le nom
de William Shakespeare envolé avec le survivant.)

De la fuite de Londres – Achab déguisé
en William Shakespeare

Pour fuir alors, pour trouver refuge dans la fugitivité,
Achab le plus si jeune a l'idée de devenir à son tour William

Shakespeare, incognito de partout : il en sait suffisamment pour signer de ce nom, il a en tête l'ensemble de ses sonnets et un bon nombre de ses répliques, celles qui comptent, les plus célèbres, les proverbiales, les moins exposées, les moins brillantes, les tirades d'un seul mot, les calembours obscènes, les petites blagues, les cris perdus dans la tempête et les fantaisies tristes dites par Puck au moment d'être Puck ; il a consulté les folios à la bibliothèque, il a joué la pièce à l'intérieur de la pièce, il a été Hamlet donnant ses indications au comédien et le roi de comédie recevant les indications, il a joué un assassin et le corps de l'assassiné juste après le passage du couteau ; à la place de l'assassin, il a ressenti une fraternité imprévue en plus de la culpabilité, il s'est senti responsable du cadavre comme il s'était senti responsable en voyage du sommeil d'un inconnu parce qu'il avait posé sa tête sur son épaule ; il peut reconnaître le roi Jean d'après un seul de ses mots, il a brisé plus de soixante fois le bâton de Prospero sur sa jambe, et sa jambe à l'endroit du bâton en sait long sur Shakespeare, elle aussi ; il a su disparaître au bon moment, quand le texte l'indiquait, il s'est relevé après le rideau en essayant de se montrer digne d'un cadavre rédimé. Devenir William Shakespeare pour échapper aux agents du Nouveau Scotland Yard, c'est une nécessité absurde, mais Achab reste convaincu, et des années plus tard il veut encore s'en prévaloir, c'est une extravagance de jeune homme permise par son jeune âge : il déborde de forces, être capable d'agir suffit pour justifier un acte.

La peur panique s'articule avec des pensées froides : prendre William Shakespeare en exemple, c'est loin d'être bête, une rigueur digne des crimes longtemps prémédités, un peu de fantaisie peut-être, celle des travestissements, mais une fantaisie réfléchie elle aussi, le genre de farce prenant de court le sérieux des agents du Yard, ou le sérieux des juges. Pour s'échapper, quand on y pense, rien de mieux, redevenir William Shakespeare : ça lui a réussi en son temps, il était insaisissable, on le cherche encore aujourd'hui sans le trouver jamais, des centaines de bibliographes complices de graphologues et de généalogistes, des exégètes, des érudits de la région de Stratford fouillent les livres et les tiroirs de sa maison, jusqu'à la cave, et ne remettent la main sur rien, pas même une tombe à exhumer, un cercueil rempli d'un manteau vide couleur de nuit – alors que depuis des années le cadavre de Richard III terrible de son vivant est déplumé sur des paillasses pour faire la preuve de ses moindres tares. Être Shakespeare parce qu'il a su être personne et tout le monde, comme le dit le proverbe, deux façons de se perdre dans la foule, en partir, y revenir quand bon lui chante, avec une moustache, sans moustache, et sept modèles diffé- rents de fraise bravant les modes ; parce qu'il a su se laisser remplacer au fil des ans, de son vivant, après sa mort, par d'autres prétendants au titre d'auteur de ses chefs-d'œuvre ; il s'est laissé escamoter avec courtoisie, avec diligence, on disait aussi humilité, et parmi ses usurpateurs il a dû s'en trouver un ou deux quand même plus malins, pour deviner comment la somme de courtoisie + diligence + modestie = ruse rigolarde ; il a su porter les treize noms des treize prétendants à tour de rôle et simultanément, ça lui rappelait l'histoire comique du lord anglais à treize chapeaux, et ça lui a permis de courir dans treize rues à la fois, absent partout sauf dans la quator- zième, à quoi personne n'avait pensé ; il fait faux bond, il se décommande, il est l'absent au bal, la rumeur, le mot d'excuse au rendez-vous, même l'histoire de Guillaume le Conquérant premier arrivé dans la loge de la comédienne est une légende venue se placer entre nous, ses admirateurs, et une autre de ses absences ; quand il se présente sous le nom de Shakespeare, on ne le croit pas, on ne lui donne pas ce crédit, et lui accepte encore une fois de disparaître sous l'aspect d'un fils de gantier sans culture[1], faussement vexé, en vérité vainqueur ; son anonymat se ressource régulièrement à l'incrédulité des prêteurs sur gages, les plus vils, sa liberté aussi ; plus tard il trouve encore le moyen de se dissimuler dans les lignes de son testament, il a la présence d'esprit de se rendre fade et fuyant, fuyant d'une autre manière, et depuis qu'on a trouvé une sépulture à sa dépouille fatiguée de s'esquiver sans cesse, il continue de se moquer de nous, ses sept portraits sont apocryphes, ils se ressemblent avec méfiance, à contrecœur, ils se contredisent tout en ayant l'air de s'approuver, de se recommander l'un l'autre, toujours cette fausse courtoisie des voyous qui ont un code d'honneur pour mieux berner les juges ; mais ils ne sont pas faits pour s'entendre, les comparer ne nous avance toujours à rien, et les superposer à la lumière donnerait naissance à un visage pâle sans bords, sans volonté, moqueur par défaut, une face de songe d'une nuit d'été, une autre version de son absence, qui semble nous répéter en boucle *Dans l'air léger, dans l'air léger, dans l'air léger*[2].

De la fuite de Londres – disparaître en Shakespeare (concrètement)

Disparaître "en Shakespeare" (en poète avare de son visage, la fenêtre seule visible, allumée puis éteinte, cerné de la rumeur

---

1. Sans manucure.
2. Le portrait Chandos de 1600, le portrait Cobbe de 1610, le portrait Droeshout de 1622, le portrait Janssen, le portrait Grafton et celui de Sanders.

d'une œuvre en cours considérable, évaluée au bruit de ses pas sur le plancher entendus par les voisins d'en dessous, moins tourmentés, moins poètes – poète précautionneux, ne laissant jamais un autographe derrière lui, les brûlant au fur et à mesure, ses brouillons en lambeaux larges d'un pouce roulés et tressés, farcis de tabac, donnés à des sentinelles qui fumeront ça la nuit dans l'espoir de se réchauffer, sans savoir qu'ils débarrassent le monde de quelques versions fautives) – disparaître en Shakespeare, selon Achab Fuyant, ça peut vouloir dire aussi s'occulter trois jours de suite absolument, sans laisser paraître un seul rai de lumière, sans une parole sous le paillasson, sous prétexte d'écrire en urgence, comme Shakespeare avait dû le faire, *La Tragédie du prince Hamlet*, en entier : trois jours d'écriture sans quitter la table, trois nuits de sommeil rare inquiétées par les transitions d'une scène à l'autre, tandis que les minutes tournent – et pendant ce temps-là, Shakespeare n'existe pour personne, il plagie scène à scène un vieil *Hamlet* sans génie, écrit par un autre, qui lui sert de canevas (probablement le *Hamlet* perdu de Thomas Kyd, lui-même inspiré de l'*Historiae Danicae* de Saxo Grammaticus, ou bien un autre *Hamlet* originel, mal dégrossi et inconnu, enfoui maintenant pour toujours). Voilà l'idée que s'en fait le capitaine : l'écriture, l'extrême proximité de la plume, du papier et de la flamme d'une bougie, une promiscuité pas toujours pratique, la fièvre créatrice, et une fois l'œuvre accomplie, le repos mérité, comme une hibernation – cette idée, il y tient, son espoir de disparaître en dépend ; il se verrait bien lui aussi exister dans le seul espace défini par le papier et la petite chandelle. (Mais bien sûr rien n'arrive jamais selon les espoirs ou les craintes de notre moi le plus romanesque, ce fond de péripéties et d'admirations où on va puiser en désespoir de cause : Shakespeare lui-même pourrait démentir l'apprenti shakespearien : ses nuits étaient bonnes, il dormait sans s'inquiéter du sort de Guildenstern (à d'autres), et le jour il se montrait sans craindre les conspirations ni les adorateurs.)

De la fuite de Londres – échec de la dissimulation en William Shakespeare

Ça n'est une surprise pour personne : la ruse ne marche pas (on se demande si Achab a essayé vraiment, une seule fois, de devenir Shakespeare : passer de la théorie déjà bancale à la pratique, devant son miroir, puis mesurer la part d'efficacité comparée à la part de ridicule) : tant pis, dans ce cas, pas de fraise élisabéthaine, et pas de nom de famille aux orthographes multiples, une solution de rechange, la disparition dans un placard, le déguisement en puritain de Londres, pourquoi pas ? ils sont toujours plus nombreux et se confondent par conviction. Au lieu de ça, parce qu'il doit une fois de plus courir au plus pressé, Achab fouille les armoires à la recherche de la baguette de Prospero, il compte en tirer une magie résiduelle, l'effet de la magie hors du cadre de la comédie (il faut une force de conviction liée à un reste de foi superstitieuse) – il cherche la baguette, il se souvient vaguement d'un bâton, il ne voit rien sinon une quantité de tiges qui servent à maintenir les grandes robes des dames, un harnais de cheval, beaucoup de crânes en plâtre, et tous le narguent, les tiges autant que les crânes ; il trouve seulement, faute de mieux, la casquette du capitaine qu'on aperçoit une seule fois au début de *La Tempête*, quand le navire prend l'eau et quand le chef arraisonne ses troupes – ça devrait suffire pour se dissimuler.

De la fuite de Londres – véritable récit de la fuite
de Londres (pas trop tôt)

Criez le nom d'Achab à son passage, et regardez-le prendre sa jambe à son cou : depuis quelques minutes, peu importe combien précisément (sa montre aussi tressaute, comme disent les romans de Charles Dickens), le ventre vide ou presque, tout l'incitant à fuir, il pense mettre la plus grande distance entre lui et la maréchaussée, et à voir ailleurs s'il y est. Depuis qu'il sent le roussi, depuis que se sont installées dans son esprit les braises inconfortables de la peur panique, qu'il se surprend à regarder en urgence la vitrine de l'armurier puis celle du marchand de costumes, à un jet de pierre du théâtre, depuis que ses neuf muses paranoïdes le flattent si douloureusement qu'il doit faire preuve d'un peu de sang-froid pour se retenir d'assassiner tous les promeneurs venus à sa rencontre, il sait que le temps est venu de prendre le large – un autre à sa place, exemplaire, serait allé se livrer à la police, il y aurait eu des minutes de procès, peu importe combien, pour déterminer sa part d'innocence et sa part d'infamie (lui-même aurait pris plaisir à doser les ingrédients), les aventures d'un faux marin auraient été remplacées par les mémoires d'un détenu ; au lieu de ça, Achab continue de courir, son sautillement sur un seul pied donne une idée déjà de grand acharnement – même s'il voulait rester sur place, la pente de la rue l'entraînerait malgré lui vers le fleuve, par son talon (et sur le fleuve, une péniche).

Cinquante kilomètres entre Achab l'Innocent et le lieu de son crime ne suffisent pas, il faut au moins le décuple : parvenu à Canvey Island au bord de la mer, il faut faire le choix entre rester à terre à portée des juges ou se risquer en haute mer : nauséeux, odysséen, selon la chance. On imagine le futur capitaine, encore comédien des troupes shakespeariennes, ses chaussures fatiguées par une nuit de course, le dos tourné vers l'Angleterre dont il sait toute la fermeté, et qu'il aime comme le sédentaire peut aimer une chaise ; il hésite un instant, mais il entend déjà aboyer les chiens le long de Point Road ; il a glissé dans l'une de ses poches la casquette du capitaine de *La Tempête*, il se la met sur le crâne avant de s'engager d'un bond (*d'un bond* : mon œil) sur la part aqueuse du monde[1].

De la fuite de Londres – Achab fugitif

(Plus tard, Achab se reconnaîtra plusieurs fois de suite sur les écrans des cinématographes : lui tout seul, ventre à terre, avec seulement vingt mètres d'avance sur cent cinquante policiers en uniforme aux jambes survoltées, et la matraque qui leur bat le flanc, passant (je veux dire, lui tout seul) par-dessus une locomotive, puis sous une torpédo, puis sur un toit, puis sur un fil, jusqu'à l'épilogue provisoire tout en haut d'un immeuble, où il n'y a plus de salut à espérer sinon la fin de la bobine.)

De la fuite de Londres – circonstances du départ

Une chose est sûre : pas de "pluie de novembre dans son cœur", pas de "commissures des lèvres tombantes", pas de

---

1. Ou : sur le pont du *Pequod*.

ça pour lui : si la dépression était à l'origine de sa fuite, le jeune Achab aurait couru à cloche-pied en direction de l'Arcadie ou plus simplement d'un des bordels de Londres où il aurait trouvé toutes sortes de promesses, suivies de promesses après la satisfaction de la promesse. Et puis, on lui reconnaît au moins le sens de l'opportunité : en d'autres circonstances, il aurait choisi la retraite dans une lamaserie du Tibet, ça lui aurait évité des années de mal de mer – la lamaserie, inaccessible, tranquille, quitte à épouser la religion bouddhiste dans ce qu'elle a de plus alpiniste : au son de quelques cloches, dans l'attente d'une apocalypse qui n'est pas l'Apocalypse mais un fourvoiement saisonnier du temps, Achab serait devenu Lama chef des lamas, il aurait maudit le peuple chinois, ou ses maîtres, il les aurait conspués de toutes ses forces de pacifiste par-dessus les crêtes, en crachant, et se serait éteint à cent neuf ans, le regard fixé au dos d'une montagne blanche : immaculée, permanente, invaincue.

(Un remède à la mélancolie, la haute mer ? l'infinie, l'assommante répétition des mêmes vagues, toujours les mêmes depuis Artaxerxès et avant lui Xerxès ? n'y comptez pas : l'océan n'a jamais représenté pour lui le contraire de la mélancolie (pour d'autres peut-être : qui lui parlent d'embruns avec des yeux brillants d'amoureux insuffisamment comblé – ou d'autres encore pour qui le large c'est le plaisir de la solitude ajouté à celui du danger, chacun ses petites manies – et je ne parle pas de ces gigolos fiers de toutes les tempêtes, d'avoir combattu six ou sept poulpes et tiré la queue des Sirènes comme d'autres attrapent celle des lézards, trophée de victoire et défaite). Achab approuvera jusqu'à la fin de ses jours (c'est un serment d'ivrogne) la définition de cet archevêque sédentaire selon qui la mer nous dit une seule chose, infiniment, son amertume. La neurasthénie s'y trouve tout entière, elle ajoute de l'eau à l'eau, elle rappelle le goût saumâtre de la demi-noyade, elle se sent parfaitement à son aise au milieu de ce paysage sans bords, surtout sachant que là-dessus flottent en se remuant comme des damnés une telle quantité de poissons, plats pour la plupart. Est-ce qu'on peut réellement être euphorique en plein cœur, mettons, de l'océan Indien ? rien devant ni derrière, les remuements des vagues si semblables aux lendemains des nuits d'ivresse quand ils n'en tirent aucun profit – une surface à peine commensurable, un volume d'eau moins concevable encore (c'est presque une chance, Dieu nous garde), et là-dedans l'idée d'une faune : tous ces mollusques d'une laideur telle, il faut être zoologue pour la pardonner.)

Achab en haute mer

Toutes les monstruosités parfois inachevées contenues dans l'océan, y compris celles qu'il n'a pas eu le temps d'identifier, c'était pour Achab l'occasion de se trouver bien frais par comparaison, joli garçon et même humain, déduisant sa raison d'après l'abrutissement des mérous, sa subtilité d'après les éponges, sa grâce aussi, sa grâce tout compte fait d'après les crabes – et puis, tous ces efforts parfois pathétiques de certaines créatures pour simplement passer d'un endroit à l'autre, ça le console de se tenir sur une jambe (la cruauté achabéenne consiste ensuite à déduire les ailes de Mercure d'après la vision d'une limace).

Achab se réconcilie avec l'océan

Après douze ans ou plus d'abstinence, d'oubli de la mer, l'ancien capitaine Achab dans un restaurant de la 25ᵉ Rue ose commander des spaghettis aux fruits de mer (c'est d'ailleurs un faux mouvement : son doigt pour désigner *amatriciana* s'est trompé de ligne) : tout ou presque sur ces boucles des linguine quasi préraphaélites aurait pu lui inspirer un dégoût profond, le dégoût des vies révolues – il se demande comment il a pu côtoyer pendant si longtemps ces choses molles et délictueuses, odorantes, rétives à la manducation comme, c'est à parier, à l'amitié : lui qui s'est si fréquemment baigné en leur compagnie et a failli mourir dans leur cimetière, sédimenté parmi les sédiments. Pour chaque animal encore présent et reconnaissable, la moule, le calmar, la crevette, Achab aurait eu une anecdote à raconter : pas n'importe laquelle, pas une petite histoire, une heure au moins pour chacun, en pénétrant dans les détails (les détails, ce serait son fort, ils font d'une petite moule et sa coquille un monde peuplé de termes contradictoires). Un long apprentissage ensuite est nécessaire pour se réconcilier avec la palourde – puis c'est la coquille Saint-Jacques, jusqu'au turbot dans son assiette, ou le bar de ligne : mais celui-là, impossible de le manger sans combattre.

Achab silencieux disposé à reprendre la parole

Des mois devenus des années de quant-à-soi ont fini par le rendre aphone ; pendant ce temps, l'ex-capitaine a cherché le mot *morfondu* pour découvrir son sens véritable, ou le lui faire avouer, et une fois affranchi se l'approprier, le broder (selon son expression) à l'intérieur de sa vareuse – maintenant, ses souvenirs du *Pequod* ne pourraient pas sortir facilement de sa poitrine sous forme de chants, seul un accordéon, une cornemuse à la rigueur, est capable de ce miracle : résonner quand on appuie dessus. On ne revient pas si facilement du mutisme quand il est comme celui-là mutisme de survie et de Grande Lassitude, de méfiance à soi-même, de mésestime à l'égard d'un passé supposément glorieux (mon œil), et un mutisme de détachement, mais crispé sur les souvenirs comme un boulanger sur le manche de sa pelle dans une ville assiégée (à la longue, un mutisme sûr de son bon droit : une serrure rouillée – et puis une habitude).

Au vieux capitaine, le baron Hieronymus von Münchhausen venu en montgolfière de son XVIIIᵉ siècle pourrait raconter comment il s'est débarrassé du souci de l'autobiographie à l'âge tendre, comment il a écrit son unique curriculum sincère et l'a donné à manger à un orang-outang, celui d'un jardin d'acclimatation, à Paris, en l'absence du dodo[1] – et comment, dans diverses gueules de babouins, de capucins, mais aussi de wapitis, ont disparu son certificat de naissance, son carnet de santé, son passeport et son bulletin scolaire (quant à son livret militaire : en cinq cents morceaux dans les becs de cinquante oisillons) : une fois ce grand ménage fait, alors, oui, pour de bon, Münchhausen a pu reprendre la parole, et sans craindre la complaisance devenir le grand bavard de lui-même : le cabotinage l'avait sauvé du narcissisme. (Autre façon de le dire : Münchhausen a composé un jour sur un très beau vergé son autobiographie : l'acte était

---

1. *Raphus cucullatus.*

compulsif, il contenait la honte et la volupté en même temps, l'une et l'autre sublimées peut-être, trouvant leur résolution dans le raisonnement le plus pur; après l'avoir cachetée (ah, ces salamalecs d'Occident), il a parcouru mille lieues vers l'est, et encore mille lieues, comme Oderic de Pordenone à la recherche des Merveilles, comme John Mandeville sur les traces de Pordenone: à l'issue de ces *n* fois mille lieues, sauf à revenir à son point de départ, le baron espérait retrouver le dernier des ornithorynques: celui-là même, pas un autre, avant l'extinction de l'espèce – et là, en usant de flatteries, de subterfuges, de ruses culinaires, lui faire avaler ces cent cinquante pages d'*Histoire de ma vie*, puis assister pour de bon à la disparition d'un genre.)

(Il s'en faut de peu, pas un miracle, un concours de circonstances, et le baron anachronique Hieronymus von Münchhausen fait son apparition dans la bonne ville de New York, un siècle après ses heures de gloire, à l'angle de Broadway et Chestnut Street, sans parler un seul mot d'allemand, mais en faisant des gestes grands et ralentis: un comédien de pantomime en l'occurrence, certain de gagner ses trois dollars par jour en mimant les aventures du baron de la première à la dernière devant un public de passants, un public impermanent pour des péripéties elles aussi intermittentes. Le capitaine le voit faire, la générosité, l'aisance, d'autant plus d'aisance qu'il n'y a aucune parole à prononcer, et tout s'enchaîne avec une certaine nonchalance, on croirait cette pantomime réglée sur l'élan tranquille et tiède d'un premier bâillement, au réveil, en silence, un étirement irréfléchi – plus tard, il achète un exemplaire d'occasion des *Aventures du baron de M.*, par un certain Gottfried Bürger, imité d'un autre, et traduit de l'allemand, pour vérifier dans ce recueil considéré comme un procès-verbal si oui ou non il est possible de se sauver de la noyade en s'agrippant par le col de chemise et en se tirant de toutes ses forces, et si oui ou non ce Münchhausen y est parvenu, à une époque où on devait être moins regardant au sujet de la vraisemblance. Il y retrouve l'épisode de la chasse aux canards sauvages et celui du boulet de canon, il se sent perdu entre ce baron à dormir debout et l'autre baron réel issu d'un vrai rang d'officiers, lui aussi appelé Münchhausen : il ne s'en offusque pas, il se laisse malmener poliment, chacun son tour.)

De la fuite de Londres – catalogue

Nicolas Gogol a fui de nombreuses fois, jusqu'à Rome, ajoutant s'il le fallait son ardeur à l'ardeur romaine ; il a fui ses échecs, ses grandes angoisses qui jetaient au mur le soir des ombres plus grandes encore, et la peur du diable caché dans la beauté des femmes ; il fuyait aussi lui-même. Son ami Alexandre Pouchkine a beaucoup pris la route lui aussi, fugitif d'une autre famille, involontaire, loin des filles courtisées et des jeux de cartes, loin du Tsar, exilé dans le Caucase où il retrouve le tarot puis à Mikhaïlovskoïe où il passe les longues nuits d'hiver. Paolo Uccello fuyait le lit conjugal, à plusieurs reprises, autrement dit chaque soir, pour aller trouver ailleurs, l'étudier ou la redécouvrir, la perspective géométrique, une autre toile blanche et des traits à la mine de plomb si légers qu'ils se voient à peine (*che dolce cosa è questa prospettiva*) ; un beau jour de quinze cent et quelques, William Shakespeare a quitté pour de bon son village natal, peut-être pour échapper à la vengeance de Sir Thomas Lucy, son voisin de Charlecote, près de Stratford, après avoir été surpris sur ses terres à braconner le cerf (d'autres disent,

William a fait sa valise le jour où il a vu passer sur le pont une troupe de comédiens, celle des Serviteurs de Leicester, celle des Serviteurs de la Reine – et cette fois encore, c'est un lit conjugal qui est demeuré vide du côté du mari). Au XVIᵉ siècle toujours, mais en Perse cette fois, et dans le monde de la fable pure, où l'on braconne de la même façon le cerf et l'oiseau Rokh, les trois fils du roi de Serendip fuient leur père et le courroux procédurier, protocolaire, officiel de leur père ulcéré par leur refus de lui succéder sur le trône – quelques années plus tard, ce sont trois filles, celles du roi Lear, qui prennent le large, puis le roi Lear à son tour, fuyant tant d'êtres et de choses, de paroles et d'événements qu'il ne sait pas par où commencer (à quoi donner la préférence) ; à peu près au même moment, pour mieux dire l'année même où William Shakespeare achève d'écrire son *Roi Lear* (1606), le Caravage Michelangelo Merisi fait ses petits paquets, range son épée sous un manteau, essuie ses dernières traces de sang, dit adieu à sa mère, rend les clefs à sa logeuse et s'en va du côté de Naples fuir son crime et sa condamnation à mort (on l'aurait décapité – les têtes coupées, il les connaît bien pour les avoir peintes, il les prend très au sérieux). Des années plus tôt, Dédale se réfugie en Crète pour laisser loin derrière lui, au pied de l'Acropole, son neveu Talos, ou plutôt son cadavre, mort démembré après une chute irréprochable ; des années plus tard, François Villon doit prendre ce qui s'appelle désormais la poudre d'escampette, après une querelle de rue, la mort d'un certain père Sermoise assommé d'un pavé.

Sept siècles avant Octave (et Ovide), Arion de Méthymne raconte à des incrédules comment il a échappé à des marins crapules sur le dos d'un dauphin ; sept siècles après le même Octave, Anastase le bibliothécaire passe une bonne partie de sa vie à fuir de ville en ville, en commençant par Rome ; encore sept siècles de plus, et c'est au tour d'Ibn Khaldoun de s'esquiver sans cesse, passant d'un refuge à l'autre. En 1491, Espagne, l'émir infortuné Boabdil, vaincu par la reine Isabelle, prend la fuite le jour de la chute de Grenade, flanquée de Santa Fe, en versant une larme restée dans la légende ; trois cent cinquante ans plus tard, à Vienne, le vieux prince von Metternich doit fuir les révoltes caché dans un fiacre de louage. Et vers l'an 220 quand l'empereur Xiandi, malchanceux dernier de la dynastie des Han, doit s'enfuir loin de la capitale impériale Chang'an en direction de Luoyang, il sème sur son chemin l'une après l'autre toutes les pièces de son trésor, sur les conseils de Dong Cheng, pour retarder ses poursuivants – en cherchant bien, on trouverait peut-être encore quelques boucles d'oreilles.

De la fuite de Londres – art tibérien de la dissimulation

Si la fuite est un art, comme l'assassinat à son point de départ, comme la chasse bredouille, et comme la vengeance (une mise au point dangereuse de petit fil rouge relié à un petit fil blanc), si véritablement la fuite est un art, il doit être possible d'en dessiner les contours, et après ça de prendre les mesures de son étendue, autrement dit de son diamètre par rapport à un centre repoussant, objet de tous les dénis. Les lieux visités par le fugitif sont choisis avec soin, ils sont villégiature et purgatoire, leur confort est accidentel, miraculeux, accepté d'autant plus docilement, on doit agrémenter des espaces de pure pénitence ; la fuite se prolonge en se ralentissant, la précipitation des premiers jours cède la place à une fausse tranquillité, les pas de la promenade ordinaire finissent par se confondre avec les ruses du poursuivi (c'est l'une de ses intentions); le fugitif inaugure une période de son existence où les gestes les plus insignifiants sont aussi ceux de la dissimulation. Les non-fugitifs doivent imaginer quelque chose comme un vaste cercle, plus ou moins rond, parfois de forme étoilée (mais l'étoile à la longue prend la forme d'une patate), avec au centre, au centre inexact, un seul point invisité : sur ce seul point, le souvenir d'un crime (et il faut qu'il soit le plus réussi, dans son genre).

Le fugitif garde pour lui (autrement dit, le capitaine Achab conserve pour lui-même) : il faut pour ça des capacités de contention et de concentration n'existant nulle part ailleurs, mais acquises avec le temps : nous autres, non-fugitifs, pouvons nous permettre une certaine porosité, la courtoisie et l'amour sont le contraire de l'étanchéité; Achab et ses semblables doivent mettre au point diverses formes d'avarice, et chez quelques-uns d'entre eux l'avarice soignée, travaillée, apparaît sous les espèces d'un œillet à la boutonnière : chic et indéboulonnable. (Tous ne sont pas comme le vieux capitaine : il y a eu des siècles plus pittoresques, comment dire? plus chaotiques (chaos signifiant aussi l'échapper belle) où des fuyards à beaux chapeaux comme Giacomo Casanova hors des Plombs ou Lorenzo Da Ponte détaché des filles mères pouvaient en trois journées de cheval se rendre assez loin du lieu de leur peccadille et célébrer la distance, superbement, par le récit de la peccadille – on peut compter sur Giacomo et Lorenzo : un récit exact, toujours plus exact, s'enrichissant d'exactitudes à force de répétitions, empruntant s'il le faut leurs exactitudes à d'autres fugitifs rencontrés dans le sens inverse, exactitudes colorées, rouges et jaunes, exactitudes damassées, exactitudes en costume turquoise, exactitudes pampre et fumée de mousquet.)

Sur le pont du *Pequod*, rarement visité par autre chose que des poulpes, le vieux capitaine aurait pu lui aussi mimer ses aventures de Londres et commenter par-dessus les mimes ; il y aurait eu de la matière, des histoires d'épée, comme chez le bouillant Caravage, "poussé trop avant dans un ventre" – il préfère le silence, les joints de plomb et les scellés de cire, comme on dit, d'où sa réputation d'homme silencieux, qui contient et ne délivre pas (autour de lui les marins laissent faire et laissent aller, la plupart en ont vu d'autres, ils reconnaissent un fugitif aux mots qu'il a supprimés de son vocabulaire, et puis les vieilles histoires de Terriens à terre ne les regardent pas).

Des malentendus profitables

"À peine son pied sur le navire", le jeune Achab est salué comme son capitaine : il bénéficie, il faut croire, de l'un de ces malentendus qui avaient permis déjà à un petit joueur de cartes en province, au temps d'Alexandre Pouchkine, de se faire passer pour le Contrôleur Général des Administrations (une autre fois, c'est Roger Thornhill qu'on salue du nom de George Kaplan ; une autre fois, c'est un clochard pris pour un millionnaire parce qu'il descend d'une Rolls-Royce ; une autre fois, l'innocentissime Papageno l'oiseleur-oiseau est confondu avec le diable – il venait d'effrayer un imbécile) (une autre fois, mais c'était une machination, la jeune et jusqu'alors fortuite Nicole le Guay dite la d'Oliva a été prise, dans les jardins de Versailles, pour la reine Marie-Antoinette – il faut dire que Marie-Antoinette aimait se faire passer le soir pour une jeune fille fortuite). En dehors de la machination de la pseudo-reine de France, tous ces malentendus ont été des complots ourdis par les dupés eux-mêmes, pressés d'assouvir un désir profond, avec un sens aigu de l'improvisation. Certains grands escrocs (des hommes de confiance) comprennent à l'âge de sept ans (nous n'avons pas tous eu les mêmes sept ans) comment un public de bons clients fomente l'usurpateur et son usurpation, parfois en une matinée : le grand escroc se contente d'apparaître, il a la chance avec lui, et avec la chance son public, il lui suffira de se montrer à la lumière, de ne démentir personne, par politesse, par courtoisie, parce qu'il déteste froisser tant d'amour enthousiaste ; il prendra en vitesse des leçons de maintien, les minutes de confidence ce sera pour lui l'occasion d'en savoir long sur son personnage ; il est un grand approbateur, son imposture n'est pas une fraude mais un acquiescement, un acquiescement généreux, la sympathie qui va avec – difficile dans ces circonstances de ne pas aimer les grands escrocs, ils sont inépuisable confirmation (quelque part dans cette confirmation une précieuse consolation, une non moins précieuse estime donnée à ceux qui croient). Le jeune Achab n'est pas encore capable d'être le grand escroc aimant et aimé, il se débrouille malgré tout pour ne pas se montrer trop indigne du titre de capitaine que deux braves gars en casquette lui donnent, sans avoir l'air de s'étonner – le titre de capitaine, peut-être seul disponible à ce moment-là : il traînait à terre, Achab aussi, l'un et l'autre mis bout à bout faisaient l'affaire.

Achab le Vieux reparle de sa baleine

Le jour où "le germe de l'idée de Moby Dick", après des années de parfait silence, "grelotte à nouveau dans la conscience du capitaine", en guise d'inspiration nouvelle [hiver 1925]

(pas l'ancienne rancune ressurgie intacte, avec les intérêts),
Achab se demande ce qu'il pourrait bien en faire : la figurer,
mais sous quelle forme, en faire part, mais à qui, et comment,
en évitant si possible les déliquescences de la confession.
(Une réminiscence, soit, les délices ambiguës de la remémo-
ration, la compagnie des figures disparues : il y a des années,
Moby Dick était un poisson pâle, et une apparition – à
présent, ça ressemble, en moins tangible, à la lumière d'un
frigidaire oublié dans la cuisine la porte ouverte.) Une
première ruse, quand il veut se confier, consiste à faire passer
ses souvenirs pour un projet : on lui accorde l'indulgence des
choses commençantes, des choses encore informes, il suscite
l'intérêt des parieurs, la curiosité des jeunes gens d'avenir, il
est la marque de l'énergie et de l'appétit de vivre, on pourrait
le convertir en bénéfices, et d'ici là il tient lieu de foi dans
un salut possible (le projet, c'est en même temps la virile
décision de l'entrepreneur (ou sa virilité décidée) et le
privilège des croyants sur la terre des pionniers). Un souvenir,
n'est-ce pas, c'est de la brocante ou des dettes, un projet
suppose la rentabilité à plus ou moins long terme et la chose
sans souillure – en plus de ça, il bénéficie de la bienveillance
accordée aux choses non advenues : l'innocence des enfants
dans les limbes (par exemple). S'il devait partager Moby
Dick comme le souvenir de sa rancune ancienne (la rancune
greffée sur le regret : tout cela suppose une bouche d'alcoolique édenté), il récolterait en retour, au mieux, des soupçons,
ou le jugement infligé par l'homme assis de l'autre côté de
la table, fermé aux confidences du fautif pour mieux contenir
sa très dérisoire innocence : au lieu de l'épopée sur la grande
mer, on imaginerait la fuite et la banqueroute d'un irrespon-
sable, au lieu de Moby Dick, des bancs de morues réinter-
prétées par l'alcool, un syncrétisme vantard (son interlocuteur

imagine Achab penché par-dessus bord, inspiré par tous les dieux païens d'Écosse, dieux des sources limpides et de l'orge malté, hurlant non pas pour conspuer, à quoi bon conspuer soixante mille cabillauds? mais pour les interpréter: avec l'ombre et la Lune et son orgueil démesuré d'ivrogne, il inventerait facilement une baleine blanche, pourquoi se priver, un cachalot qui contiendrait la sphère des étoiles fixes). Achab le sait pertinemment: s'il parlait sans préliminaires d'océan à un compagnon de bar, il ne pourrait pas y faire flotter un poisson immense, pas sans prévenir; et la blancheur monolithique idéale de Moby Dick, on la prendrait pour la métaphore grotesque d'une faute alors inexprimable.

Une ou deux fois peut-être, à des voisins de table, Achab a tenté de suggérer la baleine, délicatement, à petits traits, sans être sûr (la finesse du portrait proportionnelle à son inquiétude); d'abord minusculement, comme une fleur de lis sur un drap noir, puis en ajoutant à l'idée simple de blancheur des notions plus maritimes, plus épiques de combat (mais difficile de faire revenir l'épique quand on l'a refoulé depuis longtemps). Au commencement, les voisins ne veulent pas suivre les histoires de marins trop vieilles pour être crédibles, vernissées faux ancien – ils confondent le chasseur et l'animal chassé, ils se perdent à vouloir distinguer le *il* du *elle* sans soupçonner que les deux s'accordent à la même personne; ils n'arrivent pas à croire à l'amertume – ni à une aussi longue rancune, surtout privée de sa victoire: d'accord pour l'hospitalité à des histoires d'échec pour peu qu'elles soient de taille raisonnable.

La chasse à la baleine: un projet saugrenu au lieu d'un souvenir épique-pittoresque: alors Achab en a fini avec son XIXe siècle, temps des voiles et des mutilés, des lois carnassières, des derniers requins mangeurs d'hommes, des messieurs à chapeau inventant la finance, et le cachalot placé pile au milieu d'une gravure couleur de rouille n'est plus un échantillon de la chasse et de la tératologie (l'ancien temps) : il mérite d'être redéfini et compte bien en tirer profit. Achab sous le nom de Sam ou Joe se libère de sa rancune, elle ressemblait à un paletot, et le paletot à une bâche noire ; il n'est plus l'homme des regrets impartageables, arthritique lui-même, il est l'homme prêt à recommencer dès le lendemain, l'homme de l'attente plus ou moins trépidante et des calculs des bénéfices à venir, sur une feuille, dans l'espoir de voir la feuille devenir un nouveau temple ou un bateau : ses voisins bienheureux marchent, le souvenir cuisant, ils le prennent pour un oracle d'aimable vieux fou. Il sait s'y prendre, à la longue : à force de sortir le nom de Moby Dick à des inconnus, puis d'autres inconnus, il connaît les pièges à éviter, il sait suggérer la lumière du soleil en faisant tourner une cuiller en inox – et Moby Dick, il sait comment la faire advenir, un autre reflet, celui d'une salière sur la serviette en papier, il sait guider le regard de son auditeur, tantôt l'épingle, tantôt le reflet, il apprend bientôt à suivre les yeux sans les voir ; à partir d'un halo clair en forme de salière, il saurait reconstituer des histoires de trésors de pirates, racontées puis discréditées déjà au temps du *Pequod*, et les faire passer pour des projets d'investissement, la fortune facile, demain ou après-demain ; avec l'habitude, il sait conduire ses mensonges un peu plus à droite ou un peu plus à gauche, parfois pour le seul plaisir de conduire.

Achab le Vieux parle de sa baleine, suite

Une autre fois, Achab réinvente la ventriloquie (on appelait ça engastrimysme) : toujours assis à table devant sa tasse de café filtre, il fait à son auditoire le récit d'un autre jour assis devant une autre tasse d'un autre café filtre, quand il a entendu cet inconnu à une seule jambe assis à la table d'à côté parler d'un animal marin grand comme d'ici aux cuisines. Le surlendemain, si le recours à un intermédiaire à la fois confrère et inconnu lui a été profitable, il ajoute un troisième Achab aux deux premiers : la baleine, c'est maintenant le récit de l'homme qui a entendu l'homme qui a entendu l'homme qui a touché la bête. (Il faudrait voir alors le capitaine, le seul vrai, le nôtre, fier de ses ruses emboîtées l'une dans l'autre : six mois de pratique, et il en est à des maîtrises étourdissantes, capable d'aligner sur le comptoir entre les serviettes et le sucre une chaîne de douze Achab, chacun très scrupuleux, précis autant que possible au moment de confier au suivant le récit intégral livré par celui qui précède.) Ils ont beau faire, la rancune se dilue de redite en redite et Moby Dick s'effile au risque de devenir murène ou anguille, et les vents de nord-ouest deviennent des vents du sud, et le *Pequod* s'appelle un jour la *Pinta* – le capitaine, humble parmi les humbles, le genre d'homme à dire ses bénédicités avant de mordre, quoi ? un œuf dur, si ça fait plaisir à ses hôtes, apparaît comme le dernier provisoire d'une longue chaîne, responsable d'une histoire, de son intégrité et des altérations.

Écouter c'est une chose, répéter ensuite, c'est toute une mission : il pense à la fois trahir un secret et rendre hommage, ou perpétuer une bonne nouvelle : l'Achab intermédiaire se concentre pour rattraper le fil, il compte sur sa syntaxe d'homme simple (la rue, le comptoir) pour désobscurcir des histoires un peu circéennes, il ne veut perdre aucune des références aux temps anciens, garde ce qu'il faut garder de daguerréotypes, donne l'impression de sauver des objets du naufrage, vraies perles et cailloux confondus; il tient seulement à s'attribuer un centième des prouesses, tantôt celles d'Achab, tantôt du poisson, comme si c'était l'usure, le prix à payer au passage.

Le capitaine se tient assis sur son tabouret, et pour se maintenir, innocent, en dehors des histoires de chasse, il garde dans sa main sa longue chaîne d'Achab sans la lâcher, il la laisse s'agiter au gré des courants d'air chaud en provenance des cuisines pour lui donner une allure de serpent de nouvel an chinois; chaque fois qu'il prend la parole, il fait sortir d'abord un, puis deux Achab, puis douze jusqu'au dernier, tout au loin, comme des témoins de moralité, seuls crédibles. Tout est permis, alors, presque tout est dicible: les misères, la petite enfance, les amours ratées, les minutes de honte remarquable, la chasse bredouille, les erreurs de jeunesse, les nuits passées sous le plancher du théâtre pour recevoir en pluie la poussière des acteurs de talent, et les audaces, les digressions au sujet de Dieu (s'Il existe, s'Il n'existe pas) qui auraient pu bouleverser si elles avaient été dites telles quelles mais sont une curiosité amusante si elles sont les racontars d'un homme rapportant les racontars d'un autre. On y trouve agglutinés des morceaux d'Homère (dans son style nautique), des bouts de Grandes Découvertes, du journal de Colomb, qui aimait Dieu et sa boussole, du journal de Vespucci, le mercurien, et tout ce qui a pu s'écrire comme romans de voile aux histoires de corsaires. L'auditeur malin (ils le sont tous) se demande si l'histoire du dé pipé n'est pas un ajout du 6ᵉ intermédiaire, et le beau tableau des nuages au-dessus d'un navire qui prend l'eau une interpolation du 11ᵉ.

Dans ses manches, l'as de cœur ajouté à l'as de cœur, et un cinquième roi, une cinquième reine, et en plus de ça des photographies aux contours jaunes : des portraits de messieurs et de dames morts depuis longtemps, ici debout avec leurs moustaches et leurs coiffes, leurs mâchoires définitivement serrées pour indiquer le maintien d'un honneur privé y compris en présence du photographe qui déshonore : Achab montre l'un ou l'autre de ces anciens moustachus, abolis depuis longtemps, en les appelant père et mère : la tromperie n'est pas si grande si les portraits, tant et tant d'années après la mort de ceux qui étaient apparus et avaient eu le temps, à peine, sans le savoir, d'impressionner une feuille de papier, les portraits ne sont rien d'autre sinon des taches plus sombres voisinant des taches plus claires – par-dessus le noir et la lumière, notre interprétation désinvolte mais aimable, après tout, prête à convertir en histoires de famille les effets de l'oxydation.

À d'autres moments, il s'essaye : glisse dans l'oreille d'un inconnu le nom de Moby Dick comme la clef d'un secret de famille, honteux mais de toute façon indéchiffrable, ou comme le gagnant du prochain derby, un tuyau juteux, à ce point juteux qu'il se donne sans espoir de convaincre et s'écoute sans y croire, parce qu'on a appris à se méfier des bonnes nouvelles (il ne peut pas être à la fois juteux et sûr, à cent contre un) – ou comme le nom d'un patelin natal, dans des champs de blé d'Inde, où on a juré ne plus remettre les pieds, disparu depuis sans doute, il n'y a pas de raison que d'aussi faibles traces subsistent – ou le nom de l'ouragan de 1909, avant l'ouragan Ernest, après Barton, célèbre pour avoir arraché du sol une église, toute une église, et son contenu d'évangélistes, pour les balancer en pleine mer : ils sont morts submergés par le miracle (reconnaissants).

Attribuer à un autre les épopées, les coups du sort, les tirades, les défaites presque plus prodigieuses que certaines victoires, et les envolées, les sermons adressés aux vagues : ça n'est pas de la lâcheté (pas seulement) : une certaine élégance, la posture ni de face ni de profil mais de trois quarts comme les portraits des nobles à la sanguine par la famille Clouet du temps du bon roi de France François Ier : une façon d'être mieux vu et de mieux voir. C'est de la modestie, la vraie et la fausse, combinées à parts égales : la vraie à cause d'une mémoire fatiguée, du catalogue des échecs et d'un sentiment de nullité ; la fausse à cause de l'orgueil du marin venu du monde épique et acceptant de vivre dans celui des mœurs ordinaires.

(C'est aussi de la roublardise.)

Achab devient capitaine

Quand on y pense (ou quand il y pense – Achab passe ses heures oisives dans sa cabine à recalculer une route impossible à calculer, moucher ses chandelles, et penser : pas grand-chose d'autre à faire), il y a une touche machiavélienne dans sa carrière de capitaine, cette façon de prendre le pouvoir selon la fortune, en jetant un filet au hasard, se réjouir de cette aubaine, sans jamais relever le quiproquo, mais une fois [1891] nommé capitaine se maintenir au pouvoir par prudence : réfléchir, mesurer, dissimuler et prendre le masque, tout le contraire du hasard heureux.

Si Machiavel a bien dit le pouvoir se conserve avec des

moyens opposés à ceux de sa conquête, la sagesse populaire conseille plus simplement de se lever de bonne heure. C'est d'ailleurs ce qu'il fait, se lever de bonne heure, et devant son miroir consacrer de longues minutes à la métamorphose d'Achab le Comédien de Londres en Achab le Capitaine du *Pequod*, son contraire : le maquillage est une mesure de précaution, la première, et un geste lent de conjuration, encore un – après le fond de teint, la fausse cicatrice, dessinée d'après celle d'un certain capitaine Spurio dans *Tout est bien qui finit bien* : un blason guerrier, "ici sur sa joue sinistre" (acte II, scène 1) ; après la fausse cicatrice, une bonne demi-heure pour étudier le glossaire de la marine, abondant, foutraque, trompeur soi-disant précis, pour égarer le profane avec ce mélange de sobriquets et de trousse à outils ; une demi-heure encore pour se familiariser avec, comme on dit, les fondamentaux : bâbord, c'est jardin, du point de vue de l'orchestre, tribord, c'est cour[1].

N'importe qui à la place du capitaine aurait terminé son septième jour pendu au grand mât, la tête en bas, le châtiment d'un imposteur : ce qui le sauve, c'est le mouvement souple, rapide, habile de ses deux mains, qui fait oublier la faiblesse de sa parole, surtout au cours des premiers mois, et cet air d'autorité naturelle inspiré par son interprétation de Richard II, et Othello dans ses beaux jours, et même César avant de s'enfouir la tête dans la toge – et puis, pendant toutes ses années de théâtre à faire le grouillot, Achab le Jeune a appris à grimper aux échelles de corde. Dès le commencement, il comble ses lacunes par son silence : l'idée de génie, ça a été d'inventer son personnage de taciturne : en réponse à ses silences, l'admiration, la crainte, la curiosité,

---

1. Point de vue de l'orchestre ou point de vue du gaillard d'arrière.

le respect dû à ceux qui savent tout mais le gardent pour eux.

Autre explication à la fuite de Londres (arrivée en retard, ajoutée à la dernière minute) – Achab assassin d'Herman Melville

Frigyes Karinthy (ou bien c'était Franz Kafka? ou bien Tatsunō Toshigo[1], qui a saboté pendant des années les haïkus de Saigyō et d'Issa sous prétexte de les étudier) imagine dans l'un de ses textes écrits au bord de l'ironie (il se ménage sur ce bord une porte de sortie par où s'échapper si jamais des juges actuels venaient lui demander des comptes), imagine que Don Quichotte, un soir de folie particulière, plante son épée dans la poitrine d'un certain Miguel de Cervantès Saavedra, dans un quartier de Salamanque. Jusqu'à présent, Quichotte n'avait pourfendu que des géants, des spectres, des génies, des apparitions, des râteliers, des fauteuils, et sa lame est toujours passée dans des mailles, entre des montants ou les tiges d'une treille – cette fois, il s'agit de la 4ᵉ et de la 5ᵉ côte (vraies toutes les deux). Dans ce récit de Karinthy, ou bien selon son hypothèse, Miguel de Cervantès reconnaît Don Quichotte, il a le temps de le faire et à peine le temps aussi d'y réfléchir; il connaît Don Quichotte pour l'avoir déjà imaginé, il l'a ébauché imparfaitement, il ne se proclame pas encore son créateur mais pense avoir été capable de rendre possible Don Quichotte, c'est déjà beaucoup, en rassemblant ce qui le constituait depuis toujours mais restait jusqu'alors éparpillé, comme des poussières de sable, un nom et un

---

1. *Tatsunō Toshigo*: parfois confondu avec Kakehashi Tadao.

prénom, un florilège de proverbes, une plaisanterie entendue un soir à Tolède, une querelle entendue un soir à Alger, le visage de l'un de ses ravisseurs au service de l'Arnaute, l'âne de son grand-père, la haute figure d'un saint taillé dans du bois dressée à l'entrée d'une petite église et qui avait l'air de vouloir affronter le diable avec une louche de cuisinier. Cervantès reconnaît Quichotte, Quichotte ne reconnaît pas Cervantès, on ne saura jamais s'il a cru voir un démon ou une bête fauve à la place du vieux prosateur manchot, seul le vieux prosateur aurait pu nous le dire ; Cervantès a peut-être encore le temps de pardonner à Don Quichotte, personne n'est mieux placé que lui pour comprendre comment la folie quichottienne conduit au crime par des accès de justice et d'amour fou ; le temps aussi de comprendre l'ironie de la situation, après l'avoir comprise en rire, y voir un accomplissement grandiose et trivial, la superposition parfaite du sublime et du pitoyable, les noces de la fille de ferme avec la reine du Toboso – mais il n'a pas le temps de répondre à toutes les questions, et comme il manque d'oxygène (ce qu'il traduit par *être rappelé à Dieu*), il perd ses esprits, il meurt sans pouvoir affirmer devant lui-même seul greffier de son testament si oui ou non le destin lui a permis d'écrire les deux volumes de *L'Ingénieux Hidalgo Don Quichotte de la Manche* avant d'être tué par Don Quichotte, et si l'assassin gâche son avenir par mégarde, d'un coup d'épée donné dans l'enthousiasme.

Frigyes Karinthy, ou Franz Kafka, ou bien Tatsunō Toshigo, choisit de terminer l'exposition de son hypothèse sur le mot *enthousiasme*, jugeant indélicat de discuter pendant des heures au sujet du paradoxe ("si Cervantès meurt, Quichotte s'abolit, il ne peut pas pourfendre Cervantès, etc.") – d'ailleurs, Kafka ou Toshigo pensent probablement que la fougue de Quichotte d'une part, l'agonie lasse et consentante de Cervantès d'autre part empêchent le paradoxe d'exister comme un paradoxe : l'empêchent de leur survivre dans son éternité de paradoxe insoluble.

Dans ce monde multiple et (comme le dit l'un des trois) inépuisable, on énumère selon certain décompte que je n'ai pas vérifié une petite dizaine d'imitateurs de Frigyes Karinthy ; parfois l'hommage est involontaire : deux d'entre eux reconstituent l'assassinat de Conan Doyle par le fantôme de Sherlock Holmes revivifié par Conan Doyle spirite, trois autres postulent l'assassinat de Mary Shelley par le docteur aidé de sa créature, quelqu'un met en scène comiquement le meurtre de Raymond Chandler par Philip Marlowe (nécessairement sordide : le menton du mort trempe dans le jaune d'œuf de son déjeuner ; quelques pages plus loin les enquêteurs relèvent les empreintes de William Faulkner), les derniers postulent l'assassinat à Londres du jeune Herman Melville par le moins jeune Achab : ils expliquent de cette façon, pour eux la plus limpide, le départ du comédien en mer ; chacun donne au meurtre une tournure différente, parfois c'est l'ivresse, parfois une querelle d'amoureux, parfois c'est un complot venu de beaucoup plus loin (mais ils ne disent pas d'où), et l'addition salée un pur prétexte.

La scène en toute logique se déroule en 1849, pendant le séjour à Londres (Melville vient d'y publier *Mardi*, c'est un échec melvillien) : *Moby Dick* en est encore au stade des brouillons, Achab est encore pour Melville un personnage incomplet, il le poursuit encore la nuit dans des couloirs, il ose à peine le rattraper de peur d'embrasser un somnambule comme lui : déterminer le cachalot a été beaucoup plus facile, une bibliothèque entière de cétologie depuis Pline l'Ancien jusqu'à Charles Darwin lui a fourni des preuves suffisantes – mais pour dessiner son capitaine, les moyens lui manquent, il n'y a pas d'anthropologie assez affirmative à coups de marteau de juge pour le sauver de ses hésitations. Quand Achab lui apparaît, c'est inattendu et plutôt désagréable (Melville aurait préféré finir son repas tranquille), et quand Herman Melville revenu de sa surprise devine qu'il a affaire à son capitaine Achab, c'est pour lui une révélation ambivalente : Achab le déçoit, le trahit presque, mais sa maladresse, qui était déjà celle de Don Quichotte devant Cervantès, apporte la touche finale à un portrait, le sien, encore inachevé (Melville n'aurait jamais pensé à cette cicatrice, par exemple). La touche finale, une apparition ressemblant au retour d'un jumeau de feuilleton kidnappé par les barbaresques et perdu de vue depuis l'enfance, la confirmation du capitaine en tant que capitaine, peut-être aussi celle de Melville en tant que Melville – mais voilà le paradoxe de Londres cent cinquante ans après celui de Salamanque : à l'instant où Achab confirme en se montrant les intuitions du jeune Herman, il lui coupe la chique, allez savoir quelle crise de folie meurtrière, ou l'accident stupide ; ils ne peuvent pas rester dans la même pièce une minute de plus, ils s'en vont dériver, chacun de son côté, chacun sa barque.

Achab apprenti marin

Il a été apprenti, novice en toute chose, novice à chaque embarrassante circonstance : être un comédien accompli ne l'aide pas à faire le capitaine, ou ne l'aide qu'à moitié (on ne dira pas comédien sans pareil, mais au moins compétent – ses patrons l'avaient trimbalé de petits rôles en petits rôles bien longtemps avant de lui donner son premier Banquo, par exemple; il a même fait le crâne de Yorick dans une version quasi comique du *Prince Hamlet*: chacun le sait, multiplier les troisièmes rôles, faire la silhouette ceci puis la silhouette cela, le promeneur à Venise puis le soldat sous la forêt qui s'avance, rien de plus formateur: en plus de la discrétion, ça apprend la plasticité). Les hommes d'équipage forment un public difficile, à cheval sur les principes qui font l'orgueil de la marine, et amoureux des traditions, la pipe d'écume, le tabac en chique, ce qui ne les rend pas toujours sensibles à l'avant-garde. La distance qui permet au théâtre de faire jouer des filles par des garçons et des vieillards par des jeunes hommes, Achab ne peut pas y compter: sur le pont du navire, elle est abolie en trois pas, il suffit d'un coup de sang ou d'un manque de savoir-vivre: un marin vexé coupe court à la manière distancée des artistes. (Surjouer le capitaine pour dissimuler son ignorance de tout ce qui concerne la capitainerie, c'est le trait de génie d'Achab, en tout cas le seul qu'il a trouvé – il faudra l'excuser, des années d'incompétence sur son navire ont eu tendance à le rendre cabotin.)

La peur panique s'ajoute parfois à sa nostalgie de Londres (en l'absence de tout point de repère): ses adversaires d'Angleterre, des concurrents et des critiques, étaient familiers, somme toute, bonhommes, de si peu d'importance, avec le temps le jeune Achab comme n'importe quel timide avait fini par les taxidermiser un tant soit peu, de la paille dedans et dehors, tout autour, pour amortir les chocs. L'adversité en pleine mer sur un navire: aucune commune mesure, la vie tranquille à Londres est oubliée: en plus de l'adversité de son public, du sol instable, de l'eau et de sa couleur glauque léguée par les anciens Grecs (sans sa

définition exacte), de la maigreur des nuits, des effets de la
marée, de son hypocrisie, de l'art difficile de piéger le vent
dans un drap, il faut tenir compte de la charpente et ses
craquements, de toutes les cordes auxquelles il ne faut jamais
donner le nom de cordes[1], de la voilure et des gréements, de
la trahison possible des étoiles, du ciel inversé de l'hémisphère Sud, et la précession des équinoxes, et la libration de
la Lune (Achab la rapprochait absurdement de la Dormition
de la Vierge : le même ovale plein et pâle, mais à part ça,
aucun rapport) — tenir compte du pôle magnétique traître
au pôle nord véritable, du roulis et de la houle, des infimes
nuances sémantique, de la confusion permanente entre les
mots gîte et tangage, de l'inertie des œuvres vives, du tirant
d'eau qui varie en fonction de l'humeur, de la promiscuité,
du scorbut, de l'existence des courants, qui sont légion,
parfois petits et alors sinueux comme le serpent de la Bible,
parfois énormes et alors sinueux comme le portrait de Satan
par Dante Alighieri, ou le Dragon selon Lao Tseu, ou le vrai
dieu selon la secte des ophites.

En plus du mal de mer et des repas de viande morte :
cinquante hommes d'équipage retirés des maisons de correction, où ils ont été recrutés comme on recrute pour aller
se faire tuer à la bataille de Gettysburg, des pauvres garçons
de la campagne assommés par le bourbon, ou des plus
vieux attendus à la sortie de l'usine : eux aussi ajoutent leur
amertume à l'amertume que l'océan ne parvient pas à dissimuler (il ne se donne pas cette peine), ajoutent le roulis et le
tangage : ils n'ont pas tous l'intention d'être pour le capitaine
un public convaincu d'avance.

---

1. Dieu nous garde.

*Comment Achab l'Ancien devient l'auditeur involontaire
de ses propres aventures, dites par d'autres sur un ton
savant (le ton du monsieur tenant ses informations de
source sûre)*

Dans ces mêmes places où il boit du café versé sans cesse
(figure de l'abondance : directement de la cafetière, cafetière
du Nouveau Monde, dans une tasse aussi large qu'un panier,
par une matrone, ou une nymphe, qui ne commente pas
l'abondance : n'en pense ni bien ni mal, ni fierté pour elle-
même ni blâme pour le client insatiable : toutes les passions
sont rédimées ici, au sou par sou), dans ces cafés, le vieux
capitaine se prépare à devenir confident à son tour, dans le
rôle de l'auditeur : pourquoi pas ? il a si souvent déversé son
histoire dans des oreilles d'inconnus. Mais il ne s'attend pas,
ne s'attendait pas, à être l'auditeur de ses propres aventures
– il ne s'agit pas là d'un plagiat innocenté d'avance, à peine
un malentendu, on ne pourrait pas en tirer un quiproquo
et de ce quiproquo un morceau de Labiche ; dans ces cafés,
les responsabilités comme l'autorité se diluent, on y éprouve
(Achab le premier) la délicieuse relativité des états civils,
la plus douce encore incertitude des curriculums vitae[1] :
personne n'aurait le droit de se déclarer propriétaire d'une
blague, surtout si elle est bonne (pourtant, pas de couronnement plus enviable, les rires donnés au blagueur en guise
d'acclamation).

Il faut voir comment le vieux capitaine écoute l'histoire
du vieux capitaine dite par un inconnu venu du Wyoming,
cet État parfaitement rectangle de l'intérieur des terres

---

1. Curricula.

(les géographes à cet endroit précis, les responsables des frontières, au comble de la rationalité et de la lassitude : pourquoi faire compliqué ?) : surpris d'abord, reconnaissant petit à petit les linéaments de son aventure et les traits de son personnage, le visage de celui qu'il a été provisoirement, pas toujours certain de s'y reconnaître pour de bon, autrement dit de s'autoriser à plaquer son nom sur des histoires confuses ; après la surprise vient le sentiment d'étrangeté, que d'autres auditeurs ont pu éprouver dans d'autres circonstances, quand il était question de rêves suivis du récit des rêves, ou d'impression de déjà-vu – puis, étroitement liés, solidaires sans être conflictuels, un désagréable sentiment de spoliation et la curiosité de découvrir comment le nouveau narrateur va s'y prendre : déformer à sa manière l'histoire qui lui a été confiée un jour et s'est alors donnée entièrement à lui, plastique, sans résistance, dans le renoncement de ses origines comme de son auteur (en vérité, Achab soigne par la curiosité sa peine d'avoir été spolié : une curiosité de comparatiste).

Puis il se laisse faire, et pour s'abandonner prend modèle sur sa propre histoire, qui s'est laissée aller au fil de l'eau : il écoute, il retrouve par instants ses petites manies de personnage et de conteur, se prend de loin en filature, s'observe de dos à demi étranger à lui-même, reconnaît la trace du poisson sans le remarquer, approuve et désapprouve sans rien dire, corrige de mémoire, rétablit sa vérité puis renonce quand la vérité d'emprunt est préférable à son outrecuidante authenticité d'autobiographe ; il approuve, il penche plusieurs fois la tête, il joue le jeu du suspense, de l'effroi, de l'attente et du soulagement après la tension, il est soigné, son écoute se place dans les traces du récit, en marque de respect, il voudrait être Horowitz, ou beaucoup moins que ça, quand il suit en urgence et en souplesse les petits pois noirs d'une partition. Parfois, l'inconnu lui offre un récit presque idéalement fidèle, une épure, très brève, bien suffisante, du bout de l'index dans le sable ; parfois l'inconnu, un autre, lui sert son histoire défigurée par l'incompréhension, le bouche-à-oreille, des malentendus de bataille navale vue par un chevrier des hauts plateaux, ou défigurée par l'emphase, par un enthousiasme amateur, touchant, totalement en désaccord avec vingt années de vie sur le *Pequod*, mais si touchant – ou déformée par l'ingéniosité, par l'oubli, par une suite de synonymies infidèles, ou par des grandes gueules rigolardes au service de l'exagération, par le charisme, par l'invasion de personnages bien plus impressionnants, et à la mode, comme le comte Dracula, avec sa cape loin de ses terres, ou Frankenstein quand il se résigne à voir son nom capturé par sa créature.

Allez savoir par où est passée l'histoire authentique du capitaine avant de lui revenir, des ruelles, des escaliers de secours, des passe-plats, d'autres portes tambours, les tuyaux par où l'on faisait partir les pneumatiques, par le télégramme, par des bégaiements de timide, par des enjolivures d'ivrogne volontiers lyrique, dans le genre Parnasse Moderne, par d'autres enjolivures d'ivrogne symboliste, par un bavard qui a lu Victor Hugo et le confond avec un autre, par des beaux parleurs, par des avocats qui citent leurs classiques et font des phrases, par des grands-pères qui ont un sens inné de la fable et captivent pendant des heures avec une seule minuscule histoire de chat à qui on a tordu le cou, et par des accidents, des échauffourées, des scènes de ménage et des dialogues de sourds – quand l'histoire du capitaine se présente au capitaine, un an, deux ans plus tard, on ne pense pas au fils prodigue mais à un chien, bâtard de cocker et de labrador, rempli d'amour, un œil crevé, une oreille en moins : il a fait le tour du pays voltigeant de coup de pied en coup de pied.

Le jour où un jeune homme blond, à taches de rousseur, le calot de laitier sur la tête, tout craché le portrait d'un G.I. archange publicitaire pour le milk-shake, raconte au capitaine l'histoire de son oncle surpris au lit par son épouse en compagnie de sa belle-sœur, Achab plisse les yeux, il a le visage du policier à l'affût d'un indice, il se demande ce qui reste de sa chasse à la baleine là-dedans : la belle-sœur, ou l'épouse, ou le sommier, ou la surprise, ou tout ce qui n'est pas dit mais surplombe cette histoire et brasse l'air de ses pales de ventilateur au plafond.

Achab le Vieux et le mendiant de Londres

Il paraît (où est-ce qu'il a pu entendre parler de ça ? au bar ? dans une file d'attente ? et pourquoi s'en souvenir maintenant ?), il paraît qu'à Londres, vers Tower Hill, en allant vers les docks, à l'angle de telle rue, toujours au même endroit, d'une fidélité de pot de fleur, se trouve un mendiant à une seule jambe : il montre à qui veut bien la regarder une page de journal, le drame (un accident de tramway) qui lui vaut maintenant l'honneur de siéger dans la rue – alors, en effet, pourquoi ne pas faire aussi spontanément le récit de ses déboires ? et se tenir juste à côté du fait divers où son nom est encore lisible ?

Achab apprenti marin – appeler les choses par leur nom

Appeler les choses par leur nom : pas uniquement les cordes et chaque centimètre de chaque corde, faute de quoi le navire prend l'eau, mais aussi l'ensemble des choses, Dieu sait s'il y en a sur un navire, dans un désordre connu des seuls vieux loups de mer (qui ne s'appellent pas eux-mêmes loups de mer) : des choses en bois, des choses en fer, des bidules qui ressemblent étonnamment à une poignée de porte mais sont le contraire de la poignée, et le gouvernail qui semble parfois vouloir sauter à la gorge de son capitaine.

Voilà exactement la nature de son inquiétude (il ne voulait pas dire *problème*, pas sur un navire, pas en pleine mer, quand on ne voit plus aucune ligne de terre habitée) : rassembler assez d'esprit, au réveil, pour donner son nom exact à chaque chose, sans se prendre pour l'original et désinvolte Adam de la Bible, qui réussit à tous les coups, inventant à la fois le baptême, l'arbitraire du signe[1] et l'attachement miraculeux d'une créature à des syllabes. Pas Adam qui le souhaite, malgré son air de premier homme tombé sur Terre (en vérité, l'air de l'homme mal en point – endormi dans un lit, réveillé dans un autre) : Achab devenu capitaine ne peut pas rejouer devant son public difficile à divertir l'esbroufe géniale inventrice d'Adam, qui créait le lexique comme nous autres de la vapeur en plein hiver chaque fois que nous ouvrons la bouche : il n'a pas Dieu au-dessus de la tête, Dieu satisfait d'avance, d'ailleurs tirant les ficelles et faisant mine de s'éblouir au spectacle écrit par lui-même, il n'a pas cette élégance de jeune homme nu sans un gramme

---

1. *Arbitraire du signe* : voir plus loin Josef "von" Sternberg.

de mauvaise graisse, il ne sera jamais le bel Adam des peintres primitifs, soyeux dehors et dedans, au nombril comme une énigme, pas comme un trou squameux, venu au monde pour caresser des pommes et viser juste (quand Adam crache au hasard dans son dos, le crachat tombe dans un crachoir, Dieu l'a créé à l'instant même pour lui et l'a déposé là, d'or et d'argent : quant au crachat, il a la pureté de la rosée, et se dépose en tant que pétale). Si par inadvertance (outre-cuidance) le nouveau capitaine se prenait pour Adam, il baptiserait de travers, il le sait : il n'y aurait aucune appro-bation, pas un seul de ces "cela est bon" de la Bible, les hommes d'équipage se précipiteraient pour séparer sans ménagement la chose de celui qui la désigne, passavant et carène, par exemple.

Alors, il potasse : il étudie en secret les détails du navire, le code du commerce et de la marine, les divers alphabets qu'on rencontre sur un navire : sept semaines nécessaires pour faire la différence entre *drisse* et *écoute*, comme il a fallu sept semaines pour ne plus se tromper entre *charger* et *appuyer* au théâtre ; il en faudra douze de plus pour *whale* et *sperm whale*. À chaque question posée, le nouveau capitaine répond d'abord par le renfrognement d'Othello jaloux, puis le mépris de Richard Gloucester, puis le silence blasé de Lear, en attendant le silence faussement généreux bibliophile de Prospero. Quand il n'est pas possible de rejouer le silence de Faust tout juste sorti d'une conversation avec Méphisto (autrement dit faisant la gueule), Achab essaie la parole de l'oracle, d'une voix rauque, qui résonne dans une coupe en cuivre sur un trépied, loin quelque part : à charge pour ceux qui l'écoutent de faire avec : déchiffrer l'énigmatique. (Parce qu'ils trouvent le temps long, et qu'il n'y a parfois rien devant eux ni derrière, les marins sont devenus des spécialistes de leur vocabulaire, susceptibles, ça leur permet d'improviser parfois des disputes, qui se terminent mal – Achab le Vieux a dû attendre quarante années avant de trouver plus inventifs et pointilleux, par hasard, une conversation entre linguistes.)

Innocent (faire l')

Silence, dissimulation, occultation nocturne et diurne, renfrognement dans sa cabine capitane, et sur cet élan, mystères, avarice d'initié se refusant aux profanes, heures de doute et heures d'enthousiasme privé, heures d'à-quoi-bon, toutes se traduisant par un enfermement prolongé dans ses appartements – voilà comment le nouveau capitaine s'économise. Il jalouse parfois l'imam caché adoré par les ismaéliens, il voudrait bien faire comme lui, une sieste éternelle, l'éternelle procrastination du sauveur dans son tombeau attendu par la secte des trépidants; ou se tenir absent comme le roi Sébastien des Portugais, quelque part, introuvable, d'autant plus doré, scintillant, sur une île d'Amérique peut-être, en deçà ou au-delà du méridien qui sépare Espagne de Portugal; ou Frédéric II, qui prolonge lui aussi sa grasse matinée d'empereur excommunié six fois par six papes et continue d'exercer son autorité d'outre-tombe sur des érudits facilement effrayables. Il envie l'autorité du sultan caché de la tradition ottomane, il aimerait participer au divan avec ses ministres, parler des guerres et du cours de l'eau de rose, mais à l'abri derrière un rideau – sa laideur, sa beauté, son sommeil, son irritation, sa couperose, sa tache de jaune d'œuf sur l'or de son vêtement, la trace de l'oreiller sur sa joue et les stigmates de sa lassitude, tout cela au secret, protégé par une épaisseur de tissu. (Il envie avec autant d'intensité sinon plus l'invisibilité de la sultane : gouverner sans jamais montrer le dessin de son talon ni le mamelon de sa cheville[1], et parler d'une voix rauque pour ne pas séduire les muftis au cœur de loukoum.)

Il fait l'innocent, on s'incline devant l'idiotie feinte, marque d'une sagesse située au-delà des hommes, ou signe d'une roublardise de chat fouine précédant la tempête (*sic* : le surnom de Vieux Tonnerre ne lui est pas venu un jour de colère, mais un jour de longue et parfaite stupidité, un ahurissement étale qui était pour Achab la fatigue et le constat répété de son incongruité chaque jour remise sur le métier – les marins, toujours portés sur des analogies de bergers, ont comparé son idiotie à la lourdeur du jour avant l'orage). Il interroge le premier second, le deuxième second, le troisième second, les baleiniers harponneurs, tous exotiques à divers degrés, il trouve le ton du précepteur faisant passer son examen ; en cas de danger il élève l'art de feindre la naïveté d'un cran, et quand le premier, le deuxième, le troisième, ou le chef cuisinier lui demande s'il faut "amener" les "voiles" du "perroquet" ou plutôt "parer" les "bossoirs d'embarcation", le nouveau capitaine invente sans le savoir la méthode des héritiers du freudisme le plus pingre, il place son patient devant l'obligation de trouver lui-même ses réponses.

Achab essaie de faire courir Achab

Pour donner plus d'aventures encore, plus de romanesque, [1926] Achab raconteur aurait fait courir Achab le Marin après sa

---

1. *Malleolus lateralis.*

jambe véritable, considérée comme une relique encore viable (regardable du moins), et désirable en raison surtout de sa valeur sentimentale (sur un marché de Saïgon, on l'échangerait pour trois fois rien : qui voudrait d'une demi-jambe coupée au genou ?). Courir les antiquaires en s'aidant de sa béquille, forcer des portes de quartiers infâmes de Macao à la recherche de trafiquants de fausses reliques, assister dans l'ombre d'un amphithéâtre à Édimbourg aux leçons d'anatomie, reconnaître son tibia et dans un geste de romantique ébranlé par Edgar Poe le désigner à l'assemblée des mandarins en criant son nom ; creuser la terre d'un cimetière avec acharnement (la découverte ne peut pas être spontanée, ce serait injuste pour le narrateur et pour ceux qui découvrent, elle doit être le fruit, je cite, laborieux de l'obstination : gloire aux têtes de mule) ; fouiller des ossuaires, retrouver sa jambe parmi des centaines d'autres, celle-ci précisément, pas une autre, distinguer l'os blanc de l'os blanc dans des nuages de chaux éteinte, le chérir mais pas trop, le glisser dans son manteau avec le sentiment de prendre un peu d'avance sur le jour de la Résurrection des corps.

Il y aurait encore d'autres odyssées comiques, histoires de baroudeur dites par des baroudeurs de seconde main : le capitaine aperçu tantôt à Shanghai en train de négocier avec un représentant de la mafia locale, tantôt sur un marché d'Afrique, où il soupçonne son tibia pointu et courbe, retaillé, vendu au prix de l'ivoire comme défense d'éléphant, et sinon dans un cabinet de curiosités, en Bade-Wurtemberg ; on le voit aussi passer sa tête de quasi-proscrit, noir, dans des costumes inadéquats, par la porte d'une salle des ventes, le jour où l'on va mettre aux enchères le fémur de Thomas l'Apôtre, retrouvé en Palestine. Voilà comment il le raconte : le capitaine dans le public gratte de sa jambe de bois le parquet de la salle des ventes, regardant défiler des confituriers Louis XV, des croûtes et des portraits de famille, un vase de nuit dans lequel (etc.), des boutons de manchette à peine visibles de loin, comme deux mouches sur un coussin beige ; il accorde à chaque chose un dixième de sa curiosité jusqu'au moment où il se redresse, soudain intéressé, il lève un doigt de la main gauche, renchérit pour obtenir à un prix raisonnable ce morceau long et gris passant pour la relique de Thomas, mais qui est en vérité un fragment de son moi (et si le fémur de saint Thomas est véritablement le fémur de Thomas, alors Achab se contentera de l'identité des choses à elles-mêmes : il s'incline, il replie ses jumelles, sa claudication signifie un renoncement fair play).

Achab au confessionnal (le retour)

Comme le disent les romans (quelques-uns s'exprimant avec grâce), "ses pas le conduisent" certains jours dans le confessionnal d'une église papiste : tantôt pour se confesser, tantôt, on l'a vu, pour recueillir des confessions (il s'était fait prêtre au lieu de boulanger, il s'était inventé un petit séminaire, une éducation jésuite, les vœux perpétuels, l'agrément lointain du pape). Trois ou quatre fois en l'espace de plusieurs années, et dans différentes églises de la ville maintenant toutes confondues, le capitaine confie à un prêtre le nom de Moby Dick : il évoque l'immense poisson, il fait passer son nom morceau par morceau à travers les petits jours de la grille ; pour s'autoriser à parler de sa chasse, il lui donne la forme d'un péché véniel ; il sait construire sa confession selon les règles en passant du péché de mensonge à l'orgueil, à la mauvaise pensée, au plaisir solitaire, à la concupiscence, à d'autres délits, chacun moins abstrait que le précédent, jusqu'à la chasse au poisson. Il tient surtout à savoir si on le prendra au sérieux – les prêtres pardonnent sans faire d'histoire, il n'y a même pas de question : la chasse à la baleine, c'est pour eux moins qu'un délit, une version de la joie alcoolique, mêlée d'un peu d'angoisse, la vantardise peut-être, d'un homme qui s'est endormi souvent dans son fauteuil en regardant des documentaires animaliers (*Le Cachalot*). Trois ou quatre versions de la baleine sont tombées dans l'oreille des prêtres ; les prêtres y ont noué leur ruban, celui d'une méditation sur la mort et sur nos faiblesses choisie au hasard dans une poche de la soutane ; les trois ou quatre se sont ensuite éparpillées, elles ont survécu ou ont séché définitivement, une seule d'entre elles a côtoyé pendant quelques années le Léviathan de Jonas, elle s'y est accrochée, puis a lâché prise, puis s'est éteinte à l'abri du secret de la confession.

Représentations du capitaine devant un public d'amateurs

[1891-1910]   Ça devait être dit : pendant vingt ans de haute mer, Achab fait les cent pas de bâbord à tribord, c'est-à-dire de jardin à cour – après lui avoir servi de public spontané, ses hommes d'équipage lui servent de seconds rôles, les vieux et les jeunes, les baleiniers, les rameurs, le charpentier, le premier second et le deuxième second, la plupart du temps sans le savoir – pas fameux comédiens, pour dire vrai, des amateurs, des édentés, des mémoires de flétans incapables de retenir une réplique jusqu'au bout, et quand ils la prononcent après beaucoup d'efforts, on dirait une langue barbare délivrant allez savoir quelle parole de prêtre de culte révolu. Faute

de mieux, il s'agit de faire avec ces vauriens, ignorant à peu
près tout (mais est-ce qu'on en est si sûr?) de Ben Jonson,
tout de Shakespeare, de la superbe cruauté des temps élisa-
béthains; Achab les imagine quand même capables de
reconstituer ce mélange de gouaille et de métaphysique
shakespeariennes, ils ont du vocabulaire, ils manient un
glossaire épique et technique, ils entrent dans des détails qui
seront plus tard des pièces de musée des arts populaires, ils
ont "le sens de l'honneur et celui de la repartie", et puis, on
les habille avec un rien. En attendant d'être au sommet de
leur art, ils donnent la réplique, s'en sortent mal, obligent
Achab à jouer seul tous les rôles, le roi, le traître et le héros,
l'amoureux, le rival, l'amoureuse, le confident, l'autre roi,
son assassin, et derrière une guérite, sous une lanterne, le
fantôme – entre les manœuvres, les marins voient le Jeune
devenu le Vieux transformer le pont en estrade et dire de
mémoire des passages du *Roi Lear* quand il est sur la lande,
sa main posée sur l'épaule d'un autre.

Achab se donne de l'âge – invente la rancune au lieu de la
nostalgie

Orson Welles le jeune pour se vieillir bien au-delà de ses
dix-sept ans dispose de perruques importées d'Angleterre,
de postiches trouvés sur place, dans les magasins, de verres
de presbyte sur des montures passées de mode, de coussins
à glisser sous la chemise, de trucs de poudre de céruse vieux
comme l'Assyrie pour dessiner des rides là où elles ne sont
pas encore, et un talent certain, il faut le reconnaître, pour
suggérer des goitres à venir en enfonçant le menton dans
son cou. Le tout nouveau capitaine Achab encore vert a

laissé les perruques à Londres : pour se donner l'autorité des sénateurs et des vieux loups de mer, il peut s'inventer un passé quatre fois plus épais que son vrai passé fluet de jeune homme, et des aventures de mer jusqu'à Matsmaï, Sikok, l'île d'Albemarle et Bambbuville – mais il n'ose pas s'aventurer sur ces terres demi-vierges, trop risquées, même en vieux beau parleur à qui l'approximation est pardonnée ; et puis, à l'heure où il fait ses débuts, l'île d'Albemarle et Bambbuville n'ont pas d'existence pour lui : ni signification, ni couleur, il ne saurait pas pointer du doigt dans leur direction au-delà de l'étambot ; elles ont moins de crédit que la Venise d'Othello où il n'a jamais mis les pieds (il confond toujours Rialto et Campo dei Fiori) : il se promènerait, ou raconterait ses promenades, avec plus d'assurance le long des remparts d'Elseneur.

Pour s'en sortir devant ses hommes (qui n'en rateront pas une, il est prêt à le parier, parce qu'ils ont pour eux la compétence de cinq continents), Achab tente de se revendiquer d'une longue nostalgie de vieil homme, la faisant reposer sur des souvenirs de voyage en bateau de Vérone à Milan accompli par le Valentin des *Deux Gentilshommes*, et souvenirs de croisière de Milan à nulle part, et du Danemark vers l'Angleterre, escorté par Rosencrantz. La nostalgie ne prend pas, faute peut-être de voyages assez longs, ou parce que Vérone et Milan, tout le monde le sait, se rejoignent à dos d'âne par une route de terre – Achab renonce à la nostalgie, il craint aussi de ne pas avoir assez de bouteille pour en maîtriser les codes délicats, le bon dosage de remords et de regrets par exemple, de fierté et de honte, mais puisqu'il est question d'exhiber un passé de fausse perspective il improvise cette fois la rancune en suivant le canevas bien connu de la colère vengeresse de Coriolan, par exemple, ou celle de Titus, qu'il a joué seize fois, plutôt mal, quand il voulait se prendre encore pour l'héritier de James Burbage. (La rancune? pourquoi pas? ça aurait pu être le dédoublement de la personnalité, on l'aurait comparé au déchaussement du dentier, la défection des éléments du moi qui est le prélude à la vieillesse.) Pendant des semaines, profitant de l'incertitude des préparatifs, sur le port, Achab nouveau capitaine élabore une rancune différente de celle de Coriolan furieux ou de Titus, différente à peine, imitée de la nostalgie justement, plus paisible, presque langoureuse, et qui prétend vouloir rétablir une justice pour soi-même et les autres, une rancune de plaisir et de déplaisir, entièrement peuplée comme la nostalgie de personnages à qui on voue un amour de pure hypothèse, reconstitué longtemps après les faits.

Son idée est de brosser vite fait une rancune pas trop alarmante, pour ne pas se fatiguer, ni fanatique, rancune d'Haschischin et rancune d'Achille à Hector, quelque chose de douloureux mais familier, une vieille manie – le capitaine pourrait regarder à la lumière de son hublot la pierre enfin expulsée de ses reins contenue dans un flacon, couleur d'ambre. Mais les marins en veulent davantage, ils attendent la suite, ils demandent les débuts avant le début, Achab montre sa jambe de bois, il parle d'une mâchoire, à force de parlementer elle devient celle d'une baleine, un méfiant lui demande son nom, Achab consulte des ouvrages, il revient devant ses hommes avec le nom de cachalot, il s'emballe sous des regards de jurés d'assises sans plus vraiment savoir ce qu'il devrait plaider, il se rappelle les fantaisies procédurières mystagogues de l'avocat exalté par le scepticisme d'un juge qu'il remercie alors en lui donnant ses paroles à manger; il parle d'une baleine albinos, quelqu'un parmi les marins pense la reconnaître, un autre en a entendu parler, Achab croyait se fourvoyer dans des aventures de Sindbad, le poisson blanc était l'oiseau Rokh, mais les marins convaincus d'eux-mêmes se liguent pour ramener l'animal fabuleux dans le monde de la vraisemblance – pas n'importe quelle vraisemblance, la leur, une vraisemblance de marins : on y trouve des Sirènes, des poulpes longs comme des presqu'îles et des bêtes à tête de cheval posées sur un seul pied.

Achab invente la rancune – second récit de l'invention de la vengeance

Avant l'invention de la rancune, il faut bien l'avouer, Achab manque d'épaisseur, il cherche une contenance, être crédible est parfois une question de vie ou de mort sur un navire peuplé d'hommes sensibles à l'autorité (des connaisseurs, qui s'échangent des critères de bon goût : ni trop, ni trop peu) : il fait le capitaine lyrique, le capitaine de marchandise, puis le capitaine blasé, puis un mélange de pêcheur cupide assis sur une cargaison merveilleuse et de navigateur poète amoureux des étoiles du moment qu'elles le guident – ça ne convainc pas, il voit venir le moment où son public déçu se décidera à lui donner des leçons de majesté : en échange de sa performance, la mutinerie, sa tête de mauvais comédien plantée tout en haut du mât de hune, pour y crier grâce. Le capitaine s'en tire une fois ou deux in extremis en rapportant des histoires anciennes ; il croit se maintenir en place encore un mois puis le mois suivant par la lecture magistrale de ses livres de cétologie (par exemple le *Catalogue systématique des mammifères (singes, carnivores, ruminants, pachydermes, sirènes et cétacés)* par Frederik Anna Jentink, Leyde, 1892) ;

il essaye le lyrisme, il se fait passer pendant trois semaines pour un original convaincu de l'inversion des pôles, il consulte le soir le journal de Colomb pour apprendre l'art de mentir à ses hommes ; il fait le coup du doublon d'or, il augmente les primes, il suggère une tempête pour rassembler ses troupes, il a pour ça des trucs de spirite, le genou contre le pied du guéridon – il voit l'eau monter dans sa barque. L'idée d'une Vengeance majeure, difficilement assouvissable, lui est venue au bon moment (à une heure près, le capitaine passait sous la coque, d'un côté à l'autre, tiré par une corde, selon un rituel marin hélas tombé en désuétude) : soudainement, ce soudainement des livres d'aventures, les voiles se gonflent, le baleinier retrouve son cap, le capitaine fait remettre le feu sous la marmite et le cuisinier jusqu'alors désœuvré tourne ostensiblement dans son potage son immense cuiller de bois, à la fois compas et gouvernail, dans le sens des aiguilles d'une montre. (Marcher d'un bord à l'autre en boitant, faire entendre une fois sur deux le son si pingre de sa fausse jambe contre le plancher, c'est pour Achab le moyen de manifester son aplomb de capitaine, qui martèle et dirige en même temps, d'exposer la blessure et la victoire sur la blessure, de suggérer des récits de batailles à moitié gagnées, à moitié perdues (l'équité parfaite), de militer en faveur de la vengeance tout en refusant d'y céder, d'apporter à des marins des arguments de veillée d'armes ventousés à un bestiaire fantastique – c'est ainsi, pour mettre en scène la rancune et pour mobiliser ses troupes au petit déjeuner, le capitaine fait les cent pas : il a l'air de chercher ses mots, ils sont déjà tout trouvés.)

Bienfaits de la bonne rancune

Pendant toutes ces années de haute mer, la rancune lui a tenu compagnie : elle lui racontait des histoires, le soir, elle lui donnait toujours raison (Leporello n'aurait pas fait mieux), elle lui donnait du monsieur et du capitaine, et à chaque fois monsieur tombait en plein monsieur et capitaine en plein capitaine ; elle lui disait la météo, elle lui faisait la conversation ; elle lui a permis de traquer sa baleine quelle que soit la chose appelée baleine ; il pense maintenant qu'elle a contribué à forger son esprit, elle l'aurait élevé peu à peu aux divers grades de ses humanités, lui enseignant la mathématique, la géographie, la zoologie, la balistique et la mécanique des fluides ; elle a ouvert sur ses genoux des ouvrages lourds comme une stèle puis comme un chat, elle l'a incité à tourner les pages, comme une insomnie, elle lui a appris à lire le baromètre, elle l'a guidé main dans la main jusqu'à d'austères tables de logarithmes ; elle lui a fait voir la baleine comme le dessinateur selon Albrecht Dürer regarde la femme nue : à travers un double réseau de fils croisés à angle droit. La rancune a fait de lui un homme probe (c'est beaucoup dire), lui a collé dans les mains des instruments de mesure, il aurait pu s'en servir de gourdins ; elle lui a enseigné la patience, sans quoi il n'aurait jamais pu s'y faire, mais il s'est habitué à compter les jours autrement ; elle a donné un tour nouveau à sa placidité de spectateur, elle lui a conseillé de ne pas se croire invulnérable, en tout cas dans l'intimité, et grâce à elle le capitaine a su comment prophétiser des victoires fabuleuses en se servant des mots de sa vulnérabilité ; elle lui a aiguisé les oreilles, elle a fini par le forcer à se détacher de la haine simple et entière, histoire de prendre ses distances pour mettre au point un sentiment plus assoupli, nourri de ses réflexions ajoutées à son sang bouillonnant, un sentiment toujours vachard, qu'on se rassure, sans pardon, mais plus habile, adapté à toutes les circonstances, quelque chose de comparable (si tout va bien) aux cinq cents clefs d'un ouvreur de portes réunies sur un seul anneau de la taille d'un cerceau. (La Rancune avec la Préméditation, c'est aussi des journées de préparatifs, un orgueilleux étalement de soi, Capitaine après Dieu, Maître d'Équipage, dans le temps pour la durée d'une chasse éternelle, et dans l'espace sur toute la surface d'un globe où la baleine, fatalement-probablement, l'attend – c'est la mise en ordre de ses forces jusqu'ici désarticulées, l'accaparement de toutes les énergies disponibles, la réquisition aussi de tout ce qui pourra servir de raison d'agir, Achab devenant capable de dénicher de quoi nourrir son désir de vengeance dans des anthologies de troubadours[1]. La rancune lui a appris à tailler du bois, à nettoyer une arme et à saluer l'aube, à se tenir en équilibre, à se contenter de peu ; il accordait alors au désir de vengeance les vertus que les hippies sécessionnistes de Thoreau trouvent à la vie en forêt : revigorantes. Dans l'instrument à cordes sans cordes imaginé pour son propre usage par le moine poète Tao Yuanming au Ve siècle, le capitaine Achab, alors simple lecteur, bouleversé et incompréhensif, a su deviner une retenue, pas seulement le silence, et une attente, qu'il comparait à sa rancune.)

Bref, pour tout dire, c'était une rancune bienveillante, une rancune café et brioche (en l'occurrence : miche de pain) lui permettant chaque matin de trouver des raisons de se lever – c'est bien le diable si elle ne l'aidera pas plus tard à se débrouiller dans la grande ville difficile à vaincre (poser

---

1. Des troubadours à dame-de-loin.

un pied devant l'autre, anticiper les rebuffades, préparer sa réponse pendant qu'on écoute la question, deviner le double sens parfois redoutable des plaisanteries, jouer au plus malin, renoncer à jouer au plus malin, marchander en imitant les parades nuptiales (celle de la mante religieuse[1])).

Achab le Vieux raconte ou radote

Selon son auditeur, il prétend avoir été le cuisinier, le petit mousse, l'aumônier, le bosco, le forgeron, n'importe qui sauf le capitaine, la mouette sur le pont – et depuis ces points de vue délivre un portrait toujours renouvelé, Achab observé d'en haut ou d'en dessous, en contre-plongée, à l'heure du repas de midi au soleil à pic, ou bien minuit quand sonne une cloche. Le capitaine, il en dit pis que pendre, il accuse ses traits, il se tire la barbe, il se conspue à des années de distance, ça lui fait sans doute un bien fou, et lui permet d'envisager ses aventures achabéennes avec la froideur raisonnable d'un juge quand il faut débrouiller une louche affaire de naufrage – la chasse au poisson blanc, il la révèle comme ça lui chante, avec la mauvaise foi du cuisinier, ou la mauvaise foi du petit mousse.

Se raconter, monnayer son histoire

Distiller les épisodes les plus héroïques ou les moins glorieux de son existence pour gagner de quoi vivre quelques jours de plus (puis flamber, en investissant ses droits d'auteur

---

1. Celle de la mangouste.

dans des fonds plus que rentables – plus raisonnablement dépenser son argent en viennoiseries) : l'idée est bonne, elle met du temps à parvenir à la conscience du capitaine, je veux dire cet endroit de la conscience où les scrupules, la pudeur, la haine de soi et la pure courtoisie n'exercent plus leur censure, et où l'exhibition devient une activité légitime.

Il a accumulé avec les années de la biographie sur tant de couches, certains épisodes notés sur le moment, les autres reconstitués si longtemps après coup qu'ils se situent au-delà de toute réfutation, des souvenirs sincères d'une époque où il passait son temps à mentir sur son âge et à se prendre pour quelqu'un d'autre, des professions de foi empruntées à des inconnus croisés dans des trattorias, des témoignages qui ne perdaient rien de leur impudeur sincère même reproduits vingt ans plus tard par le vieil Achab (quand il les rattache à son nom, il prend soin de leur être fidèle), d'autres souvenirs ramenés de deux époques et deux pays rassemblés en un seul par souci d'élégance et pour ne pas noyer l'auditeur sous les détails oiseux, et des petites choses écrites dans un carnet, maintenant illisibles, qu'il faudrait donner à déchiffrer aux graphologues pour dire le fond de sa psyché – Achab a maintenant l'assurance de porter comme les vieux vagabonds émérites dix-sept chemises l'une sur l'autre : il est tranquille, il pourrait se déshabiller des heures avant d'atteindre son nombril. La confidence, du coup, n'est plus vraiment l'offrande des parties de soi-même encore fraîches, encore consommables : transmise par des jeux de mains, elle est bien souvent pour le capitaine le moyen de payer sa note de restaurant, un échange de tranche de vie contre tranche de salami translucide (elle lui rappelle les vitraux de la rosace de Notre-Dame), un petit commerce de toute petite monnaie, qui a sa place au comptoir des cafés, pas ailleurs, et porte sur de très modestes marchandises (quand ce n'est pas le salami rosé, c'est un demi-cornichon à l'aigre-doux).

Depuis des mois, il marchande mesquinement, par habitude d'ajouter, selon une mathématique apprise sur le tas, cinq mégots bout à bout pour faire une cigarette à peu près droite ; s'il lui manque trente sous pour faire un dollar, il raconte l'histoire de l'homme qui dormait dans sa peau ; s'il lui manque deux fois trente sous, l'histoire du long labyrinthe de Crète tatoué sur un avant-bras ; au-delà de trois fois trente sous il s'achète la tolérance en racontant comment on fait un lit à coups de rabot dans un tronc d'arbre, puis en enchaînant sur la parabole des poissons amarrés et des poissons perdus (il ajoute des pourboires, tout aussi petits, mais sans mesquinerie, la petitesse des miniatures cette fois, l'histoire par exemple de l'homme qui ne devait jamais rien à personne et la légende du miel trouvé dans le crâne de Platon). Quand il n'a plus de quoi se payer une pointe de tarte au citron et que la pointe de tarte au citron le tente, comme un extra de gourmandise ou comme minimum vital, le capitaine rallonge ses récits, donne son grand morceau de Chasse à la Baleine, se met en scène plusieurs fois sous plusieurs angles, les avantageux et les désavantageux, jusqu'au jour où il réussit à gagner un repas complet après avoir fait durer soixante et une minutes son combat contre le monstre blanc : le vrai salaire de sa chasse, enfin.

Outre ces questions de chemises superposées et de nombril invisible, le capitaine en vient à se dire ce jour-là, le jour du repas complet, que ces minuscules trocs de conteur à auditeur sans factures sont la meilleure façon pour lui de refourguer son existence par petits morceaux, surtout si les morceaux sont enjolivés : il sait ne pas se défaire d'un peu de lui-même à chaque fois, et cette pensée lui plaît, elle est celle de l'antiquaire qui vient de faire une bonne affaire. Plus tard, il mesure aussi le charme de la baleine sur un public habitué plutôt à fréquenter les filets de hareng, le charme du genre épique – plus tard encore, un bon conseiller resté anonyme[1], discret, presque invisible, rien d'un serpent ni d'un écureuil, suggère au capitaine de déclamer ses aventures devant une centaine de spectateurs payants, ou plusieurs centaines, en bonne et due forme, et pourquoi pas les mettre par écrit : ces millions de mètres cubes d'eau, ça devrait bien donner des milliers d'exemplaires, des milliers d'entrées au théâtre.

Pour des individus à la traîne comme le capitaine Achab, les ruses de la vente à succès sont difficiles à imaginer : on conçoit la chose vaguement, comme on conçoit que voler vers la Lune est possible à condition d'avoir bon vent – mais la fortune ? mais le concept (appelons ça concept) du succès pharaonique du jour au lendemain ? Achab aurait ri au nez du monsieur d'origine écossaise lui confiant son espoir de faire fortune en Amérique par la vente de steak haché trop cuit serré entre deux demi-pains trop mous, et qui s'imbibent – et le même rire, un rire honnête et franc, sans aucune malice, il l'aurait servi à l'inventeur du briquet jetable : ça aurait été une rasade, ce rire, l'amitié spontanée offerte à un doux dingue. Armé suffisamment, protégé par une armure faite de choses trouvées dans une brocante, Achab aurait pu, certains dimanches, faire œuvre de sauveur (pas tout à fait de justicier) : il serait allé voir tous ces braves loufoques,

---

1. Pour le moment.

gentils sans aucun doute, hallucinés par certaines théories de l'offre et la demande, et là, de toutes ses forces de capitaine, il les aurait dissuadés. Vingt ans de navigation lui ont donné une voix forte, lutter contre la baleine lui a appris à faire front, à tout cela s'ajoute sa générosité de bon samaritain : il aurait distribué le bien, en aidant ces hurluberlus à renoncer à leurs projets, il aurait montré sur une feuille de papier millimétré l'impossibilité de faire fortune par la vente d'une boisson gazeuse couleur d'eaux usées, il aurait sauvé de la faillite le naïf persuadé de vivre riche et heureux, et vieux, par le commerce de grains de maïs soufflés. Il en aurait sauvé de la ruine, des entrepreneurs inconscients, il leur aurait offert son bon sens de marin avant la catastrophe : il aurait dit à Mr Kellogg (il aurait été ferme) qu'il est absolument impossible, au nom de toutes les logiques, de faire fortune seulement sur le dos de boîtes de céréales sucrées – la même fougue, il faut l'imaginer servie à un autre monsieur Disney à propos d'un dessin de souris aux oreilles trop grandes. Achab n'a pas porté l'armure du sauveur, faute de temps (d'ailleurs, il n'avait pas de cheval), les messieurs Kellogg, McDonald ou Disney, ou Heinz, et McCain ont mis sur pied des commerces absurdes, et par pitié sans doute pour ces énergumènes un peuple compatissant leur a fait un triomphe. Il y avait quelque chose de pourri au royaume du Danemark, on le sait : il y a quelque chose qui cloche, en trop ou en moins, dans la conscience des hommes comme le capitaine, rendus étanches au miracle du commerce même quand il advient sous leurs yeux (vendre des millions d'exemplaires d'une Autobiographie de marin, ça fait partie de ces prodiges impensables – les grands nombres lui sont énigmatiques, sauf quand il était question du poids de la graisse de baleine).

Achab au sextant

Le sextant : il faut savoir s'en servir, on n'est pas vrai capitaine sans se coller trois fois par jour le sextant devant le visage – illustrer l'harmonie équilibriste des eaux de mer et des étoiles au ciel, les unes et les autres reliées, à cet instant, par l'ustensile et le monsieur, habile comme un harpiste, qui s'en sert. La posture est parfaite, l'acte est admirable, il est l'une de ces quasi-perfections humaines telles qu'on les aime (de notre amour de musée de l'Homme, des Arts et des Traditions, des Techniques et des Métiers) : on admire la connaissance du cosmos et des fonds marins, du haut et du bas, passant par la manipulation d'un bidule – si le savant inspire parfois l'admiration (c'est ce que se dit le capitaine), un savant maniant la varlope inspire une fascination supérieure, adressée conjointement à l'esprit, au cosmos et à la varlope.

Se placer le sextant devant le visage, à peu près devant le nez, c'est nécessaire pour camper son personnage de capitaine (je dis *camper* sans savoir peut-être de quoi je parle) : on doit plisser les yeux, tendre la bouche sans sourire et aligner ceci à cela, dans le silence, herméneute, cabalistique, technicien, tant pis pour les profanes et malheur aux non-initiés. Quand sur le *Pequod* le capitaine tout juste sorti des jupes de sa troupe de théâtre se colle le sextant au nez, il fait le geste solennellement, l'air de porter le Graal aux lèvres, il garde longtemps le silence – mais pour le reste, il est bien incapable d'appliquer les règles : les coordonnées géodésiques sont pour lui des ornements croquignolets : plumes, grelots – franges, liserons. Pour donner le change, il maudit Dieu en secouant son sextant, un blasphème, très "old Thunder", avec cette allure Alexandre le Grand et Jules César fendant les eaux; parfois aussi, il accomplit deux opérations en même temps, l'insulte *et* la mesure: quand il y parvient, ses hommes subjugués le renomment capitaine, inclinent la tête de l'air de qui assiste à un événement important sans réussir à en parler, puis se retirent loin de là où l'achabéisme a lieu, se contentent d'être ce qu'ils sont, marins simples, ni fous blasphémateurs, ni maîtres méphistophéliques des mers et des étoiles. (Plus tard, de retour sur la terre ferme, Achab devenu William Scott apprendra dans le hall d'un musée d'Océanographie le fonctionnement pas si terrible du sextant: émerveillé de voir les chiffres cesser d'être un ornement énigmatique pour redevenir une série de données triviales, soulagé tout de même à l'idée de n'avoir pas, pendant tout ce temps-là, tenu le bidule à l'envers.)

Des captures (ou Les Terribles Entrefaites de Moby Dick)

Au large des Malouines, un presbytérien qui n'a pas voulu se laisser faire et s'est beaucoup démené, pour rien, mais a su voir dans la noyade l'occasion d'un sermon sur l'imprudence et d'un prêche sur la gloutonnerie; vers les îles Anglo-Normandes, une autre mélancolique, une de plus, lectrice de Swinburne, un peu suicidaire sur le moment, et qui ne demandait pas mieux; entre la Micronésie et la Polynésie, un vice-consul de France en vacances privées, suivi d'un attaché, peut-être même de deux; vers les Colonnes d'Hercule, dix-sept scouts avec leurs foulards et leurs bons comportements, et la bénédiction de Baden-Powell (un filet aux mailles trop larges); entre Le Havre et New York, *n* sédentaires déçus par le Vieux Monde, devenus provisoirement nomades.

Achab à Broadway

Un nouveau venu pourrait y perdre son anglais, dit un proverbe broadwayen – pourtant, l'angle de Broadway proprement dite et de la 42e Rue[1], dans un espace grand comme la main, c'est bien le pays des nouveaux venus, qui devraient s'y sentir à l'aise : le berceau des débutants et des amateurs encore engoncés, sur le point de devenir des professionnels. (Le prodige américano-broadwayen du manuscrit conservé pendant des années au-dessus du piano qui l'a mis au monde, retouché tous les trois jours, par honte et par remords, pour cacher les pires défauts, même si à chaque correction on espère aussi ajouter le génie, par touches – des partitions mal aimées, frappées de ridicule, qui auraient pu remplacer une vitre cassée, puis une autre, jusqu'à la fin de l'hiver – et voilà soudainement, de la soudaineté américaine, que les partitions quittent l'étagère du buffet poussiéreux, on les libère des portefeuilles, le compositeur qui a une tache d'œuf sur la chemise les fait lire à un producteur qui en oublie d'allumer sa cigarette ; la partition est approuvée, elle n'est plus cette chose pathétique composée par un doux dingue rêveur, comme un projet d'utopie sociale ou de moteur à eau, elle devient le succès à cent mille exemplaires chanté dans les tramways : le doux dingue n'est plus le doux dingue à moteur à eau, il devient un de ces hommes de talent et de bénéfice, il l'était depuis toujours, Brahms et

---

1. 40° 45′ 20″ Nord, 73° 59′ 10″ Ouest.

Benjamin Franklin à la fois, on le photographie en train d'écrire accoudé à son quart-de-queue, Pleyel ou Bösendorfer, et sa tache d'œuf est devenue depuis longtemps une autre touche de génie, le génie négligé.)

Chaque jour quelqu'un y tente sa chance et réussit, il danse avec ceux qui échouent, une conversation de quinze minutes avec la bonne personne au bon endroit transforme un amateur en maître de ballet – mais en attendant son tour de devenir Cole Porter, l'ex-capitaine s'avance encore dans ses vêtements de candidat et d'impétrant, il se sent le profane ignorant tout des gestes de la liturgie, laissant passer sans les saisir sept noms sur huit qu'on prononce devant lui ; il croit revenir à l'école dans la blouse d'un autre, et y croiser des académiciens, des messieurs devenus des classiques, larges et hauts piliers de la scène théâtrale. Son agent le rassure (il préfère se donner le titre d'imprésario : c'est plus musical, d'emblée, plus coloré aussi, on déduit de son nom le costume à losanges à six couleurs d'un zani de la *Commedia* ; l'exotisme italien dans le milieu artiste est encore une caution respectable, avec l'opéra de Verdi) – il connaît du monde, il connaît du monde qui connaît du monde, et la fraternité du théâtre à Broadway n'est pas une vue de l'esprit, les salles s'alignent sur trois rues à deux numéros d'intervalle, les files d'attente se confondent, toutes coreligionnaires, le matin vers midi et le soir avant la représentation les passants voient se croiser le chapeau d'Irving Berlin et le chapeau de Jerome Kern, ils ne savent même plus quoi est à qui, et cela est bon ; une carrière débute entre deux étages sur la septième marche de l'escalier en bousculant Ira Gershwin. Il connaît une danseuse qui connaît le clarinettiste qui connaît le compositeur de *Where Poppies Bloom*, la pièce à la mode – et mieux que ça, il connaît George Abbott, qu'on appelle Mister

[1927 ou 1928]

236

Broadway, il prophétise Balanchine et ce qu'il fera aux ballets de Ziegfeld, il évoque la première du *Fool's Revenge*, de Tom Taylor, au Niblo's Garden Theatre, celle de *Lady Bug*, celle de *Daddy Long Legs*, au Gaiety, en 14 ; il parle du Lew Fields et du Winter Garden, des noms de salles de théâtre que le débutant Achab entend bien sûr comme des noms de prairies arcadiennes ou de jardin de la Bible, sans Dieu : des filles y chantent *Funny Face*, et *Funny Face* dans ce jardin d'Éden vaut beaucoup mieux que *Liebster Gott, wenn werd ich sterben*? (Seigneur bien aimé, quand vais-je mourir?) ; il fait miroiter comme il dit un contrat avec l'Orpheum Circuit, il promène le nouveau, sa recrue, dans les rues du quartier, à l'aube, pour lui montrer les façades, lui promettant un intérieur confortable de sièges et de velours.

Le nouveau venu Achab n'aurait jamais eu de lui-même l'idée de vendre la marchandise de ses histoires, encore moins de leur donner la forme d'un livret de comédie musicale à trois actes pour dix-sept comédiens et danseurs – au lieu de la voix du Seigneur, un matin, par le vasistas, sous forme de lumière oblique tombant pile sur son front de chômeur, au lieu de ça les conseils d'un monsieur discret mais très informé, et apparemment diplomate et habile, l'habileté de qui ira loin dans l'existence, ce monsieur ni serpent ni écureuil qui prétend deviner chez l'ex-capitaine (ou : dans) un talent vu par personne d'autre, une histoire inouïe à dire aux hommes en y mettant les formes – et ce qu'il appelle talent quand il parle à l'artiste, il l'appelle potentiel financier quand il s'adresse au directeur, chacun son glossaire : *sub specie æternitatis*, profit de Rockefeller, génie de Puccini, c'est la même chose.

(Il affirme s'appeler Abe Miles, l'ex-capitaine est bien placé pour savoir qu'affirmer est une façon de prétendre, avec expérience; et de là où il se trouve, depuis ses treize noms de Nathan Swain à Rinaldo Rinaldi, il s'interdit de le blâmer.)

Pour Jean de la Croix, la révélation, c'était une chanson d'amour par une blanchisseuse de l'autre côté d'une palissade (la chansonnette comme essence discrète (humble, vulgaire – vernaculaire) de la musique); pour l'ex-capitaine, ses débuts à Broadway auraient pu être Minnie Marx, mère des Frères, croisée dans l'ascenseur, ou le premier tube d'Arthur Freed par le tuyau d'une manche à air. Non: ça a été les petites mains de ce monsieur Miles, imprésario, ses visites à l'ex-capitaine, toujours inopinées, ses conseils donnés comme des sous-entendus, ou des euphémismes, ses apparitions plus inopinées encore sur le trottoir: il a alors la courtoisie d'attribuer au capitaine tout le mérite de la coïncidence, rien pour lui (la courtoisie est une présence d'esprit); il le salue comme si Achab était l'apparition et lui l'éberlué, l'ébloui; son exaltation est celle du miséreux gratifié soudainement, et qui ne veut pas croire à sa chance. Quand l'inspiration lui vient, il affirme (toujours ses belles affirmations) avoir été l'agent de Clara Bow et de Florence Lawrence quand elles n'étaient ni Clara ni Florence; il donne au capitaine un dollar chaque fois qu'une affaire tombe à l'eau: une avance sur les millions à venir.

(Les oracles du monsieur en costume à losanges: l'ex-capitaine doit dresser l'oreille pour les entendre, les recueillir et plus tard les développer histoire de leur donner un sens (il a l'avenir devant lui pour donner un sens aux prophéties qui le concernent): il les voit sur le point de s'accomplir, mais s'interrompre, partir en fumée (l'avantage d'une prophétie, c'est qu'elle n'est jamais démentie vraiment, elle subsistera toujours en attendant les faits, qui lui donneront raison – dans une ville de douze millions d'âmes, il n'y a pas beaucoup de risque à prophétiser, même l'invraisemblable).)

Les promesses de succès, elles arrivent sous toutes les formes, le dramaturge débutant s'y habitue : au commencement, elles l'enchantent, puis elles le navrent ; plus tard, quand il entendra sa cent septième promesse de fortune par le sous-directeur d'une compagnie de production à Hollywood, il sera assez mûr pour prendre la promesse à sa juste valeur, selon sa juste nature : l'ébauche du récit possible en marge d'un récit principal devenu navrant : l'exercice de notre faculté de spéculer en dépit de la vie chère et des salaires maigres, et de toutes les injustices complices les unes des autres – chaque fois que le capitaine librettiste amateur entendra parler des bénéfices possibles, il saura qu'il assiste à l'application d'un droit, celui de permuter les lettres pour le plaisir d'entendre des phrases.

Et ces promesses de succès toujours à venir, pour vendredi prochain (lumières jaunes, vertes et rouges sur fond de ville nocturne), ou pour la saison prochaine (la neige aura fondu, le printemps sera l'envol d'une colombe apparue dans le chapeau d'Achab), les promesses de shows à six cents représentations, vingt-cinq fois deux fois six cents jambes gainées de danseuses sur une seule ligne – les promesses alternent avec des souvenirs : il faut beaucoup de ces promesses et beaucoup de souvenirs pour qu'ils prennent appui les unes sur les autres – et parmi les souvenirs, le coup de pied de Balanchine, le double axel de Fred Astaire, le masque noir à lèvres blanches d'Al Jolson quand il chantait *You ain't heard nothin'yet* sur une avancée de scène construite rien que pour lui à sa demande, et le même Al Jolson triomphant dans une représentation de *Sindbad* en 1918, avant ça un *Robinson Crusoe Junior* en 1916, et avant *Robinson* un *Dancing Around*

en 14, où il bougeait ses deux épaules en rythme ; souvenir
de Cole Porter tout jeune, déjà bien habillé, convoité par
l'Europe et l'Amérique, passant son temps à composer des
chansons à succès qui lui tiennent compagnie de New York
au Havre et du Havre à New York, et l'entraînent sur des
transatlantiques gros comme deux immeubles couchés l'un
sur l'autre ; le jeune Porter robinet à succès et à paroles
inoubliables, promoteur des pires rimes admirables immor-
telles de New York (*Fred Astaire/camembert*) et des jeux
de mots scabreux intraduisibles comme ceux qui titillaient
François-Victor Hugo, arbitre des élégances et des turpitudes
– souvenirs de ses comédies musicales, *Hands Up*, *Paris*,
Fifty Million Frenchmen et *The New Yorkers*, et de sa façon
de vous regarder poliment, avec une courtoisie distante,
lointaine, tout en recombinant son troisième couplet[1]. Et
puis, voilà un autre souvenir, cette toute première comédie
de Broadway avant même la fin du siècle, cette histoire de
Black Crook, au Niblo's Garden toujours, en 1866 (l'abominable comte Wolfenstein soudoie l'abominable sorcier
Hertzog pour faire disparaître le séduisant Rodolphe et le
livrer au diable) – et encore *Show Boat*, le succès du Ziegfeld
Theatre, le *All-American Musical Comedy* sur un livret de
monsieur Hammerstein, deuxième du nom, une histoire de
bateau reconverti en théâtre ambulant, mouillant aux rives
du Mississippi, cornaqué par son capitaine Andy Hawks,
et Parthy son épouse – il se souvient encore (en vérité, il
prophétise) d'*Anything Goes* donné à l'Alvin Theatre, encore
une farce dans un décor de transatlantique entre l'Amérique et l'Europe : l'histoire du blanc-bec embarqué clandestinement avec le passeport de l'ennemi public numéro 1,

1. L'océan est l'acouphène de Moby Dick.

poursuivi par l'ennemi public numéro 13, qui aimerait tant prendre sa place. Infiniment, semble-t-il, dans les siècles des siècles, les paroles de Cole Porter couleront de la fontaine de jouvence de Cole Porter, les airs à succès cou de cygne et martèlement de piano bastringue continueront de couler de la fontaine de Gershwin ou Kern, parce qu'à l'instant où les faits se produisent il n'y a aucune raison de penser qu'ils s'arrêteront, aucune raison d'envisager leur fin, l'interruption est abolie, le temps de leur accomplissement (envisager leur fin serait un blasphème logique, et une atteinte à la morale, celle qui a ses entrées dans les théâtres de Broadway du moins) : souvenirs et prophéties se superposent comme passé et futur dans une éternité étourdie (stupéfaite, omnisciente et ivre morte) de Dieu le Père, un soir de première, dans sa loge du troisième balcon – et aux souvenirs comme aux oracles s'ajoutent des petites paroles d'escrocs tenant lieu de formules de politesse (de monnaie d'échange).

Achab à Broadway – premiers spectacles

À Broadway, Achab s'est appelé Finemore Watts, puis Alex Swanson[1], pour dissimuler son achabitude noire et grise sous des noms d'artiste : des noms de fêtes, d'amateurs de *meat pies* et de cocktails, ils vont parfaitement bien à un auteur de comédies musicales. Il a choisi aussi de s'appeler Giuseppe Malfatti : c'était pour donner le change et expliquer au directeur soupçonneux son accent insituable contracté sur le pont du navire à force d'entendre ses marins écorcher la langue de, mettons, Washington Irving. (Malfatti est un

[1929-1930]

---

1. Et William Wirt.

241

hommage peut-être involontaire à Da Ponte; pour le capitaine, le mot a désigné un jour, dans un restaurant italien, qu'on aime appeler en général gargote, un enchantement vert pâle et blanc marbré, sous forme de brèves quenelles d'œuf, d'épinard, de farine, de ricotta, flottant dans une sauce – la sauce, elle, est tombée dans l'oubli.) Si jamais on lui demande pourquoi il zozote, et pourquoi, en plus de zozoter, il boite, comme si zozoter et boiter étaient deux moments d'un même mécanisme, Achab peut donner les noms de la Scala et la Fenice, aux autres de déduire dans quelle trappe de damné du dernier acte sa jambe s'est engouffrée – ou bien la chute d'un projecteur, ou un accident de chef d'orchestre, comme ça arrive parfois, quand Beethoven par exemple brisait deux lampes à huile et cassait six cordes à son piano pour entendre enfin ses *sol* dièse. (En ces temps-là, selon Giuseppe, il en fallait peu pour perdre une jambe: la chute, et si la septicémie s'en mêle, on fait venir un chirurgien, les violonistes de l'orchestre en profitent pour faire des plaisanteries au sujet de scie musicale.) S'il s'appelle Giuseppe, et s'il a un nom de cuisinier italien, on lui attribue des passions simples, méridiennes, le chant après la sieste, une nappe à carreaux, un surmoi maternel; les habitués de Broadway, en tout cas ceux qu'il rencontre, ne poussent pas leur curiosité pour l'Italie jusqu'à l'entonnoir de l'enfer de Dante, ils préfèrent s'en tenir à ce qu'il y a de vert, de blanc, de rouge et de mangeable, et avec ça les cadences simples de Verdi, qui sont comme le geste de border un lit au printemps, la fenêtre ouverte.

Dans son costume de nouveau librettiste, il se sent à son aise, aussi étonnant que ça puisse paraître, peut-être parce que Broadway telle qu'elle est alors s'offre comme le contraire d'un baleinier, colorée au lieu d'être charbonneuse, stable, et peuplée de dames de toutes les variétés, tous les âges. Et puis, le succès des théâtres, la quête du succès, ressemble si peu à la chasse à la baleine, si peu : un capitaine déçu par l'eau de mer y trouve l'occasion de se reposer : l'angoisse de l'échec face à une salle vide n'est rien comparée aux soucis des marins-pêcheurs quand le Léviathan, celui des légendes, ouvre la gueule. Achab-Fenimore y est euphorique, on n'ira pas jusqu'à dire qu'il est capable d'y inventer les claquettes : il laisse ça aux hommes plus talentueux, plus insouciants, et bien sûr à ceux qui ont leurs deux jambes : s'il faisait des claquettes, Achab, au lieu de danser, de pourfendre la mélancolie, il donnerait l'impression d'enfoncer un clou – un seul clou, toujours le même.

Il ignore tout de la comédie musicale broadwayenne ; ce qu'il sait du théâtre appartient à un autre siècle, ça ne l'aide pas à comprendre pourquoi ici les gorges s'élargissent autant pour chanter, et pourquoi avec cet accent-là, cette inaptitude voulue, longuement modulée peut-être au cours des répétitions – et pourquoi ce vibrato typique du quartier, pourquoi il faut courir sans cesse sur la scène, pourquoi les hommes habillés de noir et de fines rayures semblent si timorés face à des dames comme des cygnes, des dames prolongées de plumeaux. Il assiste à des représentations avec le sentiment de s'abreuver d'un millier d'allusions qui lui échappent : elles le nourrissent, d'une certaine façon, il ne sait pas laquelle – de retour chez lui, le long des rues droites, des mélodies bouclées sur elles-mêmes entêtantes, et la perplexité : avec le temps, Achab associera la perplexité à ces ritournelles. Il se fait entraîner de force dans les théâtres, aimablement, par son agent, pour apprendre son métier : l'impression alors d'être témoin d'un accident, pas des plus dramatiques, coloré, faussement champêtre parfois, ou domestique selon le décor, accompagné par l'enthousiasme des acteurs et des spectateurs, interprété et répété avec application tout le temps que durent les mélodies, le temps que soufflent toutes ces trompettes. Du milieu de ces acclamations Achab croit bien souvent se réveiller à l'instant même, sollicité hors de ses rêves d'engloutissement par un vibrato plus fort que le précédent, ou par le chœur des hommes en tuxedo (ils descendent un escalier blanc, il y a encore quelque part des plumes d'autruche, qui menacent, ou qui attisent) : le sentiment de ne pas être tout à fait à sa place, d'avoir été déposé là comme un nouveau-né depuis le dos d'une grue cendrée, par erreur, ou au nom d'un destin encore indéchiffré. Il veut comprendre, il voudrait même se réjouir – ça semble si facile et si spontané, la réjouissance, au théâtre de Broadway, c'est une passivité vaporeuse (le vaporeux des robes de chambre) puis scintillante (le brillant des chapeaux huit-reflets). Parfois, à quelques grincheux près, le plaisir est unanime, les journalistes le lendemain parlent d'une seule vague de bonheur le long d'une foule de deux mille têtes de mélomanes (pour Achab, neuf fois sur dix, la réjouissance est une énigme, mais il existe une énigme plus grande encore : il se demande comment mille spectateurs hommes et femmes en noir et en blanc s'y prennent pour comprendre les mouvements sur la scène – les trépidations même : on dirait qu'ils leur trouvent un sens, c'est déjà prodigieux, et une raison d'être, ils anticipent les épilogues, l'ultime réplique leur parvient comme une confirmation – après le rideau on retrouve au fumoir des hommes soulagés).

Ces mélodies répétées trente fois avec des variations, ces danses de nageuses en bonnet, ces jambes de sportives, ces costumes à plastron, ces intérieurs à hauts plafonds, ces fausses balustrades, ces voix qui s'évasent, ces récits d'abord calmes, pour suggérer une sérénité perpétuelle étrangère à notre monde, mais s'animant sur un seul geste du chef d'orchestre, l'animation devenant excitation sans objet apparent, ou énervement, pourquoi pas colère mais alors concentrée et toujours musicale, disons plutôt une ferveur sans cause bien déterminée considérée tantôt comme la panique, tantôt comme le simple désir de se dégourdir les jambes – l'instant d'avant, l'histoire était feutrée, on pouvait suivre du regard, sans rien perdre, la stratégie lente d'un monsieur pour séduire une dame, l'instant d'après tout ce beau monde se remue et répète d'une seule voix en chantant, mais chacun son registre, un seul mot, comme s'il était l'enjeu de la bataille (après tout, il doit l'être, c'est ce que pense le capitaine, étonné d'entendre cent fois de suite prononcer le mot *daffodils* – il entendrait aussi souvent le mot *profiteroles* s'il était à l'opéra Garnier en train d'écouter Offenbach). Et puis (ainsi de suite), les *daffodils* semblent s'épuiser, le mot s'éteint, quatre hommes et cinq femmes sur la scène en ont fait le tour, ils ont tout dit de la jonquille en répétant son nom comme le bouddhiste tibétain répète son *Om mani padme hum* jusqu'à ce que la tête lui tourne ; les trompettes retombent elles aussi, le chef dans la fosse cesse d'agiter ses deux bras, c'est un signe, on en a fini avec l'enthousiasme ; il faut en revenir maintenant à une certaine douceur de feutre, de gants, de boas, de canapés, de fume-cigarettes, et de récitatifs sans urgence.

Achab sur le Pequod

Quand il ne marche pas sur sa fausse jambe, le capitaine semble effleurer prudemment le pont de son pied, en se méfiant: d'une semelle presque feutrée, on n'ira pas jusqu'à dire douce mais, c'est indéniable, mesurée, démunie dans la douceur, le pied lui-même surpris de ne pas pouvoir marquer plus fermement l'autorité du chef comme sait le faire la jambe de bois. Le capitaine est bien obligé de composer, dans ces circonstances: la magnanimité, la patience, l'indifférence du promeneur, la repentance presque, jusqu'au jour où son pied posé sur les planches du pont donne aux témoins le sentiment qu'il cherche à exprimer une certaine sérénité – elle est triviale, elle compte sur l'oubli, mais le bonheur d'Achab, comme souvent le bonheur des hommes (les marins sont bien placés pour en parler), tient à la force de l'habitude.

Ou encore, c'est le doute – le capitaine n'aime pas se montrer faillible devant son équipage, on lui a raconté tant de fois des histoires de mutineries nées non pas de la cruauté d'un chef (stupides légendes de capitaine à la fois pendu et noyé) mais inspirées par sa faiblesse: la perplexité: il suffit de se gratter le cou sans rien dire. Voilà pourquoi il se répète dans sa cabine les discours du roi Henry V, qu'au moins sa mémoire lui serve à quelque chose: la tirade du *We few, we happy few, we band of brothers*, ça lui a rendu service plus d'une fois, il fallait voir les yeux ouverts des hommes d'équipage étonnés d'entendre des vers, pas certains de bien comprendre le pourquoi ni le comment, mais bon, grosso modo, contents de cette histoire de Happy Few, selon le principe: moins nombreux les complices, plus grosses les parts du butin.

Moby Dick à Broadway

Faire entrer l'immense poisson dans l'un de ces théâtres de Broadway : pour Achab, c'est une ineptie (une impossibilité matérielle, mais il admet l'arrogance de tous ces directeurs, qui pensent avoir un ventre encore plus gros que les yeux), pour quelques metteurs en scène, c'est une idée folle et judicieuse, à réfléchir, à réfléchir, imaginez l'effet du Léviathan sur scène auquel s'accrochent des hommes coiffés d'un chapeau claque, chantant *Hit Me in the Nose*. Des gondoles sont bien parvenues depuis Venise jusqu'à Paris en s'inclinant au passage de chaque pont, et après Paris, Versailles ; des girafes ont fait le même chemin en accomplissant les mêmes courbettes (même inclinée, la girafe reste majestueuse – frondeuse même, offensive) : et de nos jours les transatlantiques savent transporter des rhinocéros d'Afrique pour divertir tel monsieur neurasthénique à Atlanta ; on parle aussi d'un esturgeon géant, dans la Tamise, récupéré en amont de London Bridge. Alors pourquoi pas [1931] un immense poisson, le clou d'un spectacle de chasse à la baleine, capturé avec infiniment de délicatesse pour ne rien entamer de sa peau ni de sa couleur ? Remonter un cachalot le long de l'Hudson, ce serait déjà un spectacle en soi (*spectacle en soi* : ainsi parle le directeur du théâtre – il donne au *an sich* de Kant son sens broadwayen, pas trop tôt) : dans le fleuve, accompagné de chalutiers, de milliers d'enfants sur les rives, de messieurs et dames ravis et sceptiques, scepticisme faisant partie du ravissement, et sous une pluie de confettis, comme ils savent le faire à New York à chaque triomphe d'après guerre.

On réfléchit, bien sûr, on compare l'idée folle à d'autres

idées folles qui ont ruiné des producteurs; un secrétaire calcule le coût d'une capture d'après des témoignages de vieux marins à Nantucket, converti en dollars d'aujourd'hui, et on se souvient qu'un rorqual commun, par exemple, doit avoir sa ration chaque jour de deux millions de crevettes roses : où les trouver? chez qui se fournir? chez Schwartz? Bien sûr, personne ne pense sérieusement pêcher la baleine : à défaut de poisson, ce sera la représentation du poisson, une armature et une toile blanche, les reflets d'un plan d'eau sur cette toile, un jeu de lumières, trois couleurs pour recomposer exactement l'éclairage de jour, douze machinistes pour la mettre en branle, appuyant, chargeant, un jeu de vérins peut-être, une soufflerie (le directeur du Mechanic's Hall s'adresse au vieux capitaine comme s'il était incapable de faire la différence entre poisson véritable et simulacre du poisson) (l'un des techniciens prévus pour agiter le simulacre de Moby Dick fera s'envoler des années plus tard une robe au-dessus d'une bouche de métro).

Monologue du capitaine sur le Pequod *à propos d'une ville de douze millions d'âmes*

[vers 1904]   On me décrit vos villes, et je ne peux pas y croire, je ne parviens pas à faire tenir douze millions d'hommes sur un aussi petit carré de terre, même en ayant recours aux plis pour augmenter les surfaces sans dépasser les frontières – pour moi, qui croise un homme tous les vingt-huit jours, et encore, constate qu'il s'agit d'un poulpe, superposer douze millions d'habitants tient du mystère, ou bien c'est un mensonge, et toutes les lois sont abolies. J'ai imaginé le pire et le meilleur, j'ai eu recours aux mathématiques non euclidiennes, aux magies des spectacles d'Houdin, aux crimes, à diverses variétés de crimes, j'ai fait usage de la métaphore, j'ai imaginé vos villes hérissées comme des allégories de la forêt vierge, je me suis souvenu du désert, j'ai voulu tirer argument de son sable, j'ai cru à la puissance de vos rois et de vos savants ; j'ai dû aussi théoriser, mais dans la solitude, l'extrême proximité des corps : c'était embarrassant, une telle intrusion de ma science dans vos intimités, même hypothétiques. Je voyais les villes avec des gouffres, je me persuadais d'un progrès en matière de profondeur ; j'ai imaginé des architectures trompeuses, des chambres contenant des chambres comme un rêve contient un autre rêve ; j'ai calculé sur les doigts de ma main puis sur une feuille de papier, j'ai eu l'idée de me servir du temps pour chasser les hommes de là où ils se trouvent et les remplacer par d'autres, au même endroit, dans la minute ; j'ai dessiné au dos de mes cartes des perspectives avec la ligne de fuite et la ligne de rétrécissement, j'ai dessiné des plans de moulins ; j'ai réduit la taille de mes semblables pour leur faire accepter des royaumes minuscules, sur cette lancée j'ai diminué de beaucoup leur susceptibilité, leur pudeur, j'ai fait d'eux des créatures grégaires inquiétées par le froid et des bêtes d'amour féroces mais hospitalières au dernier degré de l'hospitalité ; ils me pardonneront, je leur ai accordé des vertus honteuses, des enthousiasmes, des passions, et un sens de la résignation bien au-delà de leur capacité à supporter l'insupportable ; je les ai fait tenir à cent dans une chambre d'hôtel, je les ai amaigris, je les ai superposés jusqu'à l'absurde, alors je leur ai donné des talents d'acrobates, je les ai dénudés, j'ai rapproché l'homme de la femme, j'ai rempli des granges jusqu'au plafond, j'ai rénové l'amour charnel, et pour rendre la cohabitation moins pénible, j'ai fait résonner des orchestres, j'ai invité des musiciens : les fanfares jouaient en prenant appui sur vos têtes. J'ai vu les hommes déborder de leurs maisons par les fenêtres, je les ai vus disparaître sous terre, je me suis mépris sincèrement sur l'usage des grands collecteurs d'égout ; puis j'ai cru à certaines fluidités, j'ai tenté de mettre sur pied une science de la souplesse, j'ai comparé tout le monde à un ruisseau, je me suis souvenu des rubans de soie noués dans les cheveux, j'ai parlé à quelqu'un de l'étroitesse, convaincu qu'on pouvait trouver le moyen d'en tirer profit. Pour vous faire tenir ensemble, j'ai établi les plans d'une maison profonde, j'ai prolongé le tracé des rues, j'ai ajouté des surfaces aux cubes, j'ai retrouvé la sphère parfaite et tenté pendant des mois de justifier des miracles par une philosophie du cercle ; j'ai imaginé vos véhicules, j'ai fait reculer la mer, j'ai rétréci les parois des immeubles, je leur ai donné une forme diaphane mais solide élevée jusqu'au ciel, transparente, et je me suis dit que la présence de douze millions d'hommes pouvait s'expliquer par le reflet de six millions dans d'exhaustives parois de verre. J'ai tracé des diagrammes, j'ai écrit des élégies, j'ai plagié des récits de voyages partis du point A et revenus au point A ; j'ai inventé plusieurs façons de creuser des trous, certaines existent peut-être déjà ; je me suis senti prêt à penser aux Enfers, j'ai lu les livres des démonologues pour savoir comment Satan ruse depuis la nuit des temps pour faire entrer les âmes damnées par milliers dans ses boyaux ; j'ai prié le Paradis pour obtenir des renseignements ; j'ai voulu me tenir au courant, j'ai ressorti mes livres de physique, j'ai relu des pages de journaux datant d'avant mon départ, froissées en boule au fond de mes bottes, je me suis intéressé aux mœurs, j'ai écarté mes draps, je me suis regardé depuis le sternum jusqu'aux chevilles, j'en ai déduit que rien n'est simple.

Achab capitaine jauge la part aqueuse du monde

Il ne faut avoir aucun doute à ce sujet : Achab exècre la part aqueuse du monde, la conspue dès qu'il a cinq minutes, l'exorcise sur des cartes précises, la perce de la pointe de son compas, lui lance des défis secrets (cela veut dire intimes), lui offre de temps en temps le témoignage de son dégoût, comme si c'était un bouquet de fleurs, en prend la mesure avec dédain, masquant une admiration froide, terrorisée ; il voudrait comprendre pourquoi tant de vagues jusqu'à la limite de l'horizon, dans l'espoir que comprendre ce serait en finir. Même si flotter lui sauvera finalement la vie, la flottaison n'est pas sa tasse de thé, il n'a jamais su aimer ça ; son premier voyage entre New York et l'Angleterre a été la confirmation de toutes ses méfiances : pas seulement à cause des navires, incapables d'affronter l'eau, faisant la démonstration à chaque balancement de leur incompétence (leur terreur également : à charge pour les passagers de rassurer le navire), à cause de l'océan lui-même : l'inhospitalité s'exhibant comme inhospitalité – autrement dit, l'inhospitalité lancée en pleine figure. Vingt ans de navigation à contrecœur n'ont pas été vingt ans de combats (ça serait la version diurne – superbe), mais des années de défiance, de haine sourde et muette, elles donnaient plus souvent naissance à des bouderies qu'à des diatribes – et des années d'incompréhension mutuelle, d'autoritarisme suivi d'obéissance, de mal de mer et d'ennui, l'ennui presque létal. Achab aurait pu s'y noyer, et même douze fois de suite, il n'aurait toujours pas compris l'océan, ni dans son étendue, ni dans sa profondeur ; il ne l'aurait pas amadoué – Achab l'a toujours su, on ne jette pas une sardine à l'océan comme on jette une sardine au dauphin, pour qu'il danse. (Quinze ans après son retour à terre, il sera encore disposé à dire ce que lui ont inspiré les premières vagues à la sortie du premier port : l'impression de s'être confié à une immensité débonnaire et crapuleuse, une impression de vaste joie mauvaise : un rire d'obèse, le rire de l'océan s'amusant avec ses victimes, les laissant en vie pour mieux en profiter, et la certitude qu'il n'y a aucun recours : l'ancre est illusoire, le métier de marin est une frivolité passagère et tout exorcisme est voué à l'échec.)

Pour le capitaine, voilà bien la part aqueuse : un vide carnassier – et il ajoute (son incompréhension, sa terreur doivent en passer par les adjectifs : ils n'aident pas à comprendre mais à faire le fier debout, et à survivre aux énigmes), le vide est trop grand pour inspirer encore la contemplation, et sa carnasserie semble être écervelée : derrière tous ces engloutissements, ces hommes avalés, cet appétit sans distinction, derrière ce besoin de prendre sans jamais restituer, aucune pensée, pas même de vrai désir exprimé sur un mode rustique, comme la pesanteur serait un désir de la Terre partagé avec les corps pesants. Le dégoût du capitaine sur le pont, en pleine tempête ou pendant les heures hallucinantes de la mer d'huile sans un brin de vent, c'est bien cette certitude d'affronter chaque jour une immense, une enveloppante absence de volonté – combien de fois, pour surmonter son mal de mer, il a voulu donner à l'océan toute la volonté (la sienne) qui lui fait défaut : ce serait une goutte d'eau, bien sûr, au moins il aurait fait sa part (autant s'inciser le petit doigt et le tendre par-dessus bord).

Achab décidément d'humeur saumâtre

La vie sur un baleinier, les sacrifices que ça représente, les mois passés loin des semblables (s'il en existe encore), les nuits à scruter l'étoile Polaire dans l'espoir de la voir s'éteindre (on ne sait pourquoi : pure volonté de nuire) – c'était pour voir du paysage ? et par-dessus le marché en jouir, comme s'il était naturel de passer du paysage à la volupté ? Et les semaines de jeûne, les semaines d'abstinence, la médiocrité de la vie sur les ponts ajoutée à l'emphase héroïque des marins "au long cours" parlant d'eux-mêmes en termes braves, les heures à vider un poisson long comme le jour avant de glisser sur ce qu'on vient de purger, c'était pour respirer l'air pur et se laisser distraire ? Mais quel paysage capable de distraire ? en vérité aucun, sinon le même horizon plat sur trois cent soixante degrés, et l'absence cruelle (sournoise, funeste) de différence entre une direction et une autre, sud-sud-est ou nord-nord-ouest – l'océan selon le vieil Achab "n'ayant pas son pareil" pour placer un homme face à la vanité de ses choix (il aurait tant voulu être captivé).

On ignore trop la part de l'ennui dans l'invention de la baleine : Achab avait fini par constater à son tour, après Jonas, après Jason, l'inutilité de l'attente et de l'espoir, l'inutilité de notre sympathie offerte à l'eau de mer : ça ne servira à rien de lui faire des offrandes, même d'y cracher son noyau de pêche, il n'y aura jamais en échange le miracle des cercles se répétant et se lassant à la surface, pendant des heures : il lui manque la douceur des lacs. Achab ne voulait pas la vie difficile, mais la distraction, ou au moins les captures, de quoi occuper ses pensées la nuit pour le lendemain, et oublier ce que nous devons tous oublier, à savoir lui-même, et les reflets de lui-même, l'empreinte de lui-même, et tous ses doubles si peu ressemblants, si nombreux, qui le narguent.

Moby Dick à Broadway, suite

La création de *Moby Dick* dans un théâtre de Broadway, au Hammerstein's par exemple, ou au Knickerbocker, est une pièce autour de la pièce (un monstre blanc autour d'un monstre blanc), et le drame débute par un "de la difficulté de faire tenir un cachalot sur scène, même à l'oblique". Au commencement, c'est l'enthousiasme de part et d'autre, l'euphorie de l'ex-capitaine devenu apprenti auteur de théâtre, poussé aux fesses de loin en loin par son impresario ; l'enthousiasme des premiers lecteurs, l'enthousiasme de l'imprésario lui-même, canalisé par son pragmatisme, l'enthousiasme plus désinvolte d'un metteur en scène, qui est la volupté de l'attention flottante (il n'a pas bien lu la pièce, quand il l'a lue il était ivre, son enthousiasme est un gage donné à son agent pour qu'il lui foute, je cite, la paix) – même le cachalot a l'air prêt à danser la danse de l'enthousiasme broadwayen, du succès à venir, qui aura ses cent mille tickets plein tarif et secouera New York comme une seule vague.

L'imprésario en est sûr, Achab tout nouveau dramaturge un peu moins, tant pis pour lui : *Les Aventures de la chasse à la baleine*, ça fera un tabac, *Porgy and Bess* passera pour un travail d'amateurs, il sera donné en ouverture – un cachalot sur les planches est la promesse de reflets blanc perle, d'hypnotiques ondulations de son corps, et du corps de vingt-trois sirènes en ballerines, au son d'une musique, quelque chose moitié mambo moitié ragtime ; les gerbes d'eau sont un motif immanquable, toute l'eau de l'océan dans ses divers aspects, vaguelettes, embruns, typhon même, typhon de derviche tourneur, pourra être le sujet d'une chorégraphie, on pourra faire monter des chorus girls sur un plateau et leur faire interpréter les douze vents de la rose, les sept états de la mer, douce, agitée, furieuse, pendant que des danseurs rayés horizontalement entameront la danse du couronnement de poupe, et enchaîneront sur les pas du nœud de bouline simple. (L'air de la baleine, un trombone bouché ; l'air de la longue attente, un *ostinato* de cordes et de bassons ; l'air du capitaine boiteux, une croche pointée suivie d'une double ; l'air du panneau d'écoutillon, l'air des collines de Boston qui comblent les fondrières de la Voie lactée, l'air de l'Auberge du Souffleur, de New Bedford et de Peter Coffin, et si on a le temps l'air du Sachem de Pottawattamie ; on imagine un chanteur et des banjos, on rassemblera des instruments de musique tels qu'on en trouve sur des voiliers, la musique à bouche, la guimbarde et le bandonéon – le *Pequod* pourrait croiser un radeau d'Amazones, ça nous ferait un joli chœur d'altos.)

Quand on comprend qu'un cachalot malgré tous les ornements à la clarinette ne pourra jamais tenir sur une planche de théâtre (et si on le faisait tenir de force, il serait sans panache : sa démesure trahirait au premier coup d'œil la mesquinerie de nos moyens – il trônerait, il serait imposant, mais à cause de cette majesté d'empereur romain frappé d'obésité, il serait pitoyable) – quand on renonce aussi à mettre en scène les batailles navales, surtout pour des questions de sécurité, quelqu'un a l'idée de remplacer la baleine par un poisson dans un bocal, un poisson exotique, et la rancune du capitaine par la neurasthénie gâteuse attendrie d'un vieux millionnaire, obsédé par son poisson (une espèce rare). Achab ne devrait pas trop perdre au change, on altère

d'un rien son histoire, mais si peu, si peu comparé à l'alté-
ration de l'âge et au ressac des années (c'est son imprésario
qui le console : il est payé au pourcentage) : l'enjeu de toutes
les courses-poursuites ne sera pas un cachalot mais une
gracieuse chose minuscule dans un bocal, on ne la comparera
plus à un zeppelin, mais à une pierre précieuse, ce sera une
créature presque triangulaire dans des tons bleus et rouges,
un labyrinthidé, pas un cétacé, un Betta pugnax, ou Betta
rutilans ou le superbe Betta splendens (on dirait qu'il a été
fait par Mère Nature pour le théâtre de Broadway : c'est l'un
de ces poissons qui ont depuis toujours le sens du spectacle).
(Il fallait tôt ou tard que Ziegfeld et ses Follies et les théâtres
de la 42ᵉ Rue apparaissent dans le cours de l'Évolution pour
donner leur raison d'être aux poissons-clowns, comme
aux girafes et aux nasiques – la preuve du darwinisme ce
n'est pas notre cousinage avec le singe, mais la danse des
autruches sur une scène, leur fierté d'être enfin reconnues
selon leurs talents naturels.) Un millionnaire moribond, son
poisson rare évalué à deux cent mille dollars, la convoitise
des héritiers, une convoitise façon Dostoïevski, de danses
et de coups de pistolet, un jeu de chaises musicales ou de
boxe française, la beauté paradoxale de la cupidité quand elle
est l'occasion de numéros de claquettes à couper le souffle
– et le comique de cette convoitise quand elle a pour objet
un Betta splendens, aussi petit qu'un nœud papillon. Le
millionnaire est mal en point, il fait venir un prêtre et
son conseiller fiscal, il s'inspire de la ruse déclinante de
Volpone, ce cynisme de vieillard seul capable d'épargner au
moribond la pitié de toute sa famille – les médecins aussi se
rassemblent autour de lui, c'est le grand air des Vitamines
et du Clystère – et après ça, l'air des poissons exotiques,
chanté par les deux sopranos, *Pseudomugil signifer*, *Glossolepis*

incisus, Melanotaenia herbertaxelrodi, Melanotaenia praecox (qui inspirera plus tard *Mary Poppins*). Comme le poisson à deux cent mille dollars a une durée de vie limitée (le thème baroque de la beauté éphémère, devenue ici une échéance dramaturgique, tragi-comique, et un sujet de conversation entre héritiers), on se demande lequel des deux, le million-naire, sa petite bête, risque de mourir en premier, à charge pour le librettiste de donner à ce cynisme d'héritiers charo-gnards une tournure désinvolte : même l'appétit des nécro-phages doit être à Broadway prétexte à un morceau de danse. (À l'avant-dernière scène, un petit-neveu fait venir un expert, une voix de baryton-basse, un ichtyologue, selon le livret, spécialiste des labyrinthidés : il estime le poisson à 5 dollars et 95 cents – à la scène suivante, le vieillard meurt[1], "après avoir joui du spectacle".)

Ailleurs, une autre fois, c'est un autre livret (une autre mutilation du livret d'origine), Moby Dick y devient une superbe veuve de trente ans dans un manteau d'hermine, et le capitaine un armateur obsédé par l'hermine et la dame qu'elle contient – et comme l'histoire d'hermine ne parvient pas à convaincre le directeur du Belmont, Achab propose à un autre directeur, celui du Waverly, l'autre version de ses pêches en mer : une perle blanche au lieu d'un cachalot : elle passe de main en main, elle inspire des airs entêtants, elle rend euphorique, un peu idiot, elle orne tour à tour des bagues de dames et des cous de jeunes filles, elle sème (dit le livret) le désordre, le trouble et la malédiction, elle se transmet d'un propriétaire à l'autre d'autant plus rapidement : d'abord l'envie de la posséder suivie aussitôt du désir de s'en débarrasser – la perle fait le déshonneur, on la voit briller un

---

1. Il s'appuie sur sept oreillers.

soir ou deux, jamais trois de suite, à l'oreille d'une femme, qui terminera sa vie au couvent ou dans une buanderie chinoise – la perle finit la sienne comme accessoire de théâtre (c'est le théâtre dans le théâtre) : elle ruine une représentation de *Macbeth*, elle conduit le directeur à la faillite ; l'accessoiriste, un ancien marin sous-payé, heureux, sans revendication, la considère comme une bille de verre capable de faire illusion, estimable pour cette raison : le dernier soir, dans une version chantée, dansée, de *Cléopâtre*, elle se laisse dissoudre dans un bol de vinaigre, pour confirmer une légende à quoi plus rien ne nous rattache.

Moby Dick à Broadway – à propos du chapelet d'Ethel Merman

[1930-1934]   Et ça recommence douze semaines plus tard[1] : l'ex-capitaine dort profondément (aucun compte à rendre et le sommeil allant avec), son agent le tire du lit, c'est encore une aube prometteuse, la Baleine Blanche est à nouveau sur les rails, pour mieux dire renflouée, sa fortune sera douce : dans le rôle du capitaine Achab on a Reinald Werrenrath, vieux partenaire de Caruso, un baryton parfait dans le genre, entre puissance et abattement, expectative et volonté d'agir (une volonté jusqu'à l'absurde) ; dans le rôle de madame Achab, son épouse restée au foyer, on pense à Marilyn Miller, une Cendrillon souple, élastique, futée, réputée pour articuler, ce qui est une qualité broadwayenne. Achab mal réveillé traîne des pieds, mais son agent a des ailes, on l'imagine ouvrir la fenêtre pour s'en aller au lieu de se contraindre aux

---

1. *Col legno.*

escaliers : le livret ? il est déjà entre les mains d'Oscar Hammerstein, il fera des prodiges, et si ça se trouve il est déjà en train de les faire à l'heure où le reste de l'humanité, l'humanité new-yorkaise, boit sa première tasse de café ; au même moment, à deux coins de rue, quelqu'un s'en est allé interrompre Cole Porter dans sa grasse matinée entre son couplet et son refrain : lui aussi donnera bientôt, avec la fertilité qui est la sienne, une demi-douzaine de chansons sur des thèmes maritimes, la ballade du Bigorneau, le chant des Moussaillons, un cake-walk, un charleston, des huit-pieds, des pentamètres, il donnera à Moby Dick la fleur de ses calembours haut de gamme. Neuf heures à peine et les danseuses font leur échauffement – Achab tiré par la manche jusqu'au théâtre voit des panneaux grands comme sept fois sa taille se déplacer de gauche à droite puis de haut en bas, Formose apparaît derrière Fidji, on envisage de souffler dans un cor pour annoncer le cachalot, un chorégraphe montre à Clifton Webb (il s'agit bien de Clifton Webb) comment interpréter le deuxième second à la scène 5 du premier acte ; au même moment, pendant qu'ils parlent, des comédiennes montent sur la scène, elles s'appellent toutes Dorothy, nées à la fin du siècle d'une floraison spontanée de Dorothy, Dorothy Stone, fille de Fred Stone, Dorothy Loudon, Dorothy Francis et trois ou quatre Dorothy de reste en train d'essayer des costumes (Achab a touché le gros lot, la musique sera de Jerome Kern : il a huit doigts sur son piano et se demande quel nom leur donner). Bon, cette fois, ça y est : *Moby Dick* est en route, on trouvera dans un rien de temps une rime à *There she blows*, ce n'est plus qu'une question de minutes – des petites mains compétentes[1]

---

1. Combien de petites mains à Broadway ? ces petites mains compétentes.

rédigent un contrat pour chacun, pendant ce temps-là Mrs Miller se gargarise, Cole Porter se creuse les méninges, les méninges les plus séduisantes en ville, l'agent parle à son vieux client à voix basse espérant rejoindre sans bruit ces dialogues d'affairistes à millions, ou d'agents secrets, ou de malins escrocs, qui chuchotent tous, indiscernables les uns des autres – ces contrats, copiés au propre sans une erreur, on les signera, dans l'heure, ou d'ici à demain, après-demain au pire. Après-demain devient la semaine prochaine, l'ex-capitaine Achab ne saura pas pourquoi (il ne sait jamais pourquoi les faits adviennent, il a pris l'habitude de recouvrir la 42ᵉ Rue de son ignorance, elle et ses théâtres, et ceux qui, mystérieusement, les habitent) – il n'y a plus d'encre dans les fontaines, ou bien l'encre vient de geler, ou le papier fait défaut, ou bien il reste une coquille et la secrétaire est partie en vacances, un lieu désert entre Formose et Fidji – une autre semaine passe, une autre encore, Oscar Hammerstein renonce, Cole Porter est introuvable, il est retourné à Paris pour y regretter New York, un gros rhume a eu raison des filles appelées Dorothy, la jeune Miller n'a pas jugé de son goût la courtoisie du vieux Werrenrath, le chorégraphe a attendu sa paie puis a cessé de l'attendre, on l'a vu une dernière fois dans les vestiaires, après quoi l'histoire de la Comédie Musicale à Broadway semble perdre définitivement sa trace; les danseurs passent de trente-six à dix-sept, puis quatre, les décors glissent dans l'autre sens, Achab les regarde glisser, il n'est plus question de Formose; Richard Rodgers refuse de remplacer Jerome Kern; Russel Crouse, Howard Lindsay, P. G. Wodehouse et Guy Bolton ne répondent pas au téléphone, Achab orphelin fait passer de sa main gauche à sa main droite les trois feuillets d'un livret interrompu à la scène 2 sur la phrase *Payer est le pire fléau que nous ont infligé les margoulins du Paradis terrestre*, se demandant si elle est une réplique, une didascalie, un commentaire privé ou la première ébauche d'une lettre de démission – le vendredi suivant, on déplore un départ d'incendie, la légende veut (ces événements misérables ont eu le temps en moins de quinze jours de devenir une légende) qu'Ethel Merman, gouailleuse favorite de Cole Porter, au milieu de cet incendie, plus culottée que les flammes, ait prononcé l'un de ses chapelets d'injures qui a fait rougir même les pompiers arrivés trop tard pour sauver la baleine, découpée dans du bois léger (une idée de Joseph Urban[1]).

Achab capitaine du *Pequod*

Il a recours à la rancune pour se conformer à toutes les situations : une sorte d'espéranto de l'attitude et des émotions : rancune convertible en curiosité ("Achab passe son Diplôme", "Achab et l'Anatomie Comparée"), en ruse ("Achab joue au Poker"), en fermeté ("Achab fait tonner le Tonnerre"), en mystère ("Achab et les livres d'Hermès Trismégiste"), en fougue ("Achab contre les Pirates"), en mémoire ("Histoire de ma Vie"), en prophétie ("Imprécations et Vœux"), en sensualité ("Achab reprend Épouse") (comment Achab passe de la rancune à l'amour sensuel, ses marins auraient du mal à le dire, ils tentent de tisser des liens entre rancune, entêtement, exclusivité, passion dévorante, puis cheminent de la passion au sentiment amoureux tel qu'on peut le concevoir sur un vieux baleinier après des mois d'absence).

---

1. Le décorateur, lui-même aussi gras qu'un marsouin.

La rancune est aussi un substitut acceptable à la joie de vivre (ou au désir de vivre) (après des années passées sur un voilier, on s'habitue à l'ersatz, l'ersatz de café et de toute chose, on y prend goût, on finit par le préférer à l'original) : sans la rancune composée de toutes pièces, pas de plan de chasse pour le surlendemain, pas d'énergie pour se réveiller, ni d'énergie pour croire, je ne dis pas en Dieu mais en la moindre chose, son couteau à couper le fromage par exemple, et aucune raison de se désigner d'avance rescapé des naufrages. La rancune pourrait aigrir, au contraire, elle est un enchantement, l'huile aux rouages et l'eau lustrale, elle est la jouvence même : Achab le Rancunier fomente ses grandes vengeances pour guérir ses rhumatismes, il crapahute, il grimpe tout en haut du mât – on croit qu'il veut attirer la foudre une fois de plus[1], c'est une de ses nombreuses manies, en vérité il rend au ciel (je le cite de mémoire) le trop-plein d'électricité reçu des dieux à son berceau.

Si Florenz Ziegfeld était tombé sur l'ex-capitaine Achab

[1893]   Florenz Ziegfeld avait tenu au bout d'une chaîne en or Eugen Sandow, l'Homme le Plus Fort du Monde, aussi appelé sur les affiches, si nombreuses, l'Homme Parfait (sans jamais dire où se tenait telle perfection, la perfection de cet homme-là en particulier et celle des hommes en général, dont il était le bon modèle, déguisé en dompteur de tigres : sous le bras, dans un creux ? ou les épaules, ou la poitrine, ou l'aine, qu'il avait étonnamment musclée ?). Après des années de bonne entente – fraternité de Monsieur Muscle se

---

1. De la poudre de lycopode, éclairs des théâtres rustiques.

donnant en spectacle et de Maître Ziegfeld imprésario des imprésarios – l'animal de foire préfère suivre son chemin tout seul : Eugen, qui aimait dévoiler les fermetés de sa chair en petit maillot de bain, se souvient être né allemand, il reprend dans l'autre sens le bateau pour l'Europe, choisissant de disparaître sous une apparence plus replète, en redingote, au cœur de son vieux continent. Florenz Ziegfeld se retrouve seul à Broadway, avec ses dollars, ses dollars possibles et ses dollars réels, occupé à se demander si ça vaut la peine de réinventer pour la sixième ou septième fois l'art de la publicité, ou s'il vaudrait mieux désormais investir son argent (sa fortune) dans la pierre, la pierre dure – celle dont on fait les immeubles. (Ceux de Tin Pan Alley par exemple, les maisons hautes et serrées les unes contre les autres et flanquées d'escaliers – elles donnent refuge à toutes les petites et grandes maisons d'édition musicale de la ville, à savoir, à l'époque où Ziegfeld fait danser Monsieur Muscle sur un seul pied, des éditions de portées musicales, pas encore de disques en cire noire – les immeubles sont lourds, et fixes, ils ont quinze à trente pieds de maçonnerie sous la terre, ils ont des poutres et un paratonnerre, et la pierre ou la brique qui les consolide ferait la fortune d'un investisseur – là-dedans, les musiciens, leurs agents, les marchands de pianos, les compositeurs débutants, les génies sans le sou, les bateleurs, les mauvais pianistes, les accordeurs formés sur le tas, les découvreurs du talent des autres, les filles des futures *chorus lines*, tout cela est le contraire de la pierre et la brique : l'insolidité même, le passage incessant d'une pièce à l'autre, des bruits de cornes et de casseroles, des vocalises et des coups de poing donnés au mur ; les vitres tremblent pendant qu'on chante, chaque jour on retrouve une fenêtre avec son cadre aux pieds d'un violoniste, qui prenait l'air devant le porche.)

Avec l'argent gagné sur le dos de son Monsieur Muscle, Florenz Ziegfeld aurait pu choisir la pierre, en effet, il aurait glissé une pièce d'or sous une première brique pour s'attirer la chance, et après ça, il aurait suffi d'attendre, de voir s'élever les buildings, les uns au-dessus des autres, se faisant de l'ombre sous le ciel bleu sec de la ville – c'était l'époque des constructions, il fallait ça, des entrepreneurs, qui parient gros à la roulette, et des hommes des premières nations sans vertige assis sur des poutrelles, dominant la rue de trois cents pieds sans beaucoup d'égards pour ce vide qui ne doit pas être le vrai vide, le vide pour de vrai. Seulement, Ziegfeld est un imprésario, il a entendu des jeunes gens avec un petit talent taper sur des pianos, il a appris à faire la différence entre une chanteuse, une bonne chanteuse et un génie ; il a vu comment les foules aiment se laisser inviter, et par quoi, par combien de cuisses de femmes ou de filles, la jupe raccourcie sous prétexte de reconstituer les raffinements de la Grèce ancienne. Lui-même a dû se courber sur un piano, mal assis, le tabouret trop haut ou trop bas, ou trop dur, l'autorité de sa mère Ziegfeld dans son dos, jamais loin, de la longueur d'un manche de poêle à frire : il a su ce que c'est, enfoncer des doigts privés de grâce dans des touches de bois infiniment plus douées qu'eux, des touches au courant de la musique, initiées à ses arcanes, mais ne cédant rien, ne faisant aucune concession et ne partageant pas une miette de leur savoir – il s'en souvient, des touches de piano droit qui refusaient de faire l'intermédiaire entre Florenz Ziegfeld et la musique.

Non, Mozart n'était pas né sur un tabouret dans la maison des Ziegfeld : partout ailleurs sauf ici même, à Salzbourg pour enchanter l'archevêque réincarné, à New York, dans le Bronx et dans la peau d'un Noir, qui fera des miracles même en appuyant son doigt sur le bouton de la sonnette. Reste la conviction de trouver dans la musique puis dans le show-business, au lieu du Salut ou de la Joie de Vivre, l'occasion de faire des bénéfices : la banqueroute peut-être bien, c'est vrai aussi, des paquets de cent trente mille billets à l'effigie d'un Président aspirés par un trou et qu'on ne revoit plus, mais sur un coup de dés, un seul, la fortune obscène des entrepreneurs de spectacles, de quoi s'offrir douze transat-lantiques entre Paris et la rivière Hudson, et tous les soirs à table, au râtelier, avec des cantatrices reconnaissantes (disons plutôt en compagnie de la reconnaissance des cantatrices).

Après Sandow l'homme fort (un spectacle un peu som- [1920 et suiv.] maire : soulever un spectateur au bout d'un seul bras, puis faire bouger ses muscles, chacun indépendant de l'autre), Ziegfeld a parcouru la ville à la recherche d'un nouveau talent, c'est-à-dire d'un phénomène "situé entre l'être et le faire" : l'homme éléphant par exemple, mais l'homme éléphant s'il sait aussi jouer du trombone. On dit qu'il a trouvé sur la 42ᵉ Rue un philosophe venu d'Europe centrale, de la famille des tribus perdues d'Israël, capable de réciter Baruch, peut-être même d'interpréter une chanson du shtetl, à condition qu'on le presse, et puis très grand et maigre, d'une raideur de pilier qui porte le métro aérien, assez pour recevoir le titre d'homme girafe chez Barnum. On dit qu'il a tenté de l'associer avec un mandoliniste aveugle, avec un ventriloque, puis il a fait danser pour son public payant une fil-de-fériste, en jupe, placée six pieds au-dessus des fauteuils d'orchestre, mais qu'elle s'est enfuie la veille même d'être enfin rentable – il a alors tenté sa chance avec un joueur de banjo, avec Monsieur Mémoire, avec une médium, avec un couple de lanceurs de couteaux habillés à la mode de Buffalo Bill mais épuisés le soir à force de disputes ; il a tenté la femme à barbe et l'homme-tronc, il a renoncé à lui apprendre les rudiments du cor, il a eu l'idée de racheter une danseuse, avant de rencontrer Achab, enfin Achab l'homme scarifié aux yeux d'aigle debout sur une seule jambe. L'aventure n'a pas duré, mais l'idée était bonne, l'une de ces idées qui viennent à l'esprit de Ziegfeld ou de ses concurrents mais laisseraient pantois le reste des hommes – Florenz s'était imaginé (ou s'imagine encore) le spectacle du marin à une seule jambe, le taciturne, qui souffle dans un harmonica avant de vous rejouer le combat contre un fauve : son combat victorieux.

Il aura beau se démener sur un seul pied, Achab n'est pas un danseur de claquettes, il ne peut pas l'être, passer du talon à la pointe ne remplace pas l'agilité sur deux jambes offerte par la muse (Terpsichore ? non, Calypso ? non plus) ; il y a au moins chez ceux qui marchent sur leurs deux pieds la possibilité de faire illusion, l'illusion de ne plus tenir fixé à la terre à l'instant de passer d'un point d'appui à l'autre (Achab en a déduit que l'envol est le mensonge des hommes qui savent changer spectaculairement de pied – mais il a déduit tant de choses). Non, Achab n'est pas un homme pour Ziegfeld, pas assez musclé pour remplacer Eugen Sandow, pas assez maigre pour faire l'athlète de la faim, pas assez de tatouages non plus, rien à montrer en ménagerie (il y a bien une tache d'encre, elle est accidentelle).

Le capitaine sur le Pequod et le crépuscule de l'aube

[1891-1910]   Achab redoute longtemps l'aube, il y voit l'adversité blanche "comme un linge" (et le linge blanc "comme un mort"), il y voit aussi la preuve qu'il n'a toujours pas réussi à s'émanciper des cycles de sommeil et de recommencement. Plus tard, sur la terre ferme, il sera réconcilié, il en fera l'éloge – en attendant, il réserve rancune, peur et volonté vengeresse au crépuscule du matin : il lui adresse ses malédictions, il lui reproche son réveil après une nuit de répit, il lui promet la vengeance de l'homme persécuté, l'innocent, l'épuisé, à l'encontre de ce qui le persécute, il lui chante ses chants de marin et, debout face à cette ligne d'horizon blanchie, il exorcise le petit matin, comme s'il était le porteur des mauvaises nouvelles. (Toutes les imprécations adressées par le vieux fou à la baleine, adressez-les au petit matin[1], vous savez, le tout petit matin désagréable, pas l'aube acidulée réconfortante de l'Arcadie, pas celle d'Ovide qui égaille des amants dans Rome, un là, l'autre ici, la fleur aux lèvres, pas l'aube des conquistadors quand ils ont encore de l'espoir ni celle des tablettes vierges et de l'esprit dépouillé de tout (l'absence d'intelligence permettant toutes les intelligences). Non, c'est l'aube d'un acharné, sans toutes ses couleurs encore, qui montre sans ménagement l'étendue du désastre : Achab pointe ses armes vers une lueur détestable, il fulmine mais la baleine n'y est pour rien, elle arrivera bien après, elle jouera aussi bien son rôle.)

Quand le capitaine prophétise le retour du matin détesté après la nuit, quand il le fait cent fois de suite, il n'a pas de mal à se forger une réputation de grand oracle : tout le prestige des astronomes prédicateurs d'éclipses lui revient (les savants à Babylone, par exemple, qui se couchaient tard et se levaient tôt), et encore l'éclipse est un phénomène rare, l'aube arrive tous les jours, et tous les jours le miracle de l'obéissance du monde à la prophétie du prophète. C'est

---

1. *Adressez-les au petit matin* : même sous forme de citations.

à chaque fois une histoire simple : le capitaine se lève, il assigne l'est à l'aide de sa boussole, puis il commande aux météores, le petit matin se montre, aucun rendez-vous manqué en vingt années de ce rituel (ou cirque), on dirait Lucius et sa chandelle répondant à l'appel de Brutus dans *Jules César*, ou un fantôme convoqué par quelqu'un de la famille. L'effet est facile, pas un marin vraiment dupe parmi tous les hommes d'équipage, qui accordent leur admiration en gage de sympathie ; le capitaine n'est pas dupe non plus, l'absence de duperie rend les cérémonies plus belles encore, parce qu'il faut compenser le manque d'enthousiasme par la précision des gestes – quoi qu'il en soit, voilà le petit jour, il est blafard, on l'avait prédit, il est temps de le pourfendre, après quoi la vie continue, chacun prend son quart, ceux qui veillaient s'en vont se coucher, et inversement.

Un matin (c'était, on doit le dire, un beau matin : véritablement matin, et beau contre toute attente), le capitaine Achab comprend qu'il se trompe d'adversaire, il se l'est choisi falot et brumeux, diaphane mais inconsistant : cette aube de fumées, de paupières, et d'atmosphère troublée, on ne peut pas lui enfoncer une épée dans le corps, Quichotte ne dirait pas le contraire – alors, au lieu de l'aube, mais tout aussi démoniaque et blanche, ce sera une baleine : le capitaine la veut de mauvais augure, et qu'elle apporte aux hommes, comme un cadeau empoisonné, le jour qui vient.

Si Florenz Ziegfeld était tombé sur l'ex-capitaine Achab,
suite

Florenz Ziegfeld avait assez de talent pour faire de l'or avec un simple unijambiste, de l'or – Achab n'est pas, hélas, l'homme éléphant qu'on a vu triompher à Londres derrière puis devant un rideau, ce n'est pas l'homme-tronc, objet de toutes les pitiés et de certains fantasmes (le fantasme est commisération, et vice versa), ce n'est pas l'indéchiffrable inceste des sœurs liées par la poitrine (l'énigme, selon Ziegfeld, d'un éternel tête-à-tête "sans jeu d'échecs entre les deux"), mais enfin, que voulez-vous, il faut bien faire avec ce qu'on a. Ziegfeld aurait pu (il est l'homme du pouvoir et l'homme du *aurait pu*, mais bien souvent le *aurait pu* l'emporte sur le pouvoir) convaincre Achab de retirer chaque soir sa béquille pour se montrer sur une seule jambe, avec cet air de grue dans l'attente d'une proie nouvelle, ou bien d'un prédateur – aurait pu construire tout un spectacle sur la jambe de bois d'un côté, de l'autre côté l'unijambiste, comme s'ils allaient danser ensemble ; aurait pu dresser des affiches, Achab, ou quel que soit son nom à ce moment-là, et faire passer la mutilation pour une fantaisie de la nature à la naissance, l'inverse du prodigieux homme de l'île de Man, pas moins prodigieux – il aurait pu faire tenir Achab sur une scène, lui demander de lever le genou, désigner de son genou le vide devant lui, et accrocher à cette absence une longue histoire, réinventée selon le public. Combien de fois Ziegfeld a tenté de tracer sur une feuille au crayon les lignes d'une chorégraphie pour homme à un seul pied – la gavotte n'en parlons pas, ni la tarentelle, mais quelque chose comme le fox-trot, ou le charleston, ou le one-step : c'était fait pour Achab, ça, le one-step.

"L'histoire est faite d'occasions manquées" : on raconte que le soir où le vieux capitaine se décide enfin, Florenz Ziegfeld renonce : tant pis pour les récits de lions mangeurs d'hommes, au diable, au diable, l'unijambiste et sa tête de cochon taillés dans du bois d'azobé, le bois le plus dur, qui ne consent à rien, pas même à la putréfaction – au diable : il ne veut pas convertir sa mélancolie d'homme mutilé en spectacle pour les New-Yorkais du samedi soir, eh bien soit, point de conversion, et pas de spectacle, les choses resteront identiques à elles-mêmes (Ziegfeld est un imprésario comme les autres attaché à la valeur nominale et réelle d'un billet de 100 dollars, mais il est assez sensible à la beauté du monde pour savoir que le spectacle commence *si et seulement si* les choses cessent d'être identiques à elles-mêmes). Aussitôt, le vieux capitaine retourne à sa mousse de bière, il s'en sert de miroir, Florenz Ziegfeld se tourne vers des comédiens plus ingambes (je le cite), des débutants, plutôt des débutantes, des danseuses dont on verra bientôt le nombril, avec dedans un bouchon de cristal ; plusieurs filles blondes prêtes à danser sur de hautes jambes : tout le contraire d'Achab.

Vénérable Moby Dick à la chasse au capitaine

Le cerveau d'une baleine occupe une partie restreinte de son corps, il convient de faire avec ces proportions humiliantes (elles ne disent rien pourtant de son intelligence ni de son acuité, maintenant défaillante). Pour l'immense poisson, Achab est une silhouette comparable à bien d'autres silhouettes d'hommes, la forme d'une allumette brûlée à contre-jour, sécable, tourmentée, renflée vers le haut pour suggérer le dessin d'une tête et soumise à de faibles forces : une allumette. Depuis la haute mer, à regarder les côtes, pas un seul Achab mais des millions d'Achab, de la Chine à l'Amérique du Sud, pas un îlot où l'on n'en trouve au moins trois qui piétinent sur la plage : rien de plus ressemblant à un être humain qu'un autre être humain, leur concorde repose là-dessus, le prédateur le sait, sur la répétition des motifs : aussi bien, à l'heure qu'il est, Achab se trouve ailleurs, il s'appelle Livingstone et il se fait discret, il ne veut pas qu'on le reconnaisse, priant où il a échoué un dieu assez plastique, celui qu'on lui propose, pour donner le change aux papistes puis aux presbytériens. (De si loin, impossible de savoir précisément ce qu'ils font là, ces hommes debout, devant la mer : ils attendent la pêche miraculeuse ? le retour du Dieu sauveur, on en parlait à l'instant, ou son cadavre prenant la forme d'un cachalot échoué ? sinon le retour d'une bouteille vide jetée à l'eau il y a de ça dix ans pour le plaisir de voir si toute chose abandonnée revient à son point de départ ?) Et voilà pourquoi Moby Dick se trompe si souvent : de bonne foi, elle croit voir le vieil Achab, une lampe sur un pied coiffée de son abat-jour ; elle se fait justice sûre de bien faire, en emportant loin avec elle un patriarche de Crète qui attendait la mort – la mort, certes, mais enfin, pas sous cette forme.

Elle fait des ravages en quelques années dans les communautés, comme si elle prenait plaisir à reconstituer des mythes locaux, ces histoires de monstres venus de la mer à qui on doit livrer des villageois en pâture (la légende parle de jeunes gens, plus frais et plus disponibles ; Moby Dick choisit des octogénaires par souci de cohérence, pas par goût du pain rassis). (Dans certains villages, les maires consciencieux conseillent à tous les hommes "d'un âge avancé", vêtus de noir, boiteux, à chapeau, et seuls, de ne pas s'approcher de la plage, les jours où certaines baleines croisent dans les environs : on a déploré trop de victimes déjà, il y a eu le glas, des familles détruites, sans compter les problèmes d'assurance : le rapatriement d'un corps avalé en Écosse relâché en Asie.)

Achab change de côté

Le capitaine a vu certains voisins quitter un quartier où ils accumulaient depuis quinze ans des ardoises auprès de tous les corps de métier, de l'épicerie au dentiste, ardoises en signe de familiarité, de confiance liée à la routine, devenues hélas de lourdes pierres de tombe en signe, cette fois, de rigueur comptable ennemie de la pauvreté et d'une vie au jour le jour – partis de ce quartier vers un autre, d'un autre coin de la ville, mais tout aussi bon marché, moins de Polonais, plus de Grecs, sinon le contraire, où leurs ardoises sont encore vierges, sans une seule trace, et extrafines, d'une transparence de vitrail et de jambon de Parme[1]. Reporter au lendemain le règlement des dettes y est à nouveau possible, comme du coup la familiarité du client, la confiance de la maison renforcée par la routine, la clochette de la boutique – on en fait varier les tons pour ne pas avoir l'air de revenir trop souvent sans payer (varier les tons, c'est déjà le début de la gêne). D'autres voisins ont fui dans des camions de déménageurs une mauvaise réputation ou un ex-petit ami dévorateur; quand vient son tour, le vieux capitaine ne change pas de quartier mais de ville, ce n'est pas une question d'ardoise devenue pierre tombale mais de "foi en l'avenir" et de "perspectives nouvelles" et de "premiers contacts fructueux" – toutes ces formules puisées semble-t-il d'un énorme bouquet de fleurs sous forme de petits cartons pliés en deux avec un compliment suivi d'une signature (en vérité, ce sont les conseils de son agent: puisque les affaires ne prennent pas à Broadway, le moment est venu d'affronter

---

1. Voir plus haut: il est question de salami.

Hollywood, et s'y épanouir, et friser en coup de vent la moustache de Clark Gable).

Chacun son jour, voici venu le sien : le 13 avril, Achab [1934] revend sa boussole à un brocanteur et adopte le nom de Thomas Nickerson ; le 14 un train suivi d'un autre train, suivi d'un autre, le conduit de la côte est à la côte ouest, des imperméables aux polos à manches courtes rayés de bleu et vert.

Achab à Hollywood, en amateur
(ou : Achab assiste au passage de la mer Rouge)

Sur le bord d'un bassin à Hollywood[1], le capitaine assiste (en amateur) au passage de la mer Rouge par six mille Hébreux : le bassin au moins aussi grand que la mer Rouge, les Hébreux à peine moins nombreux, et composés d'Italiens, de Mexicains, d'Irlandais, d'enfants de Haarlem en Hollande, de Français remontés par le Saint-Laurent, de Polonais et parmi ceux-là, comme parmi les autres, quelques hassidim, ce n'est que justice, émus d'être ici, dans ces costumes, se demandant à quoi ressemble un Hébreu du temps de Moïse. Cecil B. DeMille sur un côté du plateau, conscient du risque (enfin, on l'espère) de confondre Dieu le Père avec un réalisateur de long métrage à six mille figurants, soulagé à l'idée que les six mille figurants, les questions de ravitaillement, de sécurité, le coût des bobines, les soucis de câbles et de maquillage, l'heure qui file et la surveillance des syndicats éloignent un réalisateur de son orgueil de Iahvé tout-puissant (Il connaît le nombre de nos cheveux, Il a dessiné le chemin de chaque mouche

---

1. 34° 6′ 0″ Nord, 118° 20′ 0″ Ouest.

depuis le commencement jusqu'au jour d'aujourd'hui, mais Il n'a pas dix mille sandwichs à distribuer). (Un seul Hébreu fugitif aurait été plus facile à diriger, comme un solo de flûte à bec, et sa marche de solitaire courageux au milieu des eaux qui s'écartent aurait pu émouvoir : tant d'héroïsme et de solitude à la fois – mais Iahvé n'aurait jamais fendu la mer pour si peu.)

Achab à Hollywood – les Délices du Capitaine Cachalot

[1934]   Le capitaine refuse de faire le comédien, même un petit rôle de marin qui tendrait sa pipe au vieil Achab, se bornant plutôt à se tenir derrière la scripte pour voir comment on fait naviguer un baleinier entier dans une piscine. Une seule fois, il s'est retrouvé maquillé devant une caméra de la taille d'une broyeuse à grains, la lumière dans les yeux, assis sur un tabouret trop petit en forme de champignon : avec pour devoir de faire le panégyrique d'une boîte de sardines à l'huile, cinq sardines par boîte exactement, intitulée *Délices du Capitaine Cachalot* – dans son éloge, tout ce que l'océan peut contenir de merveilles, et une manière assez hardie de comparer la sardine à l'ambroisie, l'huile au nectar, allez savoir ce que ça cache, et le mélange des deux à une extase roborative réservée aux dieux, scellé par Prométhée dans des usines du Massachusetts, le tout petit Massachusetts. Le contenu de la boîte, ce très léger roulis d'huile végétale dans la paume de sa main, ça suffit pour lui donner le mal de mer – la fermeté de la boîte en fer-blanc et la présence du Capitaine Cachalot n'y peuvent rien : Achab devant la caméra rend à la sardine un hommage désabusé, indécis, façon de passer par-dessus bord.

Une baleine à Hollywood

Vendre son histoire de poisson aux grandes compagnies hollywoodiennes, d'accord – reste à savoir si le studio contiendra la baleine, ou la baleine le studio, si d'ingénieux ingénieurs parviendront à résoudre ces histoires de contenu et de contenant, si l'on se contentera de repeindre un entrepôt, de le remplir d'eau aux trois quarts, d'animer de vastes plateaux posés sur des vérins, de faire pendre des algues au plafond, de faire ruisseler des restes de naufrage, pour déguiser un bâtiment de douze cents mètres carrés en monstre marin.

Dans les ateliers : il doit toujours être possible de construire un appareil, appelons ça un appareil : dresser une charpente haute comme sept hommes superposés, l'entourer d'une toile blanche et donner à l'ensemble une forme de mammifère marin un peu comme ce vieux fou de Dédale, il y a longtemps de ça, alléché par la paye, avait mis au point son effigie de vache (qui était aussi un costume, et un véhicule) : y prenait place la reine Pasiphaé pour vivre ses amours à l'abri des regards, amours capitonnées de partout. Les studios décident de réunir les décorateurs, les costumiers, les accessoiristes, les petites et grandes mains des effets spéciaux, pour faire vivre la baleine, du moins l'illusion de la baleine, de n'importe quelle façon : au cours des séances de travail, tous ces talents se demandent si Moby Dick sera un figurant, un accessoire, un costume, un décor, une toile peinte, une transparence, un extrait de documentaire, une ligne de dialogue, ou un concept illustré par des éclairages.

De la versatilité des scénaristes à Hollywood

Ces messieurs de Hollywood sont indomptables[1] : ils se tiennent assis dans leur fauteuil entre un coffre-fort et un saltimbanque en se prévalant d'une double nature, mi-coffre, mi-saltimbanque, ce qui est monstrueux – mais certains monstres vivent longtemps avant de reconnaître leur incapacité à vivre. Ils sont susceptibles et versatiles, plusieurs logiques contradictoires président à leur réflexion, la logique du compte équilibré (bénéficiaire) et les règles du spectacle : ils voudraient ramasser l'une et l'autre en un système unique, harmonieux, harmonieux autant qu'un couple d'escargots à l'heure de se reproduire (se congratuler, par la même occasion) – des physiciens, au même moment, cherchent à unifier en une seule loi les quatre forces fondamentales de l'univers (pourvu qu'il n'y en ait pas une cinquième).

Versatiles surtout : chez eux (les scénaristes et les producteurs quand ils se mêlent du scénario), une histoire, même la plus simple, en trois lignes, ne se fixe jamais : s'il est question d'un jeune homme abattu de sang-froid la nuit par une femme fatale, quelqu'un trouvera plus judicieux de remplacer le jeune homme par une jeune fille, la nuit par un après-midi de soleil de Californie, la mort par la révélation amoureuse, et la femme fatale par un homme marié, après quoi, le même ou quelqu'un d'autre jugera plus pertinent (pour des raisons de bon goût, de commerce, de censure, de fantaisie, de droits d'auteur, de contrat avec la vedette, de décor disponible, et aussi pour satisfaire un petit rêve d'enfant), plus pertinent de remplacer *jeune* par *entre deux*

---

1. Il s'agit bien des producteurs.

âges, *soleil* par *orage*, *Californie* par *Chicago*, *révélation* par *désir charnel* et *homme marié* par *éternel célibataire*. Deux heures plus tard, il sera question d'un rhinocéros ; le premier scénariste voudra y faire paraître les traits de son jeune homme abattu de sang-froid. De la même façon, autour d'une table (ils travaillent en équipe), la formule Un Vieux Marin Têtu poursuit une Baleine Blanche est devenue, à l'heure de rentrer chez soi, Un Orphelin Abandonné à la Naissance épouse sa Mère par Erreur – après quoi quelqu'un déclare une fois de plus que la nuit porte conseil.

L'immense poisson selon un non moins immense producteur

Très bien, la baleine blanche, très bien (disent les producteurs ; ils savent ce que vaut une pièce de 25 cents et comment se construit une histoire, le début, le milieu et la fin, la résolution, le morceau de bravoure) : votre baleine fait l'affaire, elle ranime des hantises profondes, individuelles et collectives, et ça tombe bien : le mélange de collectivité et d'individualité (disons de certitude du moi en tant que moi) est l'un des moteurs de notre industrie : nous faisons chaque jour le panégyrique de l'individu, par exemple l'individu Capitaine-Achab, ça ne nous a jamais empêchés de compter sur la joyeuse, spectative grégarité des foules dans les salles de nos cinémas – la foule, comprenez-moi bien, le peuple ratissé large, depuis le cireur de chaussures jusqu'au professeur à Princeton, la foule aux mille regards convergeant vers un seul point d'un pouce de diamètre, sur un écran : il faut bien que ce point d'un seul pouce suscite l'intérêt. Quand la comédienne Rita Flowers, encore starlette mais très prometteuse, en plus de sa diction impeccable (et de son

[1935 toujours]

it Clara-Bow) se présente sur un écran de trente pieds par vingt-deux avec un pendentif en forme de noisette entre la gorge et le sternum, eh bien Rita Flowers tient fixé à sa noisette l'ensemble du peuple d'Amérique, en éventail, chacun lié d'un seul rayon (c'est une façon de s'exprimer).

Votre baleine elle aussi saura tenir l'ensemble des minutes et l'ensemble des spectateurs en demi-cercle autour d'elle, chacun d'eux consentant, sensible au consentement voisin ; elle pourra apparaître et disparaître, tant mieux pour elle, tant mieux pour nous, la maison compte sur les scénaristes pour ménager les apparences ; sa blancheur la rendra visible et reconnaissable, deux des plus hautes vertus du cinématographe, la première engendre les comédiens, la deuxième des graines de star – elle fait aussi progresser le récit. On pourra faire patauger le poisson dans nos piscines, il y succédera à toute une faune de caoutchouc animée par nos techniciens, la créature du lac, le monstre venu d'Écosse, la chose tombée du ciel en éclaboussant, elle aussi, ou remontée des profondeurs, ce n'est pas l'imagination qui manque – après ces créatures, une baleine sera sobre, comme un retour à l'harmonie classique après la dispersion dans le rococo vert et mauve de la science-fiction (*rococo* n'est pas le mot juste, n'empêche, si on avait la couleur, nos fantaisies de monstres marins emprunteraient leurs teintes aux toiles de Gustave Moreau).

Sa couleur blanche est une trouvaille, elle nous changera de l'obscurité, et puis sa taille est une aubaine puisqu'elle occupera tout le cadre, une promesse d'économie : tout autour d'elle, pas besoin de décor, quelques nuages de l'hémisphère Sud en trompe l'œil, le reste sera suggéré par une bande-son d'une richesse, je vous le garantis, remarquable, mouettes et goélands, chants de marins, monologues, propos sur la vicissitude. Bien sûr l'océan, pour ne rien vous cacher, est un vaste souci (puisqu'on parle de vicissitude) : on a appris avec le temps à le suggérer lui aussi, comme on suggère tout le reste, ça contribue à notre charme, l'amour en ombres chinoises – et croyez-moi, suggérer l'océan quand on a grandi comme moi en Arizona, c'est un sacerdoce, et immédiatement après une fierté – seulement avec ou sans fierté cela suppose des piscines et des vagues, des caméras étanches, des contrats d'assurance, une cinquantaine de figurants et, pour chacun, des remèdes contre le mal de mer. Alors, pourquoi ne pas emmener les aventures océanes un peu plus du côté de la terre ferme, là où les pieds de nos caméras reposeront sans glisser ? et dans ces circonstances, pourquoi ne pas faire de votre Moby Dick un mammifère, toujours, mais terrestre, en toute logique, sans son jet d'eau au-dessus du crâne, mais sans rien perdre de son exotisme, par exemple un hippopotame, ou si l'hippopotame manque de grâce, un singe, c'est un objet chorégraphique ; et si vous tenez à la grandeur de votre monstre, le même singe mais de la taille d'une maison de sept étages. Soit : on ne lâche plus votre grand singe, les costumiers feront coudre bout à bout des peaux artificielles, il faudra mettre au point des mécanismes pour articuler ses mâchoires, et le cameraman saura rendre expressif un œil de verre.

(Et ainsi de suite : il a fallu imaginer Moby Dick comme ce gorille de la taille d'une arche en dessous de quoi roulent les automobiles ; le capitaine trente mètres plus bas, à ses pieds, avec sa fronde, avant, bien avant d'assurer sa victoire (c'est-à-dire au moment d'avoir peur). L'idée a fait son chemin, la rancune a disparu d'une version à l'autre, l'océan a été remplacé par la forêt du Kenya, sans souci d'authenticité, les rites des tribus colonisées ont remplacé la routine des marins; puis le script a changé si souvent de mains, il est devenu encore autre chose, sur une autre table, les droits d'auteur sont tombés quelque part dans le vide entre deux planches, à quel moment? personne ne le sait.)

Dessiner les plans de la chasse

On dit qu'il (le capitaine, sur son navire) reconstitue chaque matin le chemin menant à sa baleine, un chemin fait de lignes droites reportées sur une carte, des lignes très précises mais tracées en amateur, presque en fumiste: elles dépendent de la mathématique depuis les premiers traits ébauchés de Thalès, elles lui doivent tout (les lignes ne font pas tout, il y a aussi des courbes, plus ou moins prononcées, et des chiffres à la plume, décoratifs; à mieux regarder, le chemin vers la baleine est fait de n'importe quoi – à tel point, Achab désespère parfois de lui-même et de ses méthodes après avoir tant espéré, dans l'euphorie). Son parcours jusqu'à l'animal blanc, comme son titre de capitaine, est un effort accompli le lundi, à recommencer le mardi, jusqu'au dimanche sans repos; c'est un bricolage hétérogène, tout est bon pour y parvenir et sa logique diurne et nocturne accepte de tout comprendre; on pourrait lui donner le nom de syncrétisme, histoire de convertir une pratique honteuse en art universel, dépendant du métissage et du mélange des genres. Quand il veut dessiner ce fameux parcours (ce qu'il appelle *chasser le monstre*, en prenant de l'avance), Achab sait bien ne pas pouvoir se contenter des mathématiques de Thalès, ni de la géographie de Dicéarque, ni des lignes de rhumb mises au point par les Portugais, ni du globe de la Terre-Pomme de Martin Behaim[1], ni des estimations des concurrents venus avant lui fendre ces eaux ("taquiner" le "Léviathan"), et pas non plus d'un universel savoir au sujet des baleines, les courants qu'elles suivent ou évitent, leurs repas de crevettes microscopiques, les tribus, les bancs, les saisons et ce qui leur tient lieu de transhumance : il faut aussi d'autres ingrédients, les plus incongrus les bienvenus, au nom du on-ne-sait-jamais et d'un principe de magie qui incite à ajouter de la corne d'éléphant à du soufre et du sel d'argent : le succès, cette fois encore, ne viendra pas de la cohérence mais des rencontres indésirables. Parmi ces autres choses, des prophéties de Léonard, des tirades attribuées à Sir John Falstaff, un extrait de la bile de sa rancœur authentique, un morceau de Toscanelli, un morceau de *Speculum al foderi*, un souvenir des traités de fauconnerie, le journal de chasse de François Ier, les réponses de Dieu à Job et de Job au Seigneur, tout ce qui mérite à ses yeux de figurer dans la catégorie cétologie, comprenant la lettre de l'Arétin à Michel-Ange contenant des conseils bouffons et vaniteux à propos de son *Jugement dernier*, et des souvenirs, et des malentendus qui se sont révélés précieux, des intuitions jamais démenties jusque-là, une remarque faite il y a quinze ans par un inconnu dans un pub de Londres, sur un tout autre sujet, mais qui fera parfaitement l'affaire une fois dépouillé de son contexte.

Il y met aussi : du marc de café, et les prophéties qu'on y trouve, des devises, des extraits de chansons, des formules apotropaïques, des réponses données par l'oracle de Delphes choisies parmi les plus absconses (des prophéties non accomplies, abandonnées sur le bord de la route par les clients

---

1. Où se trouve l'île de Saint-Brendan.

de retour de Delphes, récupérées plus tard par le vieux capitaine, dans l'idée qu'elles le concernent depuis toujours et pourront lui servir) – des pages tirées de livres de vénerie, d'autres pages tirées des livres de géographie qui suivaient dans sa fuite Varron chassé par Marc Antoine[1]. (Dans le geste de tracer une ligne de gauche à droite sur une carte marine, le capitaine met, on peut le dire à présent, tout ce qui lui passe par l'esprit, ses ruses, sa méchanceté, sa gentillesse hasardeuse, sa curiosité, sa magnanimité, sa nervosité de buveur de café noir, sa soif d'exotisme, sa peur, son immense lassitude, et son amour de la routine, sa désinvolture allant avec la routine, son indifférence opportune, au cas par cas : pour la baleine, pour la chasse, pour la capitainerie, pour le trait en train de se dessiner d'un bord à l'autre de la carte marine, et pour l'indifférence elle-même.)

Achab à Hollywood – de la jambe de bois

Beaucoup de scénaristes ont voulu s'en défaire, de cette jambe de bois : à moins d'un réalisateur habile (ce que d'autres appelleront un faiseur), elle est un accessoire encombrant, à peine surprenant, oublié dès la troisième scène : à partir de cette troisième scène, tout a fichu le camp, la gravité, l'épouvante et la gêne, la blessure fossile, le combat de Virilité contre Mutilation, la magie de Circé et l'autorité du croquemitaine, laissant aux spectateurs du premier rang jusqu'au dernier l'impression de voir seulement se démener

---

1. Au iie siècle avant J.-C., Cratès de Mallos, en mission à Rome pour la bibliothèque de Pergame, a failli perdre une jambe en tombant dans le grand collecteur d'égout ; il a par ailleurs construit un globe terrestre.

un comédien avec sa prothèse – tous les symboles éventés, reste la chose fixée par des courroies, la balourdise partagée moitié-moitié entre le comédien et son artifice. D'autres scénaristes y tiennent, ils rajoutent la jambe de bois dans ces versions du scénario d'où elle a disparu depuis longtemps, "passée par-dessus bord et accrochée à une bouée plus lourde qu'elle" ; ils la réintroduisent parce qu'ils en devinent la trace, pour rétablir un ordre naturel, et sinon ils l'inventent pour ranimer un deuxième acte un peu poussif – répétant partout, les studios de la Universal ont su s'y prendre pour inventer des culs-de-jatte et des manchots dont on se souvient encore, et des borgnes magnifiques, pourquoi pas nous ? Selon eux, pas de récit possible sans une bonne jambe de bois, aussi utile qu'un bon méchant – elle tiendra en haleine : inconsciemment (l'inconscient est venu un beau jour se présenter comme Gabriel au bureau des producteurs), le constat d'un grand vide sous le genou invite le spectateur à supposer (c'est plutôt une abduction) l'existence de la jambe elle-même, quelque part (étrange, adorable, effrayant *quelque part*) où le remariage d'un corps coupé en deux pourra s'effectuer, à l'épilogue.

Faire quelque chose avec cette foutue jambe, si on se décide à la garder : qu'au moins elle puisse avoir un élan gracieux[1], que les accessoiristes s'inspirent du sabot des faunes au temps où ils chassaient la nymphe, qu'on voie en elle un instrument de musique, une pièce fine retirée d'un moulin et qui garde encore en elle un souvenir du vent, ou l'une des branches d'un compas (un costumier sorti de sa réserve suggère de réemployer la corne d'un narval : d'une finesse d'aiguille

---

1. En trois syllabes, *gracieux*.

de gramophone, avec la même intelligence, assumant sans se plaindre la confusion avec la licorne).

Achab à Hollywood – prophéties, mauvais augures

On pourra décrire l'échec du capitaine à Hollywood d'après les échecs des autres, de prodigieuses déchéances, qui ont fait l'histoire du pays, et d'après ces milliers de films non aboutis dont on a recueilli le récit, en marge sur la rive – des histoires de réalisateurs virés entre la prise 1 et la prise 2, histoires de stars du muet confrontées à un microphone, à sa patience d'araignée suspendue, histoires de producteurs changeant d'avis, perdant la foi ou perdant le goût, ou histoires de vedettes mortes au premier jour du tournage, le cœur dans un flacon d'alcool ; ou histoires de décors brûlés, de scénarios maudits, de travailleur honnête inscrit sur la liste des porte-poisse, comme Katharine Hepburn en 1938. Mais la plupart du temps, c'est l'histoire plus simple de l'histoire peinant à aboutir : mal partie, mal fichue, trop longue ou courte, avec des trous et de part et d'autre de chaque trou des personnages antipathiques ; en plus de ça le script a perdu la vraisemblance qu'il avait, les dialogues font diversion, mais divertir ne suffit pas. Achab repartira bredouille soixante-dix fois de suite son manuscrit sous le bras, il tombera de la série B à la série Z, voyant venir le moment, comme l'ivrogne prêt à toutes les bibines, où il acceptera d'ajouter un vampire à sa baleine, ou des hommes tombés du ciel depuis Vénus, ou les Sirènes d'un vieux péplum[1] racontant sans y croire cette fois les voyages d'Ulysse : leurs costumes, tout en longueur,

---

1. *Circe, the Enchantress* de Robert Z. Leonard, peut-être, tourné en 1924.

se trouvent encore quelque part, dans un placard, sur des cintres, entre le studio 11 et le studio 19 – à quel moment il cesse d'entretenir l'espoir, difficile de le dire : peut-être longtemps, très longtemps avant la soixante-dixième fois.

Hollywood – le département des histoires (ce chapitre contient l'Histoire de P. G. Wodehouse)

On raconte qu'un homme avisé nommé Pelham Grenville Wodehouse[1], auteur comique, aimé de ses lecteurs, qui aiment rire et achètent ses livres, a signé un jour dans le bureau d'un chef (voisin d'un autre bureau de chef) un contrat fabuleux, comme Hollywood peut en promettre : l'aubaine contre une signature, trois mille dollars (3 000 $) par an sur un compte à date fixe, en échange de quoi Wodehouse s'engage à donner son talent sous forme d'écriture et de réécriture (trois mille, quand on y pense, bien plus que les cinq cents habituels, on se demande comment les dépenser, dans quel abîme les faire tomber). On raconte que P. G. Wodehouse s'est rendu le lendemain de la signature à la Metro-Goldwyn-Mayer, montrant son badge aux surveillants avec l'aplomb de l'homme désormais sous contrat – on dit qu'il a attendu un jour assis seul devant sa table (une petite pièce à son usage, un ventilateur au plafond), puis une semaine, puis quatre semaines, puis trois jours encore pour faire un mois complet, il a attendu, quelqu'un, n'importe qui, une secrétaire ou un archange : qu'il vienne lui apporter du travail. Il y a eu des années de la sorte, les trois mille dollars versés avec la régularité des grandes administrations royales, quand

---

1. P. G. pour faire plus court.

elles ne s'en font pas, et pendant ce temps les promenades de P. G. Wodehouse, les errances d'un plateau de tournage à l'autre, son oisiveté accomplie sur un mode incrédule, inquiet puis tranquille, l'habitude prise de ne rien faire et de croiser des acteurs habillés en Argonautes. Un chef avait remplacé l'autre, le contrat avait été rangé bien à plat sous une pile dans un coffre, le souvenir d'un homme, un scénariste appelé Wodehouse, s'était perdu quelque part, et lui, sans interroger quiconque, vivait de ses rentes ("De la générosité des hommes trop pressés de mettre d'autres hommes sous contrat").

(Il aurait pu se tenir caché, boire comme d'autres, comme William Faulkner asséché par le sel de ses mines, ou bien sortir mais se donner un air d'affairé, le pas plus rapide, avec un seau d'eau en direction d'un incendie – ou bien fumer sur le balcon, la fumée du devoir accompli.)

On dénombre d'immenses foules à la Metro-Goldwyn-Mayer, les soldats de la fourmilière comme le disent parfois les journaux, des jongleurs à dix-sept balles, des danseuses, des maîtres de ballet, des cascadeurs, des professeurs de diction, des compositeurs, mille violonistes, vingt-trois timbaliers, des hommes qui savent souffler dans les trompettes de Rome, un spécialiste du style Napoléon retour d'Égypte, tous embauchés au nom du "sait-on jamais" pour régler un problème, à un moment et un endroit précis, de jonglerie ou de baldaquin – la nuit, paraît-il, on entend se battre les épées des mousquetaires juste à côté d'un génie d'Europe centrale, encore un, qui recycle Shakespeare, Gogol et Max Reinhardt.

P. G. Wodehouse n'y a jamais mis les pieds, mais il a entendu parler d'un département de la Goldwyn-Mayer situé quelque part, allumé le jour et la nuit, plusieurs bureaux en enfilade où chaque jour soixante à soixante-dix permanents

réceptionnent, depuis le monde entier (le monde entier de
Sindbad le Marin sans doute) toutes les histoires disponibles,
sous forme de synopsis, de livres de poche, de coupures de
presse, de lettres anonymes, d'idées notées sur une pochette,
de faits divers, de publicité, de minutes de procès, de
quatrièmes de couverture, de romances assommantes, de
Mémoire pour une Utopie Universelle, de Proposition pour
Remplacer le Papier-Monnaie, de télégrammes, de cornets
à frites, de livres défraîchis, d'affiches, de programmes,
de numéros de la *Prensa*, d'exemplaires du *Quichotte*, de
romans complotistes, de commentaires sportifs, de rapports
de police, de rapports d'autopsie, de manuscrits de schizo-
phrènes, de dictionnaires des noms propres, de poèmes
objectivistes, de romans de Kawabata, de prophéties dans
des biscuits et de notices de médicaments. Cela suppose six
cents demoiselles du téléphone assises sur six cents chaises
à roulettes manipulant, branchant et débranchant chacune
vingt fiches dans des trous innombrables, face à l'armoire
d'un standard téléphonique haute comme le Parthénon,
mais du métal des calandres et large comme la frise sculptée
d'Assurbanipal au British Museum. À côté de ça, le service
postal, et des sacs de papier, les enveloppes et les lettres,
dix-sept camions par jour jusqu'aux bureaux de la Metro, et
là des relecteurs, des corbeilles à papier, la pile des admis et
celle des refusés, des classeurs par catégorie, la distribution
des histoires dans un placard ou dans un autre, et dans
divers tiroirs selon leur catégorie ; l'insolite, le fait divers,
le meurtre compassionnel, l'événement heureux, l'escroquerie habile ou sordide, le triomphe tardif, la splendeur
suivie de la misère, la coïncidence cocasse, l'amitié trahie, le
combat d'un seul juste contre les fanatiques, la biographie,
le sexe déguisé en partie de campagne, l'alibi minutieux

ou les aventures d'une garce cultivée. Wodehouse se figure les lampes et les plafonds, quand il passe le soir près des fameux bureaux sans toujours savoir s'il est au bon endroit ; il imagine l'article de journal découpé aux ciseaux traité avec les mêmes égards qu'un résumé en cinquante pages (il faut ce qu'il faut) de la *Recherche du temps perdu* ; il voit la sainte face de Léon Tolstoï à côté de la une du *Providence Daily*, et des morceaux de discours, des pages de journal intime, des livres de cuisine et d'histoire ; à côté de ça, d'autres lecteurs relisant les Anciens dans des copies fatiguées, Aristophane s'il faut remonter jusqu'à lui, ou les cent histoires de Boccace ou les farces de Poggio Bracciolini, *L'Épopée de Gilgamesh* et les *Katzenjammer Kids* – d'autres en profitent pour relire Spinoza sous prétexte d'y chercher l'idée qui fera exploser un jour le box-office. Des mémoires de vieux militaires et des romans cochons écrits par des pontes ruinés, une *Réfutation des Protocoles des Sages*, un petit livre donnant l'alerte au sujet de l'invasion de la Terre par une race venue d'un des satellites de Jupiter, le journal de la survivante du naufrage du *Titanic*, pas plus épais que le témoignage du petit-fils de l'homme qui a vu tomber Lincoln au théâtre, un résumé des pièces élisabéthaines, une vraie biographie du véritable Shakespeare en quatre cents pages et encore soixante d'annexes, un roman d'anticipation situé aux deux Pôles, la correspondance d'Amadeus Mozart et les *Carnets de conversation* tenus par Ludwig van Beethoven après être devenu définitivement sourd.

À côté d'un tas de feuilles, un homme désespéré à l'idée de séparer *faits divers insolites* de *alibis ingénieux*, et à côté de l'homme désespéré une quinzaine d'autres, l'oreille contre un poste de radio, un carnet à la main et le crayon à la bouche, décidés, eux, à faire le tri entre concours de chant amateur, nouvelles du Venezuela, questions posées par l'auditeur au gouverneur d'Arkansas, entretien avec une star de la maison à sa descente d'avion, dispute entre deux physiciens, l'un parlant de champs, l'autre de sauts quantiques, témoignage d'une dame à qui on a dû recoudre le nombril, et histoires de pendus dans les champs du Mississippi.

On raconte encore : ils passent une bonne partie de leur temps, même la nuit, à revoir les films des autres, ou des vieux courts-métrages, les leurs, pour en faire un résumé en une ligne, qui tiendrait entièrement sur le ruban d'une machine à écrire ; ils tressent les rubans, ils les mélangent dans de grandes jattes, ou les enfilent autour d'un rouet, pour voir s'ils peuvent en tirer quelque chose, par le plus grand, le plus bienveillant, des hasards.

Don Quichotte sublime la fille de ferme

Depuis sa disparition, Don Quichotte manque à la fille de ferme : il a égorgé deux de ses poules les prenant pour des soldats nains au service d'Ali Pacha, il a décapité un oranger pour lui apprendre la politesse, et cette politesse, c'était à l'égard de la vieille femme rajeunie devant des courbettes ; chaque année au printemps il a mis le feu à ses bottes de paille pour souhaiter dignement son anniversaire à Dulcinée, reine du Toboso, il lui a apporté des trophées de choux-fleurs, il a combattu pendant toute une nuit une échelle de meunier pour sauver son honneur (il l'a vaincue au matin, il l'a épargnée, preuve de sa courtoisie dépeignée), il pourchassait régulièrement son chien et a voulu la débarrasser de ses oies parce qu'elles marchaient ensemble au pas des mamelouks – mais il lui manque. Au temps de ses voyages, pour mieux dire ses allers-retours, quand il chevauchait droit en direction d'une cible connue de lui seul, la fille de ferme pouvait prétendre mériter le titre de Dulcinée, reine dans son royaume, ornée de bijoux tobosoètes : elle avait la gorge pleine, blanche, la peau nacrée, des perles au lobe de ses deux oreilles, d'autres perles dans un tiroir pour remplacer les premières et qui ne voyaient jamais le jour ; elle avait le cou gracieux un peu trop long des madones des peintres d'Italie ; sa fortune recouvrait celle de Cléopâtre, elle échangeait ses râteaux contre des palmes, ses tabourets contre des trônes, sa seule vache contre six cents gazelles plus un hippopotame du Nil ; son ventre était la fierté des dieux et le secret le mieux gardé de ses femmes de chambre ; ses amours étaient elles aussi lumineuses et tendres, accomplies dans le périmètre de ce ventre ; Quichotte en l'approchant, mais sans la toucher, retirait cinquante ans de son âge, convertissait ses verrues en grains de beauté, et s'il avait eu davantage de temps il aurait appris aux hommes à voir dans chaque varice une ombre d'eucalyptus portée sur le contour de la jambe. Il lui apportait l'absolution, il savait faire venir des quatre coins du pays assez de chèvres blanches pour remplir sa baignoire de leur lait et confier sa beauté à leur crème, et surtout il lui laissait le pouvoir de décider, en levant un seul doigt, par exemple l'auriculaire, décider de la crème, du lait, des gazelles, de la soie et de toutes les perles que même Cléopâtre n'a pas eues.

Don Quichotte rend service aux moulins

Les moulins aussi voyaient venir Don Quichotte de loin ; eux aussi en avaient entendu parler, confondaient *Amadis de Gaule* avec des histoires de grandes découvertes, ou avec l'île d'Hispaniola elle-même, où qu'elle se trouve – ils prenaient la visite de Quichotte pour un hommage et pour un vrai défi : elle les obligeait à être dignes des géants que ce fou de chevalier croyait voir. Imaginez un moulin, harcelé à distance par Quichotte, avant d'être pourfendu en vain, moulin fier de se mettre dans la peau d'un géant, pas certain de bien savoir à quoi cela ressemble, comment ils agissent et se penchent sur les hommes, inquiet à la pensée de ne jamais avoir le temps de retrouver ces livres, d'ailleurs disparus pour la plupart, où les géants, les vrais, sont décrits à la hâte, sans manière, quoique avec bienveillance, décrits une ou deux fois seulement par un homme devenu écrivain par hasard, désinvolte parce qu'il était convaincu de l'immortalité des géants (il en parlerait mieux demain, ou après-demain).

Pour Don Quichotte : le devoir de se battre, l'obsession de sauver et de rendre justice à un moment où sauver et rendre justice n'ont plus de sens (leur sens perdu dans des garrigues, soufflé par le vent, renvoyé ailleurs, soufflé encore, mal recueilli par des curés en chaire comme s'il était possible de rattraper des brins de paille en pleine tempête) – quoi qu'il en soit, la nécessité de pourfendre, et de temps à autre, peut-être, comme la main d'un inconnu posée sur son épaule, la peur de se tromper, mais de se tromper alors comme jamais, de donner à l'humanité des leçons d'erreur, à charge pour quelqu'un d'autre, bien plus tard, de trouver un contenu utile à la guerre erronée de Quichotte contre des ailes battantes (il commencera par dire que Don Quichotte, sur le chemin du retour, laisse derrière lui, de toute façon, des moulins à peine altérés).

Certains moulins restent indifférents : ce petit homme, on l'a déjà vu, on le reverra encore ; il insiste tous les sept ans, sa répétition imite mal l'éternité immobile du moulin, elle ne sera jamais à sa hauteur – l'à-quoi-bon du moulin est alors observation, patience, certains jours moquerie; dans l'univers des moulins, et pour un esprit de moulin, la charge de Don Quichotte est un phénomène cyclique mesuré à l'aide d'horloges, de calendriers et des comètes, ou des éclipses: ils ont la durée pour eux; l'idée de vengeance, de justice ou le mot *orphelin* ressemblent à une monnaie sans valeur: pourtant bel et bien espagnole, mais enterrée, parce qu'elle est l'insigne de la dévaluation. D'autres ont cet orgueil, cette bonté, de vouloir être le géant, au moins le temps d'une bataille sans importance, pour redonner vie aux géants, pour commémorer leur existence, sollicités par Don Quichotte, grand et las commémorateur, lui et ses flonflons pathétiques. Ils s'agitent consciencieusement, le sens de la responsabilité leur vient d'on ne sait où, porté par le vent, ils attendent de Quichotte l'approbation et la reconnaissance, sachant pertinemment à quoi elles ressembleront: toujours au geste de tendre sa lance, devenu avec l'habitude une offrande chiche en même temps qu'une menace – ils connaissent le chevalier, ils savent comment il leur tournera le dos, d'ici une minute: il crie victoire, il envoie au ciel comme un sac de farine crevé l'annonce de la Justice Faite, à un écuyer fils de meunier à qui les moulins ne sauraient pas mentir. En attendant la visite du chevalier Don Quichotte, une fois tous les sept ans, les moulins se contentent d'être ce qu'ils sont, des moulins – on vient leur apporter, du village, des disputes au sujet du cours du blé.

La rancune et Moby Dick

Moby Dick, elle, a su compter sur ce vieux matelot bavard perché au bord du pont pour devenir autre chose qu'un immense poisson, de qui on tire de l'huile pour éclairer des chambres: cette fois, pas le bout d'une lance, mais le bout du mât le plus grand, c'est tout comme, et après le grand mât, les deux plus petits, le navire lui-même, l'étrave, le couronnement de poupe, et sautillant sur le gaillard d'avant ce ouistiti shakespearien spécialiste des tourments de Gloucester (Richard "My Discontent" Gloucester): une seule syllabe tirée des imprécations d'Achab, et la baleine peut se prendre pour Moby Dick (elle a déduit son nom d'après les injures prononcées depuis le pont à son adresse; elle se trompe peut-être, c'est aussi bien une chanson à boire ou l'un des quatre-vingt-dix-neuf noms du diable – ça pourrait être aussi le nom du capitaine: et pour la millième fois depuis la fondation du monde la proie prendrait le nom de son prédateur).

Sans le capitaine et son acharnement, elle aurait tourné en rond (oh, c'est sûr, avec grâce), et puis se serait déposée, un jour, sans personne pour compter le nombre de ses tours; ni sépulture, ni monument, sa carcasse devenue peu à peu le sable où échoue la carcasse (pas même Omar Khayyâm venu en palmes et tuba pour graver sur ses os une sentence du type: *nous serons tous un jour le sable qui tapisse le fond des mers*). Avec le capitaine, la baleine connaît ce qu'il y a d'électrique à être poursuivi, elle finit par comprendre, elle sait appartenir à une histoire reconstituée de toutes pièces par un capitaine élevé chez les shakespeariens (toujours mieux que les jésuites); elle se fait entraîner, ou mieux, elle s'engage, elle se laisse offrir des titres héroïques, acceptant d'assumer la cruauté romanesque – le sens de la responsabilité et du jeu, elle le pousse jusqu'à faire d'elle le méchant réussi sans quoi il n'y a pas de bonne histoire, les harpons du capitaine finissent par devenir (je cite) "l'acupuncture de sa seconde jeunesse". Elle sait comment se placer sur le chemin du vieux fou (il tourne en rond, il a des routes prévisibles, c'est même la définition de son acharnement) ; elle l'attend là, le moment venu elle se laissera débusquer, et lui aura la fierté de la découverte, après une longue traque nourrie de calculs et de ruses mises au point dans sa chambre obscure – quand la baleine veut interrompre une vie monotone et cesser d'être seulement elle-même, elle sait à qui se montrer.

Hollywood – le département des histoires, suite et fin

Achab scénariste[1] imagine lui aussi l'arrivée chaque matin par bateau, par avion, par camionnette et par garçon coursier, l'arrivée de pages, pas nécessairement superbes, abondantes suffit ; elles s'accumulent sur des tables à l'heure où un million de sardines sont déposées au port de pêche, on en fait un tri raisonné, après quoi on réveille les grosses têtes du département des scénarios, on rallume les machines à café – à les observer par la fenêtre ouverte, on croirait voir les étudiants de l'Académie de Lagado selon la description de Swift, au chapitre v du livre III : une assemblée de doctes doctes partagés entre lecture et réécriture et qui ne lèvent pas le stylo avant d'avoir épuisé toutes les combinaisons, je dis bien toutes.

---

1. Il se présente sous le nom de Frank Swinnerton, parfois celui de Timor Jack.

Depuis le matin, ils épluchent par exemple un numéro du *New York Times* dans son édition du samedi, la très pesante, celle qui refuse d'entrer dans certaines fentes de boîte aux lettres; il cherche un sujet, c'est plus précieux encore que chercher l'eau de source à la baguette, et c'est éminemment respectable, c'est à l'honneur des Grands Studios ne se résignant pas à l'idée que toutes nos histoires ont déjà été dites, qu'elles se répètent depuis Ovide ou depuis *L'Heptaméron*, qu'elles sont en nombre limité, peut-être 17, peut-être 36, et restent à demeure parmi nous, perpétuellement, comme l'air de plus en plus rare d'une chambre close, le nôtre, respiré un bon millier de fois. (Des poètes, des prosateurs même, tout aussi nobles, dépourvus pourtant de cette espèce d'optimisme énervé, ont baissé les bras depuis longtemps, ils ont peut-être eu raison de le faire, renonçant à chercher un argument nouveau, un canevas, un thème comme disait Sigismund Krzyzanowski, un sujet comme disait Nicolas Gogol (le démuni, le dépourvu Gogol: il allait sonner à la porte de Pouchkine pour mendier un sujet, un seul, pour la dernière fois, promis: Alexandre Pouchkine donnait son sujet, sur le seuil, il en avait d'autres, il n'en avait pas l'usage, et Gogol retournait chez lui, le nez devant soi, son sujet dans la poche, comme un chat, assuré avec ça de pouvoir réveiller en pleine nuit tous ses personnages de vieille femme, de jeune homme, de notaire et d'inspecteur, de marlou, de fille laide à marier, qui l'attendaient, impatients, sous son lit).)

Alors, alors, si les sages des belles-lettres, divorcés de leurs vieux enthousiasmes après avoir lu tous les livres et comparé Ovide à Conan Doyle, renoncent à chercher d'inexistants sujets nouveaux, pourquoi diable Hollywood, ses maîtres vulgaires, ses patrons analphabètes, ses producteurs malins, ses cinéastes cyniques, ses scénaristes payés à la réplique et ses divas capricieuses continuent d'entretenir l'espoir de l'idée neuve qui viendra secouer les foules (les rameutera, ou les fera se déplacer). (Il faut être lucide, tout n'est pas si limpide : quand Paramount rassemblait dans une seule pièce des lecteurs et tous les imprimés du monde, ce n'était pas seulement par amour de l'histoire inouïe – ou du moins cet amour n'empêchait pas les nababs jeunes et vieux de vouloir tirer profit d'histoires déjà dites vingt fois, recommencées sous un autre titre : combien de Dracula et de Nosferatu à la Universal, par exemple ? combien de Vampires et de Retour du Vampire et de Revanche du Vampire ? et des péplums interchangeables qui se contentent de remplacer Théodora par Messaline ? Depuis le temps, d'ailleurs, ces grandes tablées de scénaristes ont été vidées, reconverties en salles de conférences (ou autre chose de moins joyeux), on dirait les pompes en panne dans un désert de puits de pétrole ; si quelqu'un arrivait avec son histoire de Moby Dick, inouïe, sans pareille, ces messieurs lui demanderaient de quoi le pitch est la reprise : d'un vieux *Fantôme de l'Opéra* ?)

Achab à Hollywood tente de marchander son histoire de baleine

À partir d'un instant difficile à établir, il n'est plus jamais question de baleine – on se débarrasse ainsi de la détermination zoologique, de tout cet attirail cétacéen (quelqu'un a parlé aussi de fatras) ; on facilite la mise en scène, sans hautes vagues, il n'y a plus de décor de baleinier à secouer dans une piscine, c'est autant de dollars économisés sur l'océan et sur la bête à investir dans les costumes ou, pourquoi pas, dans l'écriture de dialogues raffinés (le luxe de s'offrir un poète de New York et lui demander d'améliorer sans trop y toucher les *Bonjour, comment ça va ?*). Cette fois par exemple, face au vieux capitaine et sous le ciel bleu, le ciel bleu, le ciel bleu sans cesse recommencé de Californie, c'est une jeune scénariste[1], la douzième de l'équipe de douze, reconnaissable à ses taches de rousseur (à la façon dont elles se répartissent) : selon elle, pas de doute, l'idée de la baleine, de vingt années de course-poursuite sur les mers, de la vengeance si pleine et absolue qu'elle se passe de raison, les studios seraient fous de s'en priver : simplicité et efficacité, matrice de mille histoires à venir – il s'agira seulement de remplacer la baleine par autre chose. Le monstre disparaît au profit de sa seule couleur blanche, menaçante et tentante, le blanc sans la baleine comme le sourire sans le chat – Achab, lui, se tient toujours debout, noir à la manière des films de gangsters et des autoportraits de Rembrandt Harmenszoon Van Rijn ; il n'a pas d'ancre tatouée sur l'avant-bras, on préfère renvoyer au magasin les accessoires de la pêcherie, pseudo-pirates, post-conradiens, "un peu Jules Verne un peu filets de thon en conserve" (ce sont les propos de la scénariste : elle vient des Rocheuses, en passant par Yale) (d'une certaine façon, ça arrange le capitaine scénariste : il ne tient pas à devenir le conservateur du vieux lexique des marins, et il n'a rien contre le déni ; il redoute même le jour de sa très grande dèche coïncidant avec son très grand âge, quand il n'aura plus le droit d'emprunter, et devra se résigner à redevenir Capitaine Cachalot[2] sur des petites boîtes de sardines).

Achab le Vengeur, celui du scénario de la neuvième

---

1. On suggère le nom d'Ida Lupino.
2. *Capitaine Cachalot* : voir plus haut.

mouture, s'appelle maintenant Ashton, il est de la famille
de Scarface et d'Alphonse Capone, d'ailleurs il a lui aussi la
scarification, elle illustre le blason des Bandits Admirables
sous forme de bande (à l'oblique de gauche à droite) ou de
barre (de droite à gauche). Il a le regard farouche (le script
dit "un regard d'aigle"), le port de tête méfiant (sur le côté,
le trois quarts face qui rend les contrechamps délicats), un
chapeau, un costume sombre, l'humeur irascible, un passé
énigmatique enfoui sous six pieds de terre, et des péchés
confessés à un prêtre aussitôt abattu puis inhumé selon
des rites sommaires en priant Dieu de bien vouloir, encore
une fois, le recevoir. Il a eu son heure de gloire: la preuve,
il possède une épingle de cravate et trois chevaux portant
les noms de Bucéphale, Belphégor et Backgammon; il fait
mine de s'avancer dans des quartiers bourgeois comme en
terre conquise – mais son heure est passée, il a des dettes,
elles s'ajoutent mélodramatiquement au désir de reconnaissance et à l'abus d'alcool: dettes contractées auprès d'un caïd
plus important, plus gros, plus caïdesque que lui, propriétaire de douze chevaux, quatre contre un, et de l'usine qui
fabrique les épingles de cravate. Le vieil Ashton était un
des garçons terribles au milieu des années 1920, un cran en
dessous de Dillinger, il se résigne maintenant à se remettre
aux gages, ce qui veut dire retourner sur le terrain, recommencer les filatures, la nuit, les portes fracturées, les heures
de longue attente, l'ombre du chapeau sur le visage, les
doigts des mauvais payeurs détaillés phalange par phalange,
les brusques cérémonies de rasoir derrière le rideau du
barbier. Cela signifie également, dans le langage mélodra-
matique et enfantin du gangstérisme d'Hollywood, renoncer
à son libre arbitre pour passer au service d'un chef – et voilà
le commencement de l'intrigue: Ashton, pourtant trop

vieux pour ça, va devoir ressortir ses anciens pistolets pour accomplir la vengeance d'un autre, la vengeance du plus gros caïd, sans jamais rien savoir ni de sa rancune ni des raisons de sa rancune, et si possible sans trembler comme l'autre tremble à tout bout de champ, dans un mélange d'envie et de peur.

(Achab s'inquiète) et la baleine dans tout ça, l'immense baleine ? la couleur blanche, on l'a compris, lui a été retirée, comme on écorche les malheureux de la Saint-Barthélemy pour en faire des lanternes magiques – mais le monstre lui-même, l'objet de la rancune ? La demoiselle laisse le vieux capitaine aller au bout de son inquiétude, elle l'accompagne même, "d'un bras diligent", avant de le rassurer, lui disant l'objet de la vengeance ne fera pas défaut, ça serait une erreur de débutant et la mort du film à la deuxième bobine : il sera là, mais moins animalier (comment dire ?), moins Barnum, moins Phénomène de la Nature à visiter en famille contre un ticket à 5 dollars. Là, dans le lointain, énigmatique, sur le point illusoire où se rejoignent les lignes de fuite des toiles de Piero della Francesca : une silhouette, un prénom d'une seule syllabe, le reflet d'un œil, l'autre caché par un foulard, ou bien le reflet d'un diamant, qu'est-ce que vous en dites ? au doigt de la main, ou à l'oreille, peu importe où, le diamant et le prénom de femme seront un prétexte impur, la chose magnifiée par l'effort accompli pour l'atteindre, substituable à tout moment – parfaitement, substituable : au lieu d'une lady mystérieuse, un nain maléfique, ou une danseuse, ou l'Hydre, ou Médée, n'importe quoi pourvu que ça marche.

Le capitaine souhaiterait bâiller pour signifier le début de son ennui : l'histoire entendue vingt fois déjà dans des versions plus palpitantes, l'omnipotence des crapules et les chemins escarpés de la vengeance, la jolie fille au croisement des lignes de fuite, le danger, la menace, le jeu de la proie et du prédateur, l'intransigeance d'un homme blessé mais à la fin de tout ça, c'est couru d'avance, le tueur à gages tombé amoureux de sa cliente. Si ce n'était que ça, bien entendu, ça serait banal (la jeune femme réagit aux bâillements du capitaine) : mais cette histoire, cette histoire-là (elle gifle les trente feuillets du revers de la main), c'est autre chose, elle va casser la baraque (jusqu'à sa mort, le capitaine ignorera de quelle baraque il est question) : le nœud de l'intrigue est ailleurs, n'est-ce pas ? il se cache toujours dans la main qui ne brandit pas l'as de cœur (et la jeune femme accentue le *ne brandit pas*, en levant les sourcils). Cette histoire de rancune dévoyée, mal assumée par un nabab à la fois omnipotent et impotent (l'excellente idée – ah, Hollywood, jardin des histoires à double sens, où le méchant est bon et l'amour assassin), rancune confiée à quelqu'un d'autre, comme si on pouvait déléguer des sentiments si personnels à son petit personnel (une pause), eh bien, cette histoire ne peut pas aboutir simplement : il y a un clinamen, c'est le mot exact, elle est faussée depuis son commencement et ne cessera de s'écarter du chemin tracé d'avance jusqu'à la centième minute.

Achab ne sait plus où se tient Moby Dick dans cette histoire de chemin dévoyé, mais il écoute la suite poliment, comme il vient de rire poliment au *petit personnel* : maintenant, tenez-vous bien, le caïd en costume blanc, le Raminagrobis, qui cultive sa rancune dans sa maison de misanthrope (imaginez Howard Hughes dans sa chambre noire – et le vieux capitaine approuve encore : il approuve tout), finit par renoncer à sa rancune. Parfaitement, voici le point de bascule : quelque chose de nouveau l'inspire, ou sa rancune arrive à terme, et maintenant elle est tarie, le caïd remplace par un pardon fatigué la rancune qui dévorait son amour comme (non, s'il vous plaît, pas de ça, pas de Chronos dévorant ses enfants). Achab écoute toujours, se demandant comment la rancune peut bien se tarir; il essaie d'imaginer la métamorphose du désir de vengeance en amour fou, il y voit une lubie des caïds une fois passé un certain âge, bientôt sur le point de mourir, assistés par des clystères, derniers témoins, derniers fidèles – ou alors, c'est une fantaisie d'Hollywood, une de plus, ça doit être ça: et Hollywood tout entière est l'axiome qui justifie l'invraisemblance.

Vous avez compris? le nabab renonce, comme ces vieux libertins sur leur lit de mort, le prince de Ligne, je ne sais plus qui, dressé sur quatre oreillers, tendu vers la petite croix d'un prêtre pour renier la chair – le nabab renonce: il veut rappeler son tueur à gages, il a pour habitude de tirer sur des cordons pour faire venir la bonne, seulement voilà, le tueur à gages est devenu entre-temps une machine imperturbable, il est inaccessible, on le comparera à un train fou sans chauffeur sur des rails, son obéissance est l'insigne de sa noblesse, il en fait dépendre sa dernière fierté d'homme, elle est enfin le véhicule de son accomplissement (par ailleurs, on l'a payé d'avance).

Alors, trop tard (sur ce *trop tard*, le scénario fera tenir tout le suspense): le tueur est parti, son maître est passé de la rancune à un profond, instable, maladif sentiment de culpabilité, qui s'épanouit dans la chaleur du jour et celle de la nuit: il prendra la forme d'un ulcère, ou d'une tuberculose osseuse, il y aura de la fièvre, elle viendra opprimer sa proie, ajoutée aux regrets et à la honte, une honte inédite de caïd. Il fait la seule chose qu'il a jamais été capable de faire: il donne des ordres, il diligente, ses lieutenants sont lancés dans la ville à la recherche de son tueur, ou de la dame, ou l'un et l'autre, mais à temps, c'est-à-dire avant l'épilogue ; les hommes se dispersent en vain, et pendant ce temps-là lui aussi s'éparpille, on dirait qu'il va perdre les eaux ; il convoque autour de son lit les médecins de Molière pour le garrotter de toute part. Au cours de la conversation qui suit, on parle du Golem de Prague, de son ombre sur les murs des familles endormies et honnêtes, bientôt réveillées par la terreur, on cherche à se souvenir des lettres du mot *vérité* gravé dans la terre glaise de son front, devenues l'instant d'après les lettres du mot *mort* – est-ce qu'il n'y a pas un peu de baleine blanche dans cette histoire de créature en terre au royaume de Rodolphe II, à Prague ? Le vieux capitaine l'ignore, mais il commence à comprendre maintenant de quelle manière s'avance un assassin de terre pétrie, au cou aussi large que la tête, et au cœur absent, dans les rues de la ville. Voyez-vous ? la nuit, la fille en danger quelque part au diable, le caïd inquiet dans son lit, les larmes dans son mouchoir, les médecins de Molière, la drogue administrée par les docteurs qu'il s'est offerts – et la machine infernale, l'atroce fidélité d'un assassin à son patron, on y verra peut-être la critique implicite des disciples, des laquais et du peuple des militants, au cœur d'airain – quinze autres petits soldats chassent le chasseur pour l'empêcher de nuire, au risque de donner à ce drame de l'Idée Fixe l'allure d'un petit film muet : un innocent, un seul, poursuivi par cinq cents bandits.

Le vieux capitaine se demande comment tout cela va finir : sur un ballet de tartes comme au temps de Buster Keaton, justement ? ou par la précipitation de tous au-delà d'une falaise, les eaux se refermant, écumeuses, sur des comptes inachevés ? ou par la lumière des armes de poing, de dizaines d'armes, dans la nuit, chacun son éclair sans durée et une cible imprécise ? ou par la réconciliation, mais quel genre de réconciliation, à ce stade, quand on n'a plus besoin de raisons d'agir pour agir ? (La fin, nous verrons plus tard, c'est ce que propose la jeune femme : du moment que l'idée est là, que Darryl Zanuck est convaincu, qu'il a l'assurance d'avoir dans six mois un récit rapide menant d'ici à là. On confiera à des petites mains le soin de trouver l'épilogue : on le devine pathétique, le thème de la malchance gangster poussée à son terme, la moitié du visage d'un homme couché sur le pavé, l'œil ouvert, un regard mais plus pour longtemps, bientôt un œil et rien que ça : de merlan, de baudroie.)

À propos de Martha Dolittle, demi-veuve du capitaine Achab (veuve sans funérailles)

Martha Dolittle demi-veuve du capitaine Achab restée en ville n'est pas vengeresse, elle n'est pas même rancunière : l'armure vengeresse aurait pourtant redoré Martha sur ses deux faces, aurait fait d'elle une femme chevalière à la Orlando Furioso, perdue dans les forêts, indomptable sous le pectoral – les interprètes, tous bienveillants, venus plus tard, auraient fait rimer Vengeresse avec Chasseresse, ils y auraient vu une preuve : dans cette rime, les vertus de la vengeance égalent les qualités de la chasse. Elle n'a pas fendu les eaux ("comme un couteau", "comme un harpon ratant sa cible", "comme un buffle pris de folie", selon les appréciations), à la recherche de son Achab, et pourtant, sans être aussi revancharde que le capitaine et la baleine, elle a été tentée de prendre la route, du moins d'accomplir ces premiers gestes de l'épouse légitime dans l'effort de rassembler, de ramener vers elle, comme on rameute, les éléments de sa légitimité. Affronter des eaux étrangères à toute sa patrie et

[1871 et suiv.]

sa naissance, ça aurait été comme forcer la vitre et la petite planche d'un guichet pour commander aux employés l'original de son certificat de mariage. Admettons – mais partir à la recherche du jeune Achab, puis du moins jeune, puis du vieux, à quoi bon? pour réparer quelle injustice? reprendre une existence de zéro, mais quel zéro pour quelle existence? consacrer des soirées et des nuits à corriger point par point des malentendus, au risque de constater qu'ils n'étaient pas des malentendus?

(Le capitaine raconte partout à tout bout de champ qu'il a eu le temps seulement de laisser l'empreinte de son visage dans l'oreiller de ses noces – cette empreinte, la demi-veuve l'a conservée, elle a eu cette présence d'esprit: mélancolie, hommage ironique, réflexe de juriste devant une pièce à conviction, amour précoce de la nostalgie, curiosité de jeune personne pour les artefacts les plus éphémères de l'amour, et de jeune femme pour les traces: parmi ce qu'il y a de plus troublant en ce monde.)

On lui accorde parfois une vie de vieille fille, restée sans bouger, laissant le temps filer sans elle, comme si elle lui avait rendu, à lui aussi, sa liberté; une liberté de cheval de mer, fabuleux à l'aller, fabuleux au retour, fabuleux dans son évocation, et bien sûr fabuleux par les effets produits sur les personnes à moitié endormies – on voit l'ombre de ce cheval et celle de Martha, à sa fenêtre, allant et venant elle aussi, sur l'élan beaucoup moins fabuleux de sa chaise berçante. En vérité, pas de vieille ombre de dame bercée d'avant en arrière dans sa chambre, pas de silhouette passant devant l'ampoule soixante fois par minute pour signifier la maigre existence d'une veuve et le caractère obstiné de toute vie. Plus juste d'imaginer Martha loin de sa chaise berçante, parce qu'elle a envoyé se bercer ailleurs le bois joliment tordu de sa chaise, d'un coup de pied, avec d'autres accessoires, la tête de lit, le mannequin d'osier, l'album de photographies, des cadres de différentes tailles et des manches de casseroles longs comme s'il y avait le diable à manger ; prestement (on emprunte ce *prestement* à des chroniqueurs mieux renseignés), la jeune madame Achab, devenue veuve Martha ou demi-veuve, se débarrasse de la moitié de son veuvage, de la durée du deuil, du jupon noir amish, elle en démontre l'inanité en trois formules écrites à la craie blanche sur une ardoise, ça vaut le rouge à lèvres sur le miroir d'une salle de bains ; elle se désengage, elle retire des coiffes attribuées par la tradition, elle fait comme ferait Sherlock Holmes fatigué de porter sa casquette à oreilles (l'invention d'un illustrateur). Elle se relève[1], elle file, elle n'attend pas vingt ans le retour de son homme, il n'y a aucune raison de le faire, les engagements sont arbitraires et la mort arrive vite en bateau entre New York et Douvres.

Elle épouse et elle réépouse, sans se marier à l'église ; on ne connaît qu'un équivalent à cette bonne santé amoureuse passant par différentes noces, c'est Pénélope, demi-veuve elle aussi, exerçant pendant des années sans se plaindre, mais sans faire entendre non plus trop ostensiblement fierté, félicité (félicité fière) et satisfaction ludique, exerçant son droit d'inventaire (on lui attribue un nombre *n* de prétendants, allant de 19 à 197 : elle tient à les connaître par leur nom, à les mettre à l'épreuve, avant de les mettre de côté ; le jour venu, plus tard, tous ces prétendants morts et empaillés ne dérangeront personne : dans leurs poitrines d'éternels jeunes gens transpercés de la bonne flèche, ils conservent à jamais (je cite) le secret des amours pénélopéennes). Martha comme

---

1. Voir plus haut.

la Pénélope des livres de mythologie (elle avait lu une *Odyssée* à la bibliothèque municipale) a assez de talent, spontané d'abord, intuitif, puis d'expérience, pour faire croire au jeune homme qu'il est le jeune homme et les 99 autres un décor de tapisserie.

Achab sur le navire réinvente la baleine sans cesse

Pour la plupart des marins, une baleine, même blanche, s'épuise vite : il faut la renouveler chaque matin, et encore mieux les dimanches, jours d'exception : il ne s'agit pas de se contenter de la baleine de la veille, redisant toujours les mots de la baleine trouvés dans des manuels du temps de Pythéas, il faut l'autre côté de la baleine, il faut les autres noms de la baleine, y compris ceux qui semblent n'avoir plus rien de commun avec elle (les mots de la mouche noire par exemple, son contraire).

Renouveler la baleine chaque matin – "matin que Dieu fait" – pour un public difficile, parce qu'il est exigeant et ne cède presque rien en échange des histoires qu'on lui donne : c'est déjà beau d'apprendre à ses hommes d'équipage à se rassembler pour écouter (un public discipliné, en demi-cercle, pas cette mêlée de marins pressés de parler plus haut que les autres), il faut en plus de ça redonner de la baleine, comme une ration, à la fois une nouveauté et une constante rassurante, pour ranimer le désir d'entamer des manœuvres en direction de quelque chose, peu importe quoi pourvu qu'il y ait une direction. Le capitaine boite devant son public, il a un trac de débutant devenu trac de vieux routier (Christophe Colomb lui aussi trichait dans ses mesures pour ne pas inquiéter ses hommes : les marins sont des brutes épaisses qu'un rien inquiète) ; il leur a appris à faire le silence, ses marins se taisent devant lui, ils lui accordent ce mutisme brut, mais ce silence le gêne au lieu de l'aider à retrouver le fil de sa baleine : sa jambe frappe le bois, une fois, trois fois, plusieurs autres fois, et pendant ce temps, il se demande comment offrir en pâture une baleine nouvelle tout en restant fidèle, au moins dramaturgiquement, au poisson d'hier (ce qu'il appelle la tradition).

Il voit le jour où il s'épuisera, et ce jour-là il n'y aura sans doute plus de chasse parce que plus cette crédulité de marin, crédulité volontaire associant *récit de la baleine* à *poursuite de la baleine*, sans s'inquiéter de passer d'un bord d'un monde à l'autre. Il avait dans son sac plus de baleines ou de récits de baleine qu'il croyait en posséder, il les a sortis l'un après l'autre, il les a tous donnés, il en a combiné certains d'après les plus anciens, il en a coupé deux pour en faire un troisième (on y reconnaît une technique de fumeur), il les a appareillés, c'était un corps d'aigle et des pattes de lion, mais le public n'a pas voulu être dupe, pas cette fois-là (il a cru voir une main chercher le manche d'un couteau dans une poche) – il s'est réfugié dans sa cabine, il a consulté son catalogue, il a épuisé ses provisions, il a tiré la baleine des faits divers, des articles du *Chronicle*, de livres de vulgarisation, de gravures prises chez des brocanteurs, d'illustrations de Jules Verne, de faits vrais et horrifiques, d'accidents racontés par l'accidenté lui-même à son frère, et le frère au cousin, le cousin à un cuisinier, le cuisinier à sa petite amie, et de bouche à oreille jusqu'à celle d'Achab – il a tiré d'autres histoires de livres traitant de la fabrication des huiles.

L'avidité des marins quand ils cessent de tripoter leurs sempiternels cordages et qu'ils s'assoient en demi-cercle pour réclamer leur portion de baleine : vous n'avez pas idée – pas idée non plus du bruit de la jambe de bois au moment de l'entrée en scène (et des heures avant l'entrée en scène, encore seul dans sa chambre, réfléchissant dans l'urgence, sachant bien sûr que se plisser le front de la sorte ne favorise pas nécessairement une pensée lucide). Certains matins sont des matins de triomphe : le capitaine trouve la bonne baleine, la bonne voie de la baleine, le bon rythme de la vague, la juste proportion de creux et de bosses, quelque chose de musical dans l'alternance, le courant attrape Achab au lieu d'attendre qu'il le suive ou qu'il le crie ; l'un et l'autre, capitaine et courant, s'imaginent frères complices d'un entraînement mutuel ; et mieux encore Achab trouve les mots pour dire une fois de plus la couleur blanche, mais la dire sans lassitude, il se sent maintenant capable d'éviter les redites de la baleine aussi facilement qu'il évitait celles de la messe, qui perpétuent mais abrutissent ; il se choisit aussi le bon harpon, le mot convenable provisoirement pour un harpon, qu'il existe ou pas, la distance et la bonne longueur de fil ; il révèle à lui-même et aux autres le caractère de la baleine, campée un peu, pas trop ; il invente des enjeux nouveaux, remontant les époques, renouvelant aussi le motif de la rancune (et parfois même, virtuose, aérien, seul sur un seul pied sur un fil, il s'élance au nom d'une rancune si ténue qu'elle ressemble à l'absence de rancune : ce serait alors partir en chasse sans les raisons de partir en chasse, un art pour l'art exténuant qui laisse les marins bouche bée). Pas de limite à être lyrique (on ne se refuse pas d'être élégiaque) : au cours de ces matins de gloire, Achab trouve Moby Dick, il sait comment se persuader de la craindre pour la première fois, il perçoit son évidence confondue avec sa disparition, il aurait de quoi écrire cinq actes s'il avait cinq actes à écrire (si c'était son métier, et s'il avait le temps, si on ne l'attendait pas déjà sur le pont) ; il se permet ces matins-là dans une heure d'euphorie d'ajouter à son tableau de chasse des tapis volants, des assassins, des coups de théâtre, des lettres de grand-oncle révélant des secrets terribles, des pirates débarqués d'un autre navire, un représentant du roi d'Angleterre – et pour contraster avec la battue elle-même, des moments de mélancolie, le motif du corps déclinant, le délire de la fièvre, le capitaine à l'heure de la grande et petite bonace, le décompte des heures et des commentaires sur l'oraison funèbre – et d'autres fois, au lieu d'une seule baleine, trois, blanches pareilles, inspirées des Sirènes, mélodieuses et séduisantes, là pour attirer les pêcheurs vers des rives et des gouffres n'ayant rien de commun (elles le promettent) avec leur pragmatisme de marchand, disposées à parlementer plus qu'à se battre et dotées d'un langage que le capitaine leur dicte, lui seul décisionnaire, selon son bon plaisir de chasseur, de rancunier, de pris au piège ou de conteur

Et d'autres fois le capitaine fatigué livre à ses hommes une baleine comme une brume, la même couleur, la même omniprésence indéchiffrable au premier abord, apparaissant peu à peu, sans jamais se donner entièrement – d'autres fois, on le voit en veine de raconter d'avance de pitoyables échecs (ils sont aussi périlleux, ils sont vaillants : eux au moins affrontent l'eau), avec assez de fougue pour inspirer l'espoir quand même, et l'histoire de l'échec est suivie le lendemain de l'histoire d'un poisson sans écume, sans panache, placide et indécis, ne sachant pas s'il doit poursuivre ou être poursuivi, croyant trouver son salut précisément dans l'indétermination (les hommes d'équipage prêts maintenant à apprécier en connaisseurs les charmes de l'ambiguïté, quand il s'agit d'un personnage – ils ont bien appris à aimer l'amertume).

Madame Achab et le Pèse-esprit

À l'un de ses 79 prétendants, Martha Dolittle explique comment Achab est devenu dès le soir de ses noces son amant par contumace – ce mot, elle l'entend prononcer au tribunal pendant le procès d'un étrangleur enfui lui aussi sur l'un de ces navires qui ne reviennent jamais : elle est encore jeune, ignorant à peu près tout des affaires judiciaires, perdue dans ces rituels et ce vocabulaire pour y éprouver sans rien dire la fascination et la gêne, s'efforçant comme les autres de ne pas faire grincer sa chaise à chaque mouvement, considérant les hommes derrière différentes tables pour essayer de distinguer les prévenus des avocats et les avocats des juges ; elle laisse s'échapper l'histoire du meurtre à mesure qu'on la reconstitue, une fois, deux fois, l'avocat puis le ministère public ; longtemps après elle se souvient à peine d'un monsieur bien vêtu mais nerveux comme s'il était en retard brandissant (c'était le mot : brandir) une corde de trois coudées et l'appelant pièce à conviction, elle en retient surtout (ça la frappe à l'instant même) ce mot de contumace prononcé une douzaine de fois, d'un ton ferme, mais sans excès, pour invoquer un dieu banal. Quelqu'un à sa gauche lui explique les affaires de justice, le latin des étymologies, et elle, encore jeune mais déjà veuve de ce demi-veuvage d'Achab, trouve dans le mot et la chose contumace une description approximative, mais la moins mauvaise, de sa propre existence : l'idée d'une absence de fait et d'une présence de droit, une présence en théorie, dépendant de la seule parole des juges, des avocats, des témoins, des greffiers, de l'assentiment du public et des gestes de la cérémonie, cette idée lui plaît, peut-être perversement, comme lui plairait, en moins raffinée, l'idée d'une poupée vaudoue et d'un enchantement à distance. Elle voit le procès s'accomplir, entend encore dix ou douze fois le nom du prévenu absent et presque autant ce mot de contumace (*in absentia*), 99e nom du diable; elle voit comment le malfaiteur échappé ailleurs se tient malgré tout là au nom et à la guise d'une autorité indomptable, qui verrouille la lettre, l'échappé ayant seulement sur ses navires le pouvoir de réchapper provisoirement, et le lendemain provisoirement encore, mais pas le pouvoir d'empêcher son procès de se faire jusqu'à la sentence : les juges à cet instant debout pour montrer la vraie potence, en vrai bois, dur, où l'absent finira par pendre.

Tant pis si le mot ne remplit pas toujours efficacement son office (Martha s'en rend compte, il faut l'aider, le pousser un peu, faire preuve d'indulgence – toujours l'indulgence des mortels envers leurs concepts – et détourner les yeux comme le bon Dieu de temps à autre pour permettre l'anecdote) : Martha Dolittle garde *contumace*, le conserve sous les piles de draps dans l'armoire, là où il y a son trousseau et un pot-pourri de fleurs sèches; elle le ressort parfois quand une vieille tante vient en visite, et la vieille tante parce qu'elle est vieille tante et tient à son rôle de conservatrice des choses mortifères ne veut rien comprendre à la définition de la contumace – du moins la définition qu'en donne Dolittle, approximative par maladresse et par méfiance, et aussi parce que rien n'est simple dans ce monde. À la vieille tante bouchée, à d'autres, elle aime pourtant montrer ce mot, on dirait un galet parfaitement lisse, parfaitement noir et parfaitement mat, où toute la lumière devrait finir par disparaître un jour, et qui évoque le charbon – elle seule, la malicieuse, capable de voir dans ce noir mat un jeu de reflets (la contumace, quand on y pense, quand on y pense avec Martha, c'est un peu ça, deux miroirs se faisant face situés à vingt mille lieues l'un de l'autre, l'absence et la présence trouvant un point d'entente).

Des voisines à leur tour appelées en renfort se voient infliger le galet noir et mat : à elles aussi, Martha parle de son *in absentia* : mais elle en parle à la tombée de la nuit, à l'heure du repas et de la fatigue, et des superstitions naissantes, quand il faut allumer les cierges, tirer les rideaux, confondre la chouette avec le loup et repérer le pas de l'ours : l'heure où on se met à trouver judicieux de raconter des vieilles histoires de coureurs des bois, de trappeurs au temps des treize colonies – ou à défaut de raconter, en avoir le désir : désirer les entendre. À ce moment-là des cierges et de la chouette, de la lumière de la nuit répartie inéquitablement, Martha reprononce le mot *contumace*, il fait bouger les verres dans l'armoire ; elle le fait suivre d'explications au sujet de la présence légale et de l'absence de corps, mais d'explications qui ressemblent à des confidences, et les confidences à des histoires de spectres, les mots *prévenu* et *corps, procès, jurés, signes, condamnation* ont tout à fait leur place, tels quels, ou à peine défigurés, dans une de ces histoires d'apparition du diable au coin d'un champ de maïs – à moins que tout le monde se trompe et qu'il s'agisse d'amour.

Quand la demi-veuve Martha parle de contumace, c'est avec précision, c'est aussi avec ferveur – elle ajoute la ferveur à la rectitude rituelle autoritaire punitive de la justice (Martha Dolittle sait tenir son petit rang à la ville, sous son bonnet de veuve, elle doit regarder les marches d'escalier et le parvis du palais de justice avec respect – mais, peut-être à cause de cette histoire de contumace, du mot sorti d'une boîte, comme si c'était une pierre à aiguiser, et à cause de certains procès suivis pour se désennuyer, affaires de voleurs, de blasphémateurs, d'ivrognes, de proxénètes, de filles publiques, d'alcool de contrebande avec un pèse-esprit, de faux pasteurs et de commerçants à deux livres de comptes, elle voit aussi dans la justice un peu d'église, un peu de théâtre, un peu d'autel païen, un peu de vendetta, et elle y reconnaît les paroles indignées ou soudardes des hommes au bar quand ils ont trop bu, sous une forme à peine différente). Quand elles écoutent Martha, les autres dames (une dame à la fois) croient l'entendre prononcer un nom d'ange-diable de la race de Bélial, en plus procédurier, plus chafouin aussi dans ce mélange d'apparition et de retrait (ça ferait penser à certaines entourloupes magiciennes de Prague au temps des Juifs, du Golem et de Rodolphe II) ; ses descriptions voudraient être linéaires, elles s'étalent et se ramifient, on dirait un seul fil séparé en plusieurs ; et il n'est question que de trivialité, Martha voit dans le mot contumace appliqué aux choses de l'amour un terme simple quoique magistral, presque jéhovien, du genre *Judex est venturus*, qui permettrait de décrire son état à elle, son état à lui (Achab), et dénouer ce nœud impossible à dénouer : pas seulement celui du mariage, celui (dit Martha avec la même ferveur) de la condition humaine. Mais les dames l'une après l'autre, et le coiffeur quand cette histoire vient à ses oreilles, et la pharmacienne, oublient assez vite la justice, parce qu'ils s'emmêlent et veulent donner à la demi-veuve Martha ce qu'elle attend, selon eux : leur crédulité d'hommes et femmes ordinaires à l'écoute des histoires de fantômes dites par une jeune veuve bouleversée (n'est-ce pas, à force d'entendre des histoires de lueurs au-dessus de la terre des cimetières, une histoire de plus ou de moins).

Achab à Hollywood – un rendez-vous inespéré
avec Mae West

La réputation de Mae West n'est plus à faire, il suffit d'avoir à l'esprit son image plantureuse en plan américain rapproché, ses chapeaux remarquables, son aplomb face au nez lui aussi plantureux de W. C. Fields ; on se figure que son métier consiste avant tout à apporter comiquement un peu de noblesse à des répliques et des situations vulgaires, selon une formule : trivialité + comique + savoir-faire d'actrice + aplomb = noblesse d'artiste ; et de cette honorabilité des arts du théâtre, on déduit comme on peut l'honorabilité universelle.

Pour reprendre une formule répétée ici et là : "elle remplit à elle seule le corsage d'Hollywood" – sans doute, mais elle est aussi scénariste, elle sait composer, elle sait alterner les dialogues, elle a connu les heures passées devant la machine à écrire, deux feuilles de papier, une de carbone, et le jugement sans indulgence sur ce qui en sort[1]. On ne sait comment, de rebonds en rebonds, Achab scénariste se retrouve un soir devant Mae West, pile devant elle, concentré pour ne pas céder aux émotions premières (West a de l'expérience : des hommes plus petits et plus ramassés qu'elle, elle en a vu beaucoup, ils déglutissent, ils regardent partout ailleurs, le décor de la pièce à la lumière du décolleté ; elle sait que tôt ou tard la conversation reprend un tour plus normal ; miraculeusement sa parole née (en partie) de son opulence abolit l'opulence, disons efface sa poitrine comme

---

1. *I'm No Angel*, Wesley Ruggles, 1933.

réelle présence). N'importe qui déglutirait[1] à la place du capitaine, et ce n'est pas seulement la réelle présence qui l'intimide – mais un malentendu possible, la peur de froisser, un impair est si vite arrivé à Hollywood où l'on invente chaque jour de nouvelles façons de créer un scandale, par exemple à l'heure du cocktail, chez Darryl Zanuck, un soir, en s'enivrant. Évoquer la baleine en présence d'une dame aussi visiblement (crânement) cétacéenne, voilà un exercice délicat : le capitaine ne voudrait surtout pas vexer son interlocutrice, mais déclarer d'emblée que le rôle n'a pas été écrit pour elle, c'est désamorcer le malaise ou bien commettre sa première gaffe ?

Peut-être à cause de cette réelle présence et de ce corsage d'Hollywood rempli au-delà des espérances ("Mae West transcende les limites (écrivait un autre journaliste de l'époque) à commencer par celles de sa brassière" – c'étaient des bons mots cruels, dans le genre, en moins brillants, de Dorothy Parker), madame West accepte généreusement tout, les outrages, les éloges, les compliments désobligeants, les sous-entendus graveleux et les témoignages d'admiration : avec le même sens de l'hospitalité, elle reçoit sans broncher les paroles crues des producteurs et les bouquets de roses qui finissent là leur course – alors, les maladresses du capitaine sont un codicille passager, éphémère, à tout ce qu'elle encaisse depuis le début de sa carrière. (Les sous-entendus grivois ? il faut bien se rendre compte d'un fait : Mae West est l'inventrice de tous les sous-entendus, le sous-entendu procède d'elle, de sa machine à fabriquer sur commande, feuilles de papier et de carbone, des sous-entendus pour la

---

1. Quand il déglutit, le nœud papillon monte et descend, mais c'est à peine perceptible, l'histoire du cinéma ne l'aurait pas retenu.

Paramount, et au-delà Hollywood en Californie : quand un monsieur émoustillé déglutit derrière son nœud papillon et fait à l'Opulente l'offrande d'un sous-entendu olé olé, il ne sait pas (mais elle le sait) qu'en vérité il la cite – elle, alors, ne juge pas la valeur du sous-entendu, plus ou moins bien frappé, mais la valeur de l'interprète[1].)

Antiportrait de l'océan par le capitaine Achab du Pequod

Achab en admet toutes les merveilles (celles de l'océan), il les avait lues, compilées, avant de mettre le pied sur un baleinier, elles étaient colportées par des mémorialistes, parfois bons nageurs, parfois non, certains embarqués malgré eux, d'autres connaissant de l'océan ce qu'ils en voyaient depuis leur fenêtre, et des sédentaires qui parlaient de voyages, des imposteurs, mais authentiques si j'ose dire, comme ce Guevara, Antonio, du temps de Charles Quint Bourbon, fier de signer un *Art de naviguer* composé entièrement dans sa chambre, avec vue sur une pente de garrigue. Plus les auteurs sont haut perchés dans les montagnes, plus leurs éloges de l'océan s'enrichissent, c'est du moins l'impression d'Achab avant même de s'engager capitaine : l'océan, quand on y pense, tout le ciel s'y reflète, le soleil y tient tout entier, vingt mille galions y ont trouvé une mort spectaculaire et maintenant ornent les grands fonds "tapissés de maravédis" – les poulpes y compliquent la nature animale, ils y perpétuent sans le savoir les contorsions malsaines parfois cocasses de

---

1. Mae West envisageait W. C. Fields, justement, dans le rôle du capitaine (Achab au nez en forme de pomme de terre nouvelle) ; sa version de *Moby Dick* devait être une "épopée de la ménopause", comprenne qui pourra – de ce projet, il ne nous est rien parvenu d'autre.

la mythologie des Grecs, les abysses sondent la curiosité de l'homme, et sa capacité d'effroi, et son aptitude à comparer sa petitesse, les baleines y chantent des gospels panthéistes pour plaire aux baigneurs, la laideur de certains poissons écrasés contre la vitre des hublots devient une beauté livrée aux ichtyologues, les grands déserts sont des réserves de calme, les vagues sont un décor pour peintres de marines et d'humbles dissidents y ont fini leur course, après une chute, plutôt longue, depuis un avion, la nuit – l'océan se vante d'hériter des morts héroïques.

D'accord avec toutes ces vertus, à quoi le capitaine ajoute des histoires d'aède sauvé par un dauphin, et de Sirènes saphiques – mais en dehors de ces avantages, presque tous purement romanesques, accessoires, l'océan, il faut bien le dire, c'est une barrique insipide, c'est un bouillon qui accepte avec la générosité des bouillons le sens propre et figuré du mot bouillon. On est nombreux à s'y noyer, mais cette noyade se convertit rarement, sinon jamais, en muséographie : que l'océan contienne comme une citerne idiote ne fait pas de lui notre mémoire, ni notre archive, ni un temple peuplé d'idoles auxquelles il faudrait redonner le nom, ni un immense capharnaüm, sordide mais après tout charmant, ce genre de charnier rococo-gothique où l'on trouve des cadavres mais une bague en or rouge au doigt du cadavre. Contenir n'est pas une vertu océanique, pas un exploit, il ne faut pas y voir une promesse de salut, comme Roland cherchait dans la Lune tout ce que les hommes ont perdu sur Terre : il contient passivement, durablement, sans même mâcher ce qu'il avale.

Contenir, rien de plus facile (cette taille, cette forme de bol insatiable) : il aurait pu y mettre du génie, si l'océan avait été pour de bon ce vieil océan neptunien profondément malin : il aurait contenu comme on souhaite parfois le voir contenir, se faisant compendium, et décharge ouverte, vaste, où tout le monde se retrouverait en terrain familier ; se faisant aussi, plus habilement encore (plus complaisant), panthéon et pandémonium, quitte à coucher pêle-mêle des totems de l'île Kokovoko, des images de Junon, des Mercures, et des milliards de crucifix de toutes les tailles, certains comme un mât de hune, certains comme un coupe-ongles. Il aurait pu avoir l'hospitalité d'un brocanteur, à tout prendre, qui renonce au bon goût pour favoriser l'exhaustivité et ne dit non à rien, à rien du moment que la chose existe en l'état (vermoulue), attendri, ébloui peut-être par cette seule vertu d'exister encore après avoir tant duré ; on aurait l'assurance d'y fouiner jusqu'à ce que mort s'ensuive, ou pour se distraire d'une éternité de baignade, on se laisserait peut-être couler jusqu'à des trésors ambivalents, bon marché, à notre image, et chaque désespéré tenté par le suicide aurait au moins l'espoir d'aller pêcher du bout de ses orteils un trésor de fausses pièces d'or et de canards en plastique. (Plus malin encore, et suave, il aurait pu se donner des airs de poche matricielle : on en connaît beaucoup alors qui se seraient précipités, avec un oreiller, et une couverture, de la gomme à mâcher.)

Qu'on ne se fie pas au nombre de morts immergés, l'océan reste quelque chose de fade (voilà encore l'opinion du capitaine après vingt ans de roulis vers les baleines : son opinion lasse) : les épices perdues dans un naufrage en 1417 au large de l'île Ulbo, près de l'Italie, n'y changent rien (c'était la galère vénitienne de Nicolo Barbarigo, elle contenait aussi des perles et de la porcelaine). L'océan fait preuve de toute sa fadeur, les poissons y flottent, se rencontrent sans trouver quoi se dire, ne se reposent jamais à proprement parler, ils continuent de flotter en dormant, ce qui les rend doublement passifs, au point d'en être flasques ; il n'y a dans les océans aucun endroit où reposer le pied, à moins d'être mort et de gésir, et alors de se confondre au sable comme sait le faire le turbot, de profil, ses deux yeux du même côté – pas de stalle, pas de miséricorde : si vous ne me croyez pas (disait Achab aux Incrédules) allez voir vous-mêmes (bonne chance à vous pour trouver un fauteuil). Heureusement il y a les épaves, depuis celle engloutie au cap Gelidonya plus de mille ans avant l'incarnation du Seigneur et qui contenait des lingots de bronze, puis celle d'Oseberg coulée vers l'an 800, quand Charlemagne écorchait l'ours, et le bateau du comte Hakon, Viking et marin, disparu en 1029 au large du Pentland Firth, en Écosse, pendant une tempête, de retour (paraît-il) d'une ambassade auprès du roi Canute – et les milliers d'autres, le *Sacramento* en 1668, le *San Cristobal* en 1589, le *Slot Ter Hooge* perdu le 19 novembre 1794, au désespoir de la Compagnie hollandaise des Indes orientales, et rempli en ces temps optimistes et prospères de lingots, de pièces de monnaie, de tabatières, de pipes, de chandelles, de cuillers grandes et petites, de fourchettes pour les raffinés, de robinets et de poteries de différentes couleurs – ces épaves ajoutent à l'océan le drame qui lui fait défaut (la tragédie s'ajoute au courage des époques difficiles) et tout un contenu magnifique, imaginable seulement à la lecture des catalogues restés en ville, tasses et sous-tasses, émaux champlevés, lingots d'argent, et des guéridons, et du bois exotique, des armures de conquistador et tout le savoir-faire de l'arsenal de Venise : un contenu, enfin, un contenu, renouvelé chaque jour (le 7 janvier 1629, c'est le navire du roi de Bohême, dans la rade de Haarlem ; le 22 février 1870, le *Golden City*, un vapeur à roues, au Mexique).

Beau présent à son écuyer

Quichotte était un être éperdu, on lui accorde volontiers notre pitié de lecteur; son ombre se prolongeait de plus en plus étroite et maigre au couchant sur la terre, impondérable, encore un peu reconnaissable (plus pour très longtemps), ne suscitant pas beaucoup d'étonnement puisque de toute façon elle ne soulève aucun grain de sable; l'ombre toujours plus effilée du chevalier s'avance en éclaireur, mais pour des prunes, donnant au chevalier par anticipation une idée de sa solitude : bientôt, c'est une question de minutes, il sera là où elle se trouve. Sa folie fait de lui un solitaire (ça se discute – on prétend le contraire, une folie surpeuplée, folie volière, auberge, ménagerie, folie de carnaval comme celui de Salamanque ou de Valladolid quelques années à peine après la première publication du *Quichotte* en Espagne, quand on a vu apparaître des villageois déguisés en Chevalier à la Triste Figure); par ailleurs chaque défaite après ses batailles est un retour de soi sur soi, pour demander des comptes, faire le bilan des pertes, se consoler, se rabrouer, toujours tout seul, et composer dans son bocal une fiction consolatrice – mais au moins le chevalier Quichotte avait la compagnie du petit écuyer Sancho.

Achab ne jalouse pas grand monde, la jalousie n'était pas dans sa nature absolutiste (sauf au temps de son métier d'acteur : il aurait donné cher pour être l'acteur dans le rôle du petit Lucius quand il porte à Brutus, dans la nuit, une bougie dans son bougeoir), mais il jalouse malgré tout le Chevalier Quichotte à la Gueule de Six Pieds de Long, comme il en est venu à jalouser Sherlock Holmes et plus tard aussi l'esquire Phileas Fogg : le chevalier à cause de Sancho, Holmes à cause de son docteur Watson, Fogg à cause de Passepartout, son valet, pénible, grincheux, pressé, fébrile comme Leporello, toujours à rempaqueter ses valises, mais assez constant pour faire office de bon compère – le joyeux compère de fortune[1]. (À qui donner un coup de pied puis de coude, alternativement, avec qui échanger des propos sur l'engrenage d'une roue de moulin, moins specta-culaire que ses ailes ; vers qui se tourner pour laisser passer, puis rebondir, sa frustration, son enthousiasme de demi-victorieux, son expectative, et partager son désarroi de Quichotte et de Sherlock Holmes respectivement comme une figue et un *scone* beurré alors qu'il était encore chaud. De qui se plaindre aussi, à cause de la lenteur ou de trop de précipitation, se plaindre du parfum de ses pieds dans l'auberge après une journée de marche (voilà pour Sancho Pança), se plaindre de son excès de zèle lyrique : voilà pour le docteur Watson.)

Harceler son écuyer, Achab aimerait ça, certains soirs : le capitaine à la triste bobine pourrait l'assommer pendant de longues heures de ses récits de chasse à la baleine, toujours la même chasse, le même poisson, les mêmes hourras, clinfoc, espars, bobinette et chevillette – l'écuyer, disons le brave bougre chargé de pagayer à côté de son capitaine, fait don de son ennui en échange des histoires ; Achab prend ça pour de la sidération.

---

1. Bien sûr, il tombe parfois sur un prétendu et intermittent imprésario, mais un imprésario ne remplace pas un écuyer.

Catalogue des naufrages (extrait)

La flotte d'Erik Raudi, coulée en 986 vers la côte est du Groenland; le long de la même côte, le bateau d'Arnbjorn, en 1125, avec sa cargaison d'objets précieux; la *Blanche Nef*, le 25 novembre 1120, sur des roches de Barfleur en France, avec un lot d'objets précieux, de la monnaie, et les enfants du roi Henri Ier d'Angleterre; le navire de Francisco Pizarro, en 1510, vers le cap San Antonio à Cuba (c'était une pinasse espagnole), la *Santa Maria* en 1544, dans le golfe du Mexique, la *Santa Barbola*, un navire espagnol de 400 tonnes, du côté des Bermudes, une autre *Santa Maria* en 1492, le 25 décembre, au nord de la République dominicaine, et encore, en 1524, une *Santa Maria* de 110 tonnes à Porto Rico, et en 1525 une *Santa Maria*, toujours elle, à Puerto Plata; en 1569 le *William and John*, navire de traite anglais rempli de monnaie d'or, perdu vers la côte de Guinée; en 1578, le *Dranis* dans l'entrée de la baie de Frobisher; vingt ans plus tard, dans la baie Sainte-Anne au Nouveau Brunswick, le *Chancewell*, navire anglais; l'*Edward Bonaventure* en 1566, dans la baie de Pettislego, près de Fraserburgh, en Écosse, perdant alors bijoux, argent, or et fourrures; le *Pegasus*, navire anglais, soi-disant rempli d'un trésor; en 1740, à deux kilomètres et demi de North Ronaldsay, le *Svecis*, de la Compagnie suédoise des Indes, 600 tonnes et 28 canons, échoué sur le banc de Dyke; la *Pindad*, l'*Annunciata*, la *Santa Cruz*, la *Nuestra Señora de las Mercedes* et la *Encarnacion*, respectivement coulées en 1551, 1553, 1555, 1561 et 1564 entre le Portugal, l'Espagne et l'Afrique du Nord-Ouest; beaucoup plus tard, mais dans les mêmes parages, en 1828, le *Black Joke*, navire pirate, celui de Benito de Soto, perdu avec son trésor (on ne précise pas lequel); le *Madre de Deus*, le 9 juillet 1609, coulé dans la baie de Nagasaki, avec 300 à 400 millions de yens; et dans la Méditerranée, une épave du XIIIe siècle avant J.-C. remplie de lingots de bronze, une autre épave à Rhodes coulée avec la statue d'Aphrodite, une épave à Skiathos remplie de statues des dieux, une épave à Giglio, remplie d'instruments de musique, et l'épave d'Aboukir, sombrée vers 1915, qui a dispersé en mer des vêtements, de l'huile d'olive, des amandes, du corail et du safran; le *Winfield Scott*, le 2 décembre 1853, au large de Santa Barbara, un million de dollars en or; le *Yankee Blade* en 1854, le *Golden Gate* en 1862, le *Brother Jonathan*, le *Golden City*, le *Prince Alfred*, le *City of Chester* et le *Princess Sofia* en 1918 – et le 5 mai 1945, vers l'île d'Anholt au Danemark, un sous-marin allemand, U-534, dans quoi, paraît-il, on avait enclos de l'or et des documents strictement confidentiels.

De la jambe de bois (encore elle)

Un pas sur sa jambe légitime, le pas suivant sur une imitation grossière – l'imitation grossière, selon les jours, est un rebut de menuiserie, un reste de pied de table en surnombre, ou mal fichu et cédé pour le quart de son prix, ou bien c'est une jambe arbitraire faite de la main même d'Achab, un jour d'ennui, puisqu'il a été donné aux hommes d'occuper le temps perdu en taillant des branches (il faut voir alors le soin avec lequel Achab dessine au couteau le bois de sa jambe: de l'attention, évidemment, mais aussi un peu de négligence, qui est détachement et désinvolture, comme si le désir de tuer le temps l'emportait sur les besoins d'un estropié). Sa jambe légitime, pas toujours vaillante malgré son titre, fiable par intermittence, mais par moments de façon imprévue bien décidée à revendiquer sa légitimité, par la crampe s'il le faut (c'est un exemple parmi d'autres) ; il lui arrive de jalouser l'autre, la fausse, à cause de ses fantaisies Art nouille et de cette apparente indifférence de chose vis-à-vis de la douleur : une péripétie humaine d'où l'on tire beaucoup trop de conclusions, parfois, et des plus emphatiques.

À force de les briser, de les tordre, de s'en servir de levier pour soulever des couvercles, de frapper fort pour se faire entendre, ou de menacer puis incarner le châtiment sur son navire, à force aussi de les exposer au sel, à la pluie, au soleil (et encore s'en servir de battoir pour attendrir le poulpe), Achab finit par posséder une belle collection de ses jambes de bois, les vieilles conservées avec les jeunes, les brisées, les demi-brisées, les intactes, les pièces rares, les moignons dérisoires, jalons d'une mémoire chancelante ; il ne les expose pas comme on le fait à l'entrée d'un temple pour saluer des miracles, il les rassemble dans une cantine, elles balancent d'un côté à l'autre selon l'état de la mer et les mouvements du navire : c'est alors, dans la caisse en bois, une musique d'armée des morts en marche.

Il lui arrive d'avoir des coquetteries, l'orgueil de Trajan l'empereur quand il voulait raconter ses exploits à son peuple autour de sa colonne de bronze : il envisage de graver ou grave pour de bon dans le bois de sa jambe les épisodes de sa carrière achabéenne, les combats, les victoires, les défaites, les adieux et les retours, le mariage, les rues de Londres, les retrouvailles, les triomphes incontestables et ceux qui restent contestés, les heures de désarroi, les tribulations jusqu'aux îles Sous-le-Vent, et les heures de félicité proche de l'apothéose, quitte à mentir un peu, en spirale autour du bois.

Moby Dick à la chasse au capitaine Achab

Jupiter s'était métamorphosé jusqu'alors en toute chose, y compris en pluie de pièces d'or, et il y a eu aussi le taureau, le cygne, le courant d'air, le petit berger, la mélodie de sa flûte, une fille sublime, un beau marin et un oiseau-lyre. Pour attirer à lui un pêcheur de Crète et sa beauté d'albâtre et de mûres écrasées, Jupiter aurait pu devenir une baleine blanche – ses métamorphoses ne durent pas, on le sait, elles sont spectaculaires au point de créer le scandale, mais elles ne se donnent jamais la peine de se prolonger, et c'est d'ailleurs ce qui fait leur charme, cette désinvolture assumée avec élégance, et vice versa, devant l'Olympe et les mortels. Et pas question évidemment de remplir son apparence de tout ce que contient d'ordinaire une baleine, charge de gras et de tendons, pas pour si peu, pas pour un seul après-midi d'amour dont on ne se souviendra pas demain, l'ampleur de la baleine doit être pur charme démesuré, apparition sur la terrasse, grande farce de la séduction, mais vide, et donc aérienne, pas pour tromper le jeune homme ébloui, pour être complice de son regard d'esthète : la baleine jupitérienne doit être un déploiement de grande envergure sans contenu, sinon, comment voulez-vous apparaître? et comment être léger, comment faire l'amour? l'amour au ras des flots, comme doit l'écrire Hésiode quelque part : l'amour qui est bientôt l'écume disparue dans l'écume (je cite de mémoire).

Achab à Hollywood – Spencer Tracy, James Cagney, Buster Keaton

Pourquoi pas Spencer Tracy dans la vareuse du vieux capitaine? sa tête d'Irlandais blondinet roux, trapu et large, au front délicatement plissé (des motifs d'océan, comme si le mot navigateur était écrit sur son crâne)? Il abattrait du bon travail sur un navire, on lui donnerait un haut-de-forme, il le ferait tenir sur sa tête comme il fait tenir et bouger s'il le faut le chapeau mou des gangsters (un peu derrière, un peu sur le côté); il aurait l'avantage d'ajouter un rien de courtoisie (chrétienne sans doute, une courtoisie *sui generis*) à la brutalité achabéenne, mais (c'est un risque) peut-être aussi une gentillesse bonne pâte incompatible avec la rancune.

Alors, James Cagney, plutôt: Achab dans sa version petite, et plus teigneuse (la petitesse irascible, Cagney a eu le temps d'en faire son petit fonds de commerce, en attendant l'occasion de se montrer tendre, toujours avec sa face de pomme de terre plissée ("old frowny potato face"), et même, qui sait? sentimental). Trépigner, terroriser ses lieutenants, ce sera dans ses cordes, invoquer Dieu, le faire venir par des prières, puis le défier après l'avoir amadoué, le défier de si bas, comme pour venger Job trois mille ans après ses griefs – et foncer ensuite tête baissée, harpon devant, vers la baleine: lui si petit et si déterminé qu'il pourrait entrer en elle par l'une de ses blessures.

On a pensé aussi à Buster Keaton, le plus sérieusement du monde (après en avoir ri pendant un bon quart d'heure: l'hypothèse était une farce pour soulager les tensions après des heures de tours de table abrutissants entre scénaristes,

Charles Boyer ou John Barrymore? John Barrymore ou
Charles Boyer?). Entre Boyer et Barrymore, Buster Keaton
est apparu comme l'ange du silence, tombant à pic sur
la table, du plafond, de l'étage du dessus, dans son petit
brouillard de plâtre – il a fallu quelques minutes, le temps de
laisser retomber la poussière, pour prendre en considération
cette figure de Keaton, son calme, son intérêt pour l'horizon,
ses deux yeux si écartés qu'ils lui permettent de voir bâbord
et tribord simultanément, et de se nourrir de ce qu'il voit
pour se taire davantage. Après tout, le capitaine Achab,
une fois le burlesque mis de côté, et la colère, ça pourrait
être cette stupeur sage, une incrédulité distribuée équitablement à Dieu et à Diable, un visage attendant de l'océan
(des vagues) qu'il l'éclaire et l'anime. (Basculer du cinéma
muet au cinéma parlant ça aurait été, pour Buster Keaton,
une prouesse achabéenne – pour le dire autrement, les
discours, les harangues, les répliques de William Shakespeare
sans cesse servis par le vieux capitaine à ses marins auraient
pu être pour Keaton l'occasion de franchir (enfin / hélas)
la frontière qui sépare le muet du parlant – par exemple,
cette scène au cours de laquelle le capitaine prend la parole
devant ses hommes pour la première fois : une première
onomatopée modulée, devenant shakespearienne, pour
exprimer sa déconvenue profonde (*ô sidération*) et le début
de sa rancune. À Buster Keaton, des scénaristes, un cinéaste,
divers agents, imprésarios et directeurs de conscience suggé-
raient de considérer le rôle du capitaine Achab comme le
véhicule lui permettant de passer du Grand Art Muet à
l'art plus chaotique, plus trivial, plus douloureux parfois du
dialogue.)
   De fait, la rancune du capitaine, exprimée sous la forme
d'une tirade, a failli marquer le passage (vers 1927) du muet

au parlant[1], passage accompli avant tout le monde et pour
tout le monde par le maestro laconique Buster Keaton.
Il l'aurait fait avec prudence, à contrecœur – un peu de
méfiance aussi à l'idée de mettre le pied dans un monde où
il ne se sent pas bienvenu : il n'y est pas né, il y fera figure
d'intrus, il le sait, détonner est dans ses cordes mais cette fois
pas de cascades extravagantes pour échapper à son malaise
d'inadapté. (Combien d'aimables importuns il a joués pour
le cinéma muet, des hommes qui se sont trompés de porte
et n'ont jamais réussi à rebrousser chemin – pour beaucoup
d'entre eux, aller jusqu'au bout de leur gaffe semblait être la
seule issue : l'espoir, peut-être, de trouver le salut, le raccom-
modement de toute chose tout au bout puis au-delà des
catastrophes, ou sur les ruines après les catastrophes – le
retour au calme, c'est peut-être pour ces maladroits lunaires
un principe cyclique de cataclysme et de recommencement
inspiré d'un modèle indien – à moins qu'il ne soit aztèque.)

*Interlude – de la dramaturgie de soi (pour échapper
à la dépression)*

La dépression est absence fatale de dramaturgie appliquée
à soi-même – ceci pourrait être énoncé par Fernando Pessoa
le Taciturne sur des pages de carnets redécouverts un demi-
siècle après sa mort, ou par Dezsö Kosztolányi le Chroni-
queur Spirituel[2], dans un quotidien de Budapest, lu le
jour même par des messieurs au café : des pages de journal
brandies au bout d'une très longue tige (un bois luxueux,

---

1. Deux mois avant Al Jolson dans *Le Chanteur de jazz*.
2. Ou Dorothy Parker, ou Cole Porter, rue Monsieur, à Paris (48° 51′ 3″ Nord,
2° 18′ 59″ Est).

une poignée au tour). Après avoir démontré les liens subtils entre *manque de dramaturgie* et *victoire de la dépression en rase campagne*, Dezsö Kosztolányi aurait postulé l'existence d'un personnage Frigyes frappé de neurasthénie, il l'aurait accompagné chez un médecin dramaturge, de l'autre côté du Danube, à Buda, où il a sa salle d'attente, et dans sa salle d'attente des fauteuils Sécession viennoise et dans les fauteuils des patients, tous plus dédramaturgés (je cite) les uns que les autres. Pas de médecin dramaturge chez Fernando Pessoa, pas de fable *witty* publiée dans un quotidien, seulement le développement de son intuition, avec un soin extrême de peur de la briser en la saisissant ; il traque à petits pas l'idée d'une dramaturgie bonne pour le moral, il l'évoque en suivant des détours du côté des sciences 1900, on devine sa curiosité prudente de lecteur d'Encyclopédie médicale et de Sigmund Freud vulgarisé ; son idée de la dramaturgie passe par Goldoni, par Lope de Vega, par les autobiographies, les vulgaires et les flamboyantes, celle de Benvenuto Cellini, mais aussi par les aventures circadiennes de Pessoa lui-même rue des Douradores, par ce qu'il sait de ses voisins, ce qu'il voit de leurs mises en scène, ce qu'il entend de leurs vantardises, autrement dit du récit permanent d'eux-mêmes, prêt à tout, faisant don de sa crédulité à l'anthropologie (il tente de voir par exemple comment les habitants d'une ville apparemment aussi peu cabotine, Lisbonne, rusent pour s'en tenir chaque jour puis le lendemain de chaque jour à la dramaturgie d'eux-mêmes, sans quoi on les verrait sombrer, non pas "à la manière du noyé dans le fleuve", mais "à la manière du dentier dans un verre d'eau").

Casanova avait sa devise *Suis ton dieu*, le gaspillage à la place de l'avarice, aucune occasion manquée, bonne ou mauvaise, la reconnaissance pour tout ce qui ressemble à un bonheur, de fortune, de seconde main, de contrebande, de boudoir, de malle-poste, de casino, il avait aussi la spéculation au lieu de la plainte lancée dans le ciel de Venise vide à chaque coup du sort – jusqu'à ses soixante-dix ans, gaspillage et spéculation, et refuge en bibliothèque pour y soigner des peines d'amour en se dandinant sur sa chaise, lui permettaient d'échapper au spleen (des années plus tard, à la retraite dans un château de Bohême, ce sera une autre histoire : la soupe de légumes mixés et les sarcasmes des jeunes gens). Ni Fernando Pessoa ni Dezsö Kosztolányi ne proposent la dramaturgie de soi comme une panacée aussi efficace que les martingales bluffées de Casanova, ils sont assez grands l'un et l'autre pour savoir comment la mélancolie prend par surprise sans se donner la peine d'être la conséquence d'une cause – reste l'intuition d'un salut par la dramaturgie, ils y voient un prélude aux apaisements, ils ont l'espoir de concilier des salles d'attente de psychiatres avec le hall d'un opéra, et pourquoi pas les relier par de longs couloirs, avec des cariatides ; ils donnent une raison d'être prophylactique, enfin, à la littérature, pourvoyeuse de dramaturgie, réconciliant aussi du même coup les frivoles partisans du divertissement et les esthètes de Paris, en carré, en tortue, pour qui la littérature est la poursuite des missions des Jésuites par d'autres moyens.

La dramaturgie nous restitue la mort, facétieusement : merci à la malice du dramaturge, à ses stratagèmes, son vieux savoir-faire et tout ce qu'il peut y avoir de rassurant dans cette idée de savoir-faire (la coutume sans le conservatisme, sciences de pointe et ficelles du métier reliées l'une à l'autre, la compétence par l'éternel retour du même). Ce n'est pas exactement apprendre à mourir, c'est l'abandon sain et sage des luttes les plus stériles contre la mort, des raisonnements narcissiques pour y échapper, des promesses d'au-delà plus hypocrites encore, reposant sur l'autorité des Pères de l'Église et sur la force de conviction des curés du dimanche, née de la seule insistance. Pas besoin des discours fioritures sur la Mort des Grands Hommes ou le Retour de la Cendre à la Cendre pour se consoler (la dramaturgie n'a rien de commun avec la consolation) : qui veut se sauver de la mélancolie par la dramaturgie de soi accepte le plus simplement du monde la mort comme l'échéance : sur cette échéance, entre autres, il pourra construire sa dramaturgie. (La dramaturgie est un mensonge ? bien entendu, mensonge articulé aux livrets d'opéra, aux leurres, aux oublis, aux manœuvres hypocrites, à toutes nos vantardises se succédant devant le miroir comme les chapeaux sur la tête du client dans le magasin de la modiste. La fin de toute chose est imparable, il y a déjà quelque part un médecin légiste prêt à démontrer (stéthoscope et formulaire) l'inéluctabilité de notre mort, voilà pourquoi le mensonge dramaturgique peut au moins se vanter (c'est une pirouette de grand escroc) de faire tenir ses raisonnements, et surtout ses manœuvres, à un fait vrai – ah, pas trop tôt, un fait vrai : l'opéra, les cinq actes, tchekhoviens, goldoniens, accrochés par un clou au fait vrai de la mort.)

Avec la mort sublimée, goldonienne, donjuanesque, la mort dernier acte, la mort trappe sous les pieds du séducteur d'innocentes et chœur des survivants délivrés, ou mort bal de finissants de Mishima, ou mort énigme des romans policiers, ou mort apothéose de César, ou pour le dire autrement, parce qu'il faut être trivial, la mort facilité de librettiste pressé de mettre un terme à ses histoires, la dramaturgie appliquée à soi-même permet la vantardise : l'orgueil, la mise en scène de soi sur un joli fond uni, le dessin des contours de son existence scène après scène, le choix des répliques justes et de leur répartition, le plaisir de chaque chose située à sa place, la certitude réconfortante de pouvoir ranger n'importe quel tracas de premier ou de second ordre à sa bonne place dans un livret. Dramaturgie de soi fait beaucoup pour le réconfort narcissique, c'est déjà ça, tant que Narcisse ne conduit pas à une énième forme de morosité suicidaire – la dramaturgie de soi rehausse le col, attribue des noms et des titres, rebaptise avec grandiloquence, sans se lasser ; elle incite au cabotinage (dramaturgie de soi et cabotinage sont même intimement liés), mais quand on se sort du marigot de la mélancolie à la manière du baron de Münchhausen, le cabotinage est la construction nécessaire, il est lui aussi début, milieu et fin ; son allégeance aux règles n'empêche pas l'emphase, qui est le début des infractions ; les règles doivent être observées avec un zèle de chartreux ivre, ou plutôt le zèle de Raspoutine[1], elles seront sursacralisées pour atteindre des étages du sacré où les docteurs dépassés cèdent la place aux comédiens de l'opéra bouffe. Le début peut tenir compte de tous les mythes et les poncifs de la naissance, l'eau de source, la cigogne, la visitation ou le linge bouilli et le sang sur la paille, mais pour le mélancolique soigné par la dramaturgie de soi le commencement sera toujours une affaire de librettiste, pas d'obstétricien – et du point de vue du librettiste, le début n'est pas une mise au monde, l'idée d'être né le rend neurasthénique, plus que la peur de mourir un jour. La dramaturgie a l'élégance (charlatanerie + compassion) de remplacer toujours le commencement obstétrique par un commencement théâtral plus tardif, sans douleur, un prologue arbitraire, gloire de l'artifice et du roulement de tambour, choisi pour donner

---

1. Un zèle de chartreux imitant Raspoutine.

le tempo, mis au point par des siècles de littérature et de courtisanerie, par les cérémonies royales, par des ficelles de feuilletoniste amoureux du sublime et payé à la ligne. Dramaturgie de soi permet donc à chacun d'inventer ses débuts puis d'attendre sa mort en la portraiturant d'avance : une fin symétrique aux préludes par exemple, cupidon d'Orient opposé au cupidon d'Occident, ou rime de Dante, ou dernière flammèche répondant à la toute première, ou une mort facétie de cymbale façon Joseph Haydn dans sa symphonie de *La Surprise*.

Seule la dramaturgie de soi[1] permet d'en finir avec la pire douleur imaginable, à savoir la douleur absurde : d'accord pour la mouise, même soudaine, mais par pitié une mouise dramaturgisée aux petits oignons, tombant à pic pour contraster avec une scène de bonheur flûtée, pour alterner avec le duo des amants qui se foutent du reste, et précédée de signes prophétiques comme dans le *César* de Shakespeare, de crédulité, d'incrédulité, d'appréhension ou de vaillance, pourvu qu'il y ait du suspense, la malchance inscrite dans un dessin d'ensemble qui englobe aussi (les contient et les laisse libres à travers des mailles larges, tolérantes) les libellules des encres japonaises, à peine visibles – la malchance avec tambours, trompettes et doigt de Dieu, machination inéluctable, malchance protocolaire, et autour d'elle assez de témoins pour en faire le récit plus tard (ils n'auront qu'à paraphraser), et surtout malchance farcie de significations jusqu'à la bonde : elle en devient allégorique, elle était nécessaire depuis que le monde est monde, elle attendait langoureuse les interprétations des

---

1. Selon Hawthorne, George Washington est né tout habillé, en pantalon et en perruque, la poudre déjà sur la perruque.

herméneutes, analogiques, anagogiques, théologiques, tout ce qu'on voudra; elle est gigogne, elle contient des tiroirs qui contiennent des billets écrits à la main sur lesquels est révélée la raison de vivre du malchanceux, et la clef de son appartenance au monde; l'accident fortuit s'en remet à Schopenhauer, éminent dramaturge, pour se revendiquer non fortuit et non accidentel; la tuile tombée sur le crâne du promeneur devient non seulement Tuile fatale de la Punition et du Je te l'avais bien dit, mais Privilège Fatal Oxymorique, répété chaque jour s'il le faut, Privilège de Shlemil Élu à qui les tuiles sont destinées, comme les filles de ferme sont destinées aux Grands d'Espagne; la tuile ne tombe pas pour agacer, elle a été déterminée par le librettiste en parfaite entente avec son compositeur, elle a survécu aux vingt versions du livret, sa chute est un hommage à d'autres chutes, peut-être leur parodie, elle est si dramaturgique qu'elle se passe théâtralement de Dieu, de diable, de téléologie, elle devance la dramaturgie forcée parfois pantelante des biographes, elle est truc de Da Ponte volé à Métastase, Métastase pillant Plaute, elle est astuce de Goldoni, scénario de Lope de Vega, sens du rythme de Buster Keaton maître de Morton Feldman, Elliott Carter et tous les rythmiciens de génie; la tuile ne frappe pas stupidement un crâne, elle est un signe de ponctuation, aussi douloureux soit-il, elle relie au temps T le malchanceux à son début, son milieu et sa fin, début milieu et fin de l'existence de la tuile, début milieu et fin de l'existence du malchanceux; en cela, encore une fois, l'accidentel *sub specie dramaturgis* tient compte du premier mot et de la dernière réplique, juste avant le rideau.

Si Moby Dick était un chapitre des aventures du baron de Münchhausen

Si Moby Dick était un chapitre des aventures de Münchhausen, ses dimensions seraient multipliées par deux, aux bons soins de Münchhausen lui-même, et par trois, aux bons soins de ses auditeurs : puis deux fois encore, puis dix, jusqu'à enfreindre les lois d'équilibre entre longueur, surface et volume. Au lieu des flacons d'huile vendus par boîte de douze, la beauté inutile (assommante, kitsch, sublime, au choix) de la chasse, disons de la poursuite d'un animal fabuleux par un petit homme intermittent, collectionneur des triomphes invérifiables – les combats seraient un jeu de coloris : le poisson pâle, le baron de Münchhausen rouge[1] dans son ensemble, avec quelques traces d'or.

Imaginez l'entrée triomphale du baron Hieronymus dans la gueule de Moby Dick : n'importe qui d'autre à sa place aurait pataugé, perdu un bras, maudit les saints et bu suffisamment d'eau pour mourir dans la seule dignité encore possible, celle du noyé, le ventre large. Münchhausen, lui, a l'air de chausser des ballerines, il fait résonner sa voix sous les voûtes du palais, comme un mécréant chante *libiamo ne' lieti calici* sous la nef de Santa Maria, puis referme derrière lui les mâchoires : c'est un geste de voyageur un peu fatigué du voyage, baissant le rideau de la chambre d'hôtel au beau milieu de l'après-midi, sa souveraineté n'obéissant à aucune pendule. Dedans, il rencontre du beau monde, de vieux marins du temps de Frédéric le Grand, de Léopold Ier, de Rodolphe II roi de Bohême, il serre des mains décaties,

---

1. Rubicond, écarlate, pour être précis.

soulève des tricornes pour voir des visages de pionniers qu'il tire du sommeil, il y joue des parties de cartes, il les gagne, il a perdu entre-temps la moitié de ses biens, puis les a récupérés; il partage avec un vieil Espagnol du vin de Madère, il évoque les Grandes Découvertes et le naufrage de la *Santa Barbola* en 1551, un bâtiment de 400 tonnes rempli d'or et d'argent; il dort comme un loir, il recueille des échantillons, il chante à nouveau pour voir comment tout cela résonne, il oublie l'heure de la messe, il prend des notes appuyé sur une molaire, il s'imprègne d'une ambiance de cachalot, il se demande comment rendre crédibles ses aventures, il reconstitue une boussole avec un reste de fémur et les aiguilles de sa montre, puis quand tout est épuisé, sort de sa poche le poivre qui le délivrera (poivre de Cayenne).

Dans les récits du baron dits et redits autour des tables d'hôte, dix ou quinze ans après les faits (si on ose appeler ses aventures des faits), la baleine est à la fois incommensurabilité, fuite, menace et miracle de blancheur "irréductible à quelque raison optique". L'incommensurabilité de la baleine est un infini douteux, un infini de racontars, prenant place par effraction dans un univers pourtant soumis à la mesure, depuis Kepler et Tycho Brahe; la fuite peut être un moment de la menace, et vice versa. Quant au miracle de la blancheur, il est le nœud de l'intrigue: c'est la voix de la nymphe Écho par-dessus la rivière là où elle ne se trouve pas, ce sont les traces du Snark à l'adresse de chasseurs infidèles au Snark lui-même, c'est le miracle devenu coutumier du Simurgh composé de l'ensemble de ceux qui le cherchaient, ce sont les multiples significations de cet homme qui était plusieurs hommes, l'un après l'autre, mais un seul orang-outang, dans une rue de Paris mentionnée par aucun index, c'est l'absence de visage attribuée à certain mauvais génie d'Orient et à des malfaiteurs en Amérique, c'est l'aurore boréale justifiée par le reflet des harengs de la Baltique, c'est le nom de Personne donné au Cyclope, c'est tout ce que l'on a pu écrire sur la couleur de la pleine lune (les astronomes, les charbonniers). À la tête d'un navire amiral, le baron de Münchhausen, au lieu d'aller pourfendre le Grand Turc, se met à poursuivre cette blancheur, "qui concurrence la lumière du jour", pour lui donner une explication, hors de sa portée, soit l'or, l'argent et les perles du galion *El Buen Viaje* perdus dans un naufrage en 1621, soit les reflets des miroirs d'Archimède, soit la fortune du prêtre Jean, cristallisée, offerte (auquel cas ses vieux jours sont assurés).

Le blanc arrive en premier, il se présente d'abord comme lueur, comme couleur ensuite – qu'il prenne la forme d'une baleine n'a pas beaucoup d'importance (c'est Münchhausen qui le prétend) : une nymphe aurait fait l'affaire, un moulin, ou le visage de Sardanapale couvert de la céruse empruntée dans le cabinet des femmes et des pommades bien connues des courtisanes[1], ou le dieu éléphant de l'Inde, qui était bleu à force d'être blanc, "mais dont le bleu s'exprime blanchement à travers les brumes" (*aus dem Nebel weiss hervordrängt*), ou le contraire d'une gondole funèbre, le contraire du deuil wagnérien par Liszt éprouvé divinement.

Si Münchhausen a pu survivre à tant de morts, et par exemple survivre à la dévoration d'un tigre du Bengale sur sa branche, c'est parce que au moment de ramper sur la branche en direction du tigre, au moment de céder à sa dévoration, il se réservait le droit de contredire, dans un mois, dans un an, et du coup escamotait au tigre cette portion de lui-même

---

1. Elles auraient dû être des hétaïres ; un même paragraphe ne peut pas accueillir à la fois Sardanapale et des hétaïres.

nécessaire au récit, à savoir sa conscience et l'organe de la parole : la mâchoire du tigre s'est refermée alors sur l'enveloppe, la carcasse, d'où le baron s'était retiré, le baron comme menteur. L'autre ruse du baron, ruse d'éternel rescapé, est d'être en permanence à moitié lui-même, à moitié récit de lui-même, par un jeu de miroir, Münchhausen anticipant la narration rétrospective – de fait, il prévoyait à l'âge de quinze ans les vieux jours, il prévoyait l'écriture de ses Mémoires, il prédisait la nostalgie de ses quinze ans, et prévoyait le souvenir amusé de ses prédictions – une fois atteint l'âge de soixante-dix ans, Münchhausen n'a pas été déçu – ce qui ne signifie pas qu'il n'a pas été surpris.

Moby Dick animal de série B

D'autres proposent au capitaine scénariste d'adopter son immense poisson tel qu'il est, un poisson, sans rien changer (c'est presque un soulagement) : la baleine, l'immensité épouvantable à bon marché, accueillant avec elle toutes les légendes océaniques d'Orient et d'Occident, y compris les restes de l'Atlantide dont plus personne ne veut ; ils laissent aux vrais grands génies venus de Vienne avec leur cour croupion le soin de faire de la dentelle avec des sentiments feutrés et de faire défiler sur le devant de la scène au son d'un carillon d'horloge tout un bric-à-brac d'objets freudiens qui ne tiennent jamais très bien à l'histoire elle-même. Il existe des réalisateurs plus modestes, de troisième zone, et leur arche est moins hypocrite : ils acceptent la baleine, et l'appellent baleine, l'adéquation du nom à la chose est pour eux gage de réussite (la tautologie est une révélation adressée à peu de sages (c'est la grande énigme : nous ne voyons pas ce qu'il est impossible de ne pas voir)) ; ils s'en vont demander aux accessoiristes s'il est possible d'en gonfler une immédiatement, dans un studio laissé vide par une autre équipe à la pause déjeuner, puis de la peindre en blanc avec ce qui reste de la couleur utilisée pour colorer les éléphants d'une quelconque Cléopâtre, la septième du genre. Un jour, par hasard, entre le bureau de Josef von Sternberg et celui d'Ernst Lubitsch, deux différentes sortes de tabac, Achab scénariste tombe sur Roderick Stewinghue, cinéaste débutant qui voit la gloire venir, occupé à tourner, en attendant cette gloire, avec des équipes de secours, dans des studios d'emprunt et un décor de seconde main déjà utilisé par d'autres, par plusieurs autres, et destiné à être brûlé. (Combien de ces façades un cinéaste de série B comme Stewinghue a sauvées du bûcher à la dernière minute, pour en faire le décor de son chef-d'œuvre, quitte à réécrire son chef-d'œuvre, à minuit moins une, sur un genou, d'une seule main, au milieu du décor lui-même? Une fois, à ses débuts, c'était le palais du sultan de Khorassan, ou du moins le peu qu'il en restait, rebut de *La Fille du harem*[1], renommé palais du calife de Bagdad par la seule force de son génie; une autre fois, un palmier emprunté à l'Égypte de Ramsès II et de Cecil B. DeMille, métamorphosé à l'identique en palmier de Californie pour servir d'arrière-fond à des amours difficiles entre un pasteur et une putain; une autre fois, un campement tartare du bord de la Volga[2] que Stewinghue a converti sans y toucher en bivouac d'Hébreux planté à cent mètres de la mer Rouge; et une autre fois encore, avec la fougue des débutants, Roderick a osé retaper, avant qu'elle

---

1. Raoul Walsh, 1926.
2. *Les Bateliers de la Volga*, Cecil B. DeMille.

ACHAB (SÉQUELLES)

ne parte à la casse, la vieille baraque où Lincoln a vu le jour,
dans la version de sa vie tournée par D. W. Griffith, pour
en faire la cabane en bois rond de Boucle d'or : c'était un
coup de génie, une relecture audacieuse, le décor de cabane
a supporté les torsions sans broncher – mais quoi qu'il en
soit de ces sauvetages, ils ne durent jamais bien longtemps,
on s'en débarrasse le lendemain matin.)

L'histoire du monstre blanc et du marin-pêcheur, le
jeune Roderick en a entendu parler, il y a réfléchi et depuis
quelques jours il y voit l'occasion de sa gloire : il appelle ça
carte de visite, et aussi coup de poing, et dans son discours
d'une minute le capitaine scénariste devine encore les mots
radical et *sincérité*. Il est un peu déçu bien sûr quand il
comprend que Moby Dick n'est pas le nom donné à un
monstre du lac, aux multiples têtes, au repaire brumeux,
une créature photographiée dans le noir, en faisant des
économies – il se console comme il peut, se disant baleine
géante vaut bien créature à trois têtes, et pêche en haute
mer remplacera chasse au lac maudit. Ce sera la baleine
appréciée pour elle-même, on lui trouvera un simulacre,
elle sera filmée de bas en haut, il y aura son œil en très gros
plan, grossi cent fois ; on la filmera aussi de très loin, elle
sera une diffraction de la lumière, un accident de la pellicule,
elle sera la menace sans cesse différée ; s'il le faut, on la fera
s'ébrouer dans le seul décor disponible pour le moment :
celui de Carthage, au Ier siècle, au soleil couchant.

*Achab aspirant scénariste rencontre Josef "von" Sternberg
(ou : Il est curieux qu'on ait écrit si peu de choses au sujet
de l'épouvantail)*

Il était "au commencement" Josef Sternberg, Sternberg   [1935]
tout court, ma foi bien assez long déjà, la montagne et
l'étoile, les cimes, le scintillement cosmique : il aurait été
déplacé d'en demander davantage. Josef vient au monde
Sternberg à Vienne dans le quartier des couturiers, il y enfile
ses premières pantoufles, plus tard ses premières bottes pour
s'accorder à une mode plus martiale – l'Empire austro-
hongrois n'en finit pas de finir, quelques bonnes âmes pour
remonter à tour de rôle le ressort du gramophone, l'espoir
dans les valses – les valses alors qu'inéluctablement parviendront par vagues le ragtime et puis le fox-trot. Quelque part
entre la Vienne des rubans de couture et Hollywood paradis
agrume, Josef Sternberg est devenu Josef von Sternberg : le
von est apparu, on dirait une mouche juste au-dessus de la
lèvre de la jeune fille, du jour au lendemain, et qui signifie
suivez-moi ; le capitaine l'imagine enfoncé "comme un
coin" entre le prénom et le nom, sur une fiche d'état civil
tamponnée par un douanier d'Ellis Island (un geste d'atten-
drisseur d'escalope de veau) : en raison d'un dessin pointu,
l'un et l'autre, coin et *von*, en imposent progressivement, la
pointe de l'allusion d'abord, ensuite l'affirmation triom-
phante. Mais par quel miracle, l'apparition de ce *von* : une
grâce divine ? la désignation du mortel par Aphrodite ? ou la
métamorphose, deux cornes à la même racine dont il faudra
être fier – entre l'Autriche et Sunset Blvd. il y a eu peut-être
une conversion mystérieuse, après une chute de cheval,
l'anoblissement par le roi d'Angleterre, mais pour quels

mérites? Achab imagine aussi par compassion l'une de ces maladies laissant des traces indélébiles, vous voyez le genre? qui perpétuent un souvenir d'été sous la forme d'une démangeaison.

Un *V* majuscule, deux plumes au chapeau choisies avec soin, geai et perdrix, le bon plaisir de Josef Sternberg, son petit orgueil, mais aussi le sens de la farce (farce du monde entier liée par une ficelle à la farce d'un seul homme), le sens de la dérision, de l'arbitraire du signe (pourquoi Sternberg s'appelle Sternberg et Messaline Messaline?), une oreille de mélomane pour apprécier les rythmes internes, un goût de poète et de coloriste, qui sait la vertu de ce *o* pour arrondir des *e* flanqués de *r* rigides comme des merlons. Lui non plus, le vieux capitaine, ne s'est jamais privé de jouer avec son état civil, ne serait-ce que pour éprouver la plasticité de l'état civil, et l'assouplir s'il le trouve raide; il s'est donné des pseudonymes sans compter, un nouveau tous les sept matins, pour le plaisir – une euphorie de pyjama neuf, inouï, bleu pour changer du rouge (tenir devant soi les vingt-six lettres de l'alphabet et se savoir maître de leur combinaison est la meilleure façon de chasser l'angoisse: il sera Douglas Fairfield lundi, George Cavendish mardi, et Cavendish se débarrassera sans scrupules des chagrins de Fairfield). Mais jusqu'alors, il n'avait jamais osé s'anoblir – c'était pourtant à portée de main, il aurait suffi de trouver la combinaison juste à partir d'un *o*, d'un *n* et d'un *v* (à tous les coups, Achab ne se serait pas senti plus aristocrate, mais à un je-ne-sais-quoi il aurait senti tous les aristocrates du monde, tous en même temps, déchoir d'un cran, un millimètre, en direction de la roture).

Maintenant, il comprend et il ne cache pas son admiration: profiter de sept jours en bateau entre York et New York pour s'élever au rang d'archiduc, c'était une idée de génie : bluff artiste, coup d'État nombriliste, guerre de succession réglée "sans coup férir" d'un seul trait de plume (ah, il faut le reconnaître, le trait de plume performatif : comme le jour où deux présidents signent leur cessez-le-feu sur un papier buvard). Quand Josef "von" Sternberg débarque au quai d'Ellis Island (ou bien c'était à Fort Clinton ?) il a ce *von* sur lui, pour lui, il anticipe les génériques sur grand écran et les gros titres de sa nécrologie, plus tard ; il tient le *von* serré dans la paume de sa main droite, d'autres serrent un passe-partout ou un billet de vingt dollars père de vingt millions d'autres (c'est aussi un as de carreau : celui qu'il faut au bon moment) ; en plus de la petite ruse de parole, Josef se dit qu'un Autrichien venu d'Autriche n'aura pas de mal à convaincre tous les guichetiers de l'Amérique non monarchique de la valeur de ses quartiers de noblesse – rien de tel, n'est-ce pas, un pays de républicains, de pionniers égalitaires, où la noblesse n'a pas cours, pour faire dorer son blason. De fait, à Hollywood, on croira à ce "von", on lui accordera de la valeur, mais laquelle ? Josef "von" Sternberg mourra des années plus tard, honoré, comblé, humilié, déchu, recomblé, statufié et passé à tabac, il mourra sans savoir si les habitants du pays d'Hollywood, les nababs et les maquilleuses ont approuvé ce "von" par indulgence ou par conviction. Il aimerait qu'on le lui dise pour de bon, avant de mourir : s'il a suscité l'admiration ou la pitié ? si les marchands de films comme Mayer ou Zukor l'ont pris au sérieux, lui ont accordé le respect dû au chevalier par le roturier-schlimazl, ou l'ont laissé jouer avec ses trois petites lettres de noblesse uniquement parce que ici on laisse chacun être ce qu'il veut être (et puis, à Hollywood, les artifices sont nombreux, il y en a plein les magasins d'accessoires : alors, si on admet que Charlton Heston est Moïse, pourquoi par Josef "von" Sternberg).

Achab voit bien qu'il y a autre chose en plus du "von", plusieurs choses à la suite du "von", accrochées derrière : une petite moustache, un monocle luisant, un manteau de fourrure Habsbourg, des culottes de cheval, une distinction aristocrate, une ottomane où s'allonger et des préférences culinaires, tout ça fixé à ce "von" par des rênes de traîneau à clochettes[1].

Versions de Josef "von" Sternberg

Les arts baroques ne rendent pas toujours l'artiste jovial, il y en a beaucoup qui ont exulté toute leur vie dans la fugue et le stuc, en multipliant les plis des drapés, mais qui gardaient en privé une sécheresse de biscotte – de fait, Josef "von" Sternberg est parfois martial, quand il fait tourner les manivelles, et replié, confit, souffrant quand il cherche l'inspiration chez lui ("le cafard de l'inspiration sous le matelas d'une chambre de bonne"). Mais devant le capitaine, après quelques rencontres : la générosité même[2], l'hospitalité et l'offrande, dans les deux sens (les réserves viendront plus tard) ; il a peut-être conscience à ce moment-là de la fragilité de son "von" papillon de nuit : un jour viendra où la Paramount lui donnera son congé de valet de chambre, et ce jour-là Marlene Dietrich ne répondra plus au téléphone.

---

1. Tout cela a lieu immédiatement après le tournage de *La Femme et le Pantin*.
2. Les décors de Sternberg, comme les toiles de Vélasquez, sont hospitaliers aux chiens, aux infantes, aux nains, aux estropiés, aux princes dégénérés, qui ont des titres et des maladies héréditaires – alors, pourquoi pas de l'ambre gris et des harpons forgés à l'ancienne ?

En attendant, il est encore un monsieur jovial (jovialité et mesure) : Josef a feuilleté le synopsis du capitaine, il a souligné ici et là les mots *espars, glènes de filin, écoutillons, caliorne* et *tierçon de mélasse*, convaincu de pouvoir meubler une histoire en cinq actes avec ça ; il a souligné aussi l'adjectif *blanc* et le verbe *boiter*, et maintenant le voilà, Sternberg, avec son manuscrit et ses annotations, exalté, devant le capitaine scénariste, lui disant mon vieux il y a là de la matière, on va en faire une grande chose (combien de fois le capitaine scénariste a entendu ce genre de *il y a de la matière ?*) : votre histoire de rancunier noir, de proie blanche, c'est une évidence, et le projet de vengeance reliant l'un à l'autre me rappelle le dessin exact de la voûte entre le pilier nord et le pilier sud de part et d'autre d'une cathédrale, en Allemagne, je ne me souviens plus laquelle. Votre rancunier noir, je l'ai vu, j'ai perçu des odeurs d'anchois, j'ai lu ses imprécations, je les ai corrigées, à peine, j'en ai composé d'autres, l'imprécation demande du style et j'ai mon idée à ce sujet ; j'ai remarqué aussi comment il marche sur sa fausse jambe, me disant quel épilogue épique et intime à la fois s'il renonce à sa rancune le jour où son ennemi, ce gros poisson, lui rend le morceau de sa jambe : lui attendri et satisfait, s'emboîtant à lui-même comme les deux moitiés de l'Androgyne, ou comme deux moitiés de roi de cœur rassemblées par des agents secrets – vous aimez les films d'espionnage ?

Votre poisson albinos me plaît aussi, j'ai été tenté de le suivre, les envies de ce genre ne sont pas si fréquentes – et d'ailleurs, je l'ai fait, je l'ai suivi, autrement dit j'ai lu vos pages jusqu'à la dernière dans le sillon de la grosse bête, un béluga peut-être ? – et j'ai aimé l'acharnement du rancunier, vous pouvez me faire confiance : on me connaît pour être un spécialiste des passions acharnées, même l'innocence en fait partie. (Magnifique, cela dit en passant, tout ce vocabulaire de chalutier, on se demande où vous l'avez ramassé, j'imagine un dictionnaire chez un marchand d'antiquités, là où on trouve des scaphandres; j'en ai fait une petite liste, elle est entre les mains de mon chef décorateur, il doit maintenant s'éparpiller pour rassembler les accessoires, il se débrouille sachant, ne sachant pas le sens exact de chaque mot, mais son émerveillement est entier, il se fiera à son oreille, et moi je sais au bout du compte pouvoir remplir mon cadre de tous ces *boulines, étambots, réas, morfils,* et même ces *lougres à bouts carrés* que vous m'avez servis sur un plateau – ils se mêleront à mon paysage habituel, de chandelles et de miroirs; je trouverai le moyen d'ajouter des culs-de-lampe, si vous saviez l'importance des culs-de-lampe, ils sont le point d'appui métaphysique de nos décors et de nos civilisations.)

J'ai mis en scène des stripteaseuses de cabaret et des impératrices de Russie en fourrure sans être un spécialiste du strip-tease ni un passionné de l'empire des tsarines – si vous voulez le savoir, le véritable objet de ma curiosité, qui est aussi ma profonde angoisse, et ma perplexité, c'est la poursuite des choses: pas l'amour mais la poursuite de l'amour au-delà de l'ordinaire vers le sublime ou le ridicule; la volonté de pouvoir poussée jusqu'à la démence comme dans certains Shakespeare, et la libido quand elle atteint un point de non-accomplissement absurde. Même la réflexion froide, je le sais, tôt ou tard, se prolongera pour déborder les limites d'un terrain malade – et moi, depuis longtemps, je me tiens là, c'est mon devoir, à cette frontière, froid également, ensommeillé, lézard et fouine, avec mon appareil photo.

Je me suis permis d'étoffer, de couper, de faire la part des choses essentielles et inutiles – j'ai supprimé l'océan, par exemple, pour des questions de bon goût (même le dernier

des rococos de Vienne doit tenir compte du bon goût) :
je déteste filmer les gerbes d'eau, j'aime autant ne pas en
recevoir, j'admets la mer ou même les fleuves, les estuaires,
pour y faire dériver lentement de gauche à droite des jonques,
à l'arrière-plan, uniquement pour dévoyer l'œil. Un réalisateur a parfois la tâche ingrate d'être omnipotent, il est le
responsable des métamorphoses : j'ai pris sur moi de faire de
votre rancunier un empereur romain au lieu d'un capitaine
de pêche, on y gagnera en épaisseur – pas n'importe quel
empereur, vous allez être gâté, un empereur du tout début de
la décadence (imaginez les préludes à la décadence : ici aussi
le photographe doit se tenir à l'affût) : l'empereur Claudius,
coincé comme un porte-parapluie entre Caligula et Néron,
un peu moins glorieux, moins visité, mais du coup vierge,
j'allais dire libre de droits ; un bel empereur Claudius au
menton gras et à la main tremblante, un peu idiot, un peu
sanguinaire, ridicule et carnassier, qui contient à lui seul dans
son ventre de parturient toutes les contradictions romaines.
Ne vous inquiétez pas, l'essentiel du script est sauvé, il a
toujours l'acharnement, la rancune, le désir de vengeance,
les emprunts à Shakespeare, on tracera toujours ce trait de
voûte entre le rancunier et l'objet fuyant de sa vengeance
– et je vais vous faire un cadeau, personne ne perdra au
change : votre poisson, c'est Messaline, plus question d'agiter
des monstres. Vous et moi, nous sommes faits pour nous
entendre, nous privilégions le sens figuré, vous à cause de
votre grand âge, moi à cause d'un tempérament artiste, nous
serons les maîtres de la métonymie comme je le suis parfois
aussi de l'hyperbole : une comédienne en péplum blanc sera
infiniment plus maniable qu'un mammifère marin, je le sais
par expérience, on pourra lui confier des lignes de dialogue,
pourquoi pas une réplique à propos des parfums d'Arabie,

on lui mettra sur le sein une fibule en forme de pieuvre, l'un de ses amants stupéfaits la comparera à la Gorgone : le tour est joué.

Nous voilà sur un terrain plus connu, nos spectateurs ont déjà vu des films à l'antique en sandales, et ils savent depuis le temps reconnaître au premier coup d'œil le sage stoïcien, l'empereur dément cerné de singes et de mignons passés à la pierre ponce, le serviteur fidèle aveuglément, le comploteur de palais, le prêtre païen abscons, intraitable dans la fumée, l'affranchi vulgaire et l'ex-soldat savetier sympathique à la tête cabossée qui voit tout ce monde d'éphèbes et d'escrocs de son regard, bien entendu, désabusé. Les spectateurs seront ravis d'avoir Messaline au lieu d'un gros poisson, ça les changera de leurs dimanches passés à l'aquarium ; nous aurons un homme et une femme sur le plateau, nous tresserons des liens de l'un vers l'autre, vous y retrouverez tout ce qu'il y a déjà dans vos brouillons : un vieux contentieux (l'impératrice s'offre des apothéoses privées dans les bras des gardes prétoriens), la rancœur (Claudius fait d'abord l'enfant, puis l'idiot, puis sa jalousie advient, il en est le premier surpris, on assiste à l'avènement d'une rage adulte dans un corps de nourrisson), l'ourdissement de la vengeance (les stratèges de l'empereur ravis de pouvoir prendre part aux fêtes de la rancune), l'accomplissement (le péplum blanc de la dévergondée, le couteau des censeurs, sur les marches d'un escalier pour parodier la mort de Jules César), et pour finir un épilogue grotesque (Claudius à table prêt à entamer un foie de biche demande à ses serviteurs à quelle heure Messaline daignera se joindre au souper – j'ai trouvé cette scène dans Suétone).

Pour Claudius, nous avons convaincu Charles Laughton, il a déjà été Henry VIII d'Angleterre, il sait comment jouer

les tyrans charnels, il sera parfait pour incarner Claudius tel
que Claudius lui-même n'a jamais osé l'être. Je ne connais
personne pour être à la fois mou et dur comme lui, et y
parvenir avec autant d'art, ne me parlez pas de naturel ; il
sera la toute-puissance vulnérable, il aura la lèvre trempée du
jus de la figue, il verra travailler ses bourreaux en suçotant
des os de poulet, et quand il présentera le pouce pour donner
l'ordre aux gladiateurs, ce pouce aussi sera luisant. Passer de
votre capitaine marin à Claudius empereur va de soi, écoutez
ce que disaient Suétone et Sénèque le Jeune : Claudius avait
les genoux chancelants, il traînait le pied droit, il boitait dans
son palais le jour, et une fois mort il s'est avancé d'un pas
inégal en direction du ciel ; il passait son temps à secouer la
tête comme le faisait Samuel Johnson, et en plus de son rire
niais il avait une voix très singulière, rauque et pointue, une
voix, tenez-vous bien, "de mammifère marin", *marinis beluis* :
je n'invente rien, regardez mes notes, Sénèque le Jeune l'a
écrit noir sur blanc, j'ai relevé ça dans son *Apocoloquintose*.

Messaline, ce sera Marlene Dietrich, elle fera une impératrice aux joues creuses[1] ; il lui est arrivé d'apparaître à l'écran
dans un costume d'orang-outang, sa danse tenait du miracle,
j'ai vu le génie de Marlene Dietrich animer la fourrure d'un
gros singe ; du coup, elle n'aura aucun mal à donner une
allure poissonneuse à Messaline, sa façon de marcher vaut
celle des trois Sirènes – en plus des tirades de Lady Macbeth,
on lui donnera à réciter des vers de Rainer Maria Rilke. Et
si jamais je ne parviens pas à reconvaincre Dietrich, ce sera
Merle Oberon, une fille au visage allongé avec une bouche
d'amante difficile à combler, et les yeux d'Antigone déçue par
tout ce qu'elle voit ; elle était Anne Boleyn quand Laughton

---

1. On pourrait aussi parler de ses pommettes.

était Henry VIII, pourquoi ne pas lui donner sa revanche ? un rôle d'amante à cent vingt prétendants, tous cueillis comme des fleurs des champs, avec la tige, et qui retourne chez elle chaque matin sans honte après s'être essuyé les joues. Elle sera entourée de vestales à moitié nues, je ferai mettre des méduses blanches dans son bassin, ça nous changera des carpes à la romaine, et vous et moi nous finirons par trouver ensemble des équivalents à tous ces détails savoureux typiquement baleinéens : la majesté, l'appétit, l'indifférence aux aiguillons, la faculté de disparaître (on remplira un bain de lait), et le jet d'eau qui excite la curiosité des hommes, à tous les coups, ça ne rate jamais : pour les philistins c'est un réflexe physiologique, les raffinés y voient l'expression de sa liberté et de sa joie de vivre, l'exultation immédiate sans lendemain signalée fièrement de loin.

Voilà comment les attributs se répartiront : à Claudius la jambe folle, la rancune trop grande pour lui, qu'il prend d'ailleurs pour de l'épilepsie, une voix de baleine et toute l'épaisseur de graisse qui le maintient en vie – à Messaline la couleur blanche, les neuf dixièmes de son corps invisibles sous l'eau du bain, la maigreur romantique qui était celle du capitaine, mais le devoir de fuir à toutes jambes la vengeance d'un obsessionnel jusqu'à rejoindre à bout de souffle l'endroit même où sa mort l'attendait.

(Achab scénariste fait ce que les circonstances lui commandent de faire : il acquiesce, il a vu les autres scénaristes agir, il sait maintenant s'y prendre ou à peu près : en présence de Sternberg, il convient de garder le silence et de montrer son consentement, silence et consentement en échange de Messaline – ça aurait pu être Paulette Goddard dans le rôle de Sémiramis. Il se félicite de s'en sortir à si bon compte : Charles Laughton poussera la conscience professionnelle jusqu'à prendre des leçons de maintien auprès du calmar géant de l'aquarium de Philadelphie, pour atteindre le sublime, dans ce mélange toujours de mollesse et de dureté, il prendra même des cours de diction – le calmar, comme l'empereur Claudius, comme Laughton, c'est le masque flaccide et carnassier de la toute-puissance au bord de la faillite. (Le scénariste Achab ne le sait pas encore, mais Charles Laughton passera des heures à écouter en boucle sans se lasser, en exultant peut-être, le discours d'Edward VIII le jour de son abdication – le sommet du pouvoir d'où un démissionnaire peut prendre son envol. Ce sera cette fois des leçons d'emphase, de mégalomanie et d'abattement; le capitaine verra dans l'abdication un hommage à son nom collé à celui de la baleine. Il ne le sait pas non plus, mais il le devine, la *Tragédie de l'empereur Claudius* ne verra jamais le jour; Laughton à force d'écouter l'abdication du roi Edward finira par renoncer, d'un renoncement sublime dont il retire une petite honte; Sternberg se perdra dans des décors trop vastes et surtout dépouillés, étrangers à ses corridors surpeuplés; Merle Oberon traversera le pare-brise de son automobile, comme ils seront nombreux à le faire à cette époque de course façon Gatsby le Magnifique; le péplum grand luxe se métamorphosera en citrouille à la manière exactement de l'empereur Claudius selon Sénèque le Jeune dans son *Apocoloquintose*.))

Invisibilité de Moby Dick

Le capitaine se méfie de l'invisibilité de Moby Dick comme il se méfie de l'invisibilité de Dieu – invisibilité soi-disant bonne, en vérité hautaine, gage d'aucune réelle liberté humaine si le souvenir des pluies de Sodome l'emporte au moment où l'on croit pouvoir invoquer la tolérance divine[1]. Non, l'absence de Dieu, y compris Ses promenades paisibles de jardinier sans travail dans les allées de l'Éden loin d'Adam et d'Ève, l'absence de Dieu est faite de méfiance, d'affût, de surveillance, et Son omniscience ajoute à Sa distraction feinte des souvenirs ineffaçables et des prophéties implacables (s'Il a depuis toujours le passé et le futur à portée de main, le Dieu faussement débonnaire cultive déjà la rancune des trahisons que nous n'avons pas encore commises) (déjà du temps où la mâchoire d'un crâne s'écrasait sur le crâne d'Abel, l'absence de Dieu est un douteux mélange d'hypocrisie, de préméditation, de voyeurisme – elle est (ce ne sera pas la dernière fois) un décret d'immunité).

Quand la mer lui en laisse le loisir, Achab souligne dans son exemplaire de la Bible, parfois pour la septième fois, ces passages de l'Ancien ou du Nouveau Testament où ce Dieu s'absente, faisant planer sur les mortels, "comme la poussière après le départ d'un homme à cheval", Sa désinvolture. Ça ne pouvait pas être de l'indifférence, s'Il est l'Amour Complet, pas de l'incitation au crime, ça entrerait en contradiction avec la preuve ontologique de l'existence de Dieu élaborée par saint Anselme de Cantorbéry en tirant la langue six jours de suite sauf le dimanche ; ça ne peut pas être vraiment la distraction, ni une crise de mélancolie soudaine, c'est une maladie de mortel, à moins que la mélancolie soit une épreuve d'humanité un siècle avant de s'aventurer dans l'incarnation – ou alors une sorte d'infini je-m'en-foutisme, altéré par la honte d'avoir créé, et du coup d'exister un peu

---

1. Voir plus haut et plus bas.

plus concrètement que voulu? Des hérétiques parlent de ruse et de négligence: Dieu de la Bible des chrétiens ménage pour Lui seul à côté de la Création des marges privées interdites aux mortels: à sa disposition, pour son bon plaisir, où il ne cesse de dire, baguenaudant, Cela est bon, et où la ténèbre rejoint, pas fâchée, la lumière. (Ce serait ça, la raison de l'absence de Dieu, ce besoin d'aller dans les marges écrire ses *Commentaires en marge de la Création* – mais ceci doit rester l'un de ces secrets transmis de plagiaire gnostique à plagiaire gnostique dans un bain turc, clandestinement, la fraude étant pour la révélation le sceau de son authenticité. Il y a les mâchoires d'âne, les arbres de la connaissance, des salamalecs de serpents et de nigauds autour d'une pomme, sans même être sûrs que c'est une pomme, la rancune hirsute d'Ésaü, son hirsutisme hérité de père en fils – et tout autour, des commentaires, parfois en plagiant d'avance la typographie énervée de Léon Bloy, preuve qu'Il est capable d'autocritique.)

C'est pour comprendre les absences de la baleine, cette exégèse du capitaine, le soir, "sous la lampe qui oscille": il relève les absentements divins, note leur récurrence, leurs débuts et leurs fins, il les date selon un comput maladroit mais à peu près fiable, il en dessine la carte, il les classe par catégories (arbitraires mais efficaces), les souligne de rouge: en tire des conclusions provisoires, des conclusions comme les embruns. Il a beau connaître les différences, assez nombreuses, entre mammifère marin et Dieu de la Bible, il veut comprendre, et pour comprendre, que voulez-vous, il compare, c'est humain, il se livre à la comparaison. Aux marins qui l'écoutent (ils font semblant de tendre l'oreille, ses discours sont avec les mouettes un moment ordinaire passager de la vie en mer), le capitaine se montre capable d'assimiler Moby Dick à un Dieu hautain et cachottier – le lendemain, il la compare au Diable, à sa pâleur de cadavre, et au mot "Mal" si souvent écrit par des prêtres pour tenter de le comprendre – le surlendemain, par une ruse de pensée digne, elle aussi, de la Gnose, le capitaine assimile Moby Dick, Dieu et Diable, sur une même brochette (chez lui comme chez un très grand nombre de savants amateurs, le désarroi s'exprime dans le syncrétisme, le syncrétisme dans le désarroi) – le lendemain du surlendemain, plus question de comparer, Achab s'abandonne aux joies de la tautologie, joies de mercenaire quand il appelle un chat un chat pour exciter ses troupes : Moby Dick se retrouve entièrement dans Moby Dick, tous les marins sont invités à aiguiser la pointe de leur harpon.

Achab et Josef "von" Sternberg – addendum à Charles Laughton

(Seul Charles Laughton aurait pu considérer le rôle de la baleine comme une aubaine pour un acteur de sa classe : l'occasion de faire des scènes de bravoure sur un plateau pour les Oscars, d'épater un public difficile, donner toute la mesure de son royal shakespearianisme et jouer comme personne, aquatiquement, en batifolant, de l'ambiguïté des genres[1]. En très gros plan, il aurait eu un regard inoubliable : sévérité, cruauté, amour, compassion, tout cela à la fois, dans son seul œil de baleine, mais quel œil, frotté au répertoire classique, habitué aux pitreries du cinéma, enfin nourri de

---

1. Son embonpoint parfois pathologique et parfois comédien (ce qu'on appelle alors une stature).

l'intérieur par quelques déboires personnels – dont on ne dira rien.)

(Laughton aurait été un excellent capitaine, mais traître à l'idée qu'on se fait le plus souvent d'Achab : un capitaine plus tendre (*morbido*), plus rond et plein (la tentation d'être une mappemonde), poupon au risque de paraître flasque et de concurrencer la rondeur musclée mais infiniment grasse de son ennemie la baleine (ne l'oublions pas, elle est une réserve d'huile). Son fanatisme de vengeur d'autant plus troublant : il ne provient pas d'un homme au visage concave, choisi parmi les portraits graphiques et lettristes de Dante (les pénitents aux joues vides), mais d'un homme au visage bien rempli, à peine sorti de table, dissimulant ses obsessions, toutes austères, sous un éloge de l'hédonisme (du seul fait d'avoir les joues roses et rebondies, Laughton passe pour être la réfutation du puritanisme, la vérité n'est pas si simple).)

Achab et Josef "von" Sternberg entre deux séances de travail

(Entre deux séances de travail, Josef von Sternberg accepte de se livrer, un tout petit peu, toute vantardise mise de côté (provisoirement, ça le repose) ; il choisit le vieil Achab pour confident à cause de sa permanence et de son indifférence polie, et aussi son insignifiance : il raconte que dans les studios où l'on fait la pluie et des arcs-en-ciel s'opère la rencontre du désir de créateur et de la loi des coffres-forts : là plus qu'ailleurs, plus vigoureusement, et avec une franchise retrouvée nulle part (c'est la franchise des patrons de studio venus d'Europe centrale, des shtetls et du cabaret, maintenant élevés au rang d'empereurs d'Hollywood, disposant d'une époustouflante comptabilité et de la coiffure des divas – en face de cette franchise, le culot de l'artiste qui s'approprie les *Caprices* de Goya). Voici comment les combats se passent : d'un côté le demi-génie adapté plus ou moins à la loi des studios, fier de ses extravagances, d'une biographie inventée par lui-même, mais lié à des contrats – de l'autre, des machines si vastes, on entre dedans, on y tient à plusieurs, on y vivrait sa vie croyant à l'immortalité ; le demi-génie a ses désirs de création, il imagine ses théâtres de marionnettes, un *Faust* tout entier, un *Don Quichotte*, il a dessiné des hommes et des ânes sur une feuille de papier, il veut animer des personnages, les unir et les déchirer, il veut réciter Keats et faire avancer des vaisseaux en pleine mer, avant ça envisage la mer, comme suite de vagues ou illusion du mouvement à perte de vue (ou comme va-et-vient élégiaque) – le grand studio, la machine, doit nourrir six cents électriciens, mille figurants, Assyriens et Apaches, les ballets, le Kapellmeister, les compositeurs attitrés, l'équipe de soixante-sept scénaristes, les bruiteurs et la fille chargée de remettre en place sur le front de Rita Hayworth la mèche de Rita Hayworth. Il faut bien que la rencontre se fasse sur ce terrain pas vraiment neutre, le demi-génie, la machine, c'est-à-dire l'homme avec en tête Keats et des mouvements de vaisseaux, et les comptables, les directeurs, qui veulent remplir les salles dans le Minnesota chaque samedi soir, chaque dimanche matin. Chacun sait parfaitement, et chacun sait que l'autre sait, et ainsi de suite, tout devrait aller vite : le demi-génie sacrifie une part de son Ibsen, le responsable du coffre-fort accepte de faire le premier pas d'une danse censée le rapprocher d'Ibsen ; on négocie avec dureté sachant d'avance la place des perdants, les comptables doivent ressentir une émotion particulière, à vrai dire impartageable, quand ils font pénétrer le nom de Keats dans leurs coffres-forts. Des peintres ont représenté à la moitié de leur taille des donateurs quelque part derrière les Rois mages, des musiciens se sont rendus à Versailles au lever du roi, et des poètes ont attendu le privilège, Léonard de Vinci a couru après Borgia, et Galilée était un courtisan – mais là (selon Josef von Sternberg), dans ces studios où l'on fait danser Robin des Bois de bosquet en bosquet, la partie jouée entre le génie et les hommes du coffre-fort est la plus nette, à savoir aussi la plus élémentaire : en toute logique, il n'y a plus de place là pour le baroque.)

L'art d'être bredouille (discours prononcé
après avoir manqué soixante fois la baleine)

Le bredouille se lamente, sur le chemin du retour, il a la besace flasque, il pourrait faire le dessin précis, au charbon, à la pierre noire, de sa besace flasque, alors connaisseur du mou plus que de la besace, la besace vide n'étant qu'un épisode de la mollesse bredouille, après des chasses infructueuses, considérée *sub specie aeternitatis* – plus tard, il sait convertir la tristesse en théorie de la tristesse, faite de cercles et de triangles, grâce à quoi le Retour Bredouille peut atteindre sa perfection graphique. Le bredouille voudrait retourner chez lui en tant qu'homme de science, fier de la finesse immesurable de son trait ; il ne veut pas bénéficier de la pitié qui se tient juste en dessous du pardon ; il veut que son retour soit une chorégraphie, et exorcise pour longtemps les sentiments.

L'art bredouille fait de l'échec accepté une forme d'expression déployée dans le temps et l'espace, avec mesure – on confond parfois l'acceptation bredouille avec le simple fair-play, ou la résignation : de fait, beaucoup de chasseurs ont cru bon s'en tenir là, à la petite noblesse du perdant qui sourit ; ça ne suffit pas bien entendu pour élever le retour bredouille au rang des beaux-arts, il en faut davantage : cette petite noblesse est un point de départ dérisoire. L'art d'être bredouille suppose l'art d'éviter la capture : mille façons de renoncer, mille façons de viser à côté de la cible, ou de se tenir seul à l'endroit d'un rendez-vous, avec la Lune s'il y a la Lune (la Lune bonne volonté mesquine du poète), avec rien s'il n'y a rien, le regard perdu à travers des branches d'arbre, et le silence qui ne sera plus bientôt le silence de l'affût.

On a vu revenir le capitaine, abîmé comme (c'est un très incertain *comme*) un général romain sans victoire, de retour chez lui après avoir connu l'Orient des ingratitudes barbares – ses marins (on ne le dit pas assez) avaient appris avec le temps à deviner dans l'œil du capitaine l'expression de son amertume au lendemain d'une campagne ratée : un visage de mormon après une nuit mauvaise, se demandant s'il fait bien d'attendre le septième jour. L'art d'être bredouille échappe à ces circonstances : rien de commun avec le visage déconfit, avec l'aigreur du chef déboussolé devant ses troupes, et l'incompréhension, l'autocritique, l'absurdité du monde, l'anti-prière à Dieu, les aveux impossibles à faire, toute la sueur et le tralala du perdant ; il faut y voir plutôt un art de la légèreté quand les charniers sont vides, la préférence accordée à la proie hypothétique au lieu de la capture accomplie – l'art d'être bredouille rend délicatement abstraits des actes grossiers, même s'ils sont efficaces, il veut donner aux chasses la grâce des visages d'icônes, colorés si finement sur une planche, d'une si maigre pellicule de couleur, sans jamais disparaître ils menacent de s'effacer. L'art bredouille est spirituel, il échappe aux témoins situés loin de l'événement; les marins (il faudrait en faire le catalogue, cavaliers, proxénètes, poètes déçus, hors-la-loi, faux enfants de chœur, évadés de prison, etc.) connaissent de l'art d'être bredouille ce qu'il convient de connaître: ils savent ajouter l'amour du rien, le rien si chic, comme une cravate, à leur devoir de faire du chiffre.

L'artiste bredouille laisse filer les proies, il ne s'agit pas de générosité d'honnête homme, alors luxueuse et larmoyante, à l'égard des pauvres créatures, encore moins de pitié de saint François (on voit François le saint en présence d'une mésange, on ne l'imagine jamais face à un banc de morues): c'est autre chose, il faut avoir le sens de l'orchestration, le silence avant, le silence après un coup de timbale, donné pour rien.

L'art d'être bredouille s'accomplit sur le chemin du retour, évidemment: il est un art de l'après-coup, il tourne le dos à des scènes épiques ni réussies ni ratées, mais bousculées, catastrophiques, comme des champs de bataille, là où se mêlent des restes de munitions perdues, en l'occurrence des bouts de harpons brisés, dessinant mal des perspectives – comme il s'accomplit sur le chemin du retour, il est un art de la seconde fois, il en a l'ironie et la mélancolie; il est dérisoire après le grand rite de la chasse, il est nostalgique par devoir et laisse se déployer dans le dos du chasseur bredouille les couleurs d'un coucher de soleil, du meilleur effet: pathétique, avec des cuivres. Il maintient l'honneur dans le déshonneur puisqu'il choisit le contraire de la capture; il sait prolonger le désir, il prend plaisir à reporter au surlendemain le triomphe et tout ce qui s'ensuit, tant pis si le triomphe ne viendra pas ou s'il aura changé de nature d'ici là; il laisse le chasseur aux mains vides propriétaire de ses projets. L'art d'être bredouille peaufine aussi la tristesse, s'il le faut, comme le style du sentiment des choses dans l'ancienne poésie japonaise : mais cette tristesse devient à son tour un art, elle est prodigue, elle n'est pas l'impuissance se constatant elle-même, elle a encore conscience des formes, de l'importance des formes dans ce bas monde, et du besoin récurrent de découper des silhouettes en papier. Dans le meilleur des cas, l'artiste bredouille conjure la frustration, et même l'idée de défaite ; son art atteint sa perfection (une perfection impossible mais théorisable) quand il se tient au plus près du renoncement – ce bord de l'aile du renoncement (je le cite), Achab l'approche certains matins quand il se penche par-dessus le bastingage, en attendant l'instant où la peur de tomber et l'idée de se maintenir deviennent une seule et même chose : un même sentiment, assez peu défendable, peut-être un miracle, peut-être un malentendu, ou un trouble de la pensée, comme l'impression de déjà-vu par exemple (mais Achab finit toujours par renoncer à renoncer : c'est même l'une des définitions de l'achabéisme).

Finalement, la chasse bredouille devient un chef-d'œuvre quand elle est source d'orgueil : le chasseur revient alors chez lui parmi les siens en majesté, sur un éléphant s'il le pouvait, dans une ambiance d'entrée de souverain en ville : sa chasse était éloignement, elle faisait se rencontrer le chasseur et sa proie sans témoin, chasseur et proie ont communié hors de portée des profanes, la chasse gagnée ou perdue est une partie de leur vie privée et ne concerne personne d'autre – à peine plus tard, le chasseur revient se montrer soi-même au peuple comme trophée, ou comme blessure, c'est tout ce qu'il a sous la main. Les mains vides, le filet vide, le bredouille triomphe, son geste était gratuit, sa défaite est l'art pour l'art, d'ailleurs, la besace ne pendouille plus, elle profite du vide à l'intérieur de sa peau pour respirer – le lendemain, on recommence, l'aller aux aurores, le retour crépusculaire, ne jamais capturer sa proie est le meilleur moyen d'entretenir des mouvements perpétuels, et de suggérer une vie égale, donc heureuse, une vie semblable, le recommencement étant abolition de la mort.

Conseils à Josef "von" Sternberg

On ne peut pas imaginer les affres du cinéaste de génie, le matin, quand il s'en va diriger son équipe de cinquante et de cent sur un grand plateau de tournage : tout un peuple de techniciens, des singes sur des tringles, des funambules, des électriciens, des costumières, des paires de ciseaux dans des kilomètres de tulle, des rouliers et des figurants aussi nombreux que les citoyens de D. W. Griffith. Ce sentiment d'être un brin de paille arraché à une chaise à bascule, comment le convertir en formidable détermination de génie au travail? comment, sinon en choisissant sa garde-robe, en faisant des parades nuptiales, améliorées par l'expérience. Et surtout, il faut arriver le premier, compter sur la Stratégie du Chevalier le plus Précoce : avant le premier balayeur, avant le premier colleur de bande adhésive : arriver dans un hangar vide, entendre ses seuls pas résonner, se cogner aux pupitres, libérer le gardien de nuit, inspecter la poussière d'un air de maîtresse de maison quand elle s'ennuie et possède des bibelots – faire durer le plus longtemps possible cette heure où l'on se tient dans la compagnie des projecteurs éteints, encore maître pendant quelques minutes.

Chez lui, et dans l'auto tout à l'heure, en route vers le plateau de tournage, le réalisateur était une créature sans aucune certitude, il n'avait pas même foi dans les atomes d'Épicure, il ne prenait appui sur rien – maintenant qu'il se tient debout derrière sa caméra, il doit être un chevalier, le Grand Condé à vingt ans fils de roi sur la plaine et la bataille de Rocroi, coiffé par des corneilles, menant dix mille hommes contre dix mille autres hommes, d'une couleur différente ; il doit frapper contre sa cuisse et retrouver à l'instant le fil de ses dialogues : c'est le moment de reconvertir l'à-quoi-bon en impérieuse Volonté hollywoodienne, à la fois désir de créateur, pulsion tragique de Génie et nécessité financière, dictée par les studios, qui doivent produire coûte que coûte : occuper les grands hangars, amortir le salaire de Gary Cooper, illuminer des écrans ternes avec des incendies et ressortir encore des fables des tiroirs.

Achab se demande s'il peut donner des leçons de certitude à un réalisateur confronté à mille figurants, puisant ses arguments dans son passé de capitaine, sans scrupules bien entendu, pour recycler une expérience de maître autoritaire qu'il a eue par procuration seulement. Il dit notamment : pour tenir son équipe en respect, il y a la force du tribun, le charisme naturel, la menace, le monopole de la force, mais tout cela ne vaut pas un chapeau – au moment de prononcer le mot *chapeau*, Achab fronce les sourcils : ce qu'il faut comprendre (Sternberg comprend), c'est l'importance du costume, chacun le sien, costume casoar ou costume stetson, ou pantalons de golf, ou gomina, lunettes noires, verre de bourbon à cinq heures pétantes, fume-cigarette ou bandeau sur un œil. Tout au bout de ces conseils de tailleur pour homme, on se demande si ce n'est pas lui, le capitaine, qui souffle à Josef Sternberg l'idée d'ajouter *von* à son nom de petit Juif de Vienne – il lui montre comment se replacer les cheveux sur l'œil et en moins d'un quart d'heure dans un bureau de la Paramount il lui dicte une vie de von Sternberg dans les palais d'Autriche-Hongrie. (Pour tenir son équipage, Achab avait inventé la baleine, il la faisait ressurgir chaque fois que ses hommes commençaient à se plaindre ; il savait compter sur son obsession, pas comme effroi, plutôt comme divertissement, ou l'un et l'autre à la fois, faisant vite pour ne laisser à personne le temps de démêler sa peur de son plaisir (un jour prochain, le capitaine se permettra de murmurer à Josef von Sternberg : trouvez-vous une baleine, une baleine blanche).)

Josef "von" Sternberg et Moby Dick

Ce qu'il accepte de retenir de l'océan, disent ses détracteurs, c'est un dôme de caviar dans une assiette en argent (même si à proprement parler l'esturgeon n'est pas océanique : pour un homme des Alpes autrichiennes, les océans se ressemblent, un lac fait aussi bien l'affaire) ; d'autres fois, c'est une pince de homard, ou l'espadon empaillé dans le bureau d'un avocat ; plus tard c'est le charme bon marché d'un homme vêtu en gondolier, à l'étape suivante c'est un collier de perles, ou bien la pipe et la casquette d'un marchand de journaux ; les harpons sont les pics de bois avec quoi des marins de luxe capturent l'olive au fond d'un verre de martini, ou à la surface, si elle a la grâce de flotter. (Tout ce qu'il sait de l'océan, il l'a appris dans *L'Odyssée* (un peu aussi dans *Le Vaisseau fantôme*) : pour lui, le drame de la mer, c'est la question de la fidélité d'une femme, presque veuve de marin, séduisante à son âge, incapable de recoudre un col, déterminée à refuser l'un après l'autre les prétendants après les avoir essayés.)

Martha Dolittle demi-veuve et les rumeurs
à propos d'Achab

Le culot d'Achab devenu capitaine la ferait rire, si elle en
entendait parler (si elle le savait maintenant à Hollywood,
parmi tant de vedettes et de petites mains) : une distance de
vingt mille lieues entre le tout jeune homme à peine sorti
de ses manuels et le monde de la chasse à la baleine, selon
ce qu'on en dit (rudesse, fatigue, pauvreté, les lois d'airain
et les contrats vicieux, la mauvaise paye, des morts absurdes,
l'eau glacée, les monstres marins et les séances de boucherie
sur le pont). Si jamais un voyageur venait à lui parler de
son Achab devenu capitaine, si des rumeurs traversaient la
baie de Chesapeake jusqu'à elle, la veuve Achab y verrait le
fragment d'un mensonge collectif (servi aux siens, sa vieille
mère, son vieux père et ses créanciers) pour masquer la mort
de son fiancé ou sa totale reconversion dans l'imposture,
comme s'il s'était fait nommer ambassadeur des États-Unis
d'Amérique à Bornéo.

Martha Dolittle demi-veuve convoque puis congédie

Elle ne fera jamais tourner les tables : plutôt maudire
réellement, prosaïquement, ce fuyard d'Achab, en dressant
dans l'intimité de jeune fille son poing fermé indigne d'une
demoiselle (brandir, et serrer fort, elle sait faire comme les
autres) – il y a dans l'absence d'Achab pourtant quelque chose
de l'esprit frappeur toujours plus ou moins là, dans le silence
et l'angle des murs, dans le mouvement des rideaux, dans le
va-et-vient d'un volet sous le vent, dans la masse du sommier

au milieu de la nuit, dans le miroir sur le bord d'une tablette, dans une page de journal qui se retourne et glisse sous la table, dans les bulles du verre d'eau et l'assoupissement de la grande armoire en elle-même étalé sur des années. Au lieu de faire tourner les tables, le poing, la malédiction – pour être juste, des reproches d'épouse à époux prononcés sur un ton moins apocalyptique, et devenant plus calmes, parce qu'ils sont fatigués, sur une pente allant de la colère à la mélancolie, à la confidence d'un amour hypothétique, hypothétique et de plus en plus transparent, pas comme un voile de Salomé, comme une moustiquaire. Quand elle souhaite invoquer Achab, éternellement jeune, éternellement fiancé, intimidé devant l'anneau, Martha Dolittle a recours à ce poing, serré puis desserré, à quelques paroles, finalement très peu, les rares paroles qu'ils ont eu le temps de partager pendant des semaines de fiançailles, d'une banalité respectueuse, maintenant prononcées avec avarice pour ne pas les gaspiller – sur un ton très bas : un murmure, mais pas celui de la prière, celui de la désignation – c'est aussi le souffle qui sert à éteindre une bougie sans renverser la cire.

Alors Achab revient, opportun et provisoire, il est le chevalier servant, il ne fait que passer, il envisage son départ dès l'entrée, mais il est entièrement domestique, sans reproches et sans contradictions, il fait de sa volonté une donnée inexistante, il apparaît sans illuminer ni déchirer, il ne veut rien déranger, sauf sur invitation, alors il se laisse guider, sa présence même volatile et sujette à un grand nombre de doutes (des doutes de fiançailles) devient palpable, Martha Dolittle est la seule à le savoir à ce point : il est Achab tel qu'il aurait dû l'être et le sera à nouveau la prochaine fois, il vient de profil, il est l'angle délicieux d'Achab, inhésitant, très appliqué, la fidélité et l'infidélité du chat, il rassemble les éléments de sa nuit de noces, voulant bien faire, il ne part pas avant la fin – après seulement il pourra s'en aller, par la fenêtre ouverte, ou la fenêtre fermée, en laissant son empreinte à sa place une fois de plus.

D'autres jours, le lendemain matin par exemple, ça n'est pas le poing dressé ni la main ouverte et libre pour la gifle, mais un seul coup de pied donné dans l'air léger, accompagné (mais c'est purement décoratif) d'un mouvement du bras et du poignet, qui agite le battoir avec quoi Martha lave le linge (à l'eau glacée : un travail de sexe fort) – Achab n'est plus nécessaire, il n'est plus *grata*, ni comme mari présent, ni comme halo de souvenir, ni comme sujet de conversation : tout ce qui existe et a lieu est alors pleinement non-Achab et constitue un monde bedonnant, de fruits, de ventres, de jours, d'heures bien remplies, d'oreillers, de chaudrons, de projets futiles, de conversations inutiles, à la fertilité secrète, un monde de distractions à court terme et de petits soucis de la taille d'une punaise (animal et objet), de trivialité accrochée par de longs fils eux-mêmes triviaux puis sublimes à la métaphysique : à ces catégories de la métaphysique qui turlupinent depuis des siècles. Et encore d'autres jours (le plus souvent peut-être) c'est cette alternance de convocation et de congédiement, y compris quand la demi-veuve Martha entame l'inventaire de ses prétendants en compagnie d'un prétendant : Achab l'amant par contumace peut tout aussi bien être là et ne pas être, et alterner, comme on hésite à passer une porte de peur de déranger ou de découvrir, faire des allées et venues de curieux, non pas d'inspecteur, de fiancé tenté mais tenu à distance (et puis courtois malgré sa goujaterie, conscient d'avoir à s'effacer, lui le spectre, derrière des amoureux plus ordinaires peut-être mais plus concrets). Martha Dolittle elle aussi a du savoir-vivre, elle ne prononce

pas le nom d'Achab en présence d'un de ses substituts, elle
ne peut de toute façon pas comparer l'incomparable, surtout
pas le prétendant au mari fuyard, il n'y a pas son portrait
au-dessus de la tête de lit, il ne décrète pas, il ne donne pas
l'exemple, il n'est pas le milan empaillé dans un angle de la
chambre au-dessus des têtes; quand Martha le convoque,
c'est pour avoir prise sur son absence.

*Achab à Hollywood – rencontre avec Erich Stroheim
(dit Erich Hans Oswald Karl Maria Stroheim
von Nordenwall)*

Le surlendemain du surlendemain, ou des mois plus tard[1], [1936]
Achab scénariste, son manuscrit sous le bras, subit l'épreuve
d'un long tête-à-tête en compagnie d'un autre monsieur
"von", Erich Stroheim cette fois: lui aussi venu de Vienne,
berceau des marquis d'opérette, lui aussi habile calligraphe
qui a gratté ses pièces d'identité pour y faire apparaître
l'insigne des grandes familles régnantes. Sternberg aime les
fourrures romantiques, il s'y perd, on dirait un chef de horde
accédant au trône du tsar dans ses peaux de bêtes anoblies
– Stroheim aime les uniformes d'apparat, c'est-à-dire aime
l'uniforme et aime l'apparat, l'uniforme quand c'est l'heure
du bal et la tenue de bal quand elle se donne des airs officiers;
il veut la bonne réputation du militaire à cent galons, gradé
au plus haut point, prétendant conserver dans sa chair
l'empreinte des batailles qui étaient admirables, mais il veut
être chic tout de même, le dolman sorti de son armoire, sans

---

1. Stroheim vient d'écrire *The Devil-Doll* de Tod Browning et de jouer dans *The Crime of Doctor Crespi* de John H. Auer, d'après Edgar Allan Poe.

traces de boue, blanc, blanc céruse, blanc crème, blanc plume d'autruche, blanc meringue François-Joseph, à cordons dorés sur la poitrine.

Depuis le temps qu'il passe d'un couloir de la Paramount à un autre couloir de la Paramount (il croise diverses variétés de Hongrois, dialoguistes, ex-dramaturges, cinéastes et vedettes aux yeux noirs), le capitaine connaît les jalousies cultivées là-dedans, jalousies-euphorbes des serres chaudes : il ne s'étonne pas de déceler dans le monocle de Stroheim une lueur adressée en ligne droite au monocle de Sternberg : l'envie, la concurrence, la critique implacable (au royaume d'Hollywood, il ne peut y avoir qu'un seul "von", l'autre est l'usurpateur, et le génie, dans un décor d'échauguettes à la Louis II de Bavière, ne se partage pas).

Il est célèbre pour sa nuque, Stroheim, un cou de bison des Alpes autrichiennes fait pour les minerves ; et son crâne, on le sait, imite le globe terrestre dans la main des rois pieux statufiés debout[1] – de cette nuque, de ce crâne lisse, il toise le petit Achab ; il a lu son manuscrit, il a suivi les aventures de la baleine scène après scène ; il va bientôt faire connaître son verdict, le petit capitaine attend la parole qui sera une foudre, un déluge, la flamme sur Gomorrhe, les cendres, les sauterelles, le plafond douloureux du temple ébranlé par Samson et le javelot qui a planté le soldat au pied des murs de Troie. Stroheim n'en fera qu'une seule bouchée, lui qui a traversé l'océan à la nage, affronté les grands studios, révolutionné les beaux-arts, renvoyé la domesticité et les aides comptables, capturé des stars mâles et femelles, dont Gloria Swanson, vidé des banques et imposé des œuvres de neuf heures d'affilée : longues processions de flagellants

---

1. Frédéric II par exemple, mais il y en a d'autres.

suivis d'extatiques. Il sera intraitable, d'un haussement du sourcil il commanderait un verre de sang de veau; il tient serré fort son monocle, mais quelque part un petit quelque chose l'attendrit: un instant monsieur "von" se demande si cet homme exténué en face de lui ne serait pas lui aussi un fils de savetier de Vienne, un descendant des shtetls, qui serait venu à Hollywood sans jamais choisir le bon masque. (C'est vrai qu'il aurait pu trouver mieux – Achab se présente sous le nom de Cole Coleman, on a entendu plus épique, et s'invente pour compenser une carrière d'auteur à succès de la 42ᵉ Rue: personne ne prendra la peine de vérifier[1]. S'il avait eu l'aplomb de ce monsieur Erich Stroheim, plus culotté encore que Sternberg dans son genre, au point d'atteindre bientôt les degrés münchhausenniens de l'imposture, Achab aurait fait comme lui: au lieu de Cole Coleman, un nom de moutarde à *smoked meat*, il se serait orné de la ribambelle de Erich Hans Oswald Karl Maria Stroheim von Nordenwall: un carrosse tiré par sept pur-sang, chacun son pedigree, et chacun son plumet comme le blaireau des barbiers.) Stroheim est déchiré entre la confraternité de schmock à schmock (serrer sur son cœur le vieux capitaine), le jugement du génie infligé à un amateur, ou une longue tirade pour ébaucher puis accomplir son propre panégyrique, vie et œuvre, passé de haute noblesse, présent d'artiste maudit, et entre les deux les grandes œuvres incomprises – ou l'explication pédagogique, autrement dit la leçon faite par Michel-Ange au dernier des assistants touilleurs de pinceau dans la térébenthine – il se demande encore s'il va foudroyer, s'il

---

1. En vingt-cinq ans de villégiature et de demi-chômage sur la côte ouest, il a aussi porté les noms de Henry Lewes, William Cairns, H. W. Massingham, Charles Burchfield et Bill Gilmore – aux cravates multicolores.

va embrasser ce pathétique Jobard, si attendrissant quand il défroisse son manuscrit, ou s'il va lui renvoyer son scénario à la figure, lui disant le talent exige de s'écorcher la peau (une fable en vaut une autre).

Des extraits de naissance

(Plus tard, Orson Welles fera lui aussi du trafic d'extraits de naissance : ce seront à l'écran les avatars successifs de Charles Kane et d'Arkadin, ou bien le roi Macbeth incapable de devenir lui-même tout en se transcendant lui-même (se sublimant, s'outrageant) par l'effort d'être ce qu'il croit être. Welles ne se donnera pas le titre de comte : pour lui, les "von" et les visons, les minerves Habsbourg sont comme les bottes de Cecil B. DeMille, des accessoires des années 1920 ; il ne prétendra pas venir de l'aristocratie mais voudra tout de même faire bouger les articulations de son identité. Autant que possible, pour le plaisir, par réflexe, par impossibilité de faire autrement, ou par mesure de prudence, soutenu par cette intuition : que la désinvolture de soi à soi, les pieux mensonges, comme les coquetteries à la Zsa Zsa Gabor (on pourrait dire Linda Darnell) se rajeunissant de dix ans, les légendes familiales empruntées au répertoire et la valise remplie de faux nez pourraient bien sauver la peau de quelqu'un, allez savoir quand et comment, pourvu qu'il existe un lien (peut-être lui-même de pure esbroufe) entre la coquetterie de Zsa Zsa et les pseudonymes du Vercors, les faux papiers vieillis à la pleine lune (les codes secrets, les machines Enigma, les agents infiltrés, les comités invisibles de Trotski, l'arbitraire du signe des messages personnels récités depuis Londres, et le mimétisme des proies).)

*Achab scénariste – séances de travail en compagnie
d'Erich Stroheim (dit Erich Hans Oswald Karl Maria
Stroheim von Nordenwall)*

Quand on y pense, *Erich Hans Oswald Karl Maria Stroheim
von Nordenwall*: excellente idée, multiplier les noms et les
prénoms, il ne manque qu'une initiale quelque part (il y
a des prestidigitateurs comme ça: s'ils peuvent sortir un
lapin du chapeau, ils en sortent vingt). Générosité et même
sincérité, il faut bien le reconnaître: la vantardise élevée à
ce niveau n'est plus la vantardise, elle est la danse de l'ours,
l'incendie du bonhomme carnaval – et le mensonge multiplié
à l'infini, ce n'est plus pour tromper mais pour inviter ses
interlocuteurs à venir participer à sa tromperie (parce que
des prénoms d'opérette, il y en a pour tout le monde, Hieronymus, Günter, Jörg, Jan, Klaus, Werner, Otto, Fritz, Kirk,
Ernst: il suffira de se servir puis les redéposer ensuite, à la
sortie).

À cause de son visage d'expatrié délivré des quartiers de
Vienne, le capitaine Achab attendrit Stroheim l'inattendris-
sable: maître Stroheim était venu éconduire un prétendant
sans précaution, maintenant il se demande si quelque chose
ne serait pas envisageable, au fond, une collaboration, un
projet, un chef-d'œuvre: le renouveau stroheimien, le retour
du terrible Viennois après des années d'hibernation. Il
pourrait se rendre chez Carl Laemmle, patron de la Universal,
et lui proposer cette histoire de baleinier – avec Gloria
Swanson, si Swanson est disponible (on lui fera une place
entre la baleine et le harpon), et avec Stroheim lui-même,
qui se donnera un rôle à condition de se trouver un costume

au magasin des costumiers : un dolman, encore une fois, il a un faible pour les dolmans "à brandebourgs".

Mais de l'ampleur, alors : les aventures de chasse au cachalot sont amples, d'accord, mais ça ne suffit pas, il faut en faire une fresque stroheimienne étalée sur plusieurs décennies, brassant les pesantes folies, les pesants appétits et les pesantes terreurs des hommes, l'argent, le sexe et le pouvoir, tout cela à l'échelle humaine – parce que, vous le comprendrez un jour (c'est ce que dit Erich etc. Stroheim à Cole Coleman attentif), vous le comprendrez un jour, on gagne en ampleur dès l'instant où l'on se préoccupe des maladies des hommes. Les océans, les rorquals bleus, les six mois d'entreprise, artimon cabestan, tout ça bien grandiose, mais ce grandiose-là est riquiqui (je cite), comparé à l'incommensurable des aventures humaines : même la mesquinerie d'un homme au commerce d'une femme est immense, parce qu'il y a derrière elle le grand bazar orgiaque rapporté de Grèce par Sigmund Freud, et toute la brocante cosmique de Gustav Jung, sans compter le reste (Stroheim ne précise pas quel reste). (Le vieux capitaine tripote le bouchon de son stylo, son écoute est flottante, il compose pour lui-même ses propres didascalies – une fois de plus il va assister à la métamorphose de son histoire en autre chose, une fresque flamboyante orchestrée, totalement étrangère à ses baleines, et une fois de plus il devra approuver en silence, replier son cahier, aller voir ailleurs ou y croire malgré tout. De fait, pendant une heure, Erich etc. Stroheim von Nordenwall improvise un synopsis de grand bavard, le capitaine a le sentiment de voir son poisson se perdre dans la plaine de Tarass Boulba ; il le voit se perdre aussi, ça tient du miracle, derrière les tasses de Limoges du salon de la Verdurin. Pourquoi ne pas faire de votre capitaine boiteux un faux comte Karamzin, comme dans mon *Folies de femmes*, entouré de fausses princesses, ou bien le contraire, un noble en exil se faisant passer pour un vendeur de cravates, comme dans mon *Merry-Go-Round* : il convoite une princesse, c'est votre poisson blanc, il l'épouse pour sa fortune et pour la débauche sexuelle, espérée par lui du seul fait d'en avoir envie, promise par elle en se mouillant la lèvre, prophétisée par des tremblements de son bassin ; ils sont mariés, la perversion s'en mêle, au deuxième tiers du film le faux marquis constate qu'il a marié une fausse princesse ; le cinéaste et son décor jubilent à l'unisson de ce gaspillage de fraude – la fraude autophage.)

Erich, Hans, Oswald, Carl et Maria Stroheim von Nordenwall manœuvrent en prenant leur temps : ils ont été diplomates avec les producteurs, avec les dames actrices, ils ont été séducteurs dans l'intimité, ils savent creuser un tunnel à la petite cuiller, ils savent maintenant amadouer n'importe qui : il suffit d'y aller progressivement. Alors, progressivement, Erich, Oswald et les autres von Stroheim dévoilent au vieux capitaine un projet digne de *Folies de femmes* (six heures de pellicule), et digne des *Rapaces* (presque neuf heures de film) : écoutez-moi bien, cher monsieur, un Grand Quelque Chose, 430 minutes en douze tableaux, soixante-dix personnages, un récit sur un demi-siècle, des histoires de billets de banque, de chèques en bois, d'alcool, d'usurpation, de culottes de dames, de virilités vaillantes puis défaillantes, on garde la jambe taillée dans l'os de baleine, et pour le reste on glosera – on aura notre chef-d'œuvre de sept heures peuplé de grimaçants, ce sera édifiant et suscitera le scandale ; les survivants le compareront au Jugement dernier : les cartes du *Jugement dernier* battues avec celles des *Liaisons dangereuses* – et après ça, tenez-vous bien, voici la touche finale, on confiera nos cent bobines magnifiques à l'un des *wonder boys* d'Hollywood, un de ces émigrés d'Allemagne américains, Berlin, Brooklyn, Broadway, Beverly Hills, comme Carl Laemmle ou Irving Thalberg. Eux-mêmes refileront les bobines au dernier des tâcherons de l'équipe de montage, effrayés par tant d'ampleur – et alors, ce sera sublime, ce sera la véritable tragédie autour de la tragédie, un métadrame signé Erich von Stroheim qui justifiera un jour von Stroheim au regard du Dieu créateur : les tâcherons de la Paramount mutileront le chef-d'œuvre, il passera de sept heures à une petite heure et demie, une matinée de Guignol, ce ne sera plus Michel-Ange et Laclos mais un vaudeville pour vendre des paniers de pop-corn, il y aura quelque part dans des poubelles des chutes remarquables, chutes-Rembrandt, chutes-Penta-teuque, chutes-*Légende des siècles*, chutes-*Amour de Swann*, chutes-*Enfer* de Dante, et par-dessus les poubelles, Erich von Stroheim von Nordenwall assurera sa gloire de condor estropié.

Est-ce que ça vous tente, m'accompagner dans ce triomphe par la déchéance ? imaginez, vous serez sur mon épaule de géant, en phase avec le destin récurrent des artistes, les plus grands, qui ont toujours échangé leurs fresques contre l'ingratitude et se sont fait payer avec la monnaie du vestiaire – mieux que ça, vous serez en phase comme moi avec la Chute de l'Autriche-Hongrie, vous incarnerez l'esprit du Temps, Vienne abolie ne s'illustrera plus dans la fuite de Metternich mais dans le destin de von Stroheim, qui vaut bien la prise de Rome par Alaric. Les spectateurs se conten-teront d'un petit vaudeville de 90 minutes, comme un tout petit polype extrait de votre Léviathan, et nous, nous serons libres de nous en mettre plein la lampe, au banquet des bobines refusées : debout, à la lumière du jour déclinant (comme ce sera beau), nous regarderons des bouts de pellicule, un photogramme après l'autre, chacun reconnaîtra la part de son talent ; notre salut sera un secret bien gardé.

Mélancolie de Hieronymus von Münchhausen
(à la troisième personne du singulier)

S'il doit écrire un jour sa Mélancolie, s'il doit la coucher sur le papier, c'est-à-dire reproduire le miracle de la projection d'une sphère sur un plan et se réjouir des lignes droites devenues des courbes, s'il doit composer sa complainte, parler de la solitude, des années perdues, des plaisirs envolés avec le dernier pollen, la routine succédant à la passion, et l'angoisse de n'avoir plus de but − alors, le baron Hieronymus von Münchhausen accomplira sa tâche. Il écrira sa Mélancolie, sa souffrance, les larmes, les amours perdues, les jalousies, les échecs, et les dents cariées qui font rire l'arracheur − seulement voilà, plus par mauvaise habitude que par volonté (volonté de quoi et de qui ?), il remplacera le mot *larme* par le mot *épuisette* à chacune de ses apparitions, puis remplacera le mot *solitude* par *fusil de chasse*, et le mot *échec* par *petit salé*, et *amours perdues* par *ballon à air chaud*. Larme devenue épuisette, solitude fusil, abandon ananas, le récit de sa mélancolie devient après le troisième paragraphe l'histoire d'une chasse au carcajou, du côté du Grand Nord, comme on dit, canadien, parce qu'il n'y a pas de Petit Sud : vers les épineux et les records de froid : une histoire d'aventure en forêt, d'orteils dégelés face au poêle, de soupe épaisse qui réconforte le jour au silence de la neige et la nuit de repos sous la bonne pâte d'un édredon en compagnie d'une Esquimaude (c'est du Münchhausen tout craché) − après quoi, il sera toujours temps de remplacer les mots *ananas* et *fusil de chasse* par *volupté* et *pâmoison*.

Pourquoi et comment le baron de Münchhausen a fasciné l'ex-capitaine Achab

Admettre la double nature du Christ, divine et mortelle, c'est un exercice spirituel, et ça ne va pas toujours sans mal, mais découvrir que le baron de Münchhausen, celui du boulet et du voyage vers la Lune, a bel et bien existé comme baron Hieronymus, de la noblesse et de l'armée, ça, c'est une émotion qui sait être profonde tout en tenant compte des lois de l'entendement humain. Parfois, Achab admirateur de Münchhausen baron *et* personnage se compare au père de famille sans histoire à qui la possibilité d'une vie dissolue façon Don Juan est révélée par accident : la curiosité, le trouble.

Il voudrait surtout connaître les détails pratiques : sa lecture des aventures de Münchhausen pourrait être celle d'un juge quand il reconstitue les crimes : ce qu'il veut savoir, c'est comment s'organisent les noms, les créatures, les paroles et les gestes, comment Münchhausen le Véritable (1720-1797) en vient à consulter les pages de Münchhausen le Fictif, et ce qu'il fait de ses aventures écrites, s'il adapte son existence de retraité à ces histoires de chasses extraordinaires, s'il poursuit les plagiaires, et alors contacte son avocat, remplit des dossiers d'instruction – ou bien préfère convoquer l'autre Münchhausen, de la seule façon possible étant donné les circonstances, par pigeon voyageur (disons plutôt quinze pigeons partis traquer Münchhausen là où il se trouve, là où il ne se trouve pas, et là où il prétend se trouver) : et à l'heure de se battre en duel, se comporter comme Don Quichotte en face de l'autre Don Quichotte bricolé par un plagiaire (un couvercle de marmite pour imiter le plat à barbe qui imitait le casque). Il veut savoir comment Münchhausen le Véritable accepte de se prolonger dans Münchhausen le Fictif, s'il attend de ses nouvelles, si les mensonges du Fictif viennent le distraire de sa réalité d'officier à la retraite, ou si Münchhausen le Véritable considère les menteries permanentes, les siennes, celles du Fictif, comme une langue en partage, une figure de rhétorique qui servirait de point de rencontre, sur un pont par-dessus l'Oder, à égale distance – il existerait un seul mot commun à Münchhausen authentique hâbleur et à Münchhausen fictionnel sincère, un mot qui leur servirait de vasistas, d'œil-de-bœuf, de trou de serrure par où l'espion et l'espionné échangent une certaine intimité.

Quand il a vu apparaître un Münchhausen fictif, sous forme de milliers de livres vendus sur les marchés, Münchhausen le Véritable a dû s'en mordre les doigts (il existe un lien entre se mordre les doigts et se sauver des eaux du lac en tirant sur sa queue-de-cheval, mais la place nous manque pour laisser le baron développer cette comparaison). Münchhausen le Véritable n'est pas un habitué de la contrition, il ne regrette jamais, il ne sait pas bien comment faire (il a présenté un soir ses excuses ; en regardant mieux, il s'est rendu compte que c'était deux chaussons aux pommes) – mais cette fois, cette fois, peut-être le regret : d'avoir abusé des calembredaines, d'avoir dégoisé comme un ivrogne à jeun, un ivrogne dégrisé, s'être endormi par mégarde en laissant l'autre baron, Münchhausen le Fictif, le veiller, tenant le chandelier, et une fois sûr de son sommeil partir courir le guilledou. Pas très fort en regrets mais au contraire expert en optimisme et grand collectionneur des Motifs de Consolation se disant :

si Münchhausen le Fictif est né d'une seule non-vérité proférée par Münchhausen le Véritable, Münchhausen le Véritable peut se régénérer à son tour, se maintenir en vie, grâce aux non-vérités prononcées à son égard par Münchhausen le Fictif. Il y aurait là (le baron s'explique en faisant de petits gestes des doigts signifiant la complexité des choses et la simplicité du raisonnement) comme un jeu de reconnaissance mutuelle, et un système à trois pièces, vie, vérité et mort, articulé sur quelques lettres, tout à fait semblable à cette histoire de Golem qui se racontait partout à Prague.

La vérité de l'histoire est sans doute moins pragoise (rien de fantasque, pas de douze coups à minuit) : vers 1760 Münchhausen le Véritable revient des guerres contre le Grand Turc, il conjure les traumatismes et la dépression en faisant de la guerre une transcription pour harpe, luth, trompette et glockenspiel, tous instruments joyeux ; il invite ses amis à table, et des notables, il les divertit avec des aventures qui se prolongent du dîner au souper, d'abord un cheval, puis deux, puis une légion, d'abord Samarcande et bientôt la Lune ; tout le monde s'en retourne chez soi, à la maison, digérer le gigot d'agneau et se bercer de ces belles aventures, en les oubliant peu à peu, façon de faire du fruit confit à partir d'un fruit frais. Tout le monde sauf l'un de ces notables, un certain Rudolf Erich Raspe, pour qui Mère Nature (je cite) s'est montrée chiche en scrupules et en honnêteté, pas chiche à l'inverse pour le talent de plagiaire : furtif comme le sont les petits malins, furtif et admirablement mobile, Raspe est parti s'installer à Londres, ça aurait pu être Buda ou les îles Caïmans ; et c'est dans ce refuge, presque une nacelle de montgolfière, qu'il a traduit, chacun son tour, les bavardages de Münchhausen le Véritable en *Aventures* de Münchhausen le Fictif – le manuscrit au copiste, la copie au prote, les épreuves à l'imprimeur et les exemplaires aux clients des libraires.

Achab s'interroge toujours ; reconstituer les faits un siècle plus tard, c'est du travail, on recueille des indices ensevelis, et les cadavres s'exhument indéchiffrables (d'être indéchiffrables, on dirait que ça les amuse) : est-ce que Münchhausen le Véritable s'est offusqué ? est-ce qu'il est parti chasser les exemplaires du livre de ses *Aventures* pour les brûler, comme Gogol courant d'une librairie à l'autre pour racheter et détruire les exemplaires d'un recueil de poèmes particulièrement calamiteux ? – ou il laisse courir Münchhausen le Fictif, sans même penser à réclamer ses droits d'auteur – ou il se fait livrer un exemplaire, un seul, et se conforme à ses écrits, retaille sa barbe pour qu'elle ressemble à la gravure et tente de se montrer digne chaque matin ("sur l'élan du ressort du sommier de son lit"), digne de Münchhausen le Fictif, de sa jouvence, de sa causticité, prêt à lui donner un mur de sa maison pour qu'il expose les trophées empaillés de ses chasses.

Ou bien, on lui conseille plutôt de prendre le bateau, traverser la Manche, sonner à la porte de Rudolf Erich Raspe, et lui flanquer dans le nez le coup de poing le plus céleste, prémédité, un direct long du bras avant prenant son élan depuis Bodenwerder.

Münchhausen le Véritable finira bien un jour par raconter comment il a pourchassé son plagiaire à travers champs, monts et vaux, jardins à l'anglaise, fausses ruines, temples et Petit Trianon, et les étangs (il connaît bien : Raspe patauge, Münchhausen s'y déplace à son aise), comment il l'a vu apparaître rouge sur fond vert au-delà des chênes, comment il a mis le cap sur lui, visé entre les oreilles de son cheval, lancé sa plus belle plume pour le toucher au chapeau. (En toute logique[1], Münchhausen le Véritable fera ces récits au souper, toujours devant les convives, il ajoutera des épisodes ; plus tard, un autre Raspe appelé cette fois Wutz ou Bürger en fera des petits cahiers vendus tant de sous la pièce.)

Chacun y met au choix sa main au feu ou sa tête à couper – quoi qu'il en soit, c'est à parier : Münchhausen le Fictif a fait ses bagages un beau matin pour se rendre du côté de Bodenwerder, assister aux funérailles de Münchhausen le Véritable. Il l'enterre même, au sens propre ; on le voit ramasser solennellement une poignée de terre dans le tas rassemblé par de discrets figurants au cimetière (n'en pensent pas moins), considérer cette poignée de terre, y voir un sujet de fable, ce qui remonte à la surface quand le furet lui aussi fabuleux peut-être a creusé sa galerie : en somme un Discours du Tas de Terre sur le Dessin de la Galerie. (Ou mieux que ça, plus solennellement encore, il sort d'une poche remarquablement vaste un reliquaire rococo tout à fait Vienne Maîtresse de sa Puissance, et dans ce reliquaire une poignée de la terre recueillie dans la Russie de Catherine, ou l'Anatolie du Grand Turc – ou mieux encore, la poussière de la Lune : c'est bien de cela qu'il s'agit, une fraction de Lune seule peut enterrer le baron de Münchhausen, Münchhausen le Véritable.)

Münchhausen le Véritable était courtois – hâbleur, n'empêche, courtois, ce genre de monsieur intarissable d'un bout à l'autre de la table, prêt à s'excuser auprès des dames, une par une, individuellement, et pour chacune une excuse différente si son discours sans fin contient un trait d'humour de caserne. Il a laissé courtoisement Münchhausen le Fictif

---

1. Chapitre xxvii : Comment Münchhausen a franchi les haha d'un pas de grisette par-dessus les flaques.

faire ses aventures, en inventer d'autres, plagier les siennes jusqu'à l'usure, il s'est laissé plagier sans rien dire, sa grandeur d'âme est celle d'un plagiaire, vieux singe grimaçant du plagiat : il considère, même spolié, les délits de son cadet avec nostalgie.

Où l'on voit l'ex-capitaine Achab s'intéresser de près au Don Quichotte *de l'imposteur plagiaire Avellaneda*

On rencontre des imposteurs partout, toutes les auberges gardent une chambre libre pour l'un d'entre eux, et certains poussent le scrupule jusqu'à être les imposteurs d'eux-mêmes – c'est en tout cas ce que prétend le capitaine, par une belle journée déclamatoire, en s'adressant à un public de mouettes (très attentives). Shakespeare a eu les siens, qui n'avaient pas de mal à se déguiser en lui : il était reconnaissable et ressemblait à tout le monde (double vertu typique de ce génie) ; Don Quichotte a eu le sien, et aussi Cervantès, quand il a vu se présenter dans la vitrine des libraires un certain Avellaneda, son plagiaire, auteur d'une opportune suite aux aventures de Quichotte (opportune, pas seulement : vénale, frauduleuse, hypocrite, mais, il faut le reconnaître, par endroits bien troussée – d'ailleurs le vieux Quichotte, qui avait le don de pardonner à tout bout de champ malgré sa réputation de vengeur, aurait pu déceler dans ce mimétisme plagiaire des preuves de respect, l'hommage du copiste au chef-d'œuvre).

On ne sait toujours pas qui pouvait bien se cacher sous ce nom passe-partout d'Avellaneda : le capitaine a mené ses enquêtes dans des bibliothèques, à la nage comme toujours, passant d'un ouvrage à l'autre ; sans récolte superbe, il s'est

contenté de faire tomber de ces livres bâillants des prétendants au titre pas plus crédibles l'un que l'autre (mais en
matière d'imposture, la crédibilité est peut-être un mauvais
critère). Il a lu l'éternelle litanie des hypothèses, comparable
au Catalogue des Véritables Auteurs Secrets de l'Œuvre du
soi-disant Shakespeare, complété à chaque parution par
des descendants avides de vérité (*Héritiers Pourfendant le
Mensonge Officiel*) ; il a même trouvé un essayiste plus malin
que les autres, à Ithaca, État de New York, pour démontrer
que ce monsieur Alonso Fernández de Avellaneda était
en "réalité" Miguel de Cervantès lui-même, qui voulait se
donner du fil à retordre. Personne pour désigner William
Shakespeare, en revanche – et en mille deux cents pages
d'aventures, le Don Quichotte de Cervantès n'a jamais eu
l'occasion de battre en duel l'autre Don Quichotte, le super-
fétatoire (il a tout fait pour l'éviter, partant pour Barcelone
quand l'autre promenait sa légende de chevalier du côté de
Saragosse).

Achab à Hollywood – concessions à Carl Laemmle

Carl Laemmle, le producteur, c'est ce petit lutin pum-
pernickel venu d'Allemagne pour exposer son crâne de
Heimatlos au soleil sans concession de la Californie – heureusement, il a apporté d'Allemagne (en plus d'un certain
amour wagnérien pour les arbres rabougris, les forêts
malsaines, les forges crapuleuses, les nains maîtres des
flammes et les serpents gardiens de trésor) une collection de
chapeaux à sa taille, sa toute petite taille. Il aurait pu faire le
figurant pour la *Tétralogie*, dans le rôle d'Alberich roi des
Nibelungen, le destin a voulu qu'il devienne le patron

espiègle-mais-ferme des studios Universal, et qu'il se retrouve un matin en face du vieil Achab scénariste (appelé pour l'occasion Sam Samuelson[1]). D'une voix de bonimenteur civilisé, Carl fait au vieux Samuelson l'éloge du catalogue de sa compagnie : voyez comme elle n'a pas chômé en à peine une décennie ; les autres studios pendant toutes ces années ont mis en scène des amoureux, des amoureuses, des maîtresses indiscrètes, des policiers au cœur d'or, des paysans montés à la ville, mais la Universal peut se vanter d'avoir mis au monde des créatures bien plus étonnantes : le Loup-Garou par exemple, ou le Bossu de Notre-Dame. C'est dire si Laemmle et les siens aiment les estropiés d'un amour véritable – pas l'amour faux-jeton de l'Église qui collectionne des lépreux comme d'autres des toiles d'impressionnistes, pas l'amour de la sœur qui verse une larme sur un moignon parce que ça lui fera (à la sœur) gagner six places au purgatoire, tout ça de pris – non, l'amour sincère, celui de l'industrie du divertissement, sans autel et sans larmes, un amour strictement contrôlé pour éviter le moindre débordement, hors sentimentalisme, hors mièvrerie, hors rapacité de *padre* protecteur des enfants culs-de-jatte parce qu'ils feront de lui un saint. La Universal a dressé une armée de scénaristes, de producteurs, de techniciens, de maquilleuses, d'accessoiristes inventeurs de monstres en caoutchouc, d'éclairagistes et de comédiens (des premiers rôles avec des gueules de second, Dieu merci) ; et tout cela n'est pas rassemblé seulement pour assurer la gloire financière de la famille Laemmle, c'est pour servir de censeur-garde du corps à l'amour qu'un cinéaste cultive pour les hommes monstres. Les scénaristes se tiendront là, ô vigies sévères et insomniaques

[1939]

---

1. Leonard Woolf.

de la dramaturgie, pour chasser la pitié, ils corrigeront leur scénario jusqu'à ce que l'amour du spectateur pour le Bossu ou l'Homme sans tête se tienne à égale distance de la peur dégoûtée et du désir pervers, sur un terrain équilibré, incertain, prêt à tout, sensible aux suggestions, où l'affection pour un monstre peut se combiner narrativement avec la moquerie et le suspense – les directeurs du marketing veilleront à garantir à la Femme Serpent un minimum de dignité sans quoi les tickets ne se vendront pas, et les enfants n'iront jamais acheter sa figurine. (L'éclairagiste aussi soigne son éclairage, selon les règles de la compagnie : à ce moment-là, il renonce à être juge, et quand la maquilleuse avec le prothésiste ajoutent à Bela Lugosi un postiche à faire fuir, leurs gestes sont soumis au devoir de bien faire – à tel point, les sentiments oiseux comme la pitié ou la défiance et les commentaires gratuits façon petit romantique s'y dissolvent entièrement.)

Il faut lui reconnaître cette qualité – après le Bossu et l'Homme-Loup, la Universal réussit à aimer et faire aimer sans réserve le Fantôme de l'Opéra, rongé par l'incendie et la vérole, l'homme rapiécé de Frankenstein, "dont l'âme fuit par les coutures", le comte Dracula de Bram Stoker, Nosferatu qui est le plagiat du comte et en souffre toutes les nuits, l'Homme-Éléphant, la Femme-Panthère, et le double du docteur Jekyll créé pour mesurer auprès des filles de Londres le charme de la laideur. Alors, pourquoi pas une baleine, à condition de l'humaniser un peu ? hein ? pas pour la rendre plus avenante, pour faire de la baleine le symptôme d'une maladie humaine – parce que, voyez-vous, séparer aussi radicalement le capitaine vengeur de la baleine blanche est une erreur de scénariste débutant : on y gagne peut-être en batailles navales, mais on perd précisément ce mélange qui fait l'humanité des monstres et la monstruosité des humains, "et qui est notre fonds de commerce" (là, c'est Carl Laemmle qui s'exprime[1]).

Imaginez plutôt la combinaison du marsouin et du capitaine : mettons l'Homme-Morse, ou l'Homme-Calmar[2], frappé par une malédiction, maintenu en vie par le seul désir de vengeance (quand la soif de vengeance s'estompe, la dépression prend le dessus : l'Homme-Calmar fait face à son miroir (mélancolie d'adolescent ingrat, courage de médecin légiste, franchise désabusée d'ivrogne quand il constate l'avancée de sa cirrhose – mais aussi fierté bafouée de belle-mère à Blanche-Neige), il hésite, il réfléchit, puis finalement jette ses somnifères aux chiens). Il sort des eaux quand tout le monde s'endort, il fait glisser ses tentacules l'un sur l'autre (Laemmle en compte six), pour signifier un appétit monstrueux de chair fraîche et une sensualité ardente insatisfaite, bouclée sur elle-même ; il émerge de nuit, la nuit est toujours favorable cinématographiquement à ces monstres, elle sied, comme aurait dit Madame de Sévigné, à leurs mauvaises intentions et à la pauvreté de nos trucages ; les spectateurs le verront perdre de l'eau à chaque pas en faisant des bruits de batracien ; la frayeur qu'il engendre est celle de la limace, la frayeur sournoise ; il s'avance dans les rues du village, près des côtes, pourquoi pas Nantucket puisque le scénario en parle, pour y appliquer sa vengeance en suivant un calendrier précis (une précision étrangère à sa texture d'encornet) : le premier matin, le maire étranglé sous son édredon, le deuxième matin, la fille du pasteur, et sur le tapis de la chambre, un reste de goémon : les enquêteurs

---

1. 1939 – il mourra en septembre.
2. "J'ai entendu parler de krakens."

en prendront soin. Soit, une rancune d'Homme-Calmar, mais pour quel vieux grief? ce serait l'enjeu du deuxième et du troisième acte: le petit village côtier si aimable, étayé par son temple, ses menuiseries, ses jeunes mariées refleuries chaque avril, montre son véritable aspect: s'il n'est pas assez grand pour avoir les bas-fonds de Londres, il a suffisamment de replis creusés au fil des siècles pour y garder au chaud ses turpitudes; elles restent entre gens du pays, n'est-ce pas, elles sont inceste, cupidité, trafic d'avortons, pots-de-vin, cadastres falsifiés et privautés de pasteur se pardonnant lui-même (quant aux replis, ils sont entre des caves de maisons où sont rangées les confitures).

Mais Carl Laemmle ni la Universal ne veulent se perdre dans les replis d'infamie du village (ce n'est pas l'envie qui manque): la corruption cachée des petits patelins à la Disney est un motif agréable, mais le plus important, Achab scénariste ne doit jamais le perdre de vue, c'est bien la profonde humanité du monstre, qui dégouline en assassinant, et dont chaque ventouse invite à une sexualité glaçante. Au fil des scènes, le spectateur devra découvrir cette profonde humanité: au capitaine scénariste d'avoir maintenant assez de talent pour attirer la sympathie, celle de tous, sur son personnage abject, au point de faire applaudir ses prochains étranglements – il le fera aller le long des rues par exemple, dans le noir toujours, celui des somnambules, mais attiré cette fois par les notes d'un Nocturne de Frédéric Chopin, "tombées d'une fenêtre ouverte"; il l'obligera à se tenir sous un porche pour écouter chaque soir, avant ou après ses crimes, la jeune et belle veuve de marin jouer *My Bonnie is Over the Ocean*, puis un morceau de Carl Maria von Weber comme on en écoute entre les murs de la Maison Usher – le monstre se pâme sous la fenêtre, son écoute est élévation de mélomane, grâce de Jean de la Croix, profonde douleur de l'homme arraché au commerce des femmes, sans justice, elle est mélancolie et oreille absolue, elle est aussi onanisme d'homme-pieuvre en public, qui considère sa jouissance comme un hommage à la beauté des choses, de toutes les choses en harmonie, pièces de Liszt et blancheur de la cuisse; les larmes sont celles du vrai connaisseur; il se tient immobile, on croit voir Salieri emporté par *La Flûte enchantée*, il ferme les yeux, il ne voit pas s'approcher les hommes du village, tous baleiniers, armés des harpons remisés pour l'hiver (ils organisent des vigiles, ils traquent la bête depuis des jours, et quand ils ne la trouvent pas, pour éviter la honte du retour bredouille, ils bastonnent un ou deux Chinois, un ou deux clochards de Katowice, pour faire place nette). L'épilogue devrait être déchirant, l'Homme-Octopus se tient pendu au bout d'une corde, au petit matin, au son d'une cloche, le carillon de la délivrance, on dirait qu'il s'égoutte, quelqu'un a refermé le couvercle du piano, la gueule du monstre serré par le nœud de chanvre redevient le visage d'un jeune et ma foi plutôt mignon marin *Bonnie*, de ceux qui sont *over the ocean*, comme le répète la chanson du générique.

Où l'on estime le nombre des fous

Un jour de bon augure et de printemps, Achab scénariste décroche un rendez-vous avec George Stevens, réalisateur de comédies qualifiées parfois de délicieuses[1] – comme *Plus on est de fous*[2], tourné deux ans plus tôt, interprété

---

1. Sinon délicieuses, légères.
2. *The More the Merrier*, 1943, scénario de Robert Russell et Frank Ross Jr.

par Jean Arthur (délicieuse) et Joel McCrea (délicieux dans son genre), à se tordre de rire en effet, même si tout se passe sous le ciel quadrillé, lézardé et balayé de la Seconde Guerre mondiale (avant ça, il y a eu *Mariage incognito* et *A Damsel in Distress*: James Stewart, Fred Astaire, Ginger Rogers, P. G. Wodehouse, et des histoires de fiançailles). Pas de chance finalement, la rencontre a été ajournée: George Stevens parti en Europe à la dernière minute, sa caméra sous le bras, filmer en Bavière des baraquements totalement étrangers aux délices de *Plus on est de fous*.

Moby Dick à Hollywood – Billy Wilder et l'océan

[1949] Certainement un sujet intéressant, mais pour quelqu'un d'autre, pas pour Billy Wilder: la baleine, la chasse, l'océan comme alternance de hauts et de bas, tous les deux dantesques, la cruauté, l'acharnement, le gigantisme, Dieu de la Bible ficelé avec tout cela, on voit d'ici ce que John Ford en ferait, ou bien Cecil B. DeMille, le démiurge à culotte de cheval: soulever des flots, il sait faire, c'est même devenu chez lui une habitude, les océans obéissent à son doigt de directeur, et quand les océans se séparent, ils dévoilent trois mille figurants tout aussi obéissants. Ça ne veut pas dire que Cecil séduit par les aventures d'Achab laisserait tomber sur-le-champ sa petite mise en scène biblique du moment (Samson, et si ce n'est Samson, Salomé, ou Moïse, ou Zébulon[1], on l'oublie trop souvent), on ne l'imagine pas interrompre un tournage, mais il aurait au

---

1. Gen. 49, 13: *Zébulon habitera sur la côte des mers, il sera sur la côte des navires, et sa limite s'étendra du côté de Sidon.*

moins dressé l'oreille, de cela on est sûrs : et d'une certaine manière, Cecil, qui est un homme malin, aux goûts douteux mais malin, aurait vu dans cette baleine pourchassée le chaînon manquant entre Spectacle Biblique (son dada, ses Oscars) et le western de ses confrères : parce qu'après tout la mort du poisson blanc, c'est un rodéo qui inonde les cinq continents et devient la perte des hommes.

Billy Wilder a beau venir d'Allemagne après l'Autriche, il n'a pas pensé (contrairement à Carl Laemmle) à apporter le wagnérisme dans ses bagages, les monstres ne sont pas ce qu'il maîtrise le mieux, du moins au-delà d'une certaine taille, il n'est pas assez olympien pour ça (il détesterait l'Olympe plus encore que Bayreuth en novembre) : pour lui, les monstres ne doivent pas avoir la démesure du Lucifer de Dante, haut comme une montagne, mais être du gabarit moyen d'un homme, ils doivent avoir un mouchoir dans la poche, un chapeau, pour le coiffer ou s'asseoir dessus, un paquet de cigarettes et des névroses immédiatement identifiables. Quand le capitaine scénariste dessine les grands contours de sa baleine, le jeu des apparitions et des disparitions, le blanc incertain, *unheimlich*, le vieux fonds animalier et chamanique, l'acharnement de l'homme à un seul pied, l'œil de Billy Wilder s'illumine, un œil plus particulièrement, mais les deux sont de la même eau : la boursouflure et l'étroitesse, la baleine comparée au capitaine de mi-carême, quand il y réfléchit, ça lui plaît, décidément : il y voit la reprise d'un motif traditionnel, l'éternelle lutte des gros contre les maigres. Un réalisateur de comédie a sans doute quelque chose à faire avec ça, la bataille des ego survoltés, le comique de répétition de la vengeance suivie de la vengeance, dans une surenchère de tartes à la crème ; il suffirait aussi d'imaginer une seule fille déguisée en garçon cachée au milieu de tous ces marins : au moment de serrer les nœuds de son corset, elle rejoue un gag de travesti vieux comme Aristophane et interprète le quiproquo érotique porté au comble du raffinement.

L'après-midi se prolonge[1], l'œil de Billy Wilder s'illumine toujours (on pourrait y lire l'amour du prochain entièrement confondu avec la moquerie du prochain : moquerie du genre humain dans son ensemble – si Wilder se montre à ce point empathique, c'est que les hommes, il le sait, partagent un même sort dérisoire ; la moquerie est un signe de reconnaissance) : il est à deux doigts de faire monter cette jeune fille, puis une deuxième, sur le baleinier du capitaine Achab, dans des costumes de pêcheurs masculinissimes, taillés droits, cintrés d'autant plus suggestifs – on en tirerait de quoi remplir cent vingt minutes de gags, l'une des deux pourrait jouer de l'ukulélé, l'autre de l'harmonica, tous les spectateurs des *previews* attendraient le moment du changement de quart et du coucher, dans la cabine. Wilder suit en s'aidant de sa cravache le fil de son histoire de masques, il énumère pour lui-même les détails sublimes et sordides, envisage jusqu'où le sublime peut s'ensordidiser, il fait déjà le catalogue des costumes et des accessoires, puis semble revenir, comme on dit, sur terre, à savoir la réalité : il n'est plus vraiment certain que cette variation sur le thème de l'inversion des sexes convienne à la baleine, même si la baleine, sans changer de costume, bascule sans arrêt d'un genre à l'autre.

Des récits secondaires, c'est toujours possible, et de la fantaisie jusqu'à la grâce, même dans un univers exclusivement masculin, c'est faisable : Wilder s'était déjà montré

---

1. Après-midi de printemps 1949, un an après *La Scandaleuse de Berlin*.

capable de faire danser, chanter, pleurer, minauder et s'endormir plusieurs dizaines de militaires dans un décor de stalag – les filles étaient une apparition, des pin-up du front de l'Est, mais elles aussi comme Moby Dick s'effaçaient à l'instant même d'apparaître. Alors il faudra des figures aimables autour du capitaine : la figure d'un second, clownesque, moqueur, dupe de rien, et surtout pas de l'obsession pour une baleine, faisant office de bouffon et de marin compétent ; ou bien un maladroit, pour briser toute emphase, et incidemment le navire, comme seuls savent briser les distraits dans les films, sans volonté de nuire frontalement (le Syndrome du Prince Mychkine et du Vase Tentateur) ; ou un chanteur, un paresseux, un roublard débarqué d'un navire pirate et qui se croit encore au temps de Drake, un sentencieux, un kleptomane, un poète, et d'autres silhouettes qu'on se chargera de caractériser plus tard, juste avant de faire le casting. Mais si ça ne suffit pas pour construire une comédie d'une heure et quarante minutes en trois actes et une conclusion remarquable ? une mégère peut-être, empruntée à Gogol, l'épouse du capitaine, madame Achab revenue de son veuvage à terre pour contrarier les amours de son mari et d'une baleine blanche ? le sommet du spectacle, dans ces circonstances, une scène de ménage entre Ginger Rogers (madame Achab, née Lebœuf) et Jack Lemmon (Achab, avec une perruque), à coups de parapluie, de palmes, de harpon même, le tout en équilibre sur le dos de la baleine (elle, alors, impassible : observatrice, sans bouger, acceptant d'être le terrain où s'agitent pour rien les hommes).

Billy Wilder et Charles Brackett proposent
une autre version de la baleine

L'authentique navire *Pequod* est devenu depuis longtemps
une pièce de musée, à l'abandon faute de moyens pour l'entretenir ; ses pêcheurs se sont inscrits au chômage, certains se
sont reconvertis pour aller creuser des mines à Yellowknife
(là ou ailleurs, pourvu qu'ils s'occupent), quelques-uns ont
sombré et plus personne n'en parle ; le temps de la chasse est
loin, mais la baleine est rancunière et sa rancune, on l'a dit, est
lente à parvenir à travers son grand corps jusqu'à cette zone
de son cerveau sensible à l'injustice. La comédie est fidèle aux
vieux vaudevilles, elle débute par un quiproquo, la capture
d'un plaisancier par une baleine myope, trop vieille pour des
vengeances qui ne sont plus de son âge : elle traquait sa proie
depuis un siècle, la cataracte a fait son œuvre, le plaisancier a
eu la malchance de ressembler au capitaine et de se trouver
sur sa route – au moment de se faire dévorer, le malheureux
(Cary Grant, s'il accepte le rôle) tente de démontrer aux
témoins, la baleine en premier, à quel point sa mort repose
sur un malentendu. (Quand Cary Grant yachtman observe
le soleil au sextant puis calcule sa latitude, il semble, dans
l'ordre, porter un toast, boire cul sec un verre étincelant, puis
signer un autographe ; il sera en toute circonstance un acteur
chorégraphique.) Pour la scène suivante, Wilder propose
le soliloque du pseudo-capitaine Achab, pitoyable mais
toujours très loquace (loquace-Cary Grant), dans l'estomac :
il plaide pour son innocence, il décline une identité devenue
dérisoire une fois profondément enfouie dans le ventre de la
bête, il prononce à voix haute un résumé de son curriculum,

il a la présence d'esprit d'énumérer tout ce qui distingue un gentleman Upper East Side d'un capitaine de pêche, il pense encore tenir son innocence, donc son acquittement, tout au bout de sa parole claire, claire comme le trait qui délimite le visage des anges de Filippo Lippi – à ses argumentations, la baleine répond par un silence ; dans ce silence, Cary Grant se demande à quelle heure va commencer la digestion. (Wilder imagine avec son décorateur cet antre de paroi molle et de sol incertain, et pour mieux juger le décor, au lieu de Cary Grant, il y place Jack Lemmon, son acteur favori : il représente à la fois l'Américain moyen de New York, capturé au troisième jour de sa croisière de lune de miel, inquiet à l'idée de ne pas pouvoir prévenir ses patrons, et le Shlemiel de la tradition juive, parti depuis longtemps d'Europe centrale sans jamais se débarrasser de sa malchance, comme si la mouise était une tradition, et la tradition son devoir : son rattachement à une très longue histoire de naufrages.)

S'il y a la myopie, le délabrement du grand âge, la maladresse et le remplacement de l'épouvante par le grotesque, alors oui, en effet, même Billy Wilder peut avoir prise sur l'épopée ; il y ajoutera un peu de psychologie sans quoi il n'y a pas de blague possible, l'immense poisson gagnera à trahir ses faiblesses humaines – il faudra, pour écrire son rôle, s'inspirer de quelques divas retirées des affaires, qui sont vieilles mais étaient jeunes et très pâles soulignées de noir au temps du cinéma à manivelle, le muet. La baleine pourrait être de cette catégorie, pourquoi pas ? qu'elle soit *whale* ou *sperm whale*, mâle ou femelle, proie ou coupable de vieux délits anthropophages : une diva déchue, vêtue toujours à l'ancienne, rigoureusement solitaire, acrimonieuse avec le reste de l'humanité et du monde animal, avec pour dernière compagnie un rémora, ventousé au ventre, lui aussi fatigué, fidèle pitoyable, le regard dans le vide, vivant sur son élan comme s'il flottait après sa mort ; elle s'obstine à exister dans un monde constitué des morceaux de plus en plus clairsemés de sa mémoire (plutôt des filaments).

Billy Wilder et Charles Brackett proposent
une autre version de la baleine, suite

Comment combiner les péripéties du plaisancier frivole et le drame de la diva ? – tout bien pesé, Billy Wilder soutenu par son confrère Charles Brackett fait deux propositions au capitaine scénariste (il veut bien accepter toutes les hypothèses si elles lui rapportent de quoi payer son loyer) :

1) La comédie du remariage à l'intérieur du ventre du cachalot : lui, c'est Cary Grant, une dernière fois Cary Grant, maître du remariage au cinéma en noir et blanc, reconnaissable à son menton en forme de fesses d'ange de Guido Reni et aux reflets des ailes de sa chevelure ; elle, c'est Katharine Hepburn, parce qu'elle a toute sa place dans un estomac, elle y fait contraste, anguleuse et vive alors que le ventre est soyeux et prend son temps. Ils fêtaient séparément leur divorce, sur une croisière, chacun la sienne, ils portent encore la tenue du dernier bal et n'ont pas renversé leur gin ; la baleine les capture, l'un après l'autre, à cinq minutes d'intervalle (il ne faut pas perdre le rythme) : lui d'abord, parce qu'il fait un Achab crédible, en smoking, tandis qu'il médite à haute voix sur l'imminence de la fin des temps (c'est pour séduire une demoiselle à peine majeure : l'Apocalypse, à son avis, séduit les jeunes filles lassées d'être optimistes, inquiètes à l'idée d'avoir tout le temps devant

elles, soulagées d'avoir des échéances brèves et si joliment tournées[1]) – elle ensuite, vêtue en homme, en pantalon à pinces, déployant l'ensemble de sa gouaille raffinée devant un demi-cercle de prétendants, tous plus ou moins fuselés. La vengeance de la baleine myope, la coïncidence forcée, une facilité de scénario et la paresse des scénaristes – peu importe, Grant et Hepburn se retrouvent à l'ombre dans un ventre de baleine, avec ce qu'ils ont pu sauver en plus du smoking, un verre à cocktail et une assiette de *canapés* (en français dans le texte). Grant est un célèbre joueur de golf, il trouve un club et une balle quelque part dans la panse du monstre, laissés là par un prédécesseur, il décide de travailler son swing en attendant les secours ; Hepburn est naturaliste, spécialiste des mammifères marins, le naufrage est pour elle une aubaine, une récréation à la Lewis Carroll, mais comparable aussi au voyage de Pline l'Ancien dans sa barque en direction des laves et de la cendre du Vésuve, pour les comprendre, quitte à y passer (l'aubaine, c'est aussi de pouvoir prendre la baleine à témoin à chaque début de dispute : comme complice, comme consœur, au nom de la solidarité féminine). Et maintenant, nous avons l'épilogue, le reste se remplira de lui-même : Cary Grant abandonne son club de golf, il a cessé de s'en servir comme d'un ironique symbole sexuel, il parvient à démontrer que la baleine est un mâle, il réépouse Katharine Hepburn dans la gueule du monstre reconvertie en chapelle (il faudra pour ça que la baleine capture un prêtre missionnaire, en route de Boston vers l'Afrique) ; les deux époux, l'anneau au doigt, débarquent sur le quai de New York où l'ahurissement des témoins remplace les vœux de mariage.

---

1. Billy Wilder est seul responsable de ces propos.

Billy Wilder est à moitié convaincant, moitié seulement : Achab essaye d'imaginer un monsieur en tuxedo et une dame en robe du soir dans l'obscurité de sa baleine ; il n'y retrouve pas les combats sauvages, il se demande comment divertir pendant une heure et demie en faisant parler deux acteurs dans un décor spongieux, sous-éclairé et pour tout dire assez monotone – Billy Wilder est d'accord, son martini aussi, l'olive de son martini aussi, tous à l'unisson, comme sa cravache contre le haut de sa cuisse : il en faudrait, des bougies, pour éclairer l'intérieur d'une baleine, et un excellent dialoguiste au secours de la bougie.

Billy Wilder et Charles Brackett proposent
une autre version de la baleine, fin

2) Moby Dick comme star déchue : elle est une dame à peau tramée, elle a des souvenirs abondants, elle a inventé ceux qui lui manquent maintenant le plus, et sur l'élan de l'invention elle a fini par confondre comme nous tous l'imaginaire avec les traces d'un passé véritable, elle regrette le temps des guerres anciennes, des chasses à mains nues sur des navires à voile, et la vue d'une cheminée de paquebot la fait grimacer : sa nostalgie devient grand art et savoir-vivre de femme d'intérieur, dont le jardin d'hiver donne sur un mausolée. Imaginez ceci (Billy Wilder s'anime à nouveau : au rythme des battements de la cravache sur son pantalon du dimanche), Moby Dick a connu une gloire dont nous ne savons plus rien, nous autres, nés trop tard, bien après ses luttes héroïques – de la pêche à la baleine, nous connaissons seulement des gravures dans des livres, des flèches exposées au musée de l'Homme et les alarmes des protecteurs de

l'espèce quand ils brandissent un flacon d'huile, nous sommes incapables de mesurer une telle renommée, elle tient à un vieux monde fuyant, qui se savait épique ou faisait tout pour le laisser croire – nous sommes ingrats à l'égard des années héroïques : quand on ne les ignore pas, on les considère comme un long carnaval pompeux.

Moby Dick diva ressasse ses exploits de chasseresse, elle voit partout l'ombre du chapeau d'Achab, représentant de l'adversité flatteuse, chevaleresque, d'une autre époque ; elle fait l'éloge des harpons, elle regrette tout, même l'écume, elle ne fraye plus dans cette partie de l'océan où s'entassent de travers, en flottant presque gracieusement, les sous-marins de la Seconde Guerre : l'idée que les temps modernes existent est un affront personnel ; elle attend son retour en gloire pour demain, elle se montrera blanche à nouveau, elle ressortira de ses profondeurs (elle n'aime pas le mot *solitude*), elle crachera jusqu'au ciel, Achab se montrera lui aussi sous une forme ou une autre, et leur combat inachevé, sans vainqueur, pourra cette fois se mener jusqu'au bout. Le drame est poignant, mais il risque de lasser, il est *recto tono*, il faudrait lui ajouter une histoire d'amour, dominée par la nostalgie, obsédée par la restauration permanente du passé, comme si les mélancoliques tenaient à convertir sans cesse un objet en accessoire et soi en représentation plus ou moins épargnée de soi : la vieille peau séduit un mâle beaucoup plus jeune, il se laisse faire par intérêt – dans tout cela l'histoire mêle sexualité calculée, maternité, nécrophilie et marchandage des sentiments. Au dernier acte, la fatigue de l'âge se métamorphose en démence, détachée du monde, comme en pierre lentement la Gorgone ou ceux qui se laissent voir : l'amant a pris une maîtresse à son tour, leur jeunesse nargue la vieille Moby Dick qui a assez de force et d'orgueil (ce qu'elle confond avec l'orgueil) pour commettre un crime passionnel, exemplaire, respectueux des traditions – peut-être une autre façon de perpétuer les temps anciens.

Voilà comment Billy Wilder imagine les dernières images: un cadavre flotte, c'est celui du jeune mâle, Moby Dick se rapproche de la côte pour se montrer aux hommes sur la rive, comme elle a toujours aimé le faire malgré une vie de dissimulation, une vie sauvage – elle exhibe sa blancheur passée, elle se dit prête à reprendre un combat, elle le dit sans risque et sans y croire à des marins qui ont renoncé à chasser depuis plus d'un siècle; elle se tourne encore, elle se donne à voir, son meurtre lui rend sa fierté de femme fatale, c'est-à-dire de baleine tueuse, mais c'est un reliquat de fierté qui ne donne pas le change; quelques témoins la regardent parce qu'ils veulent bien, eux, donner le change, ils la voient s'immobiliser, elle semble pour la première fois depuis des années atteindre une forme de bonheur comparable à la rémission, entièrement illusoire, elle se contient elle-même et, trop lourde pour supporter encore longtemps la charge d'être qui elle est, elle sombre, cette fois définitivement – reste au-dessus d'elle le regret de sa couleur blanche.

Qu'est-ce que vous dites de ça? – toujours la cravache de Billy Wilder contre la cuisse de Billy Wilder.

Interlude (ballet bref)

Marilyn Monroe, du temps de son vivant, et plus intensément encore après sa mort, a porté si haut l'art d'apparaître que les saints de notre calendrier passent pour des figurants mesquins et rares, incapables de devenir des phénomènes – et la Vierge Marie, ou n'importe qui d'autre, si elle souhaite plus tard (si elle l'ose) apparaître aux yeux des mortels, fera bien de prendre exemple sur l'abondante et généreuse Marilyn Monroe.

Achab capitaine et l'inexpressivité du paysage

Et parfois, le matin, le capitaine du *Pequod* se réveille sans baleine : sans aucune idée de la baleine : il a beau maudire les ivrogneries de la veille pour justifier l'oubli du matin, ça ne sert à rien, il n'y a pas eu d'ivrognerie, au contraire, un soir de repos (un soir monastique, dans le parfum de l'huile brûlée), sans même remonter voir le crépuscule, toujours plus ou moins le même – mais voilà, devant lui, pas de baleine, pas de remous ; dans ses livres, pas de baleine, rien dans ses poches et l'esprit vide, pas même cette vieille ruse consistant à déduire la baleine d'après son absence (il aurait préféré bien sûr une absence tonitruante : l'absence du Léviathan, entre nous soit dit, ça doit être quelque chose : d'autres éclaboussements, d'autres gouffres, et autour de ces gouffres des hommes rassemblés évoquant leurs histoires de chasse, l'imagination volontariste maladroite des pleureurs par-dessus le défunt (ils savent au moins que la fable, pas la mémoire, s'oppose à l'oubli)). On peut considérer ça comme une trahison de plus : en disparaissant ce jour-là, l'immense poisson n'a même pas voulu lui faire cadeau de son absence, ça aurait été si facile : de hautes gerbes et un trou dans la mer, le sang des créatures blessées, très homérique lui aussi. Déduire la baleine de sa jambe de bois, le capitaine ne veut pas s'y abaisser, ce serait une erreur de plus (la première, c'était de se réveiller sans précaution), un mauvais goût de prophète geignard – et à la vérité, il a déjà donné, la jambe de bois lui a beaucoup servi pour suggérer pendant toutes ces années, elle lui a été fidèle, lui fournissant plus d'une fois une baleine, sa ration, pas folichonne mais suffisante, comme le mariage de Rancune et de Retrouvailles, ou l'emboîtement de ce qui manque à ce qui est en trop.

C'est ainsi (la vie du capitaine semble être faite de "c'est ainsi": ils sont plus ou moins malins, et si certains d'entre eux pourraient être la manifestation d'une placidité de bœuf regardant de très près son herbe, d'autres se permettent d'être des moments de pur génie: pas seulement une étincelle, un moment durable, d'une minute pleine, "comme une épaisse tranche de pain", après quoi le capitaine se demande en vain comment le génie a pu être atteint par la résignation ou le simple constat) – c'est ainsi, certains matins, en l'absence de baleine, le paysage est inexpressif, et rien, ni dans son répertoire, ni dans ses prières apprises par cœur et heureusement vides de sens, ni dans sa mauvaise foi épique, ni dans la psychologie de Vienne, ni dans les livres d'esthétique, ni dans le merveilleux guide touristique, rien ne lui vient en aide pour trouver une explication. Le paysage est inexpressif par lui-même? la faute lui revient? Achab s'en doutait, il avait raison alors de se méfier du paysage, raison aussi de considérer les inévitables Hokusai ou Caspar David Friedrich comme des êtres habiles qui nous enchantent mais qui nous trompent, en substituant des histoires peintes aux paysages en les appelant paysages – il avait raison d'y aller à reculons, le paysage n'est pas même le chaos paléotestamentaire ou faustien-selon-Goethe fait de blocs tombés l'un sur l'autre: il est un vaste compromis; et l'expression comme la signification est un cadeau fait au désert par des hommes bien éveillés à la désolation. Le vieil Achab les envie, ces hommes éveillés, il a pu être l'un d'entre eux, plus d'une fois : c'était tellement facile, ça coulait de source alors : l'illumination du mystique le nez face au nuage, ça n'est rien comparé à l'intelligence de n'importe quel olibrius bien éveillé quand il a la force de faire parler des bouts de plaines et des étendues d'eau – (il a beau savoir que ni le bonheur, ni la jouissance, ni la malice, ni la chance du joueur de dés, rien de tout ça ne dure, et ne se répète à volonté, il a beau le savoir, le souvenir d'une seule minute d'intelligence le rend nostalgique, et cette nostalgie, elle, sait comment durer). L'inexpressivité du paysage est sa propre hébétude ? son aphasie ? alors, il avait tout aussi raison de se méfier de lui-même autant que du satané paysage : personne n'est certain de trouver dans un quelconque panorama une aide quelconque, il n'y aura jamais là le remède aux impuissances, le paysage seul n'aura pas, ne voudra jamais avoir l'amabilité de réveiller en nous l'interprétation : il restera passif, la passivité étant toute sa fortune, sans jamais se soumettre comme énigme. (Au moins, il devrait savoir qu'il n'est pas une énigme : ça le rendrait modeste, ça compenserait tant bien que mal son étendue (une autre fois, le capitaine fera l'éloge du paysage inexpressif, considérant l'inexpression comme la condition de sa liberté à lui – incidemment, la nôtre, mais de celle-là, qui s'en soucie ?).)

Certains matins – la plupart des matins peut-être, et de plus en plus au fil de ses années en mer – Achab comme beaucoup d'entre nous fait face au paysage inexpressif : l'étendue inexpressive des eaux : à la surface de l'océan, ni mystère, ni violence, ni souvenir de batailles navales, ni ukulélé de Poséidon, ni baklavas de Sindbad par millions livrés à la tempête, ni cicatrices des voyages de Colomb, de sa victoire confondue avec l'échec, ni facéties de Lucien de Samosate, ni hospitalité magique séductrice des îles Sonnantes, ni la mythologie libérale de Crusoé et ses avoirs-et-pertes, rien de tout ce qu'un homme réveillé du bon pied, et généreux, saurait donner à l'océan comme on lance une couronne de fleurs pour saluer des disparus – non, l'étendue d'eau est étendue d'eau, elle est contingente, et rien n'arrive, elle ne se donne pas la peine de signifier parce qu'elle est incapable de tirer de ses profondeurs une signification (d'ailleurs, à ce moment précis de la complainte, même l'idée de Grandes Fosses Pélagiques est une fiction dite par des piétons sur le pont d'un navire ou dans la solitude d'une bibliothèque).

Il arrive que le capitaine, un jour sans-baleine (*whaleless day*), se dresse devant l'océan, entame quelque petite danse de capitaine, paye sa part de mythologie, acceptant de jouer le jeu, comme toujours, un peu naïf, un peu rusé, amorce pour ainsi dire une mise en scène en attendant de l'océan, chacun son tour, un geste : et en effet, on dirait que l'océan veut bien s'y mettre, lui aussi accomplit ce mélange équilibré avec justesse de naïveté et de cynisme, il est gratifiant, il rend le peu qu'on lui a donné, tout ça est illusoire, peu importe, ce sera l'illusion sans réserve, l'océan bon client redevient prodigue en mythologie : le sentiment océanique, l'homérisme, l'épopée conquistadores, la zoologie fantastique, les lieux communs de la Tempête et du Naufrage, toutes histoires déjà formulées. Mais le surlendemain, c'est terminé, la mise en scène n'a pas lieu, le mythe ne reprend pas, l'océan se contente d'être ce qu'il est, à la fois le contenu et son contenant, et c'est alors comme si rien n'avait eu lieu, pas même l'anecdotique – ce jour-là, inutile d'espérer être ailleurs, le salut n'y sera pas non plus.

(Ces matins-là, sans baleine, sans mythe, l'océan comme un bol de soupe froide, l'horizon comme l'horizon, se prenant lui-même comme unité de mesure sans plus s'adresser à personne, sans promettre non plus un éventuel autre côté, Achab est démuni : il n'a plus l'épopée pour venir à son secours, il se sent dans la peau d'un contremaître en période de chômage technique venu malgré tout au-devant de ses ouvriers : il n'a plus de quoi leur offrir ni les abysses ni l'effrayante couleur blanche, son autorité de grand maître des choses impressionnantes va flancher, sauf miracle. Il lui faudrait une inspiration, à l'instant, le moyen de situer l'idée d'abysse ailleurs que dans cet océan – il s'avance et il cherche ses mots, douze pas le séparent du reste de l'équipage, six du pied valide, six de la jambe de bois, d'ici là il trouvera peut-être comment reparler des grands fonds et redonner aux mots *grands fonds* leur valeur disparue, il se souviendra peut-être du mot *syzygie*, on dirait le nom d'une starlette hongroise.)

Moby Dick à Hollywood – Billy Wilder et les hamacs

À un hamac : si on lui demandait à quoi doit ressembler un récit, Billy Wilder répondrait à un hamac – tissé rigoureusement, fixé au commencement et à la fin, sans décrocher de ses deux points d'attache, tendu mais assez souple d'ici à là pour contenir et bercer, se balancer, agrémenter les siestes ou compliquer, juste ce qu'il faut, des projets érotiques qui manquaient de sel ; le hamac obéit à quelques règles simples (les mailles, la pesanteur, pour faire vite), mais sa souplesse importe autant que la tension – sa mollesse même, mollesse sans quoi il perd tout son charme.

Moby Dick à Hollywood – Billy Wilder et sa cravache

Pendant la moitié d'une minute, quand les trois actes d'une pièce sont terminés, quand le protagoniste est devenu protagoniste et la dernière réplique, toute dernière, est posée avant le rideau "comme un nouveau-né sur un paillasson", ou comme une énigme, ou comme une promesse, ou le début de quelque chose, ou comme des adieux bizarrement tournés – une fois tout cela accompli, pendant la moitié d'une minute, j'en mets ma main au feu, le spectateur peut entrevoir non pas la rédemption elle-même, ça serait trop beau, mais l'idée de la rédemption, et l'auteur à son tour se met à y croire, une demi-minute seulement : l'instant d'après, l'expert-comptable lui reproche des longueurs et l'avocat de la compagnie une expression obscène.

Ne pas avoir d'idée ? mais cent fois, six cents fois par jour mon intellect de Viennois de Sunset Boulevard est assailli par l'absence d'idées : c'est à la fois une eau calme et un bourdonnement de mouche, débrouillez-vous avec ça – et moi, comme un schmock que je suis, au lieu de suivre une parole qui me conduirait vers le début d'une fable, je remue des idées de punition, de sortilège, de flaccidité, d'impuissance, et je m'apprête à changer de métier : sur mon poing faire virer la douceur d'une pâte à pizza. Alors que les idées s'absentent (elles ne me fuient pas à proprement parler, ça serait déjà tenir compte de moi, de qui je suis et de ma fragile susceptibilité d'orphelin), je connais une déréliction comparable à aucune autre – le sentiment de nullité d'un prêtre abandonné par Dieu après quarante ans d'office n'est rien en regard de la déréliction du scénariste sans scénario – le prêtre abandonné, lui, au moins, peut jeter son froc, lâcher ses hosties, rendre la clef au bedeau et rejoindre la légion des hommes séculiers, leurs malheurs et leurs plaies, leurs voluptés et les paris qu'ils font : en somme, il quitte une histoire pour une autre, remplaçant les quatre Évangiles contre des épopées par millions, domestiques, bonnes ou mauvaises (en plus de ça, il peut aller au cinéma voir les insignes de sa religion mêlés à des accessoires de western, des bustiers de comédie musicale ou des ombres rayées sur des corps de gangsters : il a de quoi se moquer sans limites). Mais le scénariste infortuné ne peut pas envisager le retour vers les hommes, dans le siècle, en dehors des studios – l'absence de récit est une malédiction capable de frapper toute chose, hommes, bêtes, grues cendrées et buildings, et la lecture des *Joyeuses Commères* devient une épreuve aussi morne qu'un déjeuner de bouillie d'épeautre. Ce jour-là, quand toute idée de récit s'est enfuie ailleurs pour émoustiller de plus chanceux que soi, rien ne vient apporter la promesse d'une résurrection – une comédie en trois actes magistralement accomplie est un miracle unique, sans recommencement, advenu une fois, il y a longtemps, grâce à la chance du débutant, tombé du ciel aussi bien, comme la tortue sur le crâne d'Eschyle (et encore, de ce miracle, le scénariste ne saurait plus faire le récit).

Les idées reviennent ? elles reviennent tôt ou tard, le triomphe n'est pas tonitruant mais il existe loin de toute victoire ; le scénariste sans scénario accepte le retour des idées comme un petit présent ; il fait attention de ne rien briser, il a appris la fragilité de ces choses, la crainte de tout perdre l'emporte sur le plaisir de posséder. Mais ce serait injuste de faire du scénariste le soutier des mines d'Hollywood à qui le bonheur n'est pas permis : il suffit d'une seule idée, une situation de comédie trouvée par hasard en se réveillant parmi les bouteilles de lait : elle guérira les écrouelles. Pendant trois minutes ou trois jours (il ne faut pas tenir compte de ces chiffres, ils sont arbitraires), le scénariste sautille, fraternise, devient l'ami de tous, restaure son âme, solde ses rancunes, pardonne à beaucoup, réinvente une forme ingénieuse et naïve de libido, il sait tenir dans la paume de sa main quelque chose comparable à une carte au trésor simplifiée à l'extrême, ou la clef d'un boudoir où dort une odalisque, ou un pétale, ou le jeton miraculeux qui fera sauter un casino. (Et puis – et puis, tenir entre ses mains l'amorce d'une comédie c'est savoir qu'on va bientôt nouer des amitiés, aller à la rencontre de l'ami idéal en la personne de Cary Grant et lui taper sur l'épaule, et après ça envisager de comprendre l'univers en le divisant en trois actes (cinq à la rigueur).)

Achab en mer, laissant seulement une empreinte
dans l'oreiller de ses noces[1]

Ou : *De l'oreiller comme miroir mat et mou* – ou bien encore : *Achab essayant de voir à quoi il ressemble vraiment –* ou : *Achab s'efforçant de ressembler à l'empreinte de son visage* (*i.e.* : *en être digne*) – ou : *Achab cherchant le remède à sa mélancolie –* ou : *Achab récitant le "Alas poor Yorick" en tenant son vieil oreiller dans sa main –* et enfin, Achab ex-capitaine, ex-Achab, ex-tout, revenu par hasard là où jadis il s'est trouvé une fois, entame une longue conversation avec son masque en creux (d'après je ne sais plus qui, il est possible de lire son avenir dans les plis de son oreiller – mais quel intérêt pour

---

1. *"Leaving but one dent in my marriage pillow."*

le capitaine de lire son avenir après l'avoir vécu ? quel plaisir de contremaître ?). Le dialogue ? un peu d'autocompassion, un peu d'autocritique, une connivence recherchée avec hâte et acharnement pour briser la glace entre deux inconnus, des échanges de souvenirs étrangers l'un à l'autre, l'évocation de généralités abstraites, presque métaphysiques, la métaphysique étant le lien entre deux fantômes qui se croisent. Mais Achab (Achab convexe) semble aussi interroger son oreiller (Achab concave), d'une voix basse, honteuse peut-être, comme s'il questionnait la Pythie – mais une Pythie hors d'âge, vénérable devenant vétuste, appartenant à un autre système de croyances et à des cultes maintenant renfermés dans des placards de muséums, sous forme de vases et de trépieds.

L'oreiller de ses noces : s'il s'agissait d'une trace de pas dans de la boue maintenant pétrifiée, Achab aurait eu droit à une belle scène, quasi robinsonnienne, la rencontre de son pied avec son empreinte, pour mieux dire la rencontre de son seul pied valide avec le récit d'une ancienne promenade. Des minutes d'introspection, c'est à craindre – sauf si le capitaine fatigué de s'introspecter comme ça à tout bout de champ décide de conjurer le narcissisme par la trivialité : comparant une maigreur de jeune homme avec l'épaisseur d'un pied de vieux monsieur, monsieur qui a beaucoup trop marché, et n'a jamais su prendre appui.

Se reconnaître ou ne pas se reconnaître (dans l'oreiller de ses noces) – mais soyons sérieux, Achab n'a jamais été le genre d'homme à se fréquenter dans les miroirs, ni même à rechercher leur compagnie : selon lui, le face-à-face avec un reflet de miroir poli n'engendre pas grand-chose de bon, ni la conversation joyeuse : chaque rencontre avec son reflet est pour lui un protocole neutre, sans préséance, comme si le consensus, disons mieux le statu quo, autorisait les deux Achab reflets l'un de l'autre à garder leur chapeau sur la tête – même chapeau, même indifférence. Au temps de sa vie de jeune acteur, bien entendu, c'était le miroir éblouissant, la précision du détail : le jeune Achab s'observait avec pour seule ligne de conduite le souci de l'efficacité – pour tout dire, en plusieurs années de théâtre, il a eu le temps d'apprendre à se regarder dans le miroir avec indifférence et impartialité (côtoyer des miroirs pendant des années pour se tartiner le visage fait de l'introspection l'une des étapes, elles sont nombreuses, du travestissement).

Voilà pour le miroir – mais l'oreiller ? à première vue, tout le contraire du miroir, personne d'un peu sensé n'envisagerait de remplacer l'un par l'autre : dormir le crâne sur une vitre, et le matin constater l'état de son sommeil dans un coussin fixé au mur de la salle de bains : dodu, muet, sans répondant. À trente ans de distance, et même davantage, l'ex-capitaine prétend retrouver l'oreiller d'un autre âge, comme on n'en fait plus, brodé à l'ancienne, passé par six ou sept trousseaux différents, hérité, légué, à moins que remisé au grenier, dans un coffre, où on se débarrasse des choses qui encombrent – il le retrouve, le dépoussière sans le froisser, et lui demande, à lui, le mou, ce qu'il n'a jamais demandé de toute sa vie à aucun de ses miroirs – en l'occurrence, lui donner une définition durable de l'achabéisme.

Moby Dick à Hollywood – Cary Grant dans le rôle du capitaine Achab

[1949] Billy Wilder a toujours rêvé de prendre Archibald Leach (Cary Grant) dans ses filets de directeur : cette fois, cette fois enfin, ce sera la bonne, cette fois Cary Grant acceptera le rôle du capitaine Achab – et ce sera le conte de fées si souvent arrivé à ses confrères, d'après ce qu'ils racontent aux journalistes le soir de la première : Cary Grant reçoit le scénario dans la soirée, à 18 heures, l'heure d'un premier verre ; à 19 heures réticent, à 19 h 30 apaisé, à 20 heures sous le charme, à 21 heures fébrile et 23 heures convaincu, c'est déjà sa septième lecture, à 1 heure du matin décrochant l'énorme combiné de téléphone (un combiné de comédie) pour tirer Billy Wilder de son sommeil, quelque part là-bas, à l'autre bout d'Hollywood, et d'une voix de martini dry lui déclarer, parmi d'autres mots d'amour, qu'il accepte le rôle, immédiatement, sans condition, sans même réveiller son agent – qu'il dorme au diable, lui, l'hibernant, étranger aux névroses artistes. Ce sera donc Archibald Leach Cary Grant, sa grande envergure, sa grande taille, et ses talents de danseur amateur à la barre du *Pequod*.

(Cary Grant convaincu : allez savoir ce qui motive ce grand comique dans cette histoire d'océan et de fruits de mer (et de rancune divine) : jusqu'à présent, Cary Grant a systématiquement refusé les propositions de Billy Wilder, toutes l'une après l'autre, salées et sucrées, pimentées à la fois, crues et cuites : il hésite, il se laisse tenter, puis à la dernière heure se désiste au profit d'un William Holden un peu moins séduisant, ou Gary Cooper un peu moins comique. Cette fois, c'est la bonne : aussi curieux que ça puisse paraître, Billy Baby-Face Wilder dirigera, de sa tête penchée, ce kangourou de Cary Grant : il lui fera tenir l'énorme gouvernail du *Pequod*, souriant, souriant toujours, sous les embruns, même s'il se prend en pleine figure (elle est large, elle est un écran à elle seule) une sardine lancée par le troisième assistant.) (Achab, "le vrai", avait toujours l'air de se tenir de profil, presque sur la tranche, un seul œil à la fois, un seul, par prudence – le style de Cary Grant, sa *persona*, sa légende, c'est tout le contraire : le visage de face, les larges mâchoires, les deux yeux dans la caméra, ou presque – et pour exploiter pleinement le reste de son anatomie (on le paye assez cher pour ça), il s'arrange sur le plateau pour montrer à la fois ses deux bras, ses deux jambes, les deux épaules et si possible les deux oreilles, de face toujours : c'est une trahison à la nature achabéenne, mais il faut faire avec ce qu'on a : possible de partir en voyage de noces avec à la fois Achab et Cary Grant.)

Cary Grant est un comédien de bras et de jambes, voilà pourquoi (il fallait s'y attendre) il refuse la jambe de bois : si encore elle lui permettait d'accomplir ses chutes qui l'ont rendu célèbre (dans *Chérie, je me sens rajeunir*), mais le risque est trop grand qu'elle l'encombre : est-ce qu'il faut vraiment avoir l'air de John Silver ? est-ce qu'il faut avoir en plus de la béquille un bandeau sur l'œil et un crochet au bout du bras ? (qui a eu le premier l'idée de menacer l'ennemi en brandissant de cette manière un gros point d'interrogation ? faut-il supposer les adversaires de Barbe Noire souffrant d'une telle phobie du doute[1] ?). Il faut l'admettre, la jambe de bois est le cauchemar des cinéastes, elle paralyse les prises de vues, elle se confond avec les pieds des caméras, elle ennuie tout le monde à la longue, elle est le jouet des acteurs médiocres – cependant (Billy Wilder répond à Cary Grant), elle est archaïsante, elle est un instrument de musique, elle peut devenir un accessoire comique, on peut lui accrocher des franges, le capitaine peut y graver le nom

---

1. Archibald Leach lui-même posait cette question à tout bout de champ – il était content de sa blague.

de ses conquêtes, ou l'éplucher au crépuscule, en chantant une chanson. Et puis, ce n'est pas tout : la jambe de bois conviendra au capitaine comme à l'acteur Cary Grant parce qu'elle est l'outil du *contrapposto*, son levier ou son point d'appui – oubliez les déhanchements de péquenot de John Wayne, ils sont à la portée du premier venu, d'ailleurs ils sont la posture du gardien de vaches : la véritable incarnation du *contrapposto* maniériste, au XXᵉ siècle, à Hollywood, c'est Archibald, c'est Cary Grant, lui seul a su faire de sa scoliose naturelle, peut-être douloureuse, une superbe figure de style (entre nous soit dit, il serait magnifique, Cary Grant, en saint Sébastien sous les flèches, ou en Jésus-Christ sur la croix – la croix n'aura qu'à bien se tenir).

Achab en mer – pour en finir avec l'oreiller de ses noces

Questions à la manière de Thomas Browne : à quoi ressemblait vraiment le visage du capitaine Achab ? ressemblait-il à ses portraits ? et ses portraits lui ressemblaient ? ce que signifie pour nous la ressemblance et si la ressemblance des hommes s'applique au capitaine ? et si l'empreinte de son visage dans l'oreiller de sa lune de miel existe toujours, si rien n'est venu la déformer, aucun rival, aucune colère de femme abandonnée, et si la poussière en a rempli les creux, et s'il se reconnaîtrait dans cette poussière ?

Et encore, si l'empreinte du visage du capitaine Achab, à défaut du visage lui-même, pouvait faire l'objet un beau jour lointain d'une découverte, ou d'une redécouverte, comme si elle était le reste d'une épave, un admirable mais infiniment discret contenu, dont le contenant est toujours une énigme ? si des hommes et des femmes explorateurs chanceux finiront par tomber un jour sur ce masque creux dans un oreiller, intact depuis toujours, c'est-à-dire intouché, abandonné par désespoir ou par colère, ou parce que parfois partout ailleurs vaut mieux qu'ici – ils auront ouvert une porte par hasard, auront fait grincer un plancher silencieux depuis des siècles, ouvert les volets, fait s'enfuir un peuple de mulots, et retrouvé dans la chambre (c'était la chambre nuptiale) un oreiller, de loin un sac de ciment, et le visage du capitaine, représenté en larmes ou bien en pâmoison, mais le regard, si on peut parler de regard, maintenant fixé droit sur ceux qui viennent le redécouvrir – disant *trop tard, trop tard.*

Cary Grant dans La Passion selon saint Jean

[1949 toujours] (Quelqu'un y a pensé sérieusement – Hollywood est ce lieu où toute pensée a été envisagée sérieusement au moins une fois, quelque part : pas au nom de la liberté de l'esprit, mais au nom du on-ne-sait-jamais, le on-ne-sait-jamais des marchands : parmi toutes les combinaisons verbales, il y en a une probablement source de profits immenses : c'est une vérité enseignée par les hommes de chiffres à quelques hommes de lettres, et les artistes de music-hall, sans toujours bien comprendre, s'y sont faits petit à petit. Quelqu'un, donc, y a sérieusement pensé : confier à Cary Grant le rôle du Seigneur Jésus-Christ, depuis l'entrée à Jérusalem sur un âne jusqu'à la scène de la croix (dans le rôle de Pilate, James Cagney aurait fait l'affaire : Scarface d'abord, Pilate ensuite, la belle carrière). Le second degré maniériste de Cary Grant se serait ajouté à tout le pathétique de la Passion, à son ciel bas violet, à ses Hébreux en pleurs et ses soldats cruels ; à la dernière minute, avant de soupirer, avant même de lever les yeux, Cary Grant-Jésus aurait porté sur toute la scène le même regard qu'il a su déposer sur Eva Marie Saint, dans la scène du wagon-restaurant : l'ironie à son plus haut degré (au sommet de sa carrière) comme seul véhicule possible de son intérêt pour autrui, et comme prémices du véritable amour. Au pied de la croix et sur les pentes du Golgotha, les affligés, les suicidaires, les apôtres, tous conscients à la fois du miracle en train de s'accomplir et des ordres criés par le réalisateur – pendant ce temps, Cary Grant-Jésus, à son martyre, parfaitement assuré par des harnais, régulièrement rafraîchi par des serviettes-éponges, des vraies, à la lavande, arrose la foule de son ironie exactement comme Dieu le Père aime arroser de temps à autre son univers d'une pluie bienfaisante (une fois n'est pas coutume). Cloué en croix, Cary Grant risquait de perdre une partie de son charme, le charme de sa mobilité, l'indépendance de ses quatre membres digne d'un joueur de batterie ; il lui reste son jeu de regard, signe de son détachement – et son *Pourquoi m'as-tu abandonné* est irrésistible, prononcé sur le ton qu'il emploie chaque jour pour commander un double scotch.)

Fatigué de se confronter à lui-même, Achab se penche
sur le cas édifiant de William Cody devenu Buffalo Bill

Comment un gardien de vaches (William Cody), éclaireur de cavalerie sans beaucoup de lettres ni d'invention, ni le sens du spectacle, a su devenir en l'espace de cinq ans un comédien célébrissime dans le rôle de lui-même ? Avant trente ans, il a su quitter les plaines et les forêts de conifères, la vie de camping à l'armée, les matins de trappeur, les repas de haricots, pour faire de lui l'apprenti comédien puis l'acteur plus ou moins compétent de sa propre troupe : et depuis ce temps-là, les plaines, les conifères, les fayots, l'attaque des Indiens, il mime tout cela avec ses partenaires ; les fayots sont illusoires, les conifères sont suggérés, comme la plaine, et les massacres se tirent à balles à blanc. Pour en arriver là, il a fallu la nécessité mère de l'invention – c'est vite dit et ça n'est pas suffisant : au fond de l'esprit rustique de William Cody gardien de vaches, il devait se tenir comme la perle de la ruse et de la perversion, grâce à quoi ce paysan de la Manche d'Amérique a su concevoir le Mensonge et le grand Spectacle du Far West (le Wild West Show) : un beau matin, dans une chambre, entre le lit et la fenêtre, il voit jouer la poussière éclairée d'une lumière oblique, il comprend aussitôt que jouer son rôle de Buffalo Bill serait beaucoup moins fatigant qu'être Buffalo Bill – et il faut ajouter : bien plus payant.

On raconte que le jeune William ne s'est pas fait tout seul Buffalo Bill : à côté de lui, au moins un costumier pour inventer l'immense stetson, le costume à franges, la barbiche et les moustaches longues, bientôt blanches. Il y aurait même eu un imprésario : c'était au temps où, dans ce pays, les imprésarios s'apprêtaient à occuper le territoire entier jusqu'au Pacifique pour s'occuper de tout, y compris de Sitting Bull (bientôt d'Abraham Lincoln tué en plein théâtre, et de Billy the Kid) ; il s'appelait Ned Buntline, il avait le sens de la publicité, il a attiré le jeune William Cody avec son cheval jusqu'à Broadway, autour de 1872 : là, Buffalo Bill a montré sa belle carrure d'enfant des plaines aux dames new-yorkaises avant de tirer son premier coup de feu à blanc.

*Moby Dick à Hollywood – le cas tout aussi édifiant
d'Orson Welles*

Orson Welles lui aussi a été approché, comme on doit le
dire encore dans la profession, pour un rôle à la hauteur de
son importance, c'est-à-dire de son renom, de sa carrure, de
sa voix de crooner et de shakespearien (charmeur de radio
– et pour ce qui est du Shakespeare des pièces historiques, un
joueur de cuivre: la trompe pour annoncer le commencement des cérémonies, lui-même en Maître de toutes les
cérémonies). Il pourrait interpréter Achab, en jouant les
hommes déstabilisés, comme au temps où le monde de
Charles Foster Kane et Kane lui-même tanguaient, entraînant
la caméra avec eux, et les spectateurs accrochés à son
bastingage, pour signifier les déséquilibres d'un homme
– peut-être bien Achab, à condition de se réserver un peu, de
jouer un degré en dessous de son emphase ordinaire: moins
de folie visible dans son regard de traqué (si la fureur lui est
interdite, il pourra toujours interpréter l'incompréhension du
tyran face à un monde qui ne le comprend plus). (Welles
aurait été rond et massif, pas assez sportif, ni très souple; sa
jambe de bois aurait été assertorique, avec quelque chose de
funèbre, exagérément, et de théâtral bien sûr, tout le monde
y a déjà pensé: marcher aurait été le geste du fossoyeur quand
il sonde pour savoir où creuser, où diable? – un fossoyeur du
Danemark. Il aurait déclamé, on aurait vu sa bouche de près,
sa barbe comme celle du marin fantôme apparaissant à
madame Muir, et lui en gros plan aurait évoqué le monde en
regardant un horizon par-dessus les épaules des spectateurs,
appelant la baleine, lui dédiant un poème, et méditant à son

[1955 – comme
le temps passe.]

415

encontre (c'est de la conspuation) Dieu sait quel projet de caméra subjective.)

Orson Welles : avant de lui proposer un contrat encore faut-il l'attraper (les fameux mirobolants contrats vers Hollywood : ils sont des reflets de l'eau de la piscine, ils sont le machiavélisme et la générosité des quarante voleurs envers Ali Baba : il y a là aussi un peu de Faust et de petites procédures – et au bout du compte, la promesse jamais vraiment tenue de l'immortalité, puis des inconvénients mineurs de loges mal chauffées, de matins périlleux, de charges lourdes à porter, et au beau milieu de la gloire, le signe de l'humiliation, une assiette de figues fraîches, un serpent sous les figues). Lui remettre le grappin dessus : c'est-à-dire entamer d'Ibiza à Cork et de Londres à Paris des trajets en train et en avion, courir après un panache de fumée de cigare – le poursuivant s'essoufflant de chambre d'hôtel en chambre d'hôtel, et lui, le poursuivi, devançant sa poursuite (ce qui n'est pas tout à fait fuir). Comme il tourne à la fois en Espagne et au Maroc, en Sicile, aux Buttes-Chaumont, il semble être partout, essuyer partout des échecs, renouant avec une ubiquité de demi-dieu qui lui plaît et qui l'étourdit – pendant ce temps, Hollywood est à peu près le seul lieu sur cette Terre où lui, le majestueux obèse (*magnificent fat man*) ne se trouve pas. Il y a dix ans, il a déserté les palmiers et l'uniformité bleue de ce ciel pour des régions de clairs-obscurs où il a rejoint (paraît-il) Shakespeare et Don Quichotte, toujours eux – et quelques autres personnages du répertoire éclairés de côté, le visage à moitié dans l'ombre, un visage toujours étonnant. Voilà ce qu'on dit à Hollywood : chaque fois qu'Orson Welles disparaît, c'est pour aller dénicher William Shakespeare ou l'équivalent de William Shakespeare quelque part dans un coin de couloir, une bibliothèque, un désert, un terrain vague, un pays de corridas et de valeurs épiques, et pourquoi pas en Irlande, dans des tavernes maintenues en vie pour maintenir en vie des légendes. Il se ressource? mieux que ça, il prétend trouver là-bas l'inverse d'Hollywood : à savoir des nuages, toutes les nuances du mauvais temps, la lumière qui se refuse à l'industrie du cinéma, et dans les tirades de *Richard III* et de *Quichotte* la trace de la veulerie des hommes, de l'amour, d'une profondeur faite d'infamie et d'aspiration à la préciosité.

Il n'y a pas si longtemps il se tenait là, sous les palmiers, protégé du désert par les décors, il était encore un jeune homme aux cheveux lisses pris en photo par les photographes des studios – à présent, allez savoir où il se trouve : il joue le Juif errant, le Rentier en Villégiature, le Débiteur fuyant ses Créanciers, le Dernier Ours d'Europe centrale, l'Artiste à moitié Maudit (pire que maudit tout court) parti à la recherche d'une table de montage, quelque part en banlieue. Un grand studio envisage de lancer des hommes à sa poursuite : des agents, des paparazzis, un détective privé, un ami de longue date avec, dans sa valise, la charge de l'amitié, l'idée de créance et d'amour – encore une fois des avions et des trains : quelqu'un a cru le voir à Paris, remuant un café crème, du côté des Gobelins, quelqu'un d'autre l'a vu à El Jadida, dans la citerne portugaise, en costume, répétant une mixture de *Henry V* et des *Joyeuses Commères de Windsor* ; quelqu'un d'autre, en Italie, nerveux, sans barbe cette fois, on aurait dit un condottiere déchu attendant son assassin (à quelques mètres de lui, mais on n'est pas prêt à le jurer, une dame en imperméable). Les temps modernes favorisent déjà la traque d'un seul homme : pas seulement l'avion, mais le téléphone (une merveille en bakélite regardée aujourd'hui avec une certaine réserve – mais on ne devrait pas juger des choses révolues, qui étaient des avant-gardes et maintenant reposent lourdement) : pour convaincre Orson Welles, il a fallu l'avoir au bout du fil, alors lui parler de contrats juteux (juteux dans une juste mesure : de quoi rembourser des dettes), et prononcer au bon moment les mots de baleine blanche. Dans ces limbes situées entre un combiné de téléphone et un autre, où il est presque le seul à connaître l'existence d'un livre intitulé *Moby Dick*, Orson Welles pense à l'échec d'Herman Melville, aux refus, aux livres refermés définitivement, au retrait du prosateur devenu contrôleur des douanes ; il se tait, pour se recueillir – les agents à l'autre bout du fil ont raison de prendre son silence pour un acquiescement.

Le retour d'Orson Welles à Hollywood après ses années d'Europe : mettons qu'il y ait une descente d'avion, l'homme souverain tout en haut d'une échelle, dans des bruits de moteur et d'hélices s'estompant – et ce trouble d'être à la fois Charles Foster Kane et le contraire de Foster Kane : un homme ruiné venu faire l'aumône après avoir traversé sans escale la moitié du monde. S'il accepte, ce n'est pas pour reprendre le collier, c'est surtout (dit-il) pour montrer comment un Léviathan est monumental quand il échoue sur des côtes habitées.

Welles aurait pu durer plusieurs années encore sans un sou à lui, accumulant ses dettes dans divers coffres de princesses vouées au mécénat – il en existe tant en Europe depuis le début des républiques –, les thésaurisant, les faisant miroiter, devenant riche de créances à la mesure de son génie, histoire de creuser un gouffre où il pourrait un jour, tôt ou tard, prendre place, pour mourir : entièrement chez lui, cette fois, entièrement. Il aurait pu faire encore

une fois ou deux le tour de l'Europe sur les traces des aristocrates du temps de Crébillon, Londres, Paris, Rome, Tanger,
Cordoue, claquer des portes, se laisser adorer, se faire mal
voir, tester les restes de sa notoriété, et exercer son charisme
dans des lits trop mous, son charisme jusqu'au sol à force
de peser sur de vieux sommiers d'Espagne détendus (ils
avaient dû voir passer Quichotte). Vivant de dettes en dettes,
avec parfois un peu d'argent, mais c'est accidentel, s'aco-
quinant avec un producteur, encore un, un escroc de plus
autant que la Terre en comporte, celui-là venant de chez
Dickens, l'autre de chez Goldoni, l'autre de chez Balzac,
d'un teint de papier peint et sentant la bougie, un autre de
chez Shylock, et un dernier escroc encore, reconnaissable
à ses chaussures, et qui sait parler de Renaissance tardive.
Orson Welles toujours plus gros à mesure qu'il prône la diète
passerait encore d'hôtel en hôtel, de ville en ville, achetant
des pellicules, les brûlant mille kilomètres plus loin, achetant
d'autres lots de bobines confinées, un peu corrompues,
lisant la première moitié d'*Othello* à Milan, l'autre moitié
à Carthage, mettant au point, tant bien que mal, et dans la
misère, des dialogues en champs et contrechamps, chaque
réplique séparée par des années entières, et pendant ces
années, du désespoir et des projets. Tant pis, il accepte
de voir le peu d'argent donné par le hasard (Mercure, les
princesses) disparaître dans les mains de Shylock, il accepte
l'épreuve Shylock si au bout du compte la fidélité de tous
ces Shylock fait de lui l'ultime Shylock, le meilleur, le plus
exemplaire, capable enfin de l'être à la place de tous, mais pas
n'importe où, sur une scène – il a eu tant de mal à devenir
Shylock.

Moby Dick à Hollywood – Orson Welles

Finalement revenu dans le giron d'Hollywood – on l'imagine s'avancer méfiant, lever méfiant les yeux vers les hauts palmiers inutiles (une démesure qui ne sert à rien : les palmiers "plantés de part et d'autre des voies express pour nettoyer un ciel déjà pur"). Il s'avance tout aussi méfiant vers ces messieurs des grands studios ; il voudrait d'emblée réciter Melville au visage des hommes (ils apprendraient à le connaître), Melville en guise d'embruns, pour les changer de leurs beaux jours. Dans ses valises, pas si grosses, mais tout de même, un morceau de *Macbeth*, un morceau d'*Othello*, un morceau de Conrad, un morceau de Cervantès, un morceau de *Faust*, un morceau de *Münchhausen*, un morceau de *Gulliver*, *La Comédie des erreurs*, des vues de Venise, des photogrammes de lui-même en train de tirer un foulard d'une main vide, et des autoportraits en diable, en ivrogne, en roi, en commis voyageur, en magicien, en Tibère, en dompteur de fauves mettant ses fauves en gages chez un prêteur, en Borgia, en prédicateur, en prophète, en fugitif, en Barabbas, en Pickwick, en Rembrandt lui-même déguisé en chevalier – et dans un carnet, vingt-sept croquis de jambes de bois.

Il se prépare pour entrer dans la peau du capitaine Achab ; il se le représente en l'imitant : d'un bord à l'autre de sa chambre d'hôtel, il fait les cent pas, qui ne sont jamais tout à fait cent ni dans un sens ni dans l'autre, cent pas fougueux, colériques, mélancoliques, monomaniaques, épuisés, accablés, morbides, tour à tour, puis après ça joyeux, hystériques, fulminants, mystiques, puis clownesques, en imaginant par exemple un capitaine Achab se donnant en spectacle à ses marins pour les faire rire, pas si loin de la réalité. Il cabotine dans la solitude (cabotiner sans spectateurs est une forme de perfection dans l'art d'être un acteur) : il n'essaye pas de reconstituer l'exacte claudication de marin sur un baleinier, mais la réinvente selon les besoins d'un théâtre, en mieux, à charge pour le marin d'en prendre de la graine. (Après avoir boité consciencieusement à la manière de l'ours en cage, puis celle de Tamerlan (il essaye même Charlie Chaplin), il tire de sous son lit une mallette, en sort une douzaine de petites choses en plastique rose très tendre, à l'intérieur gracieux, molles comme doit l'être un cartilage : des faux nez de différentes sortes, tous plus ou moins frondeurs, parce qu'il faut avoir le nez vindicatif si l'on veut être Achab.)

Il est consciencieux : même s'il voue le système des studios aux Enfers, il accepte de jouer des réclames pour du porto, il y consacre dix pour cent de sa grâce et de son talent qui, de toute façon, valent mille fois le talent des autres. Les commandes, les panouilles, les rôles de plus en plus petits, la danse de l'ours à la télévision et la caricature de lui-même, il les fera, il a déjà commencé à les faire : il rechigne un peu, se retire, prend ombrage, ravale sa pomme[1], sacrifie quelque chose de son âme (il lui en restera toujours assez), se fait face dans un miroir, damne la moitié du genre humain, prête serment sur Shakespeare, mais finit par y aller – et en y allant, il imite l'orgueil des génies du Cinquecento quand ils allaient cirer les accoudoirs d'un prince.

Son agent propose à Orson Welles d'interpréter le Capitaine Achab pour amuser le grand public de la Warner ?

---

1. Retient ses larmes, et s'il ne les retient pas, affirme qu'elles sont une citation de Milton.

Eh bien, soit, il fera Achab, ce sera alimentaire et presti-
gieux à la fois : il fera Achab en ours, en marin d'opérette, en
amant de Circé, en néoplatonicien ; il relira son *Moby Dick*
pour s'en imprégner comme ils prétendent tous le faire, et
pour interdire aux autres d'en parler aussi savamment que
lui – il relira aussi *Le Scribe*, persuadé d'y trouver de quoi
nourrir son capitaine. Il s'est déjà laissé pousser la barbe,
c'est dire s'il prémédite son rôle ; il a choisi parmi ses nez
postiches la forme qui lui convient le mieux, il a trouvé
la profondeur de sa claudication (une syllabe longue suivie
d'une brève, comme un trochée inspiré des vers adoniques
de Catulle, ou bien une syllabe courte suivie d'une longue,
comme l'iambe de son Shakespeare) ; il a posé sa voix, il a
su mettre au point le cuir tanné des aventures, un peu de
fond de teint, un peu d'usure naturelle ; il a hésité entre
maigrir et engraisser, il est devenu ample pour incarner un
Achab en forme de marsouin, il est redevenu maigre pour
suggérer l'ascétisme des hommes fous et seuls, qui vénèrent
un Dieu introuvable et en oublient de se nourrir ; il a posé
sa voix, une fois encore, plus éraillée ; il a essayé des postures,
il a cherché dans des ouvrages des exemples de costume ;
il se vante (mais il ne faut pas le croire) d'être allé dans la
boutique d'un antiquaire pour y parler de jambes de bois,
toute la nuit, l'aube et le matin, en passant du vin au vieux
rhum ; il a fait des croquis sur des feuilles volantes à côté
d'un projet de *Crime et Châtiment* ; il a cherché sur son corps
d'immense bambin un espace où tatouer une image d'ancre
et de baleine, ou quelque chose de satanique et de biblique
à la fois (il n'a pas eu le temps de s'empiffrer d'ouvrages
de cétologie, mais c'est tout comme, il n'en était pas loin).

Orson Welles se présente vainqueur d'Hollywood et
d'Azincourt à la porte du grand studio, il retrouve ce décor

qu'il redoute depuis toujours, le mélange de cuivre et de bois d'avant-guerre, les longues tables où des banquiers parlent de cape et d'épée ; il salue dans l'ordre le chef et ses représentants, il reconnaît le réalisateur dans un coin, le producteur exécutif, les avocats, la secrétaire ; il prononce un bon mot imité de Hawthorne, personne ne le comprend d'emblée et les rires ressemblent à certains fauteuils quand on s'assoit dessus. Il s'assoit à son tour, il est presque devenu confiant, il respire l'air du large pensant *elle plonge, elle plonge*, puis sans broncher, sans trop broncher, entend le nom du comédien à qui le grand studio vient de confier le rôle du capitaine Achab : un bienheureux.

Aussitôt, il envisage de retourner en Europe : les avions trop petits pour lui, Paris puis l'Espagne, la ronde des fausses princesses, les pellicules achetées ici et là, l'orgueil tout au fond d'un terrier, la compagnie d'un intellectuel de New York venu lui rendre visite pour le confirmer dans son génie, comme s'il en avait besoin. Il pense aussi à son compte en banque et quand il demande quel rôle on envisage de lui confier, au lieu du rôle du Capitaine, trois banquiers, deux comptables, le patron, les avocats, la secrétaire, répondent en même temps : la baleine blanche.

Le personnage de Moby Dick : un honneur embarrassant (l'éléphant offert par Haroun al-Rachid à Charlemagne, qui ne savait pas où le ranger), mais le rôle de toute une existence, l'occasion pour Welles d'exercer son grand art maniériste sur une scène démesurée – il faut y voir l'adéquation du personnage au comédien : Moby Dick cherchant Orson Welles depuis des décennies pour le trouver enfin à Hollywood, là où tout le monde se rassemble au dernier acte. La baleine blanche, quand on y pense, est un rôle comme il y en a peu (c'est ce que répètent les banquiers, son agent et le réalisateur) : l'équivalent de Jésus et de Néron, ou Dieu le Père, tout bonnement Dieu, ou même Bouddha interprété par Charlton Heston avec cette musculature qu'on lui connaît. Les arguments se succèdent, Welles rechigne, il se renfrogne, et quand Orson Welles se renfrogne, ça ressemble au retrait de Iahvé à l'instant de la Création pour laisser une petite place à l'Univers, ou à une Grande Bouderie cosmique. Sa méfiance est elle aussi monumentale, nourrie d'échecs récents, de hautes et petites trahisons, et d'une constante étude des hommes ; sa méfiance naît de l'addition de l'espèce homme à l'espèce producteur, et s'épanouit au soleil immanquable d'Hollywood, où tout brille, parmi tant d'artistes qui veulent des piscines. En face de lui, trois producteurs exécutifs, souriants, solaires, un script sur la table, heureux d'avoir ferré la bête, l'avoir fait revenir d'Europe, et fiers très sincèrement d'offrir à un acteur sur le déclin, en guise de magnifique aumône, un rôle indépassable : le Léviathan, le Léviathan, rendez-vous compte. Welles, on imagine, se mord la joue, il regarde les trois producteurs, il devrait reconnaître les Rois mages, il voit trois filets de sole sur de la glace pilée, marbrés de rose et blanc – pour lui, ce cachalot est une humiliation ajoutée aux humiliations, un complot pour le faire disparaître plus radicalement encore, lui si précoce, la risée du monde occidental. On lui parle de hauteur, de noblesse, quelqu'un prononce le mot *infini* (ou bien *éternité*), on présente à Welles des planches de story-board ; un peu plus tard, en aparté, entre quatre yeux, le réalisateur parle de la baleine comme d'une grande âme sensible : un réservoir de pensées profondes – tourmentée, visionnaire, mélancolique, précieuse. Orson Welles et le réalisateur seuls dans une pièce à part (comment sont-ils arrivés là ?) font mine de rompre avec les règles d'Hollywood, parole d'artiste : au lieu d'évoquer les contrats, ils caressent Moby Dick, ils en font le tour sans la meurtrir, en parlent comme d'autres ont parlé de Lady Macbeth, ses ongles pointus, ses faiblesses, et d'autres de la reine Christine. Qu'Orson Welles se rassure: Moby Dick ne sera pas seulement un costume gigantesque fixé par des bretelles, et un trou pour y passer la tête, ce sera une question de doigté, de psychologie, il faudra l'incarner avec gravité, la faire danser sur le fil du funambule, lui imaginer des ancêtres et une petite enfance (comme si la Méthode de l'Actors Studio pouvait un jour venir à bout de la baleine).

Le reste de la journée, Orson Welles hésite, il consulte des gravures (la baleine de profil), il se caresse le menton, se demande s'il doit engraisser ou maigrir, se demande également s'il saura puiser dans son répertoire des rôles proches de la baleine, se demande s'il y a du cachalot en lui; il envisage les grands plateaux, la fausse mer, les régisseurs, le costume de Moby Dick comme une immense robe de mariée, rigide, avec des palmes, les heures passées au maquillage, les répétitions exténuantes, la presse suspicieuse, la rumeur, les portraits de chimère moitié Orson Welles moitié Moby Dick, les sous-entendus, sa tête coincée dans une carcasse et pas une seule ligne de dialogue.

Comment Orson Welles a refusé le rôle de Moby Dick? on ne le sait pas au juste: c'était tonitruant ou résolument silencieux (à nouveau une chambre d'hôtel vide, un contrat magnifique dans la corbeille, le salaire souligné d'un trait, le nom de Moby Dick aussi); il a repris l'avion pour l'Europe, il a retrouvé l'endroit par où est passé Don Quichotte, il a retrouvé ses carnets de notes, il a retrouvé comme son foyer le continent où il a pris l'habitude d'échouer spectaculairement, où la défaite peut devenir un genre littéraire, où le génie déchu peut trouver dans de vieilles Vies de

Saints écrites à l'aide de brindilles des exemples de retraites glorieuses : l'ermitage et l'œuvre en cours, toujours en cours.

Moby Dick à Hollywood – Orson Welles
et le rôle du capitaine Achab

S'il souhaite interpréter le capitaine, ce n'est pas pour remettre une fois de plus en chantier le jeu du pouvoir (dans le rôle du vainqueur, têtu, ébranlé, déchu, puis triomphant de sa défaite) (Orson Welles dans la loge de la maquilleuse : vingt-quatre ampoules allumées pour le mettre à l'épreuve et une heure de maquillage afin d'accéder à l'idée de toute-puissance) – non, c'est pour savoir enfin pourquoi Achab tenait tant à prendre le large, prendre le large au sens de foutre le camp. Billevesées de marins à moitié analpha-bètes, foutaise, légende de bistrot et de dictionnaire de la mythologie, cette baleine blanche, elle est un prétexte dont le capitaine ne pouvait pas se passer, sans doute parce qu'il est plus élégant (romanesque) de courir après une baleine que de prendre la fuite. N'empêche, prétexte majestueux ou pas, les voyages du capitaine Achab ont un seul mobile, la fuite loin de soi, assorti de ce paradoxe jamais surmonté du vivant du fuyard : Achab retrouvera toujours Achab dans le creux de son lit, "aussi loin qu'il se cache".

Se fausser compagnie : tout un art, une prouesse réservée à quelques-uns, peu le désirent et parmi eux peu y parviennent réellement (parvenir signifiant quoi exactement ? obtenir une certaine licence ? accéder au Salut avant tout le monde ? s'accorder l'immunité de Don Quichotte ? accomplir des conversions plus violentes que la chute de Saül au moment de devenir Paul ?). Dans l'intervalle entre un séjour à Clichy et un séjour en Espagne, Orson Welles se promet de faire de son capitaine Achab un virtuose dans l'art de se fausser compagnie – il se promet aussi d'en prendre de la graine (tous les livres de la bibliothèque de Milan ont aidé l'ex-duc Prospero à mettre en scène sa fausse tempête; tout sera bon pour accompagner le fugitif dans sa fuite).

Achab lors de sa fuite hors d'Hollywood (huile sur toile) – quitte à se damner pour mieux fuir : et c'est d'ailleurs ce qu'il a fait, le capitaine, c'est-à-dire Orson Welles dans la peau du capitaine : se laisser damner pour être libre de lancer ses anathèmes contre Hollywood, comme s'il fallait d'abord se compromettre et ensuite assumer sa malédiction de globe-trotter (c'est ainsi qu'Orson Welles envisage le capitaine : assez téméraire (rien à perdre derrière lui) pour s'attirer les reproches disparates mais convergents de Dieu, de la police, des hommes, de la Compagnie des Huiles de Baleine – quand il en sera riche, il pourra les redistribuer).

Achab et la petite enfance

Traditionnellement, on admet que le capitaine Achab en équilibre sur le pont de son navire se situe quelque part entre un souvenir et un projet – le projet, c'est plutôt clair, signifie le désir de vengeance (à moins que le capitaine, secret à sa manière, dissimulant son jeu sous une vareuse, envisage dès le début un avenir au-delà de la baleine) – mais par souvenir, est-ce qu'il faut comprendre souvenir d'enfance ? alors cet homme totem de sa propre colère, vieilli par la rancune mais immunisé par elle, cet homme de vieille corde de chanvre aurait eu une enfance ? et de cette enfance, par miracle, des souvenirs : pas plus vaillants que trois orphelins dans un panier

au pied d'une porte. L'enfance ? Achab perdrait son prestige
de pendard dépendu s'il avouait en avoir eu une (prestige
de furieux devançant de six mètres la figure de proue) : une
seule enfance, une seule, avec ce que cela suppose d'innocence, de joie préventive, de non-rancune et non-vengeance,
en somme l'âge tendre défini comme l'exact contraire du
capitaine Achab. Disons plutôt, Achab se définit volontiers
comme l'exact contraire de l'enfance : lui tournant le dos,
la fuyant plus vite encore et plus violemment qu'il poursuit
la baleine, fuyant l'enfance avec épouvante et morgue, avec
sang-froid aussi, un sang-froid d'infanticide, optant pour
la délicatesse seulement si elle l'aide à parvenir à ses fins
(les enfants ont la chair tendre mais des contours flous,
viser juste est impératif : affaire de chance, de séduction, de
faveur du destin ou de la victime elle-même). Regardez-le,
Achab, toujours sur le pont, pour se faire reconnaître de la
tempête chaque fois qu'elle passe, debout et muet, ébranlé
par rien, quoique fort secoué, prêt à subir, sans jamais faire
le dos rond pourtant (il n'est pas saint Pacôme), et recon-
naissez-le comme l'antithèse de l'enfance : il aura passé sa vie
adulte à la réfuter, à courir loin de toute forme d'infantilisme
comme Nicolas Gogol, autre Furibond Précipité, fuyait les
incarnations du diable (en limace, en chenille, en morve de
chandelle tout au bout de son nez), toujours en fuite, sans
cesse rattrapé par l'immaturité, la sienne, réapparue sous
la forme d'un symptôme – alors, il fuit à nouveau, réfute
encore, fait de son refus un combat, un autre crime, une
théorie, mais théorie mal dégrossie semblable à l'intuition
de la proie prête à tout pour sauver sa peau mais reniflant
déjà son prédateur, et sachant tout de sa mort – et pendant
qu'il fuit, il se débarrasse de ses signes, des souvenirs, de ses
traces, des héritages, des réflexes et rêves, se promettant de

s'arracher la peau s'il le faut, ou cracher ses dents de lait ou s'étouffer lui-même sous un oreiller s'il reconnaît dans son miroir la trahison du visage d'un nourrisson à son image. On l'a vu ensuite se frotter à la maturité, s'y vautrer, s'y engager trop vite et trop profondément, la fougue précoce sans se soucier de la maladresse, au contraire comptant sur elle, supposant l'imperfection et la brutalité préférables à la retenue ; il s'est épuisé et meurtri pour échapper au rose, lisse, frais et tendre de l'enfance, il s'est égaré, il s'est battu, il a été imbécile, il est passé par là, il a accueilli les blessures avec gratitude, il a aimé l'usure et la désillusion, il s'est pris de passion pour les attributs de la vieillesse, les acceptant tous, les désirant tous, sans ordre ni réflexion, y compris la maladie et les deuils (il n'en avait jamais assez, il aurait voulu mettre à mort des cousins, n'importe où, à Macao, pour éprouver la perte et compter un étranger de moins avec qui partager des souvenirs de nursery – une encoche au couteau dans le bois de sa jambe) ; il a voulu être grave, gris, préoccupé et responsable, il voulait renverser chaque épithète de l'enfance ou fouiller le sol boueux jusqu'aux Enfers adultes pour trouver leur contraire exact et s'en coiffer ou s'en vêtir, ou s'en nourrir, disons s'en gratifier ; il a accepté les mauvaises fréquentations de la virilité, il a cru bon de suivre d'autres hommes eux aussi effrayés par l'enfance mais puérils de façon plus brutale, confondant l'âme virile et l'âme mûre et comptant sur chaque femme écrasée pour se couronner roi des rois ; Achab a cru lui aussi au sexe, le plus nombreux et le plus entreprenant, le sexe sur des jours et des heures, il a cru à la fornication comme preuve de l'âge d'homme et à des radeaux de lits trempés comme véhicules l'emportant loin une fois pour toutes de la chambre du petit garçon. L'enfance est tendre, lisse, informe,

et sujette aux métamorphoses – Achab s'est alors voulu ferme
et brutal, impénétrable, d'une solidité de porte, il a imité
les remparts, humilié par sa peau, il a voulu les aspérités
de la vérole et les empreintes profondes des condamnés à
mort graciés in extremis. L'enfance est inconséquente? il
s'est voulu le plus conséquent des hommes, déposant partout
des preuves de cette conséquence, à intervalles précis, qu'on
prenait pour des pièges et des signes de piste; il s'est voulu
cohérent jusqu'à l'obsession, voué comme une carmélite à
la causalité, et pour le rester jusqu'à sa mort s'est enchaîné
à la rancune, au désir de vengeance, trouvant sa place enfin
dans ce monde, fixé infiniment à son rocher où il pourrait
regarder passer des chaînes de raisonnement de causes à
conséquences. L'enfance est fascinée, Achab cultive une
sorte d'indifférence forcenée, pas toujours facile à saisir: la
blancheur de la baleine éblouira plus sûrement ses commen-
tateurs, ses témoins, Achab s'en tenant par orgueil à une
froideur d'égal à égal, prêt à éclater de blancheur s'il avait
fallu (le reste du temps, pour ne pas se laisser éblouir, il se
morfond, il s'obscurcit, il imite les prophètes aveugles de
Crète, grossièrement, il renonce à la lumière et tout au bout
d'une sorte de cécité mal fichue cherche à être plus lucide:
au lieu d'une prophétie, on l'entend qui radote. L'enfance est
maladive, il sera d'une santé de fer, ses blessures n'y pourront
rien, il refusera de faire de son immunité un héritage des
maladies infantiles, son désir de fuir la varicelle l'emporte
sur l'honnêteté intellectuelle, à ses yeux la bonne santé est
un refus d'aristocrate, pas une rémission après des années
de fièvre balbutiante (le plus périlleux pour Achab est d'être
vigoureux sans croire à la jouvence: la bonne santé aux
vieillards endurcis, comme la survie à ceux qui sont devenus
immangeables). L'enfance est illogique, Achab a voulu

devenir, on l'a vu, un acharné du raisonnement: même en plein océan, à portée de la queue fourchue de Poséidon, entre des récits de marins superstitieux, récits de Scylla et récits de fin du monde connu, secoué par des tempêtes qui sont d'abord la crainte de la tempête puis des racontars exagérés sur la tempête d'avant-hier, menacé par les Sirènes, par l'octopus, par les géants, il s'arrange toujours pour exhiber son sextant, au lieu de la croix qui effraie les démons: pas pour faire le point, à quoi bon en plein ouragan, mais pour montrer que pendant ce temps-là l'art de mesurer s'exerce toujours.

L'enfance est narcissique? Achab réfute le narcissisme, il le pourfend à l'aide du glaive emprunté à saint Michel, retiré du dragon, saignant de son sang noir, allégorique et fanfaron: il lui tranche le cou quitte à trancher le bébé avec – et toute sa vie, à quai les pieds dans des cordages, sur le navire et l'eau jusqu'au cou, et même à l'heure d'écrire son journal de bord tenté par l'autobiographie, il refuse de se laisser aller à l'amour-propre. On l'a entendu clamer son nom à la proue en direction des vagues, il s'est plusieurs fois imposé comme capitaine conscient de sa valeur biblique, mais il n'a jamais commis l'erreur de se contempler au point de se perdre dans la contemplation, et quand il s'aperçoit, c'est avec les yeux d'un illettré sur le portrait d'Ésaü, devinant de la laideur, mais une laideur acceptable, somme toute, conforme à l'idée qu'on se fait de la laideur humaine – la laideur et la mauvaise foi. L'enfance est maternée? Achab se proclame orphelin-né, fils de ses œuvres, sorti de la terre où il séjournait comme un légume-racine, non comme une espérance; il n'a pas même eu à tuer père et mère, il n'a pas eu à en tenir compte dans ses équations, il les a considérés plus tard comme cette part d'ignorance nécessaire à la vie, de même qu'on accepte l'incompréhensibilité de l'univers comme nécessaire à notre présence en lui.

Orson Welles auteur de Moby Dick

Voilà ce que répète Orson Welles à qui veut l'entendre : on visitera mon échec, un ensemble de vestiges où se mêlent œuvre interrompue d'un coup sec et défaite librement consentie, comme on visite maintenant la statue de la Liberté, de l'intérieur. Voir la statue se montrer de loin, c'est participer à une saine cérémonie de l'apparition, réservée aux immigrants, mais la visiter de l'intérieur, l'idée afflige les hommes sensibles aux symboles, qui parlent de profanation – d'autres pensent à une taxidermie, ou à une autopsie, d'autres encore envisagent sans problème les escaliers, les ascenseurs et le restaurant, le bon sens du commerce, l'impossibilité logique et morale de renoncer aux bénéfices, se réjouissant de constater une fois de plus : pour l'Amérique, dans certaines circonstances, il n'y a aucun blasphème possible (il suffit d'ouvrir un comptoir et d'invoquer le commandement de l'offre et de la demande – c'est en tout cas ce que raconte Orson Welles, passablement grandiloquent, moqueur à l'idée d'entrer en file indienne dans une représentation de la liberté).

Il ne perd jamais une occasion de comparer l'immense *Liberté éclairant le monde* à ses propres vestiges, euro-américains, couleur d'os de dinosaure retrouvés sur le sable, immenses, laissant passer le jour, assez vastes pour permettre à des curieux venus trop tard de se donner cette illusion, celle de visiter de l'intérieur les restes de sa grandeur – imaginez, de l'intérieur : la curiosité sans retenue s'exprimant à voix

haute sans plus ce souci de silence de chapelle ardente,
l'appropriation en plus de la curiosité, l'air d'en savoir
davantage que les vestiges eux-mêmes, davantage que le mort
à l'origine de la dépouille (tout le monde aurait su mieux s'y
prendre, c'est certain, il n'y aurait pas eu toute cette ruine,
ces hauts restes de dinosaures blancs, aucun monument de
l'échec par-dessus quoi les visiteurs prononcent maintenant
leur *Discours sur la Réussite*). Oui, on visitera ses vestiges,
il y aura des piles de manuscrits, des cahiers ouverts aux
courants d'air, des bobines de film soudées par la rouille,
des scrupules de laborantin au moment de les rouvrir,
l'effroi, la compassion en présence des choses friables, un
hochement de tête à l'adresse du génie michel-angelesque,
un autre hochement de tête à l'adresse du gros ours capricieux infoutu de finir quoi que ce soit, un pour approuver,
l'autre pour désapprouver; il y aura des machines à écrire,
autant de machines que de projets interrompus, dans chaque
machine une feuille de papier, plus loin, à portée de main,
un reste de noisettes pour attirer Dieu sait quel singe;
il y aura des morceaux choisis par le hasard, des confessions, aucune théorie claire pour démêler l'œuvre réussie
de l'erreur absolue, ni théorie de l'esthétique, ni théorie du
droit — ses amis en deuil aussi perplexes de son vivant et
après sa mort que les juristes tenus plus tard de régler sa
succession. C'est funeste: on le verra, lui, Orson Welles, ou
du moins son image répétée sur un morceau de pellicule
à peine long comme d'ici à la porte, déguisé en on ne sait
trop quoi, Lear ou Shylock, impossible d'être à la fois l'un et
l'autre (et pourtant): ce qu'il prononce, les yeux droit vers la
caméra, il faudra le déduire du mouvement de ses lèvres en
l'absence de son, neuf chances sur dix pour constater alors
que ses propos anticipent notre désarroi, notre curiosité,

notre appétit de savoir, le silence, l'effort des déchiffreurs et les minutes passées à scruter le mouvement des lèvres – en plus de tenir compte de tout cela et de nous-mêmes, c'est-à-dire en plus de nous donner vie, l'apparition d'Orson Welles en roi Lear, en Shylock, nous parle de ses œuvres accomplies, de celles qui ne le seront pas, de l'endroit où elles s'interrompent, de ce que cela fait de revoir chaque matin le film à l'endroit où il s'éteint, ou de le revoir dix ans après l'avoir oublié, constatant du même coup, du même élan, le désir de poursuivre et l'impossibilité de le faire.

Puisqu'on parle d'échec, pourquoi ne pas proposer un *Moby Dick* à tous ces nababs du cinéma, les derniers, les avant-derniers, et les autres, semi-nababs, en moins baroque, nés sur les décombres des studios (les grands studios sont tombés et Orson Welles n'a pas pu s'en réjouir, il n'était déjà plus vraiment là ; *Cléopâtre* avec Liz Taylor et *La Porte du paradis*, ce n'était pas lui, mais il aurait voulu en être : il aurait fait monter César sur sept éléphants et multiplié par trois les dépenses, si pareil miracle est possible). Pourquoi pas *Moby Dick*, quitte à envisager dès le début l'inachèvement d'un grand film pour qui on aurait détourné à la manière Chine impériale les eaux d'un fleuve, les eaux d'un deuxième fleuve dans une piscine d'Hollywood pour en faire l'océan – pourquoi suggérer l'océan avec un seul verre d'eau quand on peut obliger un studio grandiose à éventrer ses coffres-forts ? (quand bien même Orson Welles saurait parfaitement suggérer l'Atlantique avec une bassine et le mont Ararat avec une couverture). (Il a fallu beaucoup de ruses de la part du jeune puis vieux Welles pour dissimuler son habileté dans l'art de suggérer à l'aide de trois fois rien[1] :

---

1. La plupart du temps, c'est la ruse du mensonge par omission.

si ses producteurs le savaient, ils l'embrasseraient sur les deux joues et la bouche, ils lui feraient un petit triomphe local, dans leur bureau, l'incitant à faire profiter les spectateurs et ses patrons de son génie d'évocateur, l'encourageant sur cette lancée : chaque atome de talent dans l'art du non-dit, de l'ellipse et de la petite maquette est autant de dollars économisés sur la bête. Il doit alors se taire : Orson Welles reste en permanence déchiré (mais d'une déchirure probablement délicieuse) entre la soif de grandeur, le spectacle comme un chapiteau par-dessus les nations, et l'amour du bricolage *povero*, l'économie du théâtre shakespearien fauché, ses châteaux invisibles, ses armées invisibles, ses forêts invisibles comme la mer entre Venise et Chypre – la plupart du temps, son trajet, c'est du grandiose au misérable (il préfère dire *panorama à miniature*). Au commencement, le grandiose est sur le papier, c'est une simple question de mots, Welles avance la Montagne, Lépante ou le Walhalla, ou les mercenaires d'Hamilcar pour éblouir son interlocuteur, lui donner aussi les véritables dimensions du chef-d'œuvre (avancer un gros chiffre est la meilleure façon d'entamer un marchandage de souk, il connaît la règle, mais il le fait aussi pour déclarer en quelle haute estime il tient son projet de film, lui-même, les spectateurs, et peut-être le genre humain). Plus tard (question de semaines, ou de minutes si le sort du cinéaste se règle une fois la porte refermée derrière lui), plus tard vient le moment de la miniature : Orson Welles redevient un amateur de marionnettes et de fil de fer, être privé de moyens est pour lui une série d'énigmes à résoudre, l'énigme du sphinx et des problèmes de contingence ; il sait comment faire venir la lumière du jour à travers une fausse fenêtre, il a des moyens de petit garagiste, il sait si bien contrefaire qu'il se juge capable de suggérer son interlocuteur, le monsieur du début, à qui il parlait de Walhalla.)

Le jour venu, d'autres seront chargés de gloser sur l'inachèvement, eux-mêmes saisis de leur vivant par l'imperfection ; ce sera après la mort d'Orson Welles, ils parleront des esclaves de Michel-Ange, de l'inachevé contrepoint n° 19 de *L'Art de la fugue*, des brouillons de grands génies fiévreux tentés par la flemme, où la dernière phrase s'interrompt, sans point final, le point final parti ailleurs, pondre son œuf dans un autre panier, et ponctuer une autre phrase, qui en avait davantage besoin – ils le verront lui, Orson Welles, vaincu d'avance, prêt à assumer du même front son ambition et son impuissance, l'une appuyée à l'autre, ils le comparent à ce vieillard d'une légende indienne venant à bout de l'Himalaya à force de le frotter, une fois par an, du bord de son mouchoir de soie. Sa démesure, diront d'autres (mais des détracteurs), c'est l'énorme quantité de paille, de mousse et de farine avec quoi ce garçon de vingt ans espérait se grandir et se vieillir, la fausse moustache, le ventre de Falstaff, et dans ce ventre les chefs-d'œuvre de la Bibliothèque des Chefs-d'Œuvre, Eschyle, Shakespeare, Quichotte, Hugo, des éléphants, des pyramides et les murs de la Cité interdite, de grosses pièces monumentales dans le style gothique ou Biedermeier – mais il fallait voir comment Orson Welles, qui voulait tant se donner à côté de ces pyramides un air de Minotaure ressorti vainqueur mais nu du labyrinthe, comment il choisissait dans chacun de ces gros chefs-d'œuvre un moment minuscule échappant à toute démesure, deux lignes de dialogue entre un monsieur fatigué et une dame sensible, ou la paupière à l'instant de se refermer, ou une confidence dite dans un murmure avec l'espoir trompeur de n'être entendu par personne :

de Shakespeare, la fragile plaidoirie de Shylock, de l'Hidalgo don Quichotte, Sancho Pança se frottant le menton l'air de dire *qu'est-ce que je fais là ?*, et de l'énorme drame du cachalot, la seule larme jamais tombée de l'œil d'Achab dans l'océan : si petite, certains en doutent encore, ils se demandent, Orson Welles la récite pour entretenir son existence en dépit de sa vérité.

Et maintenant, il recommence, il nous refait le coup du chef-d'œuvre monumental à deux mille figurants comme les vingt mille de Khéops et Khéphren, il rebrandit la baleine blanche, tant pis si elle lui a valu des humiliations d'acteur – il prend son temps, de sa voix de publicitaire pour le champagne ou le meilleur café du monde, pour démontrer comment le Léviathan est à sa mesure, le monstre lui-même ou plutôt toute l'eau qu'il déplace, car Moby Dick c'est surtout son empreinte, la haute vague venant asperger New York d'un côté, Los Angeles de l'autre, une fois tous les sept ans. Quand un dialogue s'engage entre Welles et un agent, ou un producteur (il peut s'agir d'un dialogue entiè-rement reconstitué par Welles dans une chambre d'hôtel), la conversation débute par le Léviathan, la taille de la piscine, la taille des vagues, quatre heures et demie de spectacle comme au temps du *King John* I et II, puis elle se poursuit par des artifices de toiles et de poulies, un orchestre philharmonique, beaucoup de contrebasses par exemple, un paysage de Verdi, puis un plus petit orchestre de chambre, un ventilateur sous une toile, et pour finir la longue épopée se métamor-phose en huis clos dans la cabine du capitaine, Achab seul avec ses fantômes, des coups frappés à la porte comme les heurts chez Macbeth selon ce qu'en disait cet impayable Thomas De Quincey. Juste avant de prendre congé (le producteur donne des signes d'approbation ressemblant

437

à un refus navré), Orson Welles brade son dernier jeton : lui seul, de face, trois quarts face, barbu, mais avec son nez d'origine (*my genuine shrivelled American-style shnoz*), lisant une page de texte puis une autre, le regard tantôt sur la page, tantôt dans l'œil de son public (les mortels), tantôt loin devant lui, l'océan où tout finit par disparaître, sur son visage les reflets d'un peu d'eau contenue dans un grand bol – et alors, c'est tout ? *Mais monsieur, c'est bien suffisant.*

D'un ambitieux *Moby Dick* par le maître des figures grandioses Orson Welles ne resteront ensuite que des vestiges à visiter de l'intérieur : de l'intérieur parce qu'ils sont vastes, vides, clairs, laissant eux aussi passer le jour et les courants d'air, et pour reproduire l'effet de la visite à la statue de la Liberté, ce mélange d'hommage et de profanation de sépulture. On entrera peut-être dans une effigie de Baleine, comme la tête de Bottom s'enfilait avec joie (c'est à parier) dans son déguisement d'âne : après tout, si Barnum gagne davantage d'argent en une semaine avec un cachalot empaillé que huit théâtres en un mois avec les œuvres de William Shakespeare, alors pourquoi ne pas inciter le chaland à pénétrer le corps d'une baleine hollywoodienne, bois, toile et polystyrène, contre la somme de 5 dollars ? Ainsi, l'échec d'Orson Welles se mêlera à la mort paisible éternelle de la baleine, puisque leurs vestiges se tiendront ensemble, ils seront une seule chose.

(Pour 5 dollars, une baleine de cinéma visitée de l'intérieur : ses câbles, ses morceaux de ruban adhésif, ses carcasses, des chiffres écrits au crayon par le contremaître arrière-arrière-arrière-petit-fils de Dédale, des bouts de ficelle, des ouvertures pour l'éclairage et pour l'œil de la caméra : là-dedans, le script envisageait de rejouer des scènes, quitte à les inventer, de Jonas ou de Pinocchio, et du vieux capitaine harcelé par un rêve d'avalement. Et pour le même prix, le bureau du réalisateur, la Moviola du réalisateur, de faux carnets de croquis rajoutés après coup pour donner une image de la surabondance, toutes ces idées perdues, retrouvées des années plus tard pour exorciser la perte d'une autre idée[1].)

Moby Dick à la chasse au capitaine

Combien d'épaves la vieille Moby Dick a l'occasion de retrouver sur le sol de son océan à chacun de ses passages ? l'épave toujours présente, toujours là, sa fidélité dépendant de son abandon – elle les regarde en passant, elle les voit parfois reprendre vie, elle admet la supériorité du coquillage sur le bois pourri, elle voudrait pouvoir colporter jusqu'à la surface des histoires faites d'un mélange de pièces d'or, d'armures de bronze et de putrescence ; la durée, même la sienne, peut se lire de cette manière, d'une épave à l'autre, il s'agirait de s'y connaître pour distinguer le galion de la caravelle, le Portugal de l'Espagne. (La baleine parfois débonnaire avec les restes des hommes, parfois analytique, acceptant de considérer tout ce que les épaves contiennent de renoncement, cherche à déduire ce qu'elles contiennent aussi de commencement, pour se distraire, et peut-être aussi se moquer.)

---

1. Orson Welles finira par monter une *Baleine blanche*, mais à Londres, au théâtre.

Achab à Hollywood – prophéties de l'imprésario,
ses apparitions, ses consolations

Quand ça ne prend pas à la Universal, et ça ne prend
pas à la Paramount, après les déceptions de Josef "von"
Sternberg, il arrive que l'imprésario en costume à losanges
(toujours le même, celui qui savait apparaître au coin de
Broadway et de la 40ᵉ Rue, deux hot dogs à la main, un
pour lui, un pour son protégé) ressurgisse, consolateur – il
advient, c'est le mot juste, il advient pour faire pièce aux
profonds désespoirs, c'est en tout cas comme ça qu'il se
présente, un chevalier de fer-blanc droit sur les Injustices[1].
À la mélancolie d'Achab scénariste éconduit par trois producteurs d'affilée, il apporte une petite consolation comme un
petit divertissement, sous forme (pêle-mêle) de blagues de
stand-up comedy, de martingales de tripot, de tuyaux pour
courses de lévriers, de devises empruntées à Lubitsch ou Max
Reinhardt, Max Reinhardt l'ayant piquée au Salomon de
L'Ecclésiaste; il lui donne des coups de coude, il compare
la gloire des imbéciles à l'obscurité des vrais génies, il essaie
de se souvenir du monologue d'Hamlet à propos de justice
qui chevauche une mule lente; il recommence ce qu'il a déjà
recommencé cent fois parce qu'il se sent prêt à combattre

---

1. À force de tourner d'un studio à un autre studio, comparé à un oiseau migrateur
sans patrie où se poser, le scénario s'est même retrouvé un jour entre les mains d'Ernst
Lubitsch, l'homme situé "tout au bout d'un franc cigare"; c'était au temps de *La Veuve*
joyeuse, en 1934; il est resté dix jours dans sa valise, puis quinze sur son bureau, encore
vingt-trois sur le bureau de Samson Raphaelson, son collaborateur; on lui a ajouté puis
retiré des plumes, la baleine est devenue un caniche blanc, un soldat d'opérette, une
princesse de principauté, une vendeuse de mouchoirs dans un magasin de Király utca
de Budapest, mais Király utca reconstituée en studio, pas plus crédible que Venise ou
les îles Fidji; des obsessionnels, indistincts des amoureux fous et des amants frustrés,
retrouvent sa trace dans *Ninotchka.*

la déréliction, la plus insondable des angoisses métaphysiques, Kierkegaard, Schopenhauer et Spinoza confondus, sans avoir peur du ridicule ni de la mesquinerie, à l'aide de petites promesses qui ont déjà servi sept fois et ressemblent (je cite le capitaine) à des chaussures d'occasion. Son courage est admirable : la disproportion entre ses faibles moyens de bookmaker et la profonde inquiétude métaphysique donne une idée de son courage, qui est un culot monstre d'imprésario, l'imprésario dans un manteau à quarante poches, et dans chacune de ces poches, soit un cigare, soit un contrat, soit une vision d'avenir, soit une lettre de recommandation signée Charlie Chaplin.

Pour lui, lui et ses losanges et ses idées de génie qui sauveront le matin du lendemain, il n'y a pas d'échecs, seulement des préludes à autre chose, des versos de lettres de refus pour y dessiner le plan de la reconquête, des paillassons devant la porte d'un producteur pour s'y frotter les pieds et ce faisant prendre son élan : quand Achab scénariste accompagné de son imprésario furtif Abe Miles (ou quel que soit son nom : Michael Kelly par exemple) se retrouvent dans la rue au retour d'une dernière humiliation (un refus non pas jupitérien, mais aimable, presque un refus d'infirmier, d'autant plus humiliant), Kelly s'arrange pour faire de la rue le décor de la renaissance, il se débrouille (il est débrouillard) pour que tout arrive en matinée, avant dix heures, et que cette matinée soit la preuve du commencement de tout, son véhicule et son accompagnement musical : jamais il ne commettrait l'erreur de faire subir à son client un refus au crépuscule : il se ruinerait en whisky soda pour rien.

Miles / Rinaldi / Kelly apparaît et s'escamote : une apparition de trois quarts d'heure suivie de six mois d'absence, parfois trois ans, et quand il réapparaît, il a le talent de faire passer les trois ans comme trois quarts d'heure, c'est aussi une question de tact (le même tact le retient de dire à une dame qui a pris de l'âge combien d'âge elle a pris); il rebondit aussitôt, il n'y a en lui aucune nostalgie, ça serait la preuve que douze ans ont passé, il aurait l'impression d'avouer par mégarde un long séjour à Sing Sing – Achab ne s'offusque pas de ses disparitions, il a vu tant de fois sa baleine disparaître espérant faire de son invisibilité l'équivalent de son inexistence : bien bon pour ceux qui y croient. Trois cent soixante-cinq jours par année, Achab scénariste se retrouve seul, avec ses ombres tout autour de lui s'il est visé par trois projecteurs au moment de traverser une scène, un jour d'audition, des ombres qui lui donnent du *When shall we three meet again* –, il roule sa brochure dans ses deux poings en présence des producteurs, il mesure sa timidité névrotique à l'étroitesse de ce cylindre (le soir, quand il sera l'heure de relire ses épreuves, il faudra aplatir à nouveau son œuvrette au fer à repasser, sans s'attarder trop longtemps sur chaque page). À ce moment-là, ou ces moments, le soi-disant imprésario est dans les limbes : on dit qu'il se tient dans un coin de l'image, il ressemble, en moins dodu, moins replet et nu, moins éolien, à ces putti souffleurs de vent aux angles d'une carte du monde ; son visage apparaît parfois dans les motifs d'un rideau, mais il se dissimule à l'instant précis où on croit le prendre sur le fait ; et bien sûr, on (Achab) est persuadé de voir son visage à l'affût sur une affiche, au troisième rang parmi le public, dans une volute de cigarette – une autre fois, c'était un billet de 100 dollars, la tête de Benjamin Franklin, aux oreilles de cocker et au menton mou.

Le trois cent soixante-sixième jour est le sien : délivré d'un placard par la magie bissextile, une fois tous les quatre ans – Achab peut ce jour-là se trouver assis devant une assiette

d'œuf miroir et de bacon frit, le jaune encore non crevé
(une géométrie pure prometteuse, mais organique – on y
plongerait), il peut se tenir debout dans une file d'attente,
ou chercher sa monnaie au fond de la poche de son pantalon
jusqu'à ses chaussettes, Abe Miles ou Rinaldi lui tape sur
l'épaule[1], il lui délivre sans le saluer ses tuyaux de lévriers
dans la 6ᵉ course à 37 contre 1, ou lui indique de son index
un monsieur de l'autre côté de la rue, recruteur de talents
pour la Metro-Goldwyn-Mayer – aussitôt fait, le voilà déjà
qui s'absconse, il était apparu pour donner sa seule réplique,
il profite d'un aller-retour du capitaine aux toilettes pour
prendre le large – et en guise de signature, c'est bien la
sienne, la note impayée (parfois quand même un billet de
5 : Lincoln à présent, l'autre Abraham).

Encore une fois, les consolations d'un imprésario sont
triviales : il se vante d'affronter quichottement les angoisses
abyssales et les infinis pascaliens à l'aide de petites chevilles
comme des passe-partout – ou mieux, l'épingle miraculeuse
des romans d'espionnage, capable d'ouvrir toutes les portes,
dociles ou indociles. Les promesses prophéties, qui vengent
d'un échec sans jamais manquer à leur devoir, peuvent être
aussi grandioses, elles ont de toute façon la plasticité de
l'argent, cette faculté à passer du misérable au pharaonique
par degrés, sans gêne apparente : une aisance, celle de qui
s'encanaille dans les demi-sous-sols puis le même jour fré-
quente le bal du gouverneur (depuis son retour à terre, le
capitaine a toujours été fasciné par cette souplesse : quand
un spécialiste de la chose financière, par exemple, parle des
millions des Vanderbilt puis des cinq sous des marchands

---

1. C'est toujours sur l'épaule qu'il se manifeste, par-derrière, pour mimer le retour du
perroquet à son perchoir après une fugue.

de patates, sur le même ton, en leur appliquant les mêmes règles de calcul, égales pour tous). Abe Miles est bien de ce genre à faire une promesse à cinq sous suivie d'une promesse en millions : promesse Cléopâtre et pont d'or, arc-en-ciel et l'endroit où l'arc-en-ciel prend appui, promesse Arche et Stonehenge, promesse des toits brillants de l'Eldorado, promesse des foules de King Vidor et de Rudolph Valentino, celles qui se précipitaient à ses funérailles, ou foules de Florence Lawrence pour assister à sa naissance anadyomène – il lui parle d'immeubles à cent quarante étages, de pyramides, d'ambroisie, des maisons de Beverly Hills, il lui montre sur une photographie le costume de Gloria Swanson en Zaza dirigée par Allan Dwan, il lui montre aussi Allan Dwan dirigeant Douglas Fairbanks et sept cents figurants à l'aide d'un porte-voix si grand qu'on pourrait y loger, là où il est le plus évasé, un eunuque des *Mille et Une Nuits* avec son turban.

Chaque fois qu'il rate la baleine, il insulte Dieu

Achab le marin se sert de tout ce que la vie océane contient d'épique et de trivial pour renforcer son athéisme ; il s'éloigne des côtes pour mettre au point seul avec ses soldats huileux un paganisme bon marché, qui échappera toujours aux mythographes, et pour dire la vérité ne vaut pas tripette ; il remplace pendant ses campagnes de pêche les tourments métaphysiques par des soucis de marin-pêcheur, plus grossiers, mais apaisants, parce qu'ils ne tiennent pas compte de l'existence ou de la non-existence du paradis. Bref, il mène ses affaires comme s'il avait renié Dieu à l'âge de six ans, et s'en tenait maintenant à ses ruptures définitives (au prêtre venu lui apporter l'extrême-onction

Achab demandera, il se le promet, des nouvelles de Pluton) : il y a la baleine, lui, de vieux projets de satanisme écrits sur des feuilles de brouillon maintenant roulées en boule et enfoncées pour la farcir la peau d'un lapin empaillé (renoncer au satanisme c'est accomplir son devoir d'athée), et au-dessus de tout ça, l'Absence Vérifiée de Dieu. Achab est en persuadé : seul un athée peut toucher la baleine de son harpon et le reste de la journée faire tranquillement ses nœuds de marin – seulement voilà, ce mécréant a beau dire, il ne peut pas s'en empêcher, chaque fois qu'il rate sa cible il insulte le Seigneur. (Achab blasphème, il n'aurait pas dû, trop tard : Dieu en profite pour réapparaître : l'injure postule Son existence et Lui, comme Il est tout amour et tout opportunisme, Il répond aux postulats, qui valent bien une prière – Dieu s'empresse d'exister pour de bon, Sa gracieuseté n'a pas de limites, on va finir par le savoir, Il signale Sa présence réelle, ou pour le dire en empruntant la formule à un des marins présents sur le *Pequod* : Il se pose un peu là.)

Présentation de Da Ponte

Lorenzo Da Ponte, vous connaissez ? le Vénitien monté à Vienne pour y écrire *Così fan tutte*, le librettiste à la mode puis désuet, le courtisan de Joseph II, qui aura passé une partie de sa vie à intriguer contre ses concurrents et fuir les pères, les frères, les cousins des jeunes filles engrossées le temps d'une ariette ? Il a connu le petit Wolfgang Mozart descendu du tabouret de son père, il a connu l'empereur, des banquiers, Salieri, des hommes d'ambassade et des duchesses accablées par le poids des perruques ; il a collectionné les concurrents et on raconte qu'il a rencontré Casanova, le vrai, dans la neige d'Autriche, près d'un poêle : ils ont parlé en frères de jarretières, de gages et de fuite du temps – au cours de sa longue vie il croisera encore des mezzo-sopranos et un bon nombre d'usuriers. Mais le plus étonnant, le plus notable, pour ce qui nous concerne : il rencontrera le jeune Herman Melville, aux Amériques, un jour, un soir, et ce soir-là ils parleront de pêche à la baleine (pour que le vieux Da Ponte rencontre le tout nouveau Herman Melville un soir de 1800, il faut que les rues Market et Monroe se croisent, et les piétons Melville et Da Ponte soient désœuvrés au même moment, l'un vers l'autre).

Portrait expéditif de Da Ponte

[vers 1770] À Venise, Da Ponte remonte d'un geste ses bas-de-chausses, il connaît l'art de se déboutonner et se reboutonner en vitesse, la furtivité des amours n'est pas vraiment dans ses goûts, elle est une nécessité devenue mode de vie, il y trouve certains avantages – de fait, entre vingt et vingt-cinq ans, il se montre capable de faire l'amour, entendez par là s'accoupler acrobatiquement : le savoir-faire du funambule : l'équilibre, un balancier de fortune (ou alors, prémédité), le sens du vent et du courant, une science en amateur acquise sur le tas, une connaissance modeste mais suffisante au sujet des lois de la pesanteur, quelques trucs appris chez les danseuses, un bon coup de pied par exemple, le sens aussi de la brièveté des choses, ressemblant de loin au sens de l'humour (on ignore en général la part d'autodérision nécessaire à l'équilibre du funambule). Érotisme est un bien grand mot : érotisme tout de même, de mouchoir tiré d'une poche, de paravent, de volet fermé, de table, de lumière basse, de main passant à travers une poche pour atteindre une autre main. Un peu plus tard, prenant son temps, il engrosse : l'amour est toujours clandestin, un peu mieux organisé, sur un lit, le mari aux champs ou déjà chez un juge (ou occupé à écrire une lettre de dénonciation, en tirant sa langue (sa langue de mari trompé)) ; des semaines se passent avant de déposer, comme on dit, le fruit de ses amours au couvent des sœurs vierges, pour autant maternantes. (Un siècle avant lui, un homme respectable de Londres, Samuel Pepys, accomplissait quotidiennement, comme un diariste, son érotisme, dans quelques tabernacles très profanes, des domestiques, des femmes de chambre, surprises d'être appelées tabernacle le temps que durait l'insémination. Lui, avant de devenir aveugle, tout à ses petits rituels, agenouillé, sans Éternel, y mettait un doigt, pas sa langue, jugeait de la finesse ou l'épaisseur des choses, faisait son émission puis s'en allait en rendre compte dans son journal.)

Da Ponte, l'air de Leporello déjà dans les oreilles, appuyait les filles contre des portes, remerciant après coup la porte.

Portrait expéditif de Da Ponte, suite

À Vienne, chez Joseph II, Lorenzo Da Ponte est devenu librettiste, sans qu'on sache trop comment (une lettre de recommandation, peut-être, son talent de bel ami auprès des dames, ou le retournement de sa mauvaise réputation "comme un gant" – certainement pas ses œuvres complètes, qui auraient pu tenir alors sous sa chemise, entre une lettre de rupture et une lettre de menaces). Tout autour de lui, les [1780] Allemands, les Italiens, des prétendants au poste de Poète impérial, des participants aux concours, des candidats, des chanceux et des malchanceux, des compositeurs décorés douze fois de suite d'une belle couronne de feuilles et fleurs, gratifiés d'un pavillon de tuba couleur d'or, peut-être promis au paradis, pour ce qu'on en sait. Da Ponte crée pour l'empereur, pour les théâtres quinze jours avant le début de la saison (et la saison dure toute l'année), pour le public par la même occasion (Lorenzo est l'un des deux larrons de la Passion ; le deuxième aussi bat la mesure avec le pied) – il invente, et donc, pour faire mieux venir l'invention, il recopie, un peu de Goldoni, un peu de Beaumarchais, et les livrets de l'année d'avant l'année dernière, remplaçant la paysanne Gertrud par la servante Ludmilla.

Voilà pour lui des années consacrées à l'art combinatoire : douze demi-tons permettent au moins un demi-million de mélodies, pour la plupart oubliables, les trois person-nages principaux d'un opéra, même bouffe, n'engendrent pas autant de variantes, mais font ce qu'ils peuvent, en franchissant le Bosphore dans un sens puis dans l'autre, ou en reconsidérant l'inceste. Selon les conseils donnés par le directeur des ballets de Milan à Carlo Goldoni, âgé d'à peine vingt ans, et l'espoir comme une cerise, il faut accorder cinq airs aux trois personnages de tête, à savoir deux dans chacun des deux premiers actes, un seul dans le dernier ; trois airs seulement pour l'actrice en second et pour le second dessus, qui est un homme et qui doit être falot, ou légèrement comique ; aux chanteurs principaux et secon-daires, l'auteur doit distribuer équitablement (comme s'il s'agissait d'une pintade à table, partagée au couteau d'argent) les airs de bravoure, les airs d'action, les airs tendres, ceux de demi-caractère, les menuets et les rondeaux[1] (une

---

1. Je cite les meilleurs auteurs.

légende, propagée par Goldoni lui-même, décrit Goldoni en train de confier son dernier manuscrit au feu du poêle (comme Nicolas Gogol, mais pour d'autres raisons) : qu'il se débrouille, le poêle, pour distribuer les airs de bravoure et ceux de demi-caractère).

Presque toujours fauché, sans rien perdre de son élégance (au moins vestimentaire), Lorenzo Da Ponte retrouve dans sa faculté charlatane la force de surmonter l'épreuve d'une pièce tombée le soir même, sous les huées. De retour chez lui, aussitôt, il remue ses armoires, ou les armoires des autres, pour en faire tomber des idées d'opéra : une situation dramatique, rendue un peu moins invraisemblable par de beaux bavardages et une ligne de musique ornée de violons valant pour des tambours. (Parfois, rien à faire, ça ne marche pas : les salles des opéras ont beau être hautes de plafond, avoir toute la place et la machinerie pour faire avancer devant l'orchestre des gondoles puis les montagnes d'Anatolie telles qu'on les imagine à Vienne, le livret ne prend pas, il fait des hoquets, il distribue sans y croire des airs de bravoure pas très braves, il multiplie les invraisemblances, on dirait des trappes par où l'auteur couvert de ridicule voudrait disparaître, tout de suite, sans y arriver ; le compositeur à bout d'inspiration confie l'enthousiasme, disons la simple ferveur musicale, aux cuivres : à eux de faire durer leur note le plus longtemps possible avant de céder la parole aux spectateurs déçus : leurs huées sont une légère modulation de *do* à *ré* dièse, sans véritable début, sans fin abrupte, se poursuivant dans le silence.)

Da Ponte a ses concurrents redoutables, vieux et jeunes : les vieux vieillissent en imitant Voltaire, leur voltairisme domestique ne les empêche pas, au contraire, de rester fidèles à Joseph II, l'empereur, ses galons, son long nez où s'accroche le blason, la dynastie d'Autriche ; ils diraient à haute voix chaque matin, en guise de gargarisme d'eau fraîche rendue à l'évier, leur amour de la patrie. Ils disent en avoir vu d'autres : en avoir vu d'autres signifie un peu de tout, la brume de Chine, le harem du Grand Turc, n'importe quel exotisme héroïque – Da Ponte connaît déjà assez la roublardise à trente ans pour comprendre la vraie nature de ce j'en-ai-vu-d'autres : un piège tendu aux cadets qui, eux, n'en ont pas vu. Ils ont leur Ovide dans la poche, ils ont Dante aussi, lu en se pinçant le nez (ce qui, après tout, leur donne un visage dantesque), et Goldoni l'intarissable, et quelques maîtres fournisseurs de jolies formules, Pétrarque par exemple, pour le lyrisme, le Pogge Florentin, pour des blagues scabreuses. Des concurrents redoutables, même quand ils ont sept dents en moins, toujours accrochés à des rampes viennoises, les plus solides, et sachant s'y prendre pour y tenir longtemps, à leur aise ; ils ont atteint l'âge où la gloire est un dû, le poste de poète de la cour impériale est un destin naturel à court terme ; ils ont accumulé assez de pages pour menacer maintenant un relieur : il y aurait bientôt des Œuvres complètes à trois panneaux.

Voilà pour les plus vieux – les plus jeunes ont aussi leurs vertus passant pour des vices, ou le contraire, ils sont inopinés, ça contribue à leur charme, ils ont toujours de l'encre dans la plume, Da Ponte se demande où ils s'en vont la puiser, et quand diable ils puisent (il espère repérer aussi le moment où un beau parleur prend sa respiration : cette respiration, ce serait un aveu de faiblesse). Trois ou quatre livrets dans l'année, ils les font : une turquerie, un drame d'amour, une bouffonnerie, une grande machine martiale, ils ont un catalogue de noms propres lui aussi inépuisable et quand ils baptisent Corado le brave bougre du deuxième acte, Corado s'appelle indubitablement, charnellement, Corado – comme Sirius, Sirius, et un peu moins Da Ponte, Da Ponte.

Da Ponte s'embarque pour New York – l'Europe des fuites

Loin de Vienne, dans la nostalgie du bibelot d'État, Lorenzo Da Ponte rassemble ses dernières forces de fugitif pour devenir un Da Ponte de New York : recommencé, un [1805] peu dépassé, point trop n'en faut, de l'avenir devant lui, sur la terre des pionniers. Il avait su passer de l'Italie, de la Venise des ghettos juifs, à Vienne, où tout le monde se mettait en scène impérialement, à l'opéra et dans les gazettes ; il avait su inventer une nouvelle manière d'être, une viennoiserie da-pontienne – alors, boucler ses valises une fois de plus, rompre une fois de plus, céder un ou deux bijoux de l'héritage à un antiquaire, partir avec une solde bientôt anéantie, échapper à ses ennemis, ses créanciers, effacer ses traces en cavalant le plus vite possible, il sait faire. (Pour le jeune Herman Melville, écoutant parler le vieux Lorenzo, tout le XVIIIe est en Europe un harmonieux ballet de fugitifs, à cause des cités susceptibles, des doges, de la Seigneurie de Florence, du Conseil des Neuf à Sienne, du prince archevêque à Salzbourg, des masques mal fixés au visage, des espions, de la morale renforcée par les princes-archevêques – et à cause des blasphèmes, de l'envie de blasphémer, du crime de lèse-majesté si vite arrivé, en éternuant de travers, à cause des bibliothèques, des livres de magie, des athéismes de salon, des accouplements contre une commode à linge et du témoin derrière une lucarne, tout en haut, dans un coin, comme le miroir convexe chez les Époux Arnolfini. Da Ponte parmi tant d'autres a été obligé de jeter des ponts, ça ne veut pas dire tisser des liens, entre une ville et une autre ville, parfois caché dans une corbeille, le plus souvent à cheval, mais sans tarder, et de distancer sur l'horizon l'obsolescence de Venise sévère pour elle-même. En fermant les yeux, Melville s'imagine toute l'Europe, ses routes par-dessus tout, peuplée d'une foule de demi-nobles, demi-intellectuels, artistes, fraudeurs, prêts à tout pour survivre, chacun une bonne raison de le faire et une idée sûre de son refuge – il arrive qu'ils se croisent, l'un allant trouver le salut là où l'autre avait sa prison.)

En Europe, peut-être à cause d'une malédiction de nymphe transbahutée par une vache, se déplacer devait prendre au siècle précédent, siècle de Da Ponte et de ses glockenspiels, la forme de fuites contradictoires. Melville, futur auteur du *Grand Escroc*, voit ça d'ici : une farce à quinze personnages, écrite quand il sera fatigué de ses histoires de marins, ou par Lorenzo Da Ponte quand il voudra rendre un hommage bouffe à son siècle (pas d'autre hommage qu'un hommage bouffe : le XVIIIe est pour Melville et Lorenzo plus bouffe, à tout prendre, que rococo, bouffe invitant toute la rationalité à ses menus plaisirs) : une farce chorale, mettant en scène des fugitifs, nobles ou roturiers, tous suivis par un écuyer et une malle remplie de manuscrits, tous fautifs sur un ton léger, lui aussi bouffe, mais vindicatifs, improvisant leur innocence par des départs au petit matin, corrigeant les lois, à mi-chemin d'une ville et de la suivante, crânement, prenant appui sur l'encolure du cheval[1].

---

1. Le jeune Melville ou le vieux Da Ponte, ou Melville avec Da Ponte soulignent les noms des villes sur une carte, tirant des traits de l'une à l'autre – mais un seul graphe, même tracé d'après les meilleures sources (des journaux intimes et des procès-verbaux), n'explique pas pourquoi les villes d'Europe s'ingénient à catapulter les hommes par-dessus leurs remparts.

Da Ponte ambassadeur du XVIIIᵉ siècle auprès du XIXᵉ

Da Ponte demi-aventurier, riche et pauvre, bon et mauvais séducteur, habile récolteur de toutes les histoires, compositeur de sa propre susceptibilité, et mélomane par nécessité, parce qu'il devait fréquenter les opéras pour y mener sa carrière : par miracle, tous ces éléments additionnés n'engendrent pas un homme morcelé, rassemblé seulement sous le coup de la colère, en vérité Da Ponte présente un aspect plein et lisse, en un seul morceau, comparable à un foie gras de bonne qualité – l'harmonie de l'Italien disparate est la fierté de Da Ponte en exil, heureux de se montrer à ses hôtes sans solution de continuité, marque d'une certaine fausseté (à l'opéra en tout cas, sur scène). L'aventurier est nécessaire au séducteur bon et mauvais, le séducteur bon et mauvais a été la condition de sa vocation de prêtre, ça a été ensuite sa force de récolteur d'histoires, et le ramasseur de ragots en tout genre, haut et bas, ragots de Boccace ou ragots des palais d'Italie, fait de lui le librettiste indispensable.

C'était peut-être à lui, à Da Ponte, que revenait le soin de marquer le passage du XVIIIᵉ au XIXᵉ siècle, par une mise en scène choisie : il s'agit dès lors de croire au changement d'époque, de faire confiance, comme seul sait le faire un auteur de livret, aux nombres déterminant les siècles, comme des noms ou des titres, entrées et sorties de personnages. Da Ponte fait de son dernier exil en bateau d'Europe en Amérique l'allégorie du basculement des siècles l'un vers l'autre, il témoigne du Vieux Monde jusque dans les théâtres du Nouveau (ou les bureaux d'embauche), il sort de ses poches quelques denrées du XVIIIᵉ, des pistaches d'Italie,

du massepain de Vienne, le flacon d'encre qui lui a servi
à dessiner dans les marges de *Così fan tutte* les boucles de
Mozart (Mozart, lui, resté sur place) ; il tire comme Casanova
des anecdotes de son chapeau, tombées en désuétude, il
accepte d'être pittoresque, mais il ne se contente pas d'être
un reliquaire des bibelots du XVIIIe siècle, il veut faire le lien
entre l'époque des hauts-de-chausses et celle des pantalons à
pinces, parce qu'il s'en sait capable, peut-être même désigné
pour : toutes ses facultés de charmeur, d'arriviste, de faux
prêtre, de plagiaire, lui serviraient maintenant de qualité
d'ambassadeur, habile, précautionneux et suave, les pieux
mensonges sur les années passées à Vienne s'équilibrant avec
les pieuses flatteries et ses oracles d'entrepreneur. Et puis, il
a apporté dans ses bagages d'exilé assez de savoirs, de trucs
de métier, de cartes à jouer, de cachotteries de palais, de
souvenirs caducs résolument inutiles (décoratifs), de parfums
et de tissus en échantillons, de copies de chefs-d'œuvre, de
projets d'opéras, il a aussi un livre de prières et un extrait
de *Figaro*, il pourrait s'en servir de monnaie d'échange : il se
prendrait pour un conquistador venu des monarchies pour
commercer avec les nouveaux Indiens[1].

   Da Ponte l'avaricieux aurait fait sans compter don de
son exil aux historiens, qu'ils s'en servent de jalon remarquable au passage d'un siècle à l'autre : un jalon visible de
loin, sentimental et épique (la traversée était dangereuse),
allégorique s'il s'agit de franchir une mer, un peu égocen-
trique, tourné vers un seul homme, mais à tout prendre
(dirait Lorenzo) mieux vaut ouvrir le siècle sur le Voyage de
Da Ponte plutôt que sur le Coup d'État de Bonaparte, non ?
plus sympathique et plus grand-public, la fuite d'un demi-

---

1. Courtois, il aurait accompli son travail, tâchant de faire oublier Napoléon.

génie fauché, ce mélange de courage et de poltronnerie, les journées passées sur un navire à mal manger et mal dormir, cette allure d'Ulysse vieilli en tricorne suivi par sa marmaille et jouant pour passer le temps à un jeu de cartes inventé à Venise il y a longtemps – ça plutôt que l'infâme soif de pouvoir, et ce césarisme de mauvais goût, à la française. (Au lieu du calendrier républicain, les Temps Nouveaux auraient pu s'ouvrir sur un calendrier da-pontesque, tout en rimes, dans son style, on y aurait reconnu la légèreté et la grivoiserie devenant soudain sublimes, comme par inadvertance : le passage d'un siècle à l'autre marqué par l'exil de Da Ponte en Amérique aurait été le mariage de la nécessité (fuir la banqueroute) et du fantasme (refaire sa vie ailleurs).)

Da Ponte ambassadeur du XVIIIᵉ, codicille

Pas de chance pour l'Amérique : l'ambassadeur de la vieille Europe, c'est Lorenzo Da Ponte, le roi mage viennois, pas Mozart (il a été pris dans une souricière), pas non plus Haydn – il aurait pourtant aimé promener sa vieillesse facétieuse et sa Symphonie dite *La Surprise* dans les villes nouvelles d'Amérique, pour donner à ce peuple une idée un peu différente du siècle des Lumières (le rococo réfléchi des Lumières) : ça n'aurait rien changé à la Déclaration de 1776, mais l'entrée du vieil homme dans un salon de New York aurait fait jaser. Da Ponte, faute de mieux – un ambassadeur mineur, mais après tout, l'Europe lui ressemble, aux yeux des Américains de Jefferson et de Washington, brillante, excessive, frivole, inaccomplie, retardée par les révérences, déterminée par des goûts de princes qui vivent et meurent et partent à la guerre à tout bout de champ.

Parmi les interlocuteurs de Lorenzo Da Ponte, certains se font de l'Europe une idée plus flatteuse – ceux-là se disent que le signor Da Ponte n'est pas vraiment à la hauteur : il représente à son échelle, il fait ce qu'il peut, il a l'air d'un portrait dans un médaillon aux couleurs passées.

Traversée de Da Ponte depuis l'Angleterre jusqu'en Amérique

Selon l'avancée des brouillons de ses *Mémoires*, la traversée dure trente-sept jours, puis cinquante-six, puis quatre-vingt-sept, puis cent : cent jours, la plupart passés en l'absence de tout paysage (Lorenzo a beau être né à Venise, la ville flottante, il ne peut pas considérer vingt mille lieues carrées d'eau comme un paysage). Cent jours suggèrent cent pas de cour à jardin, de tribord à bâbord, une pipe au bec, bien sûr au bec, éteinte neuf fois sur dix, des pas de Lorenzo méditatif, sombre, dans les limbes des eaux internationales, s'efforçant de faire le lien entre ses aventures passées, les déboires et les triomphes (le bonheur même quand le public si difficile de Vienne se levait pour l'applaudir), et l'Amérique dont il ne sait rien, les douanes, les messieurs à qui confier une lettre de recommandation, et les banquiers, et les prêteurs. (Il est comme tout le monde, Lorenzo, il est comme le vieil Achab quand il a pris le nom de Peter Gansevoort et comme Herman Melville quand il a ajouté un *e* à son nom, et l'empereur Joseph II quand il levait la tête de son clavecin : les malheurs du passé lui restent, ils deviennent un souvenir intuable, ils lui seront fidèles jusqu'à son dernier jour, tandis que les triomphes et les minutes de volupté n'engendreront jamais de souvenirs durables, la force du regret ne leur est pas donnée – Joseph II et le vieil Achab seraient d'accord avec lui.) (Le bannissement de Venise, l'expulsion de Vienne, la perte de ses charges, les deux cents florins donnés comme une aumône par Léopold successeur de Joseph, il s'en souviendra longtemps, il pourrait encore en parler – mais le soir de la première des *Noces de Figaro*? et le jour où Salieri a eu l'air de le féliciter sincèrement, l'autre jour où le sujet de *L'Arbre de Diane* lui est venu gratuitement, en supplément de la vie déjà donnée à la naissance? et la nuit de l'apparition de la belle Nancy, quand il est devenu le contraire d'un abbé? tout cela est si difficile à retenir.)

Da Ponte passe la douane

Certains racontent (ils se trompent): le jeune Herman Melville était déjà au service de la douane de New York quand le signor Da Ponte a débarqué depuis l'Italie, avec un perroquet dans sa cage, toutes ses couleurs de contrebande débordant à travers les fins fils d'acier, pour tomber jusqu'à terre. L'autre erreur volontaire consiste à confondre cette douane avec les grands bureaux de l'île d'Ellis, où se présenteront bien des années plus tard les immigrants pour ces cérémonies de visite médicale et de contrôle d'identité (Herman Melville, c'est vrai, y aurait trouvé sa place, ça aurait été l'occasion pour lui de poursuivre une carrière de romancier interrompue indignement: il y aurait fait de la prose, des proses d'un seul mot: à chaque nouveau venu, parfois d'Arménie, parfois de Calabre, ou de Poméranie, un très court extrait de la poésie melvillienne, un nom de famille traduit de l'arménien, du calabrais ou du yiddish – en rassemblant maintenant vingt mille de ces hommes et femmes passés devant son guichet, on aurait de quoi faire un petit roman, très sonore, avec plus de personnages que d'action, mais après tout, peu importe, l'action arrivera d'elle-même, par surcroît : les péripéties finissent toujours par advenir).

Da Ponte est resté Da Ponte[1], trop vieux, trop célèbre malgré tout et trop maître de son patronyme pour en changer à peine passé le portillon de la douane – et puis, on le sait, le nom de Da Ponte était une acquisition de fraîche date, si précieux pour une famille de petits Juifs d'Italie, déracinés de Dieu sait où, trop sans doute pour s'en défaire ; il lui faisait l'effet d'un blason de bois peint, aux trois quarts vide, mais utile.

Da Ponte en Amérique

Tout le nord de l'île de Manhattan est encore en friches, livrées à quelques corneilles, mais le signor Da Ponte ne peut s'empêcher de s'émerveiller d'y voir les lignes des rues tracées d'avance, à angle droit, un angle droit d'Amérique, importé peut-être de l'Europe arpenteuse (qui sait ? l'Europe des triangulations de Cassini) – honteux de son émerveillement comme si c'était celui d'un paysan des Pouilles devant la vitrine d'un café à Florence.

---

1. Le signor Da Ponte n'a pas dû subir les cérémonies de guichet, ni celles de la quarantaine : c'était une autre époque, c'était une autre catégorie de personnes, on débarquait encore sur des navires à voile – mais il a bien fallu à un moment ou à un autre déplier le superbe cuir d'Italie, son portefeuille, pour en montrer des lettres, on ne sait quel document de transport et d'identité : de l'autre côté du bureau, un monsieur américain depuis à peine plus longtemps a dû accueillir le grand homme et son Répertoire, se souvenant à peine du nom d'Amadeus Mozart, sans être convaincu d'avoir affaire à un génie.

Da Ponte et George Washington

On ne trouvera pas ça dans ses écrits personnels – mais Da Ponte a suffisamment médit au cours de sa vie, en tirant de sa bouche un fil d'or, les langues peuvent se délier maintenant à son sujet, surtout si elles avancent des preuves : Lorenzo Da Ponte a traversé l'Atlantique attiré par l'immense notoriété du dentier de George Washington, intégral, solide, dentier de père de la Nation, de quoi susciter la jalousie de Lorenzo édenté depuis son trente-sixième anniversaire. Un superbe (il paraît) dentier de bois ou d'ivoire, moitié-moitié, qui donne à Washington sur la plupart de ses portraits cette fermeté placide de président, presque abrutie, conscient de son devoir, les mâchoires serrées (de fait, contrairement à Lorenzo, Washington ne riait pas beaucoup : se fendre la poire washingtonienne n'était pas permis : ni conforme à son statut, ni adapté à son appareil – aussi, selon la légende, le fameux dentier profitait de la nuit pour sourire, seul dans son verre, sans témoin, jouissant d'une bonne blague que l'histoire d'Amérique n'a pas voulu retenir).

Da Ponte à New York – épicerie, Mozart absent, ses triomphes lointains

Longtemps avant les voitures à cheval conduisant Henry James d'une rue droite à une autre par un hiver glacial, Da Ponte se trouve dans la ville, mais sous quelle forme ? il ne triomphe pas sur Park Avenue suivi par trois mille fanfares, il n'inaugure pas de théâtre à Broadway, pas encore : il se

[1805-1838]

459

contente d'ouvrir une épicerie fine : à des dames en fourrure d'hiver, il explique les vertus du pesto alla genovese, et celui à la pistache, mettant de côté ses projets de livret, ses souvenirs, ses œuvres écrites pour un génie monté sur un tabouret, ses nuits passées à recopier en le corrigeant *Don Giovanni* jusqu'à l'ouverture du sol vers les Enfers : tenté quelquefois, un pot de confiture à la main, d'expliquer quelle part de tâcheron il a prise au chef-d'œuvre – tâcheron de chef-d'œuvre, c'est une portion d'immortalité, n'est-ce pas ?

Pas très mozartienne à première vue, cette ville, depuis Canal Street jusqu'à ces prairies divisées en rectangles égaux : on y entendra un jour du clavecin, mais plus tard, beaucoup plus tard, au Metropolitan, ou dans une usine en panne pour un spectacle néo-néo-ceci, mélangeant avec une habileté parfois étrangère aux beaux-arts (parfois non) chaîne de montage et instruments d'époque, Eschyle et Arthur Miller. Mais en attendant, où est le mozartisme ? le da-pontisme ? la frivolité grave, les cinq voix harmonisées pour nouer et dénouer des conflits, les costumes du sérail, les bonnets, les couleurs, les railleries de Konstanze au pacha, les railleries de Blondchen à Osmin, les plumes du perroquet oiseleur, le duo d'amour, l'âme d'un homme pourfendu s'échappant peu à peu, la terreur inspirée par une descente chromatique soutenue par des cordes, cent vingt cordes, des interprètes en noir la tête penchée vers un cahier – si ça n'a pas disparu (ça ne peut pas disparaître), où est-ce que ça se cache ? On a pu voir Da Ponte, grand importateur de câpres au sel et de tomates séchées pour son épicerie fine, chercher les traces de Mozart sur les murs de la ville, dans ses vitrines, dans ses revues, dans les maisons s'il avait le don de soulever des toits, dans l'oreille des hommes : les traces d'un Mozart da-pontesque et donc, par la même occasion, les insignes de sa notoriété à lui, le maigre talent da-pontien accroché comme l'une de ses sandales au talon d'un enfant dieu.

Da Ponte se promène le long de ces mêmes rues où marchera le capitaine : il a du mal lui aussi à choisir entre souvenirs sollicités et oubli nécessaire, trimbalant avec lui un peu de son vieux ghetto, conservant aussi, sous plusieurs mouchoirs, l'ancien nom de sa famille, en usage jusqu'au jour de la cérémonie de rebaptême dans l'église, sous le regard du Dieu jaloux des chrétiens, un nom censé le rattacher lui et les siens par une chaîne longue d'un millier de mailles à la Galilée : la Galilée dont il ne sait fichtre rien. Il s'avance vers les New-Yorkais comme un grand homme, César mélomane de retour de victoire contre des peuples indécents : il a maîtrisé en Europe les beaux-arts musicaux, il a maîtrisé avec dextérité l'amour des jeunes femmes, il en a été puni, tout aussi habilement, il a dû compter avec la morale et la tolérance des différents pays, et avec l'entre-lacement des deux, des pièges où beaucoup d'hommes se sont laissé prendre ; il a bien voulu être un monsieur de son siècle, il y a mis du sien, et de loin il a orchestré des flûtistes, il a entendu des sopranos prononcer ses paroles – les siennes – écrites dans le silence, pour lui-même parce que au moment d'écrire la soprano n'est jamais garantie : elle peut très bien ne jamais exister : pas besoin de s'enfuir, demeurer hors d'atteinte suffit.

(Quoi qu'il en soit, il a triomphé en Europe[1], ses œuvres et un peu de lui-même ont résonné dans des théâtres de Milan à Salzbourg et Prague jusqu'aux plafonds, et quels plafonds ; il ne s'est pas privé de se laisser porter, tant pis pour le péché de complaisance, conscient tout de même de laisser au sol et

---

1. Peu importe si c'étaient des petits triomphes arrachés à un destin de médiocre.

pour toujours un peu de Da Ponte mortel, et ses vêtements, tandis que Da Ponte s'envole.) Maintenant, il débarque, il ne sait pas s'il se promène sur ces boulevards comme un triomphateur ou comme le monsieur fraîchement descendu de bateau sonnant à des portes superbes pour demander l'hospitalité à des dames ou leurs petites-filles censées le connaître de nom : le célèbre carillon d'Europe.

Da Ponte sincèrement convaincu

Il a laissé quelques valises européennes derrière lui, des filles avortées, d'autres enceintes encore ("de ses œuvres"), des concurrents de Vienne, des collègues, des vieux maîtres, des livrets de Métastase et de Casti, des petits mots d'adieux à ceux qu'il n'avait pas eu le temps de saluer – tout le reste, il l'emporte avec lui, la richesse et la pauvreté de l'homme de théâtre, et une partie de l'héritage de Goldoni : son sens de la farce, cette faculté (peut-être italienne, peut-être vénitienne) de rire de ses déboires : plus de déboires, plus de rires, et au cœur d'une fratrie de malchanceux spoliés, cocus, des rires de Nouvel An. D'autres gens sérieux, venus des églises luthériennes en parlant un anglais correct, y verraient une perversion : cette façon de faire la blague, c'est l'innocence des peuples nés sous le soleil, ou de la forfanterie pure et simple, on ne peut pas rire à ce point les pieds sur des clous, à moins de connaître le Diable (et pour d'autres, c'est une martingale : l'énergie de sa frivolité, une tradition de presque vingt siècles, depuis les Latins comme Horace, malgré des légions de papes se prenant au sérieux, ou grâce à eux peut-être).

"Sincèrement convaincu de la fugacité et la fragilité de la

nature humaine" (c'est ce que prétend l'un de ses biographes), "il en viendra à concevoir sa propre existence comme un drame, non pas un drame tragique, mais un opéra bouffe".

Sincèrement est un hapax dans la longue vie du librettiste, plutôt accoutumé à la haute culture viennoise de la dissimulation – mais faisons confiance à son biographe, Da Ponte se montre sincère, ça doit lui donner le vertige; il se sentirait prêt sur cet élan à écrire une Éthique et puis l'offrir aux hommes: après tant de livrets bouffes, un livre de philosophie, viatique aux égarés, ce serait un épilogue splendide, non? en fin de vie, crépusculaire et généreux.

Convaincu: c'est un fait, Lorenzo a des convictions, elles ne lui venaient pas de son talent, mais de sa jalousie, et du désir d'occuper un poste ("J'ai donné votre nom à l'un de mes ulcères", voilà ce qu'il aurait pu dire à Giambattista Casti, son concurrent, hélas talentueux).

Fugacité: elle remplit ses livrets, elle s'accorde à la fugue de Mozart ou Gluck ou Salieri ou leurs collègues sous l'imposant patronage de Bach; la plupart du temps, évoquer la fugacité de l'humanité est une façon élégante et mégalomane de parler de sa propre mouise, la mouise da-pontesque.

Opéra bouffe: assimiler son existence à un drame est donné à tout le monde; supposer le drame non tragique, c'est plus rare: le da-pontisme pourrait être précisément cette faculté de convertir le drame d'une existence en ce qu'un opéra propose de plus bouffon[1], une *macchina* à traduire, ou l'unité de mesure commune au drame vécu et à la comédie écrite (cette unité de mesure, c'est peut-être une devise, sonnante, trébuchante – Dieu merci, disait Lorenzo, nos devises sont trébuchantes).

---

1. Voir aussi Cole Porter.

Da Ponte rencontre Herman Melville

Les circonstances de leur rencontre sont imprécises : qu'on se reporte à la bourgade de la Manche de Quichotte, à son vague "il n'y a pas longtemps", ou au "voici quelques années, peu importe combien" qui ouvre le premier chapitre des aventures de Moby Dick. En 1838, Da Ponte s'avance vers ses quatre-vingt-dix ans, il ne les atteindra pas, il vient de connaître ses derniers échecs – il était passé par l'épicerie fine, par les leçons privées, par le commerce des livres, il aurait pu terminer sa vie en vendant des olives d'Ombrie une par une, ça aurait été tranquille mais dérisoire, il a préféré autrement : il a le réflexe à la fin de sa vie de remettre en branle des projets infaisables, vastes et chancelants, des pots-pourris à l'italienne, un Théâtre de l'Opéra à New York ; il sollicite des souscripteurs, il fait venir des chanteuses d'Italie, il s'acoquine avec un certain Montresor, imprésario, il met à flot son dernier gros navire pour qu'il prenne l'eau : mieux vaut un échec opératique, à tout prendre, ça lui rappelle le bon vieux temps, un échec à grands frais, allant crescendo.

En 1838, Herman Melville a dix-neuf ans, il sort à peine des études, il y retourne, il pose un pied ici un pied là, il est hésitant ; on se demande s'il ne froisse pas déjà au fond d'une poche des brouillons de poèmes : en attendant les baleines et les livres (livres-baleines, baleines-livres), il fait le professeur quelque part dans le Massachusetts, on dirait Stephen Dedalus criblé de dettes face à des élèves ingrats (mais la réalité est peut-être différente) ; au mois de février, cette année, le temps de trois jours de congé, il visite New York dans la neige, durcie la nuit, à peine assouplie le jour, mais luisante – pour y chercher quoi ? pas le dentier de Washington, pas à son âge (c'est trop tôt), alors peut-être une aventure ? Lorenzo Da Ponte le Vieux appuyé sur sa canne, zozotant, le récupère un soir, à demi congelé à force d'hésiter devant la porte d'une maison où, il paraît, on trouve des sofas, des fauteuils, des fumoirs, des robinets d'eau chaude comme chez Denys de Syracuse, invention de Dédale, des tuyauteries de salle de bains de luxe, des rampes d'escalier, des dames-filles et des copies du Titien (sauf l'*Allégorie du Temps gouverné par la Prudence*) – un quart d'heure plus tard, ils se trouvent devant un vin chaud.

Da Ponte et Melville – *opera seria, opera buffa*

Quelque part dans la bonne ville de (*nella città di*) New York, le très vénérable librettiste Lorenzo Da Ponte s'entre-tient avec le tout jeune Herman Melville, respectivement quatre-vingt-neuf et dix-neuf ans – ils bavardent, au mois de février 1838, six mois avant la mort de Lorenzo, la nuit est conforme à leur bavardage, on la retient volontiers comme décor et poncif ; avec la nuit, des éclairages, l'huile de baleine convertie, ô miracle de Genèse et de Noces de Cana, en lumière, dans un espace limité. Le jeune Melville n'a encore pas écrit une ligne, s'il en a écrit une elle lui a déplu, la pneumonie a tué son père, les Anglais l'avaient ruiné, son frère a connu la faillite, peut-être pour faire honneur au père, et lui a fait l'idiot dans une banque, il a failli y perdre la vue, il s'est retrouvé dans la ferme d'un oncle pour se rendre compte que les grains de maïs ne lui apparaissent pas plus clairement que les chiffres du contentieux, il envisage devant lui une vie d'emprunts, de déménagements dans des appartements plus petits et de charge de famille – bref, il se sent perdu d'avance, il se sent mal doté, à tort ou à raison, il voit partout des mauvais signes, la Bible est une consolation étouffante, ou pas une consolation du tout, l'amour est une notion confuse, l'écriture n'est pas un métier, le salut est une théorie inventée par des prêtres aruspices dans des catacombes, une nuit semblable à celle-là – ils auraient mieux fait de parler d'évasion (ou bien d'issue : le mot *issue* et l'issue elle-même).

Il a dix-neuf ans, ce gamin, et pas une fois il ne parle de filles – Lorenzo s'en étonne, lui qui voudrait en parler encore à quatre-vingt-dix, en agitant ses doigts fins devant ses yeux pour reconstituer au millimètre près des souvenirs de lucioles. Parce qu'il est passé de Venise à Vienne, qu'il a conduit des maîtresses chez la faiseuse d'anges, ou au seuil des couvents pour y déposer un panier, avec un prénom dedans, Lorenzo pourrait dire à Herman en termes non pas crus mais simples comment Julietta et comment Zoraïde, il pourrait remplacer les silences du jeune homme par des chansons italiennes – ces silences gênés, allons, ils deviendront un jour des sous-entendus grivois. Ils sont dans un demi-sous-sol, ils ont bu un premier verre de vin, maintenant le troisième : Melville, sa tête projetée sur quatre murs par la lumière d'une seule bougie, poursuit ses jérémiades, elles sont intimes puis homériques, elles hésitent entre la confession et le grand genre épique, qui suppose de l'espace pour déployer des voiles, même fausses, comme au théâtre – Da Ponte y voit un bon signe : hésiter, n'est-ce pas, c'est suspendre les sanglots pour réfléchir un tant soit peu, en reniflant – et renifler, réfléchir, c'est déjà convertir le chagrin en représentation de chagrin. Melville penche la tête, il voit couler la cire de la bougie, et celle de son nez, l'une faisant écho à l'autre – Lorenzo Da Ponte, pendant ces longues minutes de l'écoulement des cires, s'efforce de convertir le malheur melvillien en projet d'opéra bouffe à la Da Ponte : le manque d'argent, c'est la scène du prêteur sur gages ; les affres de l'écrivain sans œuvre, c'est la scène du faux poète amoureux, et ainsi de suite. Pendant que Melville pleure souhaitant rejoindre ses pleurs, le vieux beau Da Ponte (six dents seulement sur les trente-deux de sa jeunesse, tombées en un seul jour, au temps où c'était à son tour d'avoir des malheurs), Da Ponte n'en finit pas, il aligne l'histoire du barbon amoureux de la jeune fille, et celle du prince filouté par une vieille, et celle du roi déguisé en cordonnier ravi par des Turcs qui veulent en faire un janissaire.

On ne saura jamais exactement comment Lorenzo s'y prend pour convertir une existence catastrophique en cinq actes de comédie bouffonne : quelque chose comme de l'alchimie – tout ce qu'il nous reste de l'alchimie, sauf l'or : la fumée, la cuisine, des étagères, des teintes, des poudres, des flacons, le soufre et le mercure, la ruine, et le désir de recommencer après un échec.

Da Ponte et Melville – opera seria, opera buffa (suite)

Les déboires convertis en moments d'opéra bouffe restent intacts, ils appartiennent au malchanceux, accrochés à ses poches – tant pis, vaille que vaille, Da Ponte fait son office, il convertit : cette opération compte sur les facultés de l'algèbre, à ce titre Lorenzo est un bon mathématicien, pour des opérations banales, en plus d'être un familier du commerce : convertir les déboires en sujets d'opéra bouffe, ça revient aussi à manœuvrer comme un prêteur sur gages, qui perd et restitue, trouve des équivalences, tire un lapin de son chapeau, devine ce qui relie secrètement la vieille montre de famille à une somme d'argent mesurée au centime près, et enfin exagère et déforme, dévoie des égalités simples à son profit (sans quoi il n'y a pas de métier possible). Le jeune Melville, toujours dans un peu d'ombre et un peu de lumière, voit ses malheurs, l'un après l'autre, différenciés, attrapés au vol par cet épatant d'Italien Da Ponte, un genre de bon parleur qui ajoute le geste à la parole, il les voit passer d'une main à l'autre, dans une poche et dans la manche, puis sous la dictée de Da Ponte devenir les minutes d'une intrigue amoureuse, amusante, sous un ciel d'Italie – il les voit lui échapper, ça le soulage presque, mais il continue de les posséder, la conversion du malheur en livret d'opéra n'étant pas une absolution, ni un exorcisme, pas toujours une thérapie, simplement conversion, la performance d'un bateleur dont c'est le métier, sur le moment réjouissante.

(Connaître son métier: Da Ponte s'y retrouve, il fait de la compétence un trait de caractère, le prolongement de son orgueil d'acteur jouant l'orgueil – à côté de lui, Herman Melville ébauche toutes les trois minutes une théorie de l'incertitude.)

Compassionnel, attendri, Da Ponte donne de lui-même: distrait Melville de ses menus marasmes grâce à tout son bagage viennois, son rose et bleu pâle dix-huitième, sa fréquentation des violons (premiers violons, violon solo), ses amourettes de différents registres, différents répertoires ("j'ai connu la soprano, la légère, la soprano coloratura, la mezzo, l'alto, j'ai connu aussi des dames pré-wagnériennes qui tenaient tête à des ténors et faisaient honte aux barytons"), sa familiarité avec l'intérieur bombé des théâtres, avec les loges et les hommes-bustes apparaissant dans ces loges, comme s'ils les habitaient, grâce aussi à toute une vie passée sous des ornements de stuc et dans la compagnie des copistes, des partitions, des vers courts adaptés au souffle des chanteurs et à l'impatience des spectateurs, de la mélomanie de Joseph II, parfois interrompue par des campagnes contre les Turcs – les bras chargés de l'onguent de Vienne, il prodigue la joyeuseté, la transparence de Mozart, la belle fluidité de ses sonates et sa façon d'échapper au néant après l'avoir frôlé pendant l'adagio. Est-ce qu'Herman Melville le tout jeune est sensible aux airs de Mozart sifflés par cet inconnu édenté? est-ce qu'il les reconnaît? peut-être; est-ce qu'il a entendu parler de l'enfant prodige et mesure la distance entre New York de Five Points et Vienne faite de meringue? Tout de même, le *"là ci darem"* du *Don Giovanni* doit l'attendrir, et l'air sautillant du *"mangiare mal e mal dormire"*, parfait exemple de la métamorphose de la rancœur en ritournelle, ça devrait l'entraîner ailleurs – Lorenzo Da Ponte essaie ensuite de siffler l'air de Papageno, son duo avec Papagena (sur un livret d'Emanuel Schikaneder, paix à son âme), puis il chante le *"mille e tre"*, pour le plaisir de recommencer son fameux catalogue trente ans plus tard, au risque de le gêner un peu, ce jeune homme pudique: il n'a pas l'air de savoir d'expérience comment on danse autour des *mille e tre*.

Tout à l'heure, ce sera terminé, Da Ponte aura réussi ou il aura échoué, laissant Herman Melville avec sa bile noire et ses ardoises, il le rendra à l'aube, le raccompagnera jusqu'à la façade de chez lui avec le sentiment de déposer un enfant naturel sur le paillasson d'une bonne famille – un sentiment de déjà-vu. Trop à faire sans doute pour remonter son propre moral da-pontesque, si loin d'Italie, loin de Vienne et de

Prague, des têtes de violon et des deux cents archets qui lui faisaient un triomphe en frappant le bord des pupitres : des applaudissements, se disait Lorenzo, exactement comme la lumière du jour à travers une forêt de hêtres clairsemés : ni trop, ni trop peu (ni trop, ni trop peu, ce n'est pourtant pas ça, la martingale, pas toujours) (Da Ponte doute). Même s'il repart avec sa tristesse, Herman emporte avec lui un peu de da-pontisme, se disant l'insouciance est peut-être une idée futile, un ornement de Vienne au temps où les hommes n'avaient aucun obstacle, mais c'est peut-être un style, le style insouciant, comme Bruegel l'Ancien avait un style de velours : Da Ponte courtisan l'a vendu sept fois de suite à son empereur, l'air de marchander sept fois son pucelage.

Da Ponte refourgue Achab au jeune Herman Melville

Combien de fois Alexandre Pouchkine est venu au secours de son ami pittoresque Nicolas Gogol ? Gogol qui a un talent de conteur, un bagout d'Ukrainien à Saint-Pétersbourg et pouvait tenir son public trois heures, des heures russes, en prolongeant le portrait d'une vieille babouchka jusqu'à son point de rupture, mais Gogol qui demande régulièrement à son ami Alexandre de lui fournir un sujet[1] : un sujet d'histoire, au moins un – on croirait voir un solitaire venu sonner chez une bonne âme tolérante après minuit pour réclamer sa dose de laudanum : un excitant ou un réconfort. Et Pouchkine fournit : son abondance n'est pas celle de Nicolas Gogol (leurs deux abondances ne se ressemblent pas),

---

1. "Je vous en prie, donnez-moi un sujet, n'importe lequel, drôle ou pas drôle" – dans une lettre à Pouchkine, 1835.

Pouchkine se déleste sans avoir peur de se priver d'une partie essentielle de son moi ; des sujets d'histoires, des situations de comédie, il en donne à Gogol tant qu'il en veut, il en a d'autres dans les tiroirs de ses tables de chevet, trois chambres à coucher différentes : l'histoire du mariage arrangé, l'histoire du joueur qu'on prend pour quelqu'un d'autre – Gogol écoute attentivement, toute l'attention gogolienne, c'est-à-dire relative et tourmentée, il a saisi le point de départ, il a maintenant dans le regard une lueur d'un autre type, ce n'est plus l'inquiétude, le soulagement par le sujet vaut cent fois celui du confessionnal, cent fois au moins. Avec ça, il fera des merveilles, une pièce de théâtre à succès, ou un roman, il multipliera les personnages, les fugaces et les durables, quitte ensuite à se morfondre, puis à se disculper, puis à faire contrition, parce que les romans, qu'on le veuille ou non, contiennent une humanité dépravée. Quand Alexandre Pouchkine délivre comme un baume (ou comme une clef de garçonnière – disons plutôt un baume) l'amorce d'une histoire, Gogol s'agite, on dirait qu'il se remet à fonctionner, il fait des mouvements d'horloge réparée qui s'emballe, cette énergie est enthousiasmante et épuisante – Pouchkine s'en tient à son calme frivole pouchkinien : ses agitations ont leur propre style.

Quand il voit l'âme triste d'Herman Melville, Da Ponte a le sentiment d'être lui aussi dans le rôle de Pouchkine face à l'ami Gogol ; lui aussi, il croit contenir, et lui aussi après vingt ans de métier dans l'opéra a la conviction de trouver le salut dans la formule magique, celle du sujet : le synopsis : plus il est court, plus il apaise l'angoisse ou le dépérissement, et selon la façon de le lire, au bon moment, à la bonne personne, ou à soi-même à haute voix, il euphorise. Ça ne lui est pas arrivé souvent, mais au cours de sa vie dispersée de poète marchand d'un peu de tout (livrets et *general store*), Da Ponte a connu l'euphorie du sujet : elle lui a servi à surmonter la rancœur du jaloux, à attendre la fin de la mouise, à convaincre la moitié d'un prince, et le sujet lui-même, noté sur le verso d'une lettre de créancier, pliée en huit, il l'a serré dans son poing, l'a caché aux regards des captieux, l'a déplié pour le relire, y cherchant avec espoir l'énonciation de son salut mais y cherchant avec angoisse l'absence de salut, le salut comme illusion passagère et dérisoire, ou pire encore la sentence de son erreur, comme s'il était écrit "tant pis pour toi vieux fou" au lieu d'une trame idéale. (Quelquefois c'est arrivé, au lieu de se laisser éblouir à chaque relecture, Da Ponte a vécu le désenchantement : relire revenant à dénigrer – il aurait fallu alors plier la feuille une fois de plus, in-16 au lieu de l'octavo, y mettre un peu de cire rouge, un sceau, et l'enfermer au coffre-fort : éloigner pour un an l'idée géniale de ce regard qui voudrait l'affadir.)

(Le coudre dans sa doublure, et se promener avec, ou encore l'avaler sous forme de décoction.)

(Relire revenant à dénigrer, ou bien faire perdre de sa substance : à force d'être considérée puis reconsidérée toutes les cinq minutes, l'histoire éblouissante, autrement appelée trait de génie, devient petite blague morne, routinière – et le plus éprouvant n'est pas de constater la routine morne, mais de savoir intimement qu'on en est l'auteur.)

Herman Melville dans la pénombre devant son verre de bière a l'esprit porté sur le triste, selon son caractère (le triste lui donnera plus tard l'envie du grand tableau épique ; il lui arrivera d'être mordant, et drôle, drôle à mordre une fois de plus). De l'autre côté de la table, Lorenzo Da Ponte comprend qu'il doit être ce soir-là un fournisseur d'optimisme, son optimisme sera un optimisme de fortune, de prêtre engrosseur de jeunes filles, de plagiaire occasionnel pour qui le nom d'auteur est fleur d'oranger tombée sur la mousse du cappuccino, et qu'il faut retirer – un optimisme de vieillard qui a pris vingt-cinq fois la poudre d'escampette, et maintenant a bien l'impression d'être arrivé. Pour remonter le moral presbytérien (*sic*) d'Herman Melville, Da Ponte a le choix entre le verre de gin, un extrait de ses *Mémoires* lu en mettant le ton, une évocation du Grand Canal à la grande époque, l'histoire du jour où il a perdu toutes ses dents d'un seul coup, ou des histoires plus égrillardes considérées comme un fonds commun entre vieux monsieur et jeune homme. Les égrillardises ne marchent pas, les *Mémoires* l'ennuient, le Grand Canal est un exotisme stagnant, reste l'alcool, mais trois verres n'en viennent pas à bout – c'est alors que vient l'idée du sujet : pour redonner l'envie de vivre à ce Melville de vingt ans, qui a tout l'air d'un futur poète, mais qui semble encore hésiter, rien de mieux qu'un point de départ : immédiatement après, ce garçon désemparé découvrira cette forme d'espoir qu'est le projet.

Ils n'ont pas été nombreux dans Vienne puis dans Londres à voir le librettiste Da Ponte se creuser les méninges, pas son genre : plutôt amoureux de la paresse da-pontesque – et pourtant, ce soir-là, il les creuse, ses méninges, il a même l'air concentré, il croit être sur une piste, il ne la tient pas encore et ne voudrait pas la perdre, il fouille ses souvenirs récents, il voudrait y trouver une anecdote piquante, une histoire de douane ou de banqueroute, une bonne figure, un point de départ, une coïncidence étonnante – mais ces derniers temps, les coïncidences ont manqué, bonnes ou mauvaises. Il cherche, il ne voudrait pas être le deuxième à désespérer : surtout ne pas perdre la face, et ne pas manquer à sa parole, pas maintenant, alors que le salut d'une âme est en jeu (inutile de ressortir un argument de ses vieux livrets : ils faisaient leur petit effet à Vienne, mais à New York, dans ce décor d'auberge à contrebandiers, en pleine nuit d'hiver, face à ce jeune mélancolique, ils feraient pauvre figure : Da Ponte s'imagine mal fourguer de seconde main le sujet du *Bourru bienfaisant* – dans les pires situations, il y a toujours une décence à maintenir).

Sur le voilier *Columbia* transportant pour la première et dernière fois Lorenzo Da Ponte de la Vieille Europe au Nouveau Continent, il y avait peu de passagers, des marins mal payés et qui ne parlaient pas la langue, un cuisinier invisible, des joueurs de cartes, un monsieur se faisant passer pour un homme de confiance et qui ne l'était pas, des voisins taciturnes – il y avait aussi ce vieux capitaine irascible, maître à bord, ex-chasseur de baleines, une bonne partie de son oreille arrachée par un hameçon, rongé par un catalogue de rancunes personnelles dont il ne dévoilait rien, pour les conserver peut-être à l'état d'énigmes (selon ce qu'on lit dans ses *Mémoires*, Lorenzo méfiant l'observait du coin de l'œil – et l'autre, de fait, le regardait de travers, "bâillait et se taisait"). Il s'appelait Abissai Hyden, de Nantucket, il doit porter encore ce nom de psychopompe, Da Ponte l'offre tel quel au jeune Herman Melville – il y a là de quoi faire un héros d'opera buffa, non ? peut-être même d'opera seria, comme les aiment les mélomanes de Paris et ceux de Londres ? un personnage suffisamment noir, mais touchant, avec une certaine envergure, un certain mystère, comme en avait Don Giovanni au temps où il défiait des statues de commandeur.

Da Ponte et Abissai Hyden de Nantucket

Il en fait don[1], ce soir-là, après trois verres de bière ou de vin chaud, conscient de se défaire de sa dernière cartouche : avec un personnage pareil, vous imaginez, le livret magnifique, l'invention d'un opéra mi-buffa, mi-seria, seria-buffa (ou *semiseria* : c'est une réinvention), avec un ténor dans le rôle du capitaine à l'oreille trouée, Maria Malibran dans celui de la reine des Amazones venue accoster le navire *Columbia* pour réduire les hommes en esclavage : le capitaine fou, son équipage de barytons, ses passagers, et parmi eux le jeune, mettons, Emanuele, soudainement amoureux de l'Amazone Clizia, favorite de la reine, en théorie soustraite à l'amour des garçons. Il voyait ça d'ici, les Amazones vainqueresses, à la fête, l'épée dans une main, une flûte traversière dans l'autre, portées à rire de ces marins-pêcheurs, capture et butin ; il imaginait l'amour entre la favorite et le jeune Emanuele, un bel Italien patriote fuyant la répression d'Autriche, il entendait le chant des chasseresses, il devinait la voix d'Abissai Hyden, le tartaréen, le terrible, soupçonné d'avoir creusé dans sa cabine sous l'écoutillon un trou puis un conduit en forme de périscope inversé le menant jusqu'aux Enfers à travers trois mille pieds d'eau ; il l'imaginait un peu Hadès, un peu Belzébuth, ou un peu Faust, mais avec des mesquineries de capitaine avare, du genre à transporter des clandestins et les revendre au meilleur prix. Il se disait, Abissai fera un contraste magnifique avec la reine des Amazones, avec toutes les Amazones, plus lestes et rhapsodiques, plus friponnes

---

1. "Je tombai dans les griffes d'un flibustier du Nantucket, baleinier, traitant ses passagers comme ses matelots, et ceux-ci comme on n'a jamais traité des hommes", Lorenzo Da Ponte, *Mémoires.*

que guerrières, *zingarelle*, pour divertir; il avait noté sur des revers de factures l'idée d'un deuxième acte et du troisième, le duo d'amour sous la lune, l'air des tonneliers, la grande scène du banquet, il envisageait pour le dernier acte l'attendrissement d'Abissai, l'attendrissement de la reine amazone, un amour monstrueux les poussant l'un vers l'autre, l'amour un peu comique et pour finir profondément touchant, le mariage, la réconciliation, les forces unies des marins et des Amazones contre un adversaire venu de l'extérieur, la flotte du Grand Turc, un mélange de féerie et de faits divers.

Mais il est trop vieux pour ça, maintenant, trop fatigué, il a ressuscité tant de fois, il a vidé ses tiroirs et dans six mois, il s'en doute, il rendra sa toute dernière dent à Dieu, plus sûrement aux hommes, on donnera ses funérailles dans la cathédrale Saint-Patrick, histoire de lui faire ce dernier petit plaisir, flatter son orgueil en musique – pourvu qu'il y ait un chœur.

C'est alors le moment des confidences et des conseils, quand Da Ponte se penche vers le jeune Melville sans renverser aucun verre (l'acrobatie de l'expérience), lui disant: mon flibustier de Nantucket, je te l'offre, tu en feras meilleur usage que moi, sans ma rancœur, sans ce reliquat de mal de mer; tu seras assez souple, tu arriveras à le rendre aimable et lumineux – mais je préfère t'éviter un écueil: ce vieux morfondu s'appelait Abissai Hyden, tu m'as bien entendu, Abissai, et, à côté d'Abissai, Hyden, comme si Abissai n'était déjà pas suffisant. Sur le coup, je me souviens, j'ai été séduit par ce nom de gong, de cymbales et de contrebasson, j'ai cru y reconnaître un camarade de ces Altamar et Biscroma inventés par mes soins pour remplir mes opéras; j'en ai mesuré, je crois, la juste ironie et l'impeccable obscurité; ce qui reste en moi de mélomane continue d'être sensible à ces syllabes de Pentateuque, elles sont celles d'un méchant remarquable, un habitué des profondeurs marines. Mais je sais aussi qu'un librettiste digne de ce nom doit de temps à autre faire preuve de retenue (je n'ai pas toujours été fidèle à ce devoir, tout le XVIIIe siècle plaidera bientôt en ma faveur) : si tu acceptes mon Morfondu, si tu écris un de ces jours un livret à la hauteur de mon *Don Giovanni* qui te rendra riche et célèbre, retiens-toi d'utiliser son nom, on ne te le pardonnerait pas, sa sursignification, son timbre prégothique appartiennent à notre monde, où les extravagances sont pardonnées, comme parfois les symboles parce qu'ils tiennent du hasard – tu sauras faire plus sobre, j'ai confiance : le Morfondu se présentera devant tes spectateurs avec son oreille coupée, son nom d'Abissai Hyden s'en ira comme l'âme repue de Don Giovanni se cacher dans les fosses pélagiques : et voilà pour lui[1].

Achab de Melville, Achab de Da Ponte

Beaucoup d'interprètes de la chose moby-dickienne (spécialistes professionnels ou amateurs plus exigeants que les professionnels) ne voudraient pas d'un capitaine venu des carnets de Da Ponte : la piste est trop médiocre, Da Ponte est un fumiste, un compilateur de livrets rachetés à des

---

1. Il faut croire à la piste d'Abissai Hyden ou bien admettre que Da Ponte s'est servi ailleurs pour y trouver son capitaine : il a pillé une fois de plus son vieux rival Pietro Metastasio, lui-même pilleur de l'Arioste, qui imitait Luigi Pulci, qui en avait imité d'autres, tous ceux-là remontant jusqu'à des ragots antiques colportés du nord au sud de l'Italie, par petits bouts, au sujet d'un lac, d'un prêtre-roi et de meurtres rituels accomplis tous les vingt-cinq ans : des histoires idiotes – si ça se trouve, le vieux capitaine était déjà présent, fâché, fourbu d'avance, avec son bout de bois, dans l'épopée de Gilgamesh, écrite à Babylone sur des murailles.

chiffonniers, un monsieur mi-librettiste de circonstance pour des noces et pour des saisons lyriques, mi-affairiste pompant l'argent des autres, comptant sur des liquidités comme sur des bons mots, avec son aisance de plagiaire. Achab mérite mieux, pas ce faiseur congédié de partout dans un nuage de poudre : Achab doit être terrible, né d'un cauchemar, comme Jekyll, Hyde et la chose raccommodée de Frankenstein, il doit recevoir la vie de la foudre, celle du chapitre 119, celle du Corpo Santo qui fait brûler son harpon, ou à la rigueur la foudre plus domestique de la migraine de Melville, un soir de dépression proche de la folie (et pour d'autres, il doit être né d'un miracle dégoûtant de la mer, du crachat d'un calmar, par exemple, le nuage d'encre faisant alors office de belle métaphore) ; au mieux, ils veulent le voir fleurir, c'est ce qu'ils prétendent, au-dessus de Melville endormi, avec sa trogne de caprices goyesques, ivre d'orgueil mais un peu gêné à l'idée de représenter bien et mal à la fois. (Oh, et puis, imaginez ce que vous voulez, et allez le dire à Da Ponte, pour le confondre : une nuit d'insomnie, un verre d'alcool de trop, le souvenir d'un sermon à l'église, le Dieu jaloux échouant à devenir un Dieu d'amour, un marchand d'huîtres pittoresque, borgne, et le conseil d'un éditeur, un homme avisé selon qui, si le livre parle d'un immense poisson, il lui faut un immense pêcheur.)

Mais un capitaine Achab sorti du portefeuille en cuir de ce Lorenzo Da Ponte, qui le fourgue en échange de la Considération et d'une avance sur recettes, ça n'est pas la même chose : ça manque d'élégance, pour tout dire c'est un petit peu inconvenant. Un fragment de ses *Mémoires*, si on l'admet, c'est un extrait de sa prose de joli menteur, habitué à offrir une fable courtisane pour obtenir un poste ou seulement flatter, flatter dans le vide, sait-on jamais les bénéfices de la flatterie arrivent plus tard sans prévenir. Mieux vaut un Melville melvillien ne devant rien à ce demi-imposteur d'Italie, surtout pas un morceau tombé de ses *Mémoires*, l'aumône faite au démuni un soir de détresse : si c'est le cas, il va falloir admettre le da-pontisme chez Achab, à savoir le pittoresque, le rococo, le prévaudeville, des ficelles de *commedia*, des contrastes faciles, des rimes plus faciles encore, des emprunts à des concurrents, eux-mêmes trouvant leur inspiration dans la paresse opportuniste, eux-mêmes emprunteurs au nom de la continuité des Motifs Éternels (*sic*). (Aussi bien, il va falloir chercher la source de cet Achab da-pontien dans d'autres livrets, plus anciens, copiés sur des copies, quelque part en Europe sous des piles de brochures, d'une bibliothèque royale à une bibliothèque archiépis-copale : peut-être chez Metastasio, le prolifique – et depuis Metastasio il faudra remonter, allez savoir, jusqu'à un petit auteur de tragi-comédie du temps de Septime Sévère.)

Achab de Da Ponte : un évident manque de sérieux[1], deux airs en solo, dans le registre de la basse, le rôle du méchant, de ceux qui cloîtrent les jeunes filles ou les convoitent, et rédigent de fausses lettres de rupture signées du nom d'un beau jeune homme, le fiancé – la fausse lettre ensuite tombée naturellement de la branche d'un orme, à l'automne, dans le corsage de la demoiselle. Cet Achab da-pontien manigance en plus de convoiter, il hérite les deniers de Judas, sa fortune est un mensonge ou un non-dit, ou un mélange des deux, la cupidité l'inspire, elle l'aide à trouver des rimes pour des vers brefs, qui donnent l'illusion de la fougue au lieu de l'appétit – Lorenzo Da Ponte le fait s'approcher des demoi-selles sopranos pour faire sonner encore une fois (la recette

---

1. De gravité, d'élégance.

479

marche) les sous-entendus de l'amour (Da Ponte croise les doigts : de cette vulgarité mise en musique, il découlera peut-être de la beauté).

Achab sur le gaillard d'arrière

Il arrivait au capitaine de se curer les oreilles, à savoir une oreille, puis une autre oreille, deux heures plus tard, de jouir de l'ampleur du délai entre un côté et l'autre, et se considérer à ce moment-là l'égal de saint Antoine au désert : attention, abstinence, retenue et méticulosité.

Achab sur le gaillard d'avant

Pour rendre plus supportable l'épreuve d'être lui-même et personne d'autre, il a longtemps hésité entre la pitrerie, le mensonge permanent des amants et des usurpateurs, l'affliction alternant avec la fausse affliction, l'histrionisme, la gloire du monstre conservée dans un bocal rempli d'alcool qui fait l'admiration des poètes (toutes transparences conjointes : transparence du bocal, de l'alcool, du poète et de sa poésie), et la mégalomanie (incapable de faire son choix, il s'est décidé à tout prendre, clownerie et mégalomanie, du moins au temps où il martelait encore le *Pequod*).

Orson Welles adapte en lambeaux Don Quichotte *(suivi de : Orson Welles essaie d'être Shylock)*

Orson Welles devait se perdre délicieusement dans *Don Quichotte*, dans les deux volumes comme deux testaments comiques, ce qui suppose aussi de se perdre avec Don Quichotte dans le récit démembré de lui-même – se débattre pendant des années dans des chambres d'hôtel fermées de l'intérieur (*ne pas déranger*) avec deux mille mètres de pellicule découpée en morceaux plus ou moins longs rendant hommage aux cheminements plus ou moins suivis du chevalier sur son Espagne. Ça suppose aussi de se mêler voluptueusement avec les rubans de sa caméra, avec les chapitres du livre, avec les gloses de Franz Kafka et tout ce que Rossinante et son maître ont pu inspirer comme interprétations à une époque où l'interprétation, faute de cheval, prend le relais de la sortie quichottéenne. Il avait la certitude de s'y perdre, de confondre le début avec la fin, de voir le découpage, à proprement parler découpage, lui tomber sur le pied comme aurait pu le faire l'armure de Quichotte, un peu ceci, un peu cela, récupéré de droite et de gauche et bientôt rendu à la terre pour un ultime éparpillement (une redistribution). C'est d'ailleurs ça, l'histoire d'amour entre Orson Welles et Don Quichotte (celui de la postérité, celui du second volume, celui du plagiaire Avellaneda, et celui que personne n'a pu voir, dans l'intimité) : elle est la mise à l'épreuve au cours de longues années de la question de l'unité et de l'éparpillement. Pas l'impudence de conclure aussitôt, pas de réponse certaine à l'énigme, mais au moins une intuition quand Orson Welles observe ce qu'il a su composer en ajoutant un bout à un autre bout, et ce qu'il a choisi d'abandonner : l'intuition que Welles et peut-être Quichotte n'ont pas cessé de se demander comment un être composite donne à lui-même et aux autres l'illusion de continuité, y compris jusque dans ses cendres.

Morceler son exemplaire du *Quichotte*, éparpiller ses pages d'un pays à l'autre et en même temps découper, recoller, perdre des morceaux de son *Quichotte* à lui, qu'il fabrique difficilement, au point qu'il a plus souvent l'impression de le réparer – il le fait pour comprendre, pour déchiffrer (Welles est comédien, son premier réflexe s'il voulait comprendre une grimace serait de grimacer), pour mieux aimer sans doute et pour apaiser on ne sait quelle angoisse ; pour rendre hommage une fois de plus au genre humain si éblouissant dans sa diversité, depuis l'infamie jusqu'au pétrarquisme. D'autres diront que c'était pour se fuir, se lacérer d'abord, puis se fausser compagnie, comme il se le promettait souvent : ça ressemble par moments aux gestes de l'enfance quand l'enfance détruit le jouet pour éprouver la sidération du plaisir et du malheur en même temps – mais il ne faut pas les confondre, même si Orson Welles a parlé de train électrique au sujet d'Hollywood : toutes ces pellicules découpées, l'éparpillement, les chutes, le remontage, ça n'a jamais été l'immolation, et quand Welles sépare un personnage de l'acteur qui l'incarne, et l'acteur de sa voix par le doublage, ou du décor par un faux contrechamp, le vertige éprouvé est étranger au plaisir de détruire : c'est le constat qu'aucune mutilation n'empêchera jamais un homme d'être un homme et un récit d'être un récit – aucune mutilation n'enlève au spectateur, les siens en tout cas, le pouvoir d'accorder son attention aux phénomènes, et en l'accordant assurer la continuité entre une chose et une autre (donner un nom à un invraisemblable fatras est une bienveillance toujours supérieure à la malice de l'éparpillement ou à la malveillance de qui impose l'abandon et l'exil).

(Mettre en scène vite fait, à la dernière minute, puis filmer par surprise, trop tôt, une pièce du répertoire juste avant la répétition, quand Ruy Blas est encore en costume de ville, son visage séparé du masque et son corps loin de son costume, c'est pour lui une expérience alarmante : la crainte de faillir mais la certitude que tout ça finira bien par fonctionner : un miracle de Music-Hall.)

Au titre de praticien de la coupure, il a cru avoir le droit d'interpréter Shylock (c'était aussi un devoir) – il se disait : mon exil, mes préoccupations, ma ruine, mes abandons, mon éparpillement spirituel et matériel, mon souci de me laisser chaque jour loin derrière (avec pourtant la certitude de me retrouver au coin de la rue), mes œuvres inachevées, mes biens disparus dans des coffres-forts étrangers, mes spoliations, mon injustice en réponse à l'injustice, mes allégeances, mes chambres de motel et mon art de la séparation brutale doivent me permettre de comprendre Shylock, aussi éloigné soit-il, et aussi différent de moi. Je suis né le contraire du pauvre Juif des quartiers de Venise et de la diaspora, je suis l'Américain au nez trop petit mais au grand territoire, qui a le nom de son dieu écrit sur tous ses billets de banque et un passeport d'empire – seulement, les mésaventures d'Hollywood m'autorisent aujourd'hui à devenir peu à peu Shylock ou un descendant de Shylock : moi aussi j'ai dû fuir, j'ai appris à faire une petite valise, et comme les Juifs de la diaspora j'ai appris à me passer de Temple, ce qui demande un peu d'agilité intellectuelle et le contrôle de ses émotions les plus profondes : le Temple est partout où un Juif récite sa Torah, Hollywood se reconstitue autour de moi dès le moment où je tourne une caméra vers mon visage, même si pareille chose arrive en plein désert d'Espagne.

Si je suis condamné à courir après Shylock sans jamais l'atteindre, je peux espérer me rapprocher de lui, de sa portion la plus intime peut-être, et la moins historique : comme Shylock (j'en mettrais ma main au feu), j'ai élaboré en secret et avec soin une haine de moi, qui est de la défiance et de l'exaspération, qui est aussi le désir candide d'être n'importe qui d'autre, et le rêve de me considérer un jour dans un miroir comme un inconnu, séduisant, déroutant. Je dois renoncer à interpréter Shylock en Vénitien, ou Shylock en marchand, sa cupidité honnête m'échappera toujours, je renonce à l'interpréter en humilié, en vagabond et en procédurier ; je parviens tout juste à comprendre le "quand vous nous chatouillez, ne rions-nous pas ?" ; rapprocher le Zohar d'un dieu innommable, d'une pièce d'or et d'un signe jaune ne m'aide pas à être Shylock comme je souhaiterais l'être, me maudissant alors de devenir si rapidement Arkadin ou Kane – mais je rejoindrai Shylock le jour où je parviendrai à faire de mon désamour le frère jumeau du désamour shylockien : à ce moment-là, tous les deux, nous voudrons nous fausser compagnie, se trahir soi-même se fera d'un commun accord entre Orson Welles et le petit prêteur – avec des moyens de fortune, et parce qu'il y aura urgence, on détachera le nom d'une chose, la chose d'une autre chose, et la ville du plan de la ville.

Au jeune Melville le vieux Lorenzo parle de rancune
avec expérience

Ce que Da Ponte connaît de la rancune ? ce qu'il a pu en apprendre à Vienne, patrie des concurrences sans merci, des alliances de raison, des jalousies et des petites vendettas réglées à coups de lettres, sans aucun nom au pied de la lettre. Ces petites vengeances viennoises engendrent de petites rancunes, presque protocolaires, entre messieurs d'une même profession : être opportunes et aussitôt consommées leur épargne le devoir d'être amples, amples comme un baldaquin. La gueule d'une rancune plus profonde, il l'a découverte pour de bon le jour où il a dû écrire à la hâte (c'est toujours à la hâte, avec Da Ponte) la partie du Commandeur de son *Don Giovanni*, pour un baryton, baryton-basse : comme il fallait épater des spectateurs devenus difficiles, surtout envers un Italien, il a donné à son commandeur statufié la pesanteur du théâtre à machinerie, la machinerie de la vengeance. Encore maintenant (trente ans, non, *quarante* ans, Dio mio, après avoir écrit *Don Giovanni*), Lorenzo se demande si Giovanni n'est pas volontairement passé par tout ça, les filles de ferme, les soubrettes, les dames du monde, pour se livrer au dernier acte à la vindicte du Commandeur, comme on dit : il l'a voulu, son vengeur, il l'a convié pour qu'il l'étrangle, et il l'a attendu sans bouger – l'invitation faite à souper, la table dressée, le vin chambré, la fausse désinvolture, l'apparent oubli, tout ça était une mise en scène, très maître de maison qui ne veut pas faire de sa soirée un rituel pesant mais la bonne franquette mesurée au quart de fil. Il a désiré sa damnation, jusqu'à creuser dans les planches une trappe ajustée à sa taille et à ses épaules, aux pointes de son tricorne (pas question de sombrer décoiffé), par où il disparaîtra – il ne voudrait surtout pas rater ça.

Au dernier acte, le rancunier se présente, ponctuel, à l'heure du poulet rôti servi avec ses plumes sur un lit de petits légumes (il faudrait imaginer Don Giovanni le jour du convive de pierre en train de faire la cuisine, en tablier, se léchant l'index de temps à autre, et Leporello en train de courir chez l'épicier pour acheter des clous de girofle – elle existe peut-être, cette version bouffe de *Giovanni*, l'air du céleri en branche, une louche grosse comme une baignoire où Donna Elvira tiendrait à son aise dans la position du lotus). Quand il voit se dresser devant lui le Commandeur, Giovanni se dit que le temps est enfin venu d'observer la rancune dans ses moindres détails, et peut-être de comprendre quelque chose à cette existence – mais l'exercice est difficile, le Commandeur est statufié, il marche lourdement sans donner beaucoup à voir, sa rancune ne se lit pas sur son visage, pas facilement, encore une fois quelqu'un va mourir sans savoir de quoi. On ne se convertit pas en spectateur en un clin d'œil : Giovanni cherche à gagner du temps (il aspire à l'immobilité comme à une marque de noblesse), il ralentit ses gestes : porter une noisette à sa bouche lui prend une bonne minute, on se souvient de Cléopâtre avec sa perle inestimable[1]. (Quand le Commandeur devenu un Sphinx balourd étrangle le tout petit, le très fugace Don Giovanni, il se rend compte trop tard que sa défaite était prévue d'avance : il tombe dans le piège de son ennemi, et son ennemi tombe par sa trappe, comme convenu, son vieux rêve.)

Avant-derniers conseils au jeune Herman Melville

Il y aurait eu une autre salve de conseils (mais de celle-là, on est moins sûr), Da Ponte incitant son jeune ami Melville à visiter la Venise ou toute l'Italie de sa jeunesse à lui, da-pontienne, à y retrouver ses traces le long des rues et des ruelles, sur les ponts, sur les places qu'on appelle *campi*, à y réveiller les Zerlina, Violetta, Pipa, Ernestina brusquement aimées par Lorenzo quand il avait encore les joues roses – et si Melville redoute de faire surgir de leurs tombes ou d'une impasse derrière un mur des vieillardes frappées d'amnésie, alors qu'il profite d'être à Venise loin de chez

---

1. Enfin, tout ça, des hypothèses – après chaque hypothèse de ce genre, Lorenzo Da Ponte commande quelque chose à boire.

lui pour réveiller ses propres nouvelles Zerlina, Violetta, Pipa, Ernestina, arrière-arrière-arrière-petites-filles, qu'il les fasse sauter par-dessus un canal, d'abord de courtes puis de grandes enjambées, et recommence, et prolonge à sa manière des histoires entamées il y a longtemps. Les biographes de Da Ponte accordent à leur héros une force de conviction supérieure, l'alcool aidant (ils ont peut-être raison), au point parfois de mettre en doute les voyages de Melville sur divers baleiniers en route vers les Galápagos, jusqu'en 1844 : ses exploits de chasseur de baleine, c'était pour cacher à sa famille les doux hivers et les plus doux étés passés entre le rio della Misericordia et le rio della Sensa, sur le chemin de Violetta à Ernestine. On ne sait pas si Da Ponte était de bon conseil, on se demande si ses biographes voient juste ; la rencontre a lieu en février 1838, Lorenzo meurt en août ; l'année suivante Herman Melville s'engage comme mousse ; à partir de ce jour, il faut le croire sur parole.

Moby Dick à Hollywood – le paradoxe du comédien unijambiste

Il fallait voir les comédiens candidats au rôle du capitaine dans le magasin d'accessoires : des béquilles, des jambes de bois, dans des tiroirs, mais fixées au mur également, descendant jusqu'à eux comme le font, au même moment, les trophées des miraculés dans une chapelle dédiée à un saint guérisseur (on les voit aussi fouiller avec envie, une véritable envie, dans le tiroir où sont rangés par taille, par genre, des bandeaux de borgne, l'œil gauche ou l'œil droit ; il doit être écrit quelque part dans le Code de la Marine à Voile que l'homme de la mer, passé un certain âge, n'a pas le droit d'être égal des deux côtés : la symétrie lui est interdite, comme gage de beauté et de banalité réservées à ceux qui sont restés à terre). Ils ne savent pas tous boiter, on doit leur pardonner : le capitaine non plus n'a jamais su, il n'a jamais su même s'il était possible de savoir, et maintenant, après être passé par cent sortes de béquilles et cent sortes de jambes de bois, il croit avoir le droit de dire que l'on n'apprend pas, à ce sujet, on n'apprend de personne, on ne fonde pas une expérience sur son inaptitude et le recommencement, et l'acharnement ne se métamorphose pas tous les jours en science – il n'y a jamais que l'obligation d'agir, et des mortels qui s'en sortent, avec de la chance.

Moby Dick vieille chasseresse aperçue à la longue-vue

Les cétologues sont navrés, témoins de ses interminables épisodes de chasse : ils voient cheminer la vieille Moby Dick le long des couloirs habituels, derrière un chalutier, devant un autre, au rythme de ces paquebots qui n'existeront bientôt plus mais perdurent en dépit du bon sens (à la même vitesse, et tout aussi lamentables, plantigrades, défilent les gros glaçons détachés de la banquise, ventripotents et résignés, paisibles peut-être, dépouillés de toute crainte millénariste, mais honteux de la honte de dériver sans direction, eux aussi déchus, affranchis, déchus pareil ; ils semblent vouloir s'excuser avant de disparaître – de toute façon, ils disparaîtront, sous la forme d'un ruissellement d'eau douce, consentants, avant d'atteindre le tropique du Cancer). La baleine se donne des airs vindicatifs, imités du capitaine au temps où il faisait le capitaine ; elle est martiale et chasseresse, elle compte encore sur sa fascination de grand mammifère, alors

elle parade, son absence d'amour-propre l'incite à se montrer
– mais ce qu'on voit passer, d'un point de vue de cétologue,
ce n'est ni vindicatif, ni martial, c'est beaucoup moins que
ça : un poisson lent et derrière lui son sillage sans conviction,
qui ne mousse plus, un peu d'écume comme un vieux reste.
Les cétologues ont l'impression d'observer un dernier voyage
fait sur un vieil élan donné il y a de ça des siècles[1] et qui ne
les concerne plus (rien de commun, par exemple, avec la
Sphinx quand elle fond, comme on dit, sur une petite proie
mortelle, moitié berger, moitié brebis). Mais il ne faut pas
croire entièrement le jugement des cétologues : ils sont
sévères, ils sont désabusés ; leur sévérité est amertume, leur
amertume est un extrait de leur mélancolie ; ils sont nostalgiques d'une époque où on pouvait dire encore en sautillant
elle plonge, elle plonge, ou *elle souffle, elle souffle*, l'époque où
eux-mêmes se laissaient plus facilement terroriser.

*Comment un grand studio confie à Francis Scott Fitzgerald
l'adaptation de* Moby Dick

À Hollywood on connaissait déjà Patrick O'Brien, méta-   [1940]
morphosé en Hobby, dit Paddy ou bien encore Pat, modèle
du scénariste déconvenu et caduc, cherchant l'inspiration
(aride et sèche, continente) dans la lecture des étiquettes de
whisky irlandais – mais il y en a un certain nombre d'autres,
de ces buveurs, prêts en cas de crise à nommer l'Irlande leur
pays de naissance, et à y retourner se fortifier à l'eau de
source. Hollywood, de temps en temps, à la surprise géné-
rale, veut faire preuve de commisération, sans ostentation,

---

1. *Un vieil élan* : toujours le même (voir plus haut).

envoyant l'un de ses coursiers aux cheveux courts solliciter quelque part en ville, où qu'il se trouve, un ivrogne de talent au chômage pour lui proposer un travail honnêtement payé (c'est aussi bien, avec de la chance, un ivrogne de génie, l'un de ceux qu'elle a courtisés, fait venir à elle, pressurés, éblouis et déçus avant de les rendre à la terre). Sa pitié se mêle d'une cupidité tout hollywoodienne, une cupidité naturelle en somme, pardonnée avant et après puisqu'on se dit, tout compte fait, le show-business est une entreprise et les fauteuils d'orchestre coûtent cher – malgré ça, elle semble parfois pleine d'attention, elle est maternante, il lui arrive de pleurer ses génies malmenés, sans qu'on sache d'où elle tire ses larmes : elle ne supporte pas (ou si difficilement) (Hollywood serait pragmatique et sentimentale) l'idée de laisser se morfondre dans un petit appartement un homme de lettres jadis réputé pour ses répliques, rémunéré tant de dollars la ligne. Le petit coursier à cheveux courts appuie son vélo contre le mur, se dépêche dans les escaliers d'un hôtel bon marché ("qui fait crédit jusqu'au lendemain de la fin du monde"), apprécie au passage la couleur caca-d'oie des portes sur un fond de couloir mauve, frappe ou sonne, lit sur une étiquette de boîte aux lettres le nom du génie déchu, et comme il le prononce à haute voix pour traverser les murs jusqu'à la chambre à coucher, entend remuer par terre des bouteilles vides.

L'auteur le mieux payé de New York (quatre mille dollars chaque nouvelle parue dans la revue *Esquire*), devenu maintenant scénariste de la côte ouest dont on se souvient de temps à autre, c'est Francis Scott Fitzgerald[1], il a un doigt sur chaque touche de sa machine à écrire, presque toutes à

---

1. Au cours de l'année 1940 ; il n'en aura pas d'autres.

l'exception des chiffres, et le regard dans le vide, se demandant s'il va écrire une fois de plus l'histoire d'un jeune homme pauvre amoureux d'une polissonne riche, et s'il va pouvoir la vendre un bon prix, le prix, mettons, de douze cravates? Puisqu'il est question d'adapter une histoire de marins (on a bien parlé d'une chasse au poisson), on aurait pu aller réveiller Ernest Hemingway, endormi bienheureux et vainqueur de tout, sous une muleta: il aurait apporté à cette malheureuse péripétie de baleine poursuivie par un baleinier un peu de sa force virile: composé comme un combat, le récit passant de l'incertitude à la victoire plus les blessures de la victoire aurait pu convenir aux hommes d'Hollywood. Francis Scott Fitzgerald se pose précisément la question, à l'heure où le coursier sonne à sa porte, au moment de remuer des bouteilles du pied: pourquoi venir le chercher lui pour écrire un scénario de pêcheur: lui le vaincu, le citadin, détestant tout ce qui ressemble de près ou de loin à un champ de blé en pleine campagne (pour Scott Fitzgerald, après deux bouteilles, la comparaison a force de loi: l'océan c'est plus ou moins un champ de blé, et la mer c'est l'ennui du Kentucky quand il pleut), pourquoi venir chercher l'enfant de New York amoureux des derniers étages, connu pour masquer le hublot de sa cabine sur les transatlantiques entre l'Amérique et l'Europe? La première chose à dire à ces nababs quand Fitzgerald aura retrouvé son sang-froid et qu'il pourra considérer sa gueule de bois comme une injonction à marchander: demandez plutôt à Ernest, il adore la corrida et la pêche au thon, votre histoire de baleine blanche est une pataude combinaison des deux, si mon intuition ne me trompe pas[1].

---

1. À Salamine, les Grecs manœuvraient comme à la pêche au thon.

Tant pis pour Ernest, le plus célèbre pêcheur de rascasse d'Amérique ("que l'Amérique a offert à Paris en échange de son admiration"), Fitzgerald accepte le contrat, il a vu des zéros sur une feuille de papier, il les traduit en nombre de signes et en jours de sursis : il veut bien s'efforcer de donner une forme à peu près digne, présentable, à ces élucubrations de marin ivrogne ; il se servira de sa propre ivresse comme d'un savoir d'initié pour pénétrer mieux l'univers de ce vieux capitaine ; il promet de ne pas multiplier les frais en réduisant le nombre des batailles navales (un scénariste doit aimer la sobriété, du moins dans l'écriture : c'est une question de coût de production, et ça le tient éloigné, lui et les siens, des fresques du Jugement dernier).

Moby Dick contre Francis Scott Fitzgerald

Fitzgerald passe de dégringolade en dégringolade, il en a fait son style, il en a fait la forme de son succès, façon de faire briller à la nuit tombante comme un solitaire à son doigt un remarquable paradoxe – longtemps, il a vu tomber des hommes comme Buster Keaton ou Harold Lloyd, sur des écrans tendus quelques mètres devant lui, sans en tirer aucun enseignement, sur le coup, se disant, la révélation par les grands maîtres, ce sera pour plus tard. Les années 1920, accompagnées ou non de hurlements, de grondements de moteurs, duraient encore trop longtemps pour un homme au succès spontané et au bonheur fugitif : en secret, pour lui-même, mais systématiquement, il a pris les devants, il a entamé sa décrépitude, splendide décrépitude de beau gosse en pleine lumière – à ce moment-là, en l'absence de prémonition, la mort était un motif de nouvelliste et l'objet de ses défis mondains, c'était aussi l'exemple même des choses contingentes ; Fitzgerald l'a élaborée avant la fin de la décennie, il a eu au moins le talent de la faire naître au cœur du succès, histoire de participer au dessin de sa fin prochaine : sa conception graphique. La dégringolade toujours, quand il ne parviendra plus à faire rire ses amis, dix-neuf, vingt-deux verres dans le nez, quand il devra saluer un inconnu avec qui, hier soir, il était le meilleur ami du monde : d'ailleurs il lui offrait ses larmes. Il aurait pu continuer de vivre sa décadence fitzgeraldienne pour lui-même, dans cette chambre louée, en l'absence de tout, sans tel bien, sans tel autre bien (argent, épouse, amis, invitations, la plume et l'encre) : il aurait profité de ce temps libre pour chercher dans ses œuvres de jeunesse la prophétie de sa quarantaine. Mais pas moyen de rester tranquille : le coursier de la Paramount à cheveux courts venu ce matin frapper à sa porte pour faire entrer dans sa cabine toute l'eau contenue dans le récit du capitaine Achab, c'est la dernière ruse du diable, le meilleur moyen de gâcher même sa déliquescence — Scott Fitzgerald ne se sent pourtant pas disposé à rater son échec.

Il accepte — Pat Hobby, la créature de ses nouvelles hollywoodiennes, écrites pour se défaire de sa rage et pour mieux faire de lui-même un procès sans compassion, Pat Hobby, le gras, l'alcoolique, aurait bâclé son scénario, pour s'en sortir, ignorant tout (c'est un avantage) du commerce du poisson comme de la fabrication des huiles en usine. Fitzgerald ne compte pas se racheter en buvant de l'eau ni emprunter à son âge le style du triomphe facile (le triomphe à la Hemingway), ce serait trop de fatigue — mais au moins, il va faire de son mieux, et s'épargner la honte en rendant une copie soignée.

Francis Scott Fitzgerald adaptateur de *Moby Dick ou la Baleine* : il faudra trouver le moyen d'y faire rouler une ou deux torpédos, si possible, à roues blanc et noir ; en plus de ce vieux capitaine, il y aura quelques Marty, Edna, Sylvia et Max inspirés respectivement de Cole, Alexandra, Margaret et lui-même ; on passera le plus rapidement possible sur toutes ces histoires de pêche au poisson, qui l'ennuient, pour se consacrer à l'essentiel. (Si plus tard Achab scénariste demande naïvement au dernier des Fitzgerald en quoi consiste cet essentiel, Scott (*appelez-moi Scott*) aura le sentiment d'être à la fois résolument plein et absolument vide, "l'essentiel" devenant pour lui, en même temps, une évidence et une énigme.) (Encore faut-il imaginer une rencontre entre Fitzgerald à jeun et Achab, sous un autre nom, aimable vieux monsieur, assez malin quand même pour vendre aux producteurs son histoire en trois lignes. Fitzgerald fait toujours la grimace quand on lui parle de marchandage d'histoire, comme si une bonne blague pouvait vraiment se monnayer à prix d'or ; il se souvient avoir cédé pour mille dollars les droits d'une nouvelle revendue le lendemain quarante fois plus cher : sa grimace est celle de la cupidité et du mépris de la cupidité.) Francis Scott croit avoir, étiquetés sur son front et tatoués sur son ventre, deux titres au moins, *Tendre est la nuit*, *Le Grand Gatsby*, il les a comparés un jour à deux papillons décoratifs et encombrants – il pense avoir du métier, il choisit les noms de ses personnages avec le soin d'un rempailleur, il fait penser au tapissier au moment de prendre le bon clou, sa main droite sait faire revenir le chariot à la ligne, il pourrait devenir tromboniste, il a appris chez Henry James à calibrer ses pages et à parler au rédacteur en chef, il a des indulgences et des générosités divines, accordant cinq mille mots à l'histoire d'un mariage raté, dix mille à celle des retrouvailles ; auprès de Dieu sait qui, il a appris à écrire des lignes de dialogue, rayées ensuite par le réalisateur, patiemment mais rudement. (Face à l'auteur, Achab se montrerait courtois, il n'oserait pas lui demander s'il a bien connu Stravinsky : se contenterait de voir en quoi sa baleine va se déguiser, cette fois-ci – ça le fatigue parfois d'avoir à insister autant sur le caractère cétacéen de la baleine.)

Certains soirs (paranoïa et crépuscule coïncidant), Fitzgerald croit avoir affaire à une entourloupe, la dernière, ou l'avant dernière mise au point par ses ennemis de la Paramount pour le couvrir de ridicule : un piège à base de contrat mirifique et de vieux loup de mer hemingwayen censé lui dicter ses aventures pour en faire un long métrage, plein de bourrasques, avec Douglas Fairbanks en pantalons moulants, accroché à une corde. Le contrat mirifique a fonctionné, il a fait sortir Fitzgerald de sa cabine, passant par-dessus des bouteilles vides (elles faisaient, comme les pommes du panier de la chanson, rouli roula : on était déjà en bateau sur une mer inamicale).

Francis Scott Fitzgerald passe ses derniers jours en compagnie de Moby Dick

Confier le scénario dans sa version énième à Francis Scott Fitzgerald, c'est se débarrasser des deux en même temps : une aimable voie de garage, en l'occurrence la chambre d'hôtel louée par le studio[1] quelque part à Los Angeles, des journées pleines pour écrire, les mille dollars par semaine

---

1. La Paramount, probablement.

ramenés à deux cents par prudence (couvrir d'or puis verser une aumône : en la matière, les nababs savent n'avoir rien inventé). On envoyait l'importun Aguirre chercher les portes de l'Eldorado tout au bout de l'Orénoque, escorté par diverses sortes de fous et de fièvres ; maintenant, pour donner à Fitzgerald de quoi s'occuper, payer ses bières par camions, et se tenir à carreau, un coursier (le coursier de tout à l'heure) confie à cet homme talentueux (mais comparable à une boîte à cigares vide où se devinent encore la présence des cigares et la trace d'un ancien luxe) le scénario de *Moby Dick* à l'état d'ébauche (sa treizième ébauche) : deux cent cinquante pages, avec des annotations.

L'espoir de les voir disparaître l'un et l'autre, au moins pour un moment : Fitzgerald à cause de ses autoportraits "en Fitzgerald", toujours plus pathétiques, le scénario de *Moby Dick* parce que personne ne veut entendre parler de baleine à une époque où la vedette est donnée à des sous-marins (d'Amérique, d'Allemagne ou du Japon). Et ça marche en effet, la disparition a bien lieu : les ruses hollywoodiennes sont ruses mal dégrossies d'étrangleurs et de grands mécènes dépourvus de goût, mais elles fonctionnent, elles parviennent à leurs fins, le résultat réjouit le grand mécène comme si c'était la tête de Baptiste sur un plateau d'argent (ah, la beauté brillante de l'argent, les ciselures, les poinçons, et là-dessus, un trophée, qui ne pipe mot).

Il y a ou il n'y a pas une bouteille à côté de Francis Scott : proverbiale, fraternelle, avec ce rien de traîtrise contenu dans la fraternité – en tout cas, un totem, dans une demi-obscurité, reflétant des lumières déjà reflétées, venues d'ailleurs, d'un dehors épuisant dont Fitzgerald ne veut parfois plus rien savoir. Elle veille si elle veille, elle pourrait être l'œil de Caïn, mais il n'y a jamais eu de crime assez fort pour

justifier d'appeler maintenant œil de Caïn une bouteille vide
– si elle est vide, disons, si elle se désemplit, le temps l'affecte,
elle est encore sensible à la durée, elle est une donnée du
vivant, pas un jalon de la mort; elle pourrait même mesurer
les heures, pas celles du mortel, celles du buveur, si le buveur
veut bien lui accorder cette vertu (passé certaines heures,
justement, il accorde toute vertu à toute chose, sa générosité
voudrait aller dans les deux sens: il offre par avidité). Elle est
aussi un poncif: pour se souvenir de Fitzgerald, quand ils
passent à proximité d'un cimetière ou de l'hôtel Algonquin,
certains de ses vieux amis choisissent de débuter par l'étiquette d'une bouteille – et puis, de loin en loin. L'hiver, le
vrai hiver de New York devait lui manquer comme il devait
manquer à n'importe quel homme né et grandi dans l'alternance de l'été et de la neige; la tiédeur de février en plus
du cadavre de bouteille devient dans cette chambre vide
aux volets tirés une preuve de la fin des temps, la fin des
temps tels qu'il les connaissait – advenue déjà, sur le point
d'advenir. Il a beau s'être volontairement réduit à peu de
chose en buvant, en faisant à la bouteille ce qu'elle a exigé
de lui, Fitzgerald n'est pas dupe des ruses de Fitzgerald; il
les applique avec ce qui lui reste de tête froide, cet effrayant
reste de lucidité pratique et juge situé au fond de l'ébriété,
et indestructible: il sait avoir associé depuis longtemps sa
décadence à la décadence de l'Amérique tout entière au
cours des longues années 1930, il a reconnu là une démarche
de dramaturge, ou une lâcheté, et encore aujourd'hui, s'il
s'en donne la peine, il sait faire la part de ses croyances et
de son incrédulité, il serait prêt à reconnaître (mettons que
le Jugement dernier existe) sa responsabilité dans sa ruine,
sans l'aide de personne, inspirée par rien d'autre sinon le
désir idiot, divin, de continuer d'être Francis Scott Fitzgerald

après l'avoir été, oh, avec tant d'aisance. Un peu plus (un Jugement de plus, ou un Juge, et un mouvement de la main, encore un, vers la bouteille, sans la saisir), et Fitzgerald se reconnaîtrait coupable de la Crise, et même de la Tempête de poussière – pas dupe cette fois, pas dupe non plus, de la ruse consistant à soigner ses blessures de victime par un orgueil de grand coupable.

Il le sait peut-être (rien dans la pièce ne nous en donne la preuve ; la chambre est vide de symboles, en dehors des signes que notre compassion veut bien y mettre ; elle est neutre, elle n'a pas attendu Fitzgerald pour exister, elle ne ressent aucune responsabilité, elle est placide comme sont les choses, et pour cette raison elle n'admire personne, elle fait obstacle s'il faut faire obstacle ; elle dure sans rien attendre, pas même la mort de Fitzgerald – et après lui, après son passage, elle ne voudra se souvenir d'aucune légende, si peu légendaire elle-même, ou pas du tout (le surlendemain, elle donnera encore l'hospitalité)) – il le sait peut-être, Francis Scott Fitzgerald vivra ses derniers jours en compagnie, non pas de cette bouteille (il l'abandonne aux biographes), mais des pages d'un scénario à peine ébauché, dans quoi six ou sept prédécesseurs déjà ont mis leurs doigts – il y est question, à un certain moment, d'une mer d'huile et d'absence de vent au milieu de nulle part. (Comme il lui arrivait d'être facétieux, à jeun ou ivre, au temps où la même faculté de parler passait sans interruption de l'ivresse au lendemain d'ivresse, il imaginait ses derniers jours, y compris dans les bras de Zelda, parce qu'ils sont l'endroit où il n'est pas risqué d'imaginer ses derniers jours – la nuit tombante, précoce d'hiver, était ce qu'il trouvait de mieux pour se faire une idée de la mort, un bon début, on fait ce qu'on peut. Il a imaginé ses derniers jours à Paris dans le regret de New York, il les a imaginés à New York dans le bonheur de demeurer sur place et de s'y sentir chez soi, il ne les a jamais imaginés en pleine mer dans la bouche d'une baleine – plus souvent, il les a prophétisés sous la forme d'un combat, dans une chambre beaucoup plus confortable, décorée par Marcel Proust, entre un génie fusillé par la tuberculose et les lettres de son œuvre – parfois il s'est donné la force, parfois non, d'appuyer sur la dernière touche, celle du point : mais alors gros comme le cratère Beaverhead dans le Montana.)

(On le voit tourner les pages du scénario, de la première à la dernière, et la dernière à la première, la mélancolie d'un calife las, comblé et pauvre à la fois, à la recherche d'un nom pour lui tenir compagnie.)

Francis Scott Fitzgerald – Mr Achab, I presume ?

Frigyes Karinthy a eu l'idée cocasse de prophétiser sa fin comme une extinction soudaine au moment de lacer ses chaussures ; sa mort est advenue comme il l'avait prévu ; Fitzgerald a pu se voir étendu sur la moquette, chez une fille, trop loin de la bouteille, loin de son carnet de notes, loin du téléphone, loin d'une poignée de porte, dans quoi il aurait mis absurdement ses derniers espoirs. La fille, on raconte que c'est vrai : les chroniques confirment la version officielle d'une mort si peu magnifique, si peu, sans ronflement de roues de torpédo, et une mort qui n'entraîne cette fois encore ni effondrement de la Bourse de New York, ni funérailles carnavalesques en remontant Broadway. À la vérité, il n'y a pas de fille, en tout cas pour l'instant, seulement la moquette, le téléphone hors de portée, et n'importe quel objet dérisoire auquel un mourant, faussement inspiré (mourir inspirant sans doute des lubies stupides), accordera de l'importance. Et les journées de Fitzgerald sont studieuses, il lui faut ça pour restaurer sa dignité : il passe des heures, un peu inquiet, à se familiariser avec des personnages de moins en moins présents au fur et à mesure, à faire des détours du côté de ses classiques pour tenter de comprendre à quoi ressemble une baleine, et quelle place lui donner dans l'ascension puis l'effondrement d'Achab (ça n'est pas sorcier d'y voir un symbole, c'est à la portée de tout le monde, et ça a dû plaire aux imbéciles responsables de ce contrat idiot – tout le talent de Fitzgerald consistera précisément à écrabouiller des symboles trop pesants).

S'attacher à ce capitaine Achab, sans le comprendre, si étranger à des mœurs de New-Yorkais, s'approcher de lui sans y croire, le trouver un peu pittoresque, chercher un visage dans les livres de Dickens, celui d'un juge, celui d'un pauvre type, pour le poser enfin sur le nom si difficilement saisissable du capitaine – et tenter d'y voir plus clair, de se défaire du folklore marin, de justifier l'idée de la vengeance, autrement dit trouver quelque part dans l'univers supposé par Achab une bonne raison d'en vouloir à quelqu'un. Et puis, lutter, toujours lutter contre la désagréable impression que cette histoire d'immense poisson n'est pas faite pour les doigts raffinés et fragiles de Fitzgerald, mais pour les gros poings d'Ernest Hemingway – l'océan, Fitzgerald le connaît pour avoir dormi dessus, pour l'avoir contemplé sur le pont avant de rentrer se mettre au chaud, pour lui avoir confié le contenu de son estomac, une offrande païenne plusieurs fois accomplie ; il le connaît surtout pour s'y être ennuyé horizontalement. L'idée que tant de poissons y ont vécu, y vivent encore, est le résultat chez lui d'une réflexion laborieuse, passant d'indices à conclusions, motivée par la présence accidentelle d'un homard sur sa table – et il ne s'y est jamais fait.

(Pour se montrer digne des circonstances : il se demande s'il doit deviner des signes annonciateurs de sa mort dans les pages de ce foutu scénario, dans les notes ajoutées en marge par des scénaristes de deuxième ou troisième équipe, tous désespérés à l'idée de ranimer une histoire impossible ; il voudrait savoir en quoi ce poisson le concerne, il se demande s'il ne ferait pas mieux de verser sur ces histoires superstitieuses sa frivolité acquise dans les années 1920, sur la Côte d'Azur. Deux heures plus tard, par pure conscience professionnelle, il veut bien se laisser convaincre au point d'admettre la baleine comme une menace pour lui-même : ok pour la baleine si elle parvient à passer sa gueule par la fenêtre de ce studio, et si elle se contente d'un petit auteur d'Hollywood.)

Moby Dick à la chasse au capitaine Achab
– des volontaires à la capture

Voilà ce qui se raconte (encore une légende, comme quatre têtes du dieu Hermès au croisement de quatre routes) : un peu partout on entend parler de la baleine et ses captures, on entend dire que la bête choisit sa proie parmi les piétons rassemblés sur la rive, victime aussitôt appelée élue, et qu'il entre dans ce rapt des critères rigoureux, tenant à la littérature (on n'est pas obligé de le croire), à la science, à la lutte pour la vie, à des contentieux datant de Poséidon, et quelque chose comme du respect : la reconnaissance d'un esprit fort à un autre esprit fort. Certains se portent candidats, sans se connaître les uns les autres : ils espèrent eux aussi recevoir le respect de l'esprit fort, ils voudraient savoir ce que signifie la reconnaissance d'un monstre marin, et ce savoir, ils l'acceptent s'il le faut dans les éclaboussures (la lumière et l'aventure périlleuse en même temps) – ils comptent être repérés de loin, et qu'on prenne leur désœuvrement de promeneurs sur la plage pour un charisme de vieux capitaine. Ils ne courent pas à la rencontre d'une gueule ouverte, ils ont bien compris qu'il fallait choisir plutôt d'interpréter la nonchalance au bord de l'eau, sans prudence parce qu'elle est hautaine. Ils ont entendu dire : la baleine, si c'est exact, préfère encore choisir, son orgueil en dépend, l'accomplissement de la vengeance passe par le choix avant la capture ; elle veut être la grande parcimonieuse, elle veut faire le tri avec dédain, elle veut même commettre l'injustice s'il le faut, l'erreur absurde faisant partie de ses projets (l'injustice est l'application du bon plaisir olympien). Les rumeurs sont venues sur les plages s'échouer avec un banc de bouteilles vides, disant de la baleine qu'elle est rare mais soudaine, que rien ne l'arrête, elle est arbitraire et entière, sa myopie s'ajoute à une insondable volonté, venue de loin ; elle est grandiloquente, et elle ne doute de rien, les millions de mètres cubes d'eau ne sont pas là pour la démentir quand elle se trompe.

Quoi qu'il en soit, il faut se laisser faire : s'offrir comme candidat, mais ne jamais postuler, ce serait grotesque – rendez-vous compte : postuler en ramant, en serrant les mâchoires, droit vers la bête, un faux harpon à la main, moucheté : et une maladresse ridicule de chasseur – au contraire, la passivité : virginale, poétesse, selon les cas, désabusée, vaincue d'avance, vainqueresse parce qu'elle a voulu la défaite depuis toujours ; ou passivité de contempleur de paysage, paralytique, offert au sublime, croyant bientôt faire dépendre son immortalité de l'immortalité des choses quand elles sont ainsi contemplées par un contemplatif; ou passivité du vieux garçon ingrat, pas beau du tout, qui veut voir passer l'amour fou, assis sur un banc de gare; ou passivité de qui a consacré sa vie à attendre pour rien, pour rien, et sait maintenant ce que ce rien veut dire (il saurait le reconstituer s'il venait à disparaître). Pour attirer la baleine, il faut cette passivité complète, chaque matin sur la plage, mine de rien, les embruns, le soleil, les courants d'air, quoi qu'il arrive; le silence, la promenade méditative, un bâton de marche pelé planté dans le sable pour voir l'heure au soleil – mais pas de malice de victime expiatoire : il faut que la bête croie jusqu'au bout à sa cruauté.

Et on raconte toujours : certains sont morts dans cette posture, du sable dans les chaussettes et dans les poches, attendant, n'attendant plus peut-être, s'offrant vaille que vaille, même une fois éteints.

Francis Scott Fitzgerald dernier adaptateur de Moby Dick

Au-delà de sa conviction, celle de devoir refiler le scénario de la baleine blanche à ce pignouf haltérophile d'Ernest Hemingway, au-delà de cette conviction, quelque chose doit encore exister – autrement dit, Francis Scott Fitzgerald ne peut pas se contenter de tourner les pages d'un script pour ajouter à chaque réplique *Pour Ernest, Pour Ernest,* en guise de didascalies. (Si les prouesses d'écriture venues sans y penser à l'âge de vingt-cinq ans lui sont maintenant interdites, le salut se trouve peut-être dans une imitation parodique boursouflée de l'hemingwayisme – à défaut, si ça ne vient pas, il trouvera bien une piste dans ces pages

malheureuses de *Moby Dick*, *le scénario* grattées par douze
ou quinze scénaristes successifs.)

L'incompréhension, la méfiance, l'indifférence au mieux
envers ces personnages : ni Achab, trop grossier, si peu souple,
et en dépit de sa mutilation jamais disposé à se laisser désar-
ticuler – ni le poisson, Fitzgerald manque d'un cuisinier qui
lui servirait d'interprète – ni aucun des hommes d'équipage,
ils ne sont pas de sa nature. Dans une lettre à son épouse,
mais confiée à la corbeille, Fitzgerald se plaint de ne pouvoir
jamais s'en sortir avec ces histoires de coquilles Saint-Jacques,
si elles ne l'intéressent pas : la vie d'un pêcheur, même un
peu fou, le plonge dans une profonde morosité ; il éprouvait
la même en visitant les grands aquariums, dans une lumière
verte, face à face avec un mérou (pour Fitzgerald, le mérou
est le parfait représentant du monde marin, la tristesse de
sa face est éloquente : pas même une tristesse inspirée et
maligne, une tristesse d'ennui sans gaudriole, vouée à mal
finir (et qu'on ne vienne pas lui dire : la tristesse du mérou
est un effet de notre anthropomorphisme, la conséquence
aussi de la pêche, des heures d'attente sur la glace pilée du
poissonnier, ô jovial poissonnier, ganté jusqu'aux coudes
– non : le mérou importe au contraire tout le lugubre
océanique sur la terre ferme, il ne fait pas mystère de la
monotonie du fond des eaux, monotonie à chair de moule ;
il ne brille pas, il ne prétend pas colporter les aventures
de Neptune, il n'est pas capable (et il le sait) de suggérer
des rêves d'îles désertes, ou de lagons, ou de soi-disant
joie de vivre polynésienne : la gueule du mérou dénonce
toute la vérité sur la vie océane sans lumière ni orchestre, ni
cocktails)).

Avec le temps, à force de feuilleter, Fitzgerald s'habitue
– de là à dire qu'il se familiarise : les emportements du

capitaine, il les souligne au crayon à papier, un ici, un autre
là, pour mesurer le rythme de ses crises, si elles obéissent aux
règles de la médecine ancienne, comme les fièvres quartes, et
voir s'il serait possible de les mettre en musique, la musique
d'aujourd'hui. Il fait des petits calculs, c'est du travail sans
en être ; il compare la courbe de température des colères
capitanes à ses propres cycles d'ivrogne, tantôt morfondu,
tantôt enthousiaste au point de vouloir repeindre sur la
colline les lettres d'Hollywood ; il en déduit par expérience
un nombre de bouteilles bues entre deux chasses à la baleine
et deux discours sur l'imminence d'une chasse à la baleine ;
l'autorité de ses calculs ressemble à celle d'Ératosthène déterminant la taille du globe d'après l'ombre visible à l'intérieur
d'un puits.

Quand Fitzgerald comprend enfin, c'est à travers sa
lassitude, ses réticences (il ne comptait pas toucher vraiment
au scénario, seulement gagner ses deux cents dollars,
supprimer ce qui a été ajouté et supprimé déjà dix fois) ; sa
lucidité de lecteur est parvenue à traverser plusieurs couches
d'écriture, l'ennui de ses prédécesseurs superposé au
désamour et à leur habileté ; pour faire finalement connaissance avec le capitaine Achab, le vrai, tel qu'il est capable de
se l'imaginer, selon sa définition du vrai, Fitzgerald doit
reléguer les producteurs le plus loin possible – espérant
mettre au point une fiction pour lui seul, la fiction de son
scénario. Il peut poser sa main sur l'épaule du capitaine, il
pourrait aussi lui restituer les morceaux de sa vie, dépareillés ;
il a dans la poche de quoi faire naître (de quoi faire vivre)
madame Achab, restée au pays, et qu'elle ne soit pas
seulement un amour immobile, un visage de bois cloué sur
l'un des murs de la chambre. Quand il assimile enfin en
toute connaissance les fièvres d'Achab comme les cycles

de son addiction, et la rancune comme le remède, le seul remède, à son effondrement d'ivrogne, à ce moment-là Fitzgerald peut envisager d'écrire, sur le revers des feuilles, ou sur d'autres feuilles vierges, n'importe où, les Aventures d'Achab au lieu d'une Suite aux Aventures – alors l'océan prend tout son sens, il n'est plus une longue absurdité, il est rempli de significations, la baleine et la chasse deviennent réalisables, elles pourront prendre la forme d'une confidence de Fitzgerald à un ami ; vingt ans d'impuissance et de fausse gloire d'ivrogne attendaient sans le savoir une histoire de cachalot poursuivi par un homme à la folie précise pour enfin s'ouvrir sur le contraire de l'impuissance. (Entre-temps, Fitzgerald a tout essayé, l'histoire new-yorkaise, l'histoire provinciale, la fantaisie fantastique, la comédie amoureuse, le mélodrame de la petite fille riche, l'histoire de promenades en forêt, le sous-entendu de salon, la nouvelle épistolière, des histoires de pochtrons comme les cartes du tarot, tout cela pour se réveiller le lendemain vers midi avec le sentiment de n'avoir rien dit, et donc écrit pour rien.)

Il retire le scénario des mains d'Ernest Hemingway, l'autre en aurait fait une partie de pêche (moulinet à tambour tournant), de quoi vendre encore ses cent mille exemplaires ; il sait comment faire le récit d'un perdant sauvé par le désir de revanche, il a maintenant les moyens de dessiner le portrait d'une baleine ; il ajoute une feuille comme il l'a fait des milliers de fois dans le rouleau de sa machine, tape les lettres du nom d'un capitaine, parfaitement confiant dans la manière de s'y prendre, entame une première phrase au sujet de la rancune, pour la rendre belle, faisant d'elle le plus léger de nos désirs – et puis s'écroule.

Fitzgerald prophétise sa fin d'alcoolique

Il a pu prophétiser l'alcoolisme aussi, mais en trichant, en ajoutant à ses prophéties des erreurs salutaires, conscient de fausser dès l'origine. Sa lucidité encore intacte au dernier degré de l'ivresse, il a pu en être fier, quand il pouvait se le permettre ; il voudrait maintenant en hériter, un don du temps de sa puissance, il pense avoir le droit tout naturel de la reconduire jusqu'au bout, comme une clef, comme un droit de veto, quelque chose de souverain, pas divin, mais alors de la souveraineté de Gengis Khan, ou d'un plus grand roi encore (toute comparaison est impossible, soit la puissance universelle de l'empereur est inconcevable pour celui qui a bu, soit la toute-puissance de l'homme ivre dépasse l'empire de beaucoup – tant pis pour l'exactitude, Fitzgerald compare quand même, comparer est dans ses habitudes : l'échec d'une analogie contient toujours une réussite, même minuscule, pour soi seul, consommée et fêtée à l'instant). Sa lucidité d'ivrogne lui a permis au moins de sublimer sa fin d'ivrogne – mais il se savait condamné à collectionner sur le tard les effets secondaires du génie, tous désagréables, faute d'avoir encore le génie, ou l'avoir eu un jour, dans l'espoir d'attirer le génie dans une pièce décorée et meublée à son goût. Avec un peu de chance, une chance de plus en plus maigre, Fitzgerald finira par retrouver le génie comme raison d'être, comme talent privé, comme volonté et comme immunité, tout au bout de son effondrement, la tête dans un soupirail. (*Une chance de plus en plus maigre* : pour commencer, une chance de très beau jeune homme, puis une chance de candidat à Broadway habillé pour les auditions, puis une chance de joueur de cartes, puis une chance de fraudeur de chemin de fer, puis la chance de qui trouve un cigare sur le trottoir, et le cigare fume encore pour lui – puis la chance de s'en sortir de justesse, grâce à un fil, un seul, et de ne pas recevoir trop de coups, cette fois-ci.)

La fin de l'ivrogne dans son ivresse, à son dernier stade, sans joie ni tristesse, l'une et l'autre léguées aux vivants pour meubler les jours de leur vie, avec seulement l'espoir de prendre de court la mort elle-même sans passer par le suicide (ce qui serait un jeu trop facile). On ignore si la longue fresque de l'échec peinte par Fitzgerald au cours de sa vie dans et autour de ses livres, sur un enduit foireux, d'où les visages retombent à mesure qu'ils sont peints, a été pour lui la seule méthode, laborieuse et pénible, pour s'escamoter – autrement dit, échapper à la mort si la mort se présente, aux juges actuels s'il y a des juges, aux critiques puisqu'ils sont là de toute façon, à Ernest Hemingway et tous les Hemingway endémiques de par le monde, nés du flanc d'un espadon – échapper bien sûr au Fitzgerald que déterminent pour un siècle plus ou moins durable ses histoires à trois sous publiées dans *Esquire*.

De l'hospitalité par l'absurde et de Moby Dick

Avec l'âge, la vieille Moby Dick se promet d'accéder enfin à une pleine conscience de l'absurdité de ce monde – ce qui ne signifie surtout pas trouver un sens aux vies absurdes (abolir l'absurde en se vouant à la première signification venue), mais offrir l'hospitalité à l'absurdité – ou plutôt, mieux encore, accepter l'hospitalité qui nous est donnée par l'absurde : hospitalité sans réserve, plus que paradisiaque, offerte aux pinailleurs, aux chihuahuas, aux nasiques, aux mouches, leur inutilité et leur obstination, aux chimpanzés nés pour l'apprentissage des belles-lettres mais qui ne les apprennent pas, et aux baleines comme Moby Dick dont on se demande à quoi elles servent : une hospitalité qui est le contraire de la souffrance, le contraire des fourches Caudines, absurdité et dérisoire ouvrant très grand leur porte, offrant leurs millions de sofas, mettant un terme à nos angoisses de créatures vivantes aussi facilement qu'un panthéiste réconcilie les religions du Livre en leur montrant du doigt les seins nus du tantrisme. La baleine a l'esprit flottant, mais ça ne lui a pas échappé : le salut par la signification est un jeu dangereux et frustrant, l'apaisement vient au moment d'accepter le réconfort un peu humiliant mais sans limite du dérisoire : se laisser dorloter en tant qu'absurdité diluée dans l'absurdité.

Pourquoi ne pas offrir à son tour l'hospitalité, puisqu'on a été si bien accueilli, et puisque le non-sens de ce monde est pour nous un immense contenant qui ne s'autorise aucun tri ? La baleine le sait confusément, elle a l'estomac hospitalier, il court beaucoup de légendes à son sujet, il suffit pour le savoir de brasser les superstitions d'Orient et d'Occident, on fera tomber de leurs livres des histoires d'hommes qui ont passé vingt ans de leur vie à l'ombre dans le ventre d'un cachalot : personne n'est venu démentir depuis, on a dû juger la croyance préférable au doute, elle est l'hospitalité en échange de l'hospitalité de la baleine, elle-même digne de l'accueil du dérisoire, donnant-donnant.

Ironie de Fitzgerald

Désormais, aucun doute possible, Fitzgerald s'est éteint, il n'a pas beaucoup d'ampoules à éteindre d'ailleurs, moins qu'il ne l'aurait cru, moins encore ; ailleurs, quelqu'un débranche la guirlande d'un sapin de Noël et son effet est plus spectaculaire, il est dramatique, il est la profonde déception après la période des fêtes. S'il a eu le temps de s'apitoyer sur son sort à la dernière minute, impossible de le savoir – s'il aurait le temps de traduire en épigramme ironique sa minute d'apitoiement, c'est encore une autre question, la réponse est probablement non : en tant que moribond, Fitzgerald ironiste a dû avoir du fil à retordre (la bataille de l'ironie, il pouvait l'emporter seulement de son vivant).

Le surlendemain, on vient relever la dépouille, un verre éventé à vingt-cinq centimètres de ses doigts écartés, le visage sec, déjà consentant à la mort (mais d'un consentement post mortem peut-être, personne ne le saura) ; le même jour, les mêmes hommes, peut-être des préposés, peut-être des amis, ramassent un scénario presque achevé ; on emporte l'un et l'autre en même temps, la même automobile – mais l'idée de propriété, comme celle de conséquence, est bien fragile. (Ceux qui l'ont retrouvé nous ont fait un portrait de cadavre allongé sur le ventre, le nez dans une moquette appartenant déjà à un autre temps, un avenir de fibres synthétiques, dans quoi Fitzgerald ne s'est pas reconnu.)

La baleine blanche comme contenant

S'il faut en passer par des raisonnements de Lewis Carroll qui ressemblent à des entourloupes de camera obscura (entourloupes rectilignes) pour prouver qu'un adulte se tient aussi à l'aise dans une baleine que dans une cathédrale, grandes orgues comprises, alors on passera[1] ; s'il faut

---

1. L'imagination de Pat Hobby imaginé par Fitzgerald.

des preuves arrachées aux darwinistes, on les arrachera; s'il faut des hommes-grenouilles, des images prises depuis un bathyscaphe, s'il faut un colloque de naturalistes spécialisés dans les phénomènes de foire et les conditions extrêmes, s'il faut des livres sérieux, bien plus sérieux que celui-là, s'il faut les démonstrations de D'Arcy Wentworth Thompson à la fois biologiste et mathématicien, s'il faut une carcasse exposée au Muséum d'histoire naturelle, s'il faut le procès-verbal d'un médecin légiste – alors, on avisera.

Catalogue des passagers

Ceux qui remplissent le ventre d'une baleine, au titre de locataires ou de corps étrangers, font entendre leur voix jusque dans le crâne du cachalot comme si elle était celle de sa mauvaise conscience: des mélancoliques venus fuir là-dedans la lumière du soleil, convaincus de remplacer à l'ombre la déprime inféconde par l'inspiration; une pétroleuse de 48, ou de 71, ou 1918, réfugiée le temps de convertir sa machine infernale en rouet pour les veillées d'hiver, et le pétrole en éclairage, les regrets en poésie ovidienne, et pour attendre l'amnistie; un ichtyologue et un conchyliologue; un déserteur et sa maîtresse, lecteurs de livres d'aventures, profitant de l'appétit d'une baleine pour mettre au point une vie sauvage pacifiste; une lectrice de *L'Enfer* de Dante, lectrice pour la trois cent trente-troisième fois, et qui se pose des questions d'architecture; un promeneur lambda étonné de se retrouver là, passant l'essentiel de son temps à se demander où il est, à mesurer les dimensions, à les trouver molles, et à interroger la forme puis la raison de son destin; un sportif à la retraite piégé par un pari stupide;

une veuve fatiguée, harcelée par l'alcool qu'elle appelle de ses vœux, s'offrant à la baleine pour y vivre dans la plénitude, elle ne sait pas laquelle ; un armateur grec fuyant le Trésor public ; un criminel courant après l'impunité ; un excentrique anglais (et même plusieurs) ; un empiriste se sacrifiant à la baleine dans l'espoir de démontrer l'impossibilité d'y vivre ; une compositrice de la famille des musiques spectrales à la recherche du silence sans grand espoir de le trouver, et poursuivie jusque-là par des souvenirs de chansonnettes ; un solitaire encore qui y soignerait sa dépression en lisant des bandes dessinées, et en rebondissant[1].

Achab en Irving Thalberg

Parlant d'allégorie, Fitzgerald assimilait la lutte du capitaine Achab au combat du prodige new-yorkais (lui-même) contre la machine d'Hollywood : immortelle et fuyante machine. (Les analogies, même passagères, se retrouvent toujours dans les pages d'un scénario, à différentes étapes, sous forme de vieux restes : Fitzgerald voulait profiter de cette histoire de pêche pour se payer la bobine d'Irving Thalberg, le miraculeux self-made man, passé de plongeur en cuisine au poste de grand producteur ; il a écrit pour lui des tirades un peu grandiloquentes ; il lui a réservé des scènes de combat et d'autres de mélancolie ; selon une version perdue du scénario, Irving Thalberg jumeau du capitaine Achab devait terminer sa course seul, englouti, mais lentement, comme à regret, dans l'énorme gueule du monstre, où l'absence de lumière signifiait l'absence d'avenir (et aussi la fin de la séquence).)

---

1. D'après Thomas Jefferson, *Mémorandum sur la baleine.*

Comment les résidents de la baleine résident?

Comment les résidents résident? ils tâtonnent pour commencer, ils s'avancent en aveugle à la manière du prisonnier des cachots de Tolède pour donner une forme à l'univers qui les contient, mesure par mesure; ils rassemblent de quoi vivre et de quoi s'éclairer, attendent le prochain repas pour faire le tri des poissons frais et des restes de naufrage, s'installent une couchette, ajoutent des cierges aux chandelles, puisent dans des caisses de livres sauvées au moment du naufrage, en espérant que tout ça n'est pas du Fénelon pris en sandwich entre deux Bossuet. Puis lire Bossuet si c'est Bossuet, le trouver finalement palpitant, le considérer comme un précurseur ignoré de Jules Verne; tuer l'ennui de toutes les façons, en se souvenant l'un après l'autre de tous les spectres et des démons d'Antoine dans son désert, en imaginant la solution d'une grille de mots croisés sphérique refermée sur elle-même, et en dessinant du doigt dans l'obscurité les plans de plusieurs évasions.

Plénitude de la chose vide

Tant qu'elle est vide, la baleine choisit de se comparer au dos rond d'un luth, lui aussi bombé et creux, mais inépuisablement riche de ce creux-là, pas un autre, du vide si bien circonstancié (délimité), au point d'en tirer par exemple les accords de *Flow, My Tears* ou *Cross Road Blues* et recommencer à la demande. (Elle s'est comparée à un ballon, mais ça n'était pas pertinent; elle a cherché parmi la flore des terres émergées des fruits qui seraient à son image, la noix de coco n'a pas répondu à ses attentes, ni l'aubergine (il aurait fallu un croisement des deux – et encore) ; on aurait pu lui montrer un temple à l'abandon, elle se serait reconnue, preuve de sa vanité.)

Rancune prétexte selon feu Francis Scott Fitzgerald

L'amertume est une diversion (c'est ce que Fitzgerald avait pris l'habitude de dire à son agent, s'adressant en vérité à Fitzgerald), la nostalgie ne trouve pas de forme convenable, sauf à se laisser contenir dans des souvenirs toujours recombinés, et alors plus maigres chaque jour, plus élémentaires (et aussi mensongers (s'il n'y avait que ça)) – le chagrin ne mène à rien s'il ne repose que sur la répétition d'un seul motif, ou alors au risque de faire de la durée la répétition du même présent de stupeur. Les regrets de la vitalité disparue ne permettront jamais le retour de la vitalité, ni même sa description, un portrait assez exact, assez juste, pour rassembler au moins sur le papier les conditions de sa réapparition – alors la colère ? pas même la colère si elle ne donne pas d'élan (et en ce moment, comme l'écrit Fitzgerald dans l'une de ses lettres, rien ne donne de l'élan) – pour finir, la rancune, peut-être, à condition de s'inspirer de la rancune de ce damné capitaine Achab, telle qu'elle se laisse deviner dans les feuillets du scénario[1].

---

1. Au sommet de son art, sa rancune passe facilement pour une lanterne magique, elle projette sur les quatre murs de sa cabine les images de la vengeance – elles se répètent, elles se modifient, elles endorment le rancunier ou nourrissent son insomnie et citent les grands auteurs, dessinent de fausses perspectives, adaptent leurs formes à sa naïveté et au contraire de sa naïveté, suggèrent la perpétuité tout en promettant de disparaître – la lanterne tient à si peu de choses.

Achab le Vieux de retour à New York
après ses années hollywoodiennes

Fatigué par tant de jours d'affilée sans une seule goutte de [1959]
pluie, le vieux capitaine choisit de quitter Hollywood, il y a
serré trop de mains, il y croise maintenant trop d'Achab
présents dans cent versions de scénarios immontables, de
toute façon indigestes : il se débrouille pour filer à l'anglaise,
au petit matin, à l'aube des livres d'aventures ; il en profite
pour se prendre de court, sans se prévenir, du feutre sous les
semelles, un chiffon autour des sabots de sa mule (mais il n'a
pas de mule).

Il ne se trouve pas vaillant, mais poltron – dans le
train qui le ramène à New York en traversant les grandes
plaines dans le sens contraire, il pourrait écrire "d'un stylo
tressautant" un éloge du poltron, l'éloge de la lâcheté, des
raisons de son évasion, des moyens employés (une corde à
nœuds, un visa), de l'heure très matinale (midi passé, après
le repas, après le digestif, n'est pas propice à l'héroïsme),
du vide sans envergure laissé derrière lui (un lit défait ou
bien intact, l'énigme de la porte verrouillée), de l'impayable
bobine de ceux qui découvrent le pot aux roses (galerie de
grimaces, le catalogue des expressions imité de Franz Xaver
Messerschmidt), éloge des chevaux sellés en pleine nuit, du
silence interprété par les chevaux, et puis l'éloge des bagages
laissés dans la chambre du dernier hôtel en guise de paiement
de la note (à l'aubergiste de faire le tri entre les caleçons, une
médaille miraculeuse, une moitié de livre, un flacon d'on
ne sait trop quoi, et quinze lettres d'amour). Pour Lorenzo
Da Ponte (encore lui), cette histoire de valise laissée dans

un hôtel par un fuyard en guise de paiement est le premier acte d'un opéra, un de plus, qui verra le jour ou ne le verra jamais : sur un air *andante*, l'énumération par le baryton maître d'auberge du contenu d'une malle de luxe : le nom merveilleux des choses, leur trivialité, leur préciosité, leur mystère tenant à certains détails, et de la part de l'aubergiste la moquerie, le dégoût, la gêne d'avoir à se mêler de l'intimité d'un homme, puis le voyeurisme, une véritable curiosité – et voilà l'envie de déduire donnant naissance, c'est un deuxième air, au catalogue des déductions : le baryton accompagné cette fois par sa femme, mezzo soprano, fait le portrait du gentilhomme, il ressemble étonnamment à Da Ponte lui-même, inconstant, généreux, quelquefois lâche, aimé des femmes et les aimant, sentimental mais d'un sentimentalisme attaché aux preuves matérielles (ce qui passe pour du fétichisme mais est chez lui une attendrissante faiblesse d'amoureux), joueur, menteur, flagorneur, intriguant quand l'argent vient à manquer, pourtant insuffisamment malhonnête pour conduire ses intrigues à terme (et ainsi de suite *ad libitum*) – la deuxième scène du premier acte donne la parole au gentilhomme sur la route : c'est un ténor.

Achab attend la baleine en ville

La rancune et les nécessités contrefaites de la chasse l'avaient incité (le capitaine) à tailler ses crayons le plus fin possible (fier ensuite du travail accompli : la pointe, quand elle atteignait ce degré de perfection, était à la fois le signe de sa vigueur de pêcheur et l'emblème d'un raffinement pacifique de dessinateur-et-poète – il y voit encore maintenant une vérité d'ordre géométrique; elle lui échappait, elle devait être platonicienne et euclidienne, comme les polyèdres, d'autant plus ravissante, à peu de frais). Un siècle plus tard, toujours le même taille-crayon, Achab le Vénérable ne peut plus compter sur la rancune pour l'obliger à se redresser le matin, de son lit à la douche froide et de la douche à la bataille de Lépante: la rancune était un ressort de jeune homme, il ressemble maintenant, ce ressort, à ces cordages ramassés en spirale sur le quai, formant avec le temps des galettes molles. À sa place, il choisit l'attente, il lui ajoute l'impatience et un peu d'inquiétude: elle aussi, le vieux capitaine voudrait bien l'affiner au taille-crayon, elle bénéficierait d'une pointe fine et blessante, énergique, chasseresse, il suffirait de dégager cette pointe à coups de petites lames, inoffensives (lames de jour de congé). Un capitaine à la retraite depuis des lustres (de ceux dont on dit qu'ils enterreront tout le monde) a toujours des réflexes de capitaine, je veux dire qu'il s'en remet à des rituels de navigation quand il croit devoir retrouver le nord perdu: cette fois encore, il redéplie des cartes, redessine au stylo rouge la courbe des courants, surligne les méridiens, se rafraîchit la mémoire au sujet de loxodromes et d'orthodromes, rétablit des erreurs, corrige le nord magnétique: faire l'effort de préciser au millimètre près ce qui l'attend, et quand, et où, et de quelle forme, il appelle ça sa toute dernière lucidité.

En reportant sur une feuille millimétrée les courbes des parcours possibles de sa baleine ("où qu'elle se trouve" – "d'où qu'elle parte" – mais il n'ajoute pas, par pudeur: "quel que soit son état"), le capitaine océanographe comprend qu'il dessine également le portrait d'une sourde inquiétude, familière depuis longtemps; mais il voit aussi, en rapprochant la feuille de la lampe (un filament, désormais), comment ces lignes s'inclinent encore différemment pour dessiner cette fois son espoir : il recoupe l'inquiétude à de nombreux endroits. Un vieux capitaine rétif tout à son effort de maintenir ses inquiétudes à l'état épuré d'axiome met du temps à comprendre que l'espoir se fraye une place dans sa définition de l'inquiétude, confraternellement, le jour où l'inquiétude, lassée, se referme, comme la blessure de Prométhée lasse d'attendre selon Franz Kafka – et se perpétue sous forme d'attente curieuse, presque gourmande.

Il se sert du compas, du sextant, de la règle, d'un gyroscope, ses mesures comparées à l'horaire des marées, corrigées selon les données de la migration du pôle magnétique vers l'ouest ; il couvre les cartes à l'échelle 1 / 50 000 d'arcs de cercle qui vont et viennent et ressemblent, soyons indulgents, à des décorations de Noël ; il manipule toutes ces bricoles de navigateur de pleine terre, dans sa chambre, à l'angle de la 65e Rue et de la 7e Avenue, au-dessus d'une échoppe qui fait remonter jusqu'aux narines du Seigneur, ô Abel, des parfums de sésame grillé ; il rapproche une carte des fonds de l'Atlantique et un plan de l'île de Manhattan, il sait que des témoins au-delà du Queens ont vu plusieurs jours de suite émerger la gueule d'une baleine à bosse ; il se demande comment prolonger des lignes depuis la carte sur le plan, et si la continuité de la ligne peut servir de preuve.

Moby Dick et la chasse au capitaine Achab –
Moby Dick capture des cétologues

Au temps où l'on n'emprunte pas encore l'avion pour se rendre de Londres à Boston, les cabines des transatlantiques sont pleines, et sur le pont on ne croise pas seulement des jeunes mariés, partenaires de la lune de miel, ni des retraités à la découverte du monde, qui s'acharnent à sculpter dans la matière molle de leur oisiveté une forme acceptable d'existence, avec des reliefs et des prises (je cite l'un de ces retraités) – aussi : des artistes, comme ces coqueluches de Broadway habituées à faire l'aller-retour New York-Paris, Paris-New York, pour diffuser partout leurs ritournelles et pendant ce temps comparer les robinets des salles de bains dans les hôtels – on y croise des entrepreneurs, ils ont eu l'idée du siècle à La Rochelle et souhaitent la faire fructifier à Chicago avant qu'un plus rapide ne dépose son brevet. Et voilà enfin les cétologues, qui ont écrit des articles dans *Nature* et *Science* et ont vingt marque-pages glissés dans presque autant de livres (quelqu'un les compare au petit parasol en papier planté dans une boule de crème glacée à la vanille) : ils sont partis du Havre il y a trois jours et répètent à voix haute, "dans le vent de l'Atlantique", la conférence attendue à Cornell. Parfois, ils sont une quinzaine à faire le trajet, tous invités au même endroit, les billets ont été achetés collectivement, des macarons leur seront bientôt distribués pour permettre de se reconnaître sans avoir à se soumettre à des protocoles de feuilleton radiodiffusé, monsieur Saddleback, de Ratisbonne, madame Sinisgalli, Louvain-la-Neuve. Le voyage se déroule on ne peut mieux, c'est d'ailleurs la réponse qu'ils donneront à la question, à peine le pied posé en Amérique, le petit déjeuner est passable, les partenaires de bridge aussi, l'océan se révèle dans toute sa splendeur autonome, indifférente et monotone, déployant (je cite l'un des intervenants) un ennui de majesté poséidonne[1].

---

1. Da Ponte ne pouvait pas en dire autant.

Les faits divers leur rendront un hommage rapide, leur sens du raccourci est inimitable : *Neuf professeurs d'université se rendaient à Cornell pour y parler de cétologie, la baleine blanche ne leur en a pas laissé le temps* (ou bien, encore plus ramassé : *Revanche de la Nature : neuf cétologues engloutis par une baleine*). (Jules Verne se serait montré moins expéditif : le séjour des cétologues dans le ventre d'une baleine aurait été des aventures sur trois cent cinquante pages : préparatifs, voyage (chapitres I et II), capture, étonnement, lamentation et stupeur (III), découverte, organisation (IV à VII), scission du groupe, querelles et retrouvailles (VIII à XII), présence d'ennemis invisibles, reconnaissance de l'adversaire, lutte et victoire (XIII à XXII), domestication miraculeuse de la baleine de l'intérieur (XXIII à XXX), enfin l'évasion, son programme et son exécution, pour finir sur une plage de sable et de graviers, un jour d'été frisquet sur la côte du Maine, pas loin d'une forêt de sapins baumiers (XXX et suivants) : à l'épilogue, les huit cétologues survivants (il y a eu un mort, un deuil, des funérailles, chapitre XXII) pleurent l'immense carcasse : la baleine morte de sa belle mort.)

Il y en aurait eu un certain nombre, à ce qui se raconte, de ces experts en cétologie, étonnés tout de même un peu de se retrouver dans le ventre d'une baleine (ils en ont parlé si souvent, de cet intérieur, d'un point de vue de mythologue et de vétérinaire) et de pouvoir se disputer là-dedans pendant des jours au sujet des mammifères marins, jusqu'à ce que le dernier se lasse. Ce sont des scientifiques, ils ont hérité d'outils sévères, ils ont appris par exemple à se méfier des coïncidences merveilleuses – bonnes pour Rocambole quand il manque d'imagination, elles pourraient dévaluer maintenant quinze ans de recherche (cétologie comparée), ruiner des carrières bâties sur le doute et la prudence, le contraire de la farce; elles pourraient faire passer un homme sérieux pour un comique, digne des étudiants de François Villon, qui mettaient le feu à des cochons avant de les lâcher en ville. Leur étonnement se confond avec l'euphorie, le doute et l'embarras – certains submergés par la honte refusent d'appeler l'endroit où ils se trouvent "ventre de la baleine", lui substituent d'approximatifs "au-delà" ou "fosse abyssale" ou "poche d'air"; ils parviennent à s'en convaincre, ils se taisent alors, mais leur silence est une mauvaise frime, il ressemble à la gêne du nihiliste tenté par la Vierge apparue. Chez d'autres, c'est l'euphorie, et la conviction de devoir profiter de l'aubaine (ils jalousaient jusqu'alors le spécialiste de Dante tombé au septième cercle des Enfers): pour un cétologue, tomber dans le ventre de la baleine peut passer pour une promotion, un aboutissement après des années de service, l'obtention de la chaire, celle qu'on a convoitée pendant si longtemps, la chaire dotée d'une enveloppe, sans parler de porphyre – ils se comparent au vieux Victor Bérard enfin parvenu à la nage sur l'île de Calypso après avoir relu son *Odyssée* cent cinquante fois en un demi-siècle. Alors ils ne s'en privent pas: le plaisir d'aboutir, d'avoir les honneurs enfin, la faveur réservée à quelques-uns, voire à un seul (ce plaisir, ils le goûtent, puis ils l'analysent, ce qui revient à en abuser) – la légitimité, la sinécure en plus du triomphe de la théorie grâce à la pratique, c'est ça, être gobé par la baleine et y séjourner comme on séjournerait à Harvard au titre de *fellow* perpétuel. (Et puis, les parois de son ventre rebondissent, les discours sur la baleine aussi[1].)

---

1. On dispute ici ou là une hypothèse selon laquelle l'étude acharnée de *Moby Dick* (pas seulement la lecture, l'interprétation quand elle revient sur son objet) est une autre forme de rancune.

ACHAB (SÉQUELLES)

Plusieurs versions de soi pour semer le poursuivant

Toutes les versions de ses aventures, celles qu'il a confiées, celles qu'on a colportées avec sa permission, celles qu'on lui a volées et qui existent sous forme de plagiat, celles qui lui reviennent comme la nouvelle blague à la mode, Achab les laisse prospérer, agissant en stratège (on ne l'en aurait jamais cru capable) : au moment voulu les fausses rumeurs à son sujet pourront lui servir de fausses pistes. À une condition pourtant : son poursuivant devra avoir la rancune curieuse, la rancune pleine d'appétit, il devra être émoustillable et vouloir les suivre, toutes ces pistes, comme on veut parfois embrasser toutes les carrières, clown et neurologue, et ne se priver d'aucun plaisir : la rancune du on-ne-sait-jamais et de l'éternité-devant-soi. Par expérience l'ex-capitaine le sait, la rancune est curieuse et syncrétique, chasser une seule proie ne l'empêche pas de passer par des moments de grande passion généraliste : si elle n'est pas un peu paranoïa universelle, une rancune ne vaut rien (elle gagne beaucoup à imiter l'encyclopédisme amateur mal fichu façon Athanasius Kircher). Et puis, le rancunier pris par le démon de la vengeance, qui aime les livres d'océanographie pour leur contenu indéchiffrable, a horreur de choisir : il voudrait se tenir à l'angle de tous les carrefours de tous les coins de rue pour y attendre le chien de sa chienne, l'attendre indéfiniment, en se récitant quatre lignes d'une poésie de Saigyō, le gourdin levé, lui aussi éternel (il convient d'apprendre l'éternité de son gourdin) (les gourdins ont beaucoup à nous apprendre, ils savent ce qui relie conscience réfléchie et matière inanimée).

Tant qu'il se sait encore un peu narrateur de lui-même, tant que ça dure, le vieux capitaine en profite, il ébauche

522

des pistes pour les suivre à moitié, puis d'autres pistes avant d'arriver au bout des premières, encore une fois rebrousser chemin; il trompe son insomnie en lui accordant la faculté des rêves à se contenir les uns les autres et à s'affranchir de la durée; il ressuscite après chacune de ses disparitions, comme Rocambole (en moins fanfaron), comme Sherlock Holmes; il termine chaque journée sur un suspens irrésistible en partie résolu le lendemain (partie seulement); il exagère ses petits rhumes pour en faire un début de tuberculose, il fait semblant de frôler la mort dix fois de suite pour en réchapper ailleurs, dans une ruelle, sous son lit, dans un ascenseur, sur les toits, sous une jupe et même, une fois, dans le cercueil d'un autre, les doigts croisés sur une tresse d'ail.

La baleine blanche comme contenant (fin)

Quelques-uns de ses locataires ont trouvé refuge chez elle après une tentative de suicide, dans le prolongement de leur noyade : ils s'étaient approchés de la rive, ils avaient lesté leurs poches, certains avaient des fontes sur le côté, un collier au cou, et de toute façon une pierre d'une tonne fermée dans un poing à la place du cœur; ils avaient quitté leur lit à l'aube, ils avaient retrouvé le chemin de la mer, distingué l'eau de la nuit (pas si facile); ils s'apprêtaient alors à suffoquer dans quelque chose de glacial, en enlaçant tout ce qui se présente, c'est-à-dire rien, pas même des tentacules, l'eau, "la fluidité trompeuse", "accueillante mais létale" (c'est ainsi qu'ils s'expriment); ils s'apprêtaient à mourir dans un grand tumulte bleu-noir rassemblé autour d'eux, pour eux, avec au loin de temps à autre la lampe d'un phare signifiant détresse et contraire de la détresse; ils pensaient manquer d'air et

sombrer, selon la coutume, se laissant envahir par la représentation de la mort avant la mort elle-même, la profondeur et
des visages de raies ; ils avaient prévu des bottes pour couler
à pic et rejoindre un sol lunaire, ils espéraient ou redou-
taient le récit de leur vie comme un récapitulatif expéditif,
humiliant, et de toute façon obligatoire (ils espéraient quand
même trouver dans toute une vie un motif de fierté, et une
heure de bonheur simple, vécue par hasard, sur une terrasse,
sans y prendre garde – à l'idée de mourir bientôt, ils s'accu-
saient sans faillir et se pardonnaient entièrement). Ils imagi-
naient le néant, après tous les obstacles désagréables, comme
un trou d'épingle dans une toile ; au lieu de ça, ils ont droit à
une survie, plus pénible encore que la noyade, sur le moment :
vivre ne leur apparaît plus comme une merveille de pâquerettes
et de mandarines, mais comme le résultat d'une insistance
– dans l'impossibilité de mourir ici et maintenant s'exprime
une forme d'acharnement avec quoi, bon an mal an, il va
bien falloir composer. La baleine ne peut pas prétendre être
le salut par la panse, mais la déception, sous les espèces du
sauveteur pénible – les mélancoliques suicidaires reprennent
leurs esprits sur la langue, dans son estomac qui est un
boudoir sans bornes ; ils ne manquent pas de la maudire,
certains essayent de s'étrangler à deux mains (les récidives des
suicidaires ont quelque chose de volontairement comique) ;
elle les sent trépigner, maudire encore, et plus tard ils se
demandent si ce monde caoutchouteux n'est pas tout compte
fait l'autre côté de leur suicide – la mort elle-même, "en
ses royaumes". Viennent alors de longues (plus ou moins)
périodes de doute, le solitaire interpelle l'être, le n'être pas,
l'incongrue prolongation de l'être dans le néant, la persistance des images et des sons, la fidélité du corps à l'esprit du
défunt ; il se demande si oui ou non le temps est suspendu,

et comme il tâte le sol de son talon il s'interroge sur la pertinence d'un au-delà si mou – est-ce que c'est du réconfort,
ou de la damnation ? Un petit nombre s'entêtent à se croire
morts, leurs raisonnements réfutent Descartes, mais personne
ne le sait – la plupart en viennent au bout de quinze jours à
ce qu'on appelle l'évidence : ils tirent un trait sur leur suicide,
c'était une lubie d'adolescent ; ils acceptent l'estomac légendaire, y voyant le prolongement de leur mal de vivre, en
beaucoup mieux (le temps devant soi, du ravitaillement, la
température constante).

(Ceci dit en passant : la baleine met un point d'honneur
à ne mâcher personne, et ensuite à ne pas digérer : digérer
le directeur de l'édition des *Œuvres complètes* de Tolstoï, par
exemple, ça serait une faute de goût, pas seulement pour
Tolstoï : une infraction aux règles de l'hospitalité.)

Achab et les villes – dissimulation

Il doit exister un lien entre cette révélation transmise
par Thomas Browne (selon quoi la ville de Rome possédait
un nom secret, seul véritable, en plus du nom habituel
utilisé par ses citoyens), et cette autre devise, lue quelque
part, entendue un beau jour, oubliée puis retrouvée spontanément (cette spontanéité sans cause faisant de nous, au
beau milieu d'un jour sans grâce, des créateurs inventifs) :
la forme du monde est l'empreinte du Dieu enfui. Pour le
dire autrement, il doit exister un lien entre la ruse cachot-
tière de la ville et cette manie qu'a eue le bon Dieu chrétien
de disparaître à tout bout de champ, "quand on s'y attendait
le moins", laissant derrière lui un peuple à moitié réjoui,
enfin tranquille, à moitié désespéré, qui dresse des autels en

flammes pour dire sa déréliction. Par ville rusée, tacticienne et stratège, il faut comprendre (voilà ce que raconte Achab "à qui veut l'entendre") une de ces villes pièges, villes-de-Dédale automates, trompeuses, et de bifurcations, des villes à mille portes suivies de mille portes, à dix mille rues sans ordonnance, à fausses perspectives, à tourniquets, à trompe-l'œil peints sur des façades aveugles, à sens uniques changeant de direction au cours de la nuit; et des villes comme des boîtes à élastiques refermées si on y met le doigt, ou comme des mécanismes qu'on n'ose pas étudier de trop près de peur d'en faire partie – c'est-à-dire aussi comme des pièges à mammifères marins élaborés à grande échelle à l'aide de potences, de voiles et de cordes, de ponts à bascule, de cages semblables à celles de Louis XI appelées fillettes, de chaises à ressorts bandés comme on a pu en fabriquer à Londres au temps de George III pour y capturer des jeunes filles et les servir aux libertins – ou des villes que le capitaine compare cette fois à la trace des sandales des prostituées romaines, imprimée dans le sable à chaque pas depuis la place jusqu'au bordel: les mots gravés à l'envers sur la semelle, *suis-moi, suis-moi, suis-moi, suis-moi* (etc.). Par ville piège et ville mécanisme de stratèges[1], il faudrait comprendre tout ça, les souricières, les guêpiers, les récipients à sirop de sucre pour attirer les oiseaux-mouches, les boîtes à double fond pour faire disparaître un foulard et ressurgir une colombe, jamais la même; la ville aux trois remparts comme les trois enceintes des prisons modèles, et pourquoi pas aussi cette ville de pure hypothèse entièrement vidée de ses habitants et qui tient lieu de suprême leurre (cette ville entièrement vide, le vieil Achab l'a trouvée à la 32ᵉ place des *Stratagèmes*

---

1. Angle Broadway et Chestnut Street, angle Wapping et Water Street.

des batailles presque perdues dans le *Manuel secret de stratégie chinoise*).

La ville comme l'effigie de vache dessinée par Dédale pour leurrer un taureau sûr de la force de son désir ; la ville selon le traité sur les aqueducs de Rome écrit par Frontin avant ou après son *Art de la guerre* ; la ville comme le bateau de croisière scélérat préparé par Néron pour le plaisir de sa mère l'impératrice, censé s'ouvrir en deux en plein milieu du Tibre ; la ville bâtie par les Hébreux et qu'ils ont baptisée Vengeance ; la ville de Sodome, célèbre mais se refusant à notre connaissance, entièrement dessinée par la fuite du dernier juste, parce qu'il tenait par-dessus tout à échapper à ce nigaud de Loth parti à sa recherche : être retrouvé, être épargné, illustrer l'excellence, "Dieu ait pitié". La ville des passages secrets authentifiés ou légendaires, entre le palais d'un roi et les appartements d'une célibataire (entre la chambre de Messaline et un gymnase de neuf cents étalons) ; mieux que ça, la ville des passages secrets livrés au grand public, et creusés par les historiens eux-mêmes, chaque coup de pelle dans la terre meuble confortant un pan de leur hypothèse ; et puisqu'on parle de légendes creusées par les folkloristes, la ville offrant l'hospitalité à toutes les oubliettes inventées par les livres d'histoire du temps de Malet et Isaac, et qui pourraient servir à présent de champignonnières.

Au verso d'une page de magazine (une publicité : la promesse du cheveu repoussant sur une île déserte), Achab le Vieux tente de démontrer de quelle manière la ville de Troie aurait pu pénétrer par ruse dans le cheval de bois laissé par les Grecs, comment la face du monde en aurait été changée ; puis il recopie dans un exemplaire déjà défraîchi du *Reader's Digest* un paragraphe à propos de Li Guang général d'une poignée de cavaliers Han le jour où il s'est retrouvé face à plusieurs milliers de combattants Xiongnu : pour remporter une victoire impossible, au lieu de se déployer, de fuir, de se sacrifier bêtement, de brûler des feux d'artifice, le général ordonne à ses hommes de rester sur place dans la plaine, de ne rien cacher de leur faiblesse, et de se préparer à dormir, pour faire croire aux impétueux d'en face qu'ils servent seulement d'appât disposé au centre exact d'une grande embuscade. Sur une autre feuille, en vérité une serviette en papier avec un reste de moutarde, quelques lignes recopiées dans un livre à propos du Dieu trompeur, selon quoi si Dieu n'est pas le génie malin, il ne donne rien aux mortels pour faire penser qu'il ne l'est pas – ce qui, d'un certain point de vue, est une façon de l'être. Et un peu plus loin, cette remarque faite sans doute par un grand esprit, à défaut un esprit intermédiaire : notre monde est l'empreinte d'un Dieu fuyant – sur le moment, Achab le Vieux a l'impression d'être le seul à comprendre ce que signifient Dieu fuyard et forme du monde, il ne se sent pas plus fier pour autant : plus solitaire. Il pense aux ruses cachottières de la ville et chemine d'*ergo* en *ergo* : la forme de l'océan était l'empreinte de la baleine quand elle s'absentait pour des mois, et toute modestie mise à part la ville pourrait devenir maintenant l'ensemble des marques laissées par un vieux capitaine fichant le camp sans cesse.

Alors, oui ou non la forme d'une ville, cette ville-là pas une autre, est-elle l'empreinte d'Achab fugitif ? ce serait présomptueux de l'affirmer, Achab le Vieux s'en voudrait de le dire, d'ailleurs les rues préexistaient à son séjour – et pourtant, il y a un peu de ça : il devrait rester dans la ville après son ultime départ quelque chose de sa discrétion, de son anonymat, de ses nombreux hétéronymes, de son passe-partout fixé au bout de sa jambe de bois, de ses déménagements, de ses passages par l'entrée des artistes d'un côté et de l'autre, de ses promenades de paranoïaque du dimanche le long des couloirs du métro ; il doit rester quelque part un nom sur une boîte aux lettres, le sien, découpé dans une page des *Carnets* d'Henry James, un nom de lord ; et pas très loin de la boîte aux lettres, un trou dans une porte bouché par un verre de loupe pour prévenir les mauvaises visites (ça ne conjure pas le sort, et ça donne au vendeur à domicile un visage de mérou, ce qui n'aide pas le capitaine à se défaire de ses angoisses : il voit le marchand, la lotte, ou le mérou, comme le héraut venu annoncer la venue du monstre blanc)[1].

Mais après tout, pourquoi pas, être présomptueux : désigner la ville comme l'empreinte de sa fuite, histoire de sublimer sa fuite, punaiser sur l'un des murs de la chambre au 13e étage de l'immeuble un plan de la métropole toute en verticales et y deviner un peu de son style[2] – et pendant ce temps-là, pour donner une épaisseur historique à ce qu'il est en train de raconter à propos de ville et de fuite, le vieil Achab rappelle à l'un de ses voisins cette vérité sue depuis le commencement des temps mais passée sous silence (au titre de secret ? ou au titre d'évidence ? d'évidence, plutôt) : la première ville est une invention de Caïn pour y être introuvable (c'était au pays de Nod, inconnu des géographes).

---

1. On a retracé la présence de John Shakespeare le père, diversement orthographié, dans la bonne ville de Stratford, grâce à un tas d'ordures mal placé, et un procès-verbal.
2. Il voit dans la ruse du mot hébreu de la Kabbale (une vieille formule), *arba dac arba*, dissimulé dans sa langue, une autre description possible de la ville et de l'escamotage en ville – un fugitif y devine son portrait, il serait tenté d'en déduire un plan des parcours possibles, il se dit aussi que c'est la réponse à tout.

Paranoïa du prédateur

La rancune est aussi syncrétique, elle voit tout et accepte tout pour parvenir (comme on dit) à ses fins, elle serait la version active (positive) de la paranoïa, l'étrange mais riche paranoïa du prédateur, encore inexplorée, livrée à la curiosité des psychologues et plus généralement des esthètes, ou des zoologues. En tant que paranoïa du prédateur, la rancune est insistance, elle réinvente des formes d'insistance : de loin, on dirait l'abrutie répétition, comme le retour de la mouche sur la table, toujours la même mouche, la même table ; certains parlent de l'obstination des centenaires quand ils n'ont plus toute leur tête – il y a un peu de ça : la vieillesse s'accompagne de redites, passé un certain seuil. À y regarder de plus près, la paranoïa du prédateur est une artiste de la variation : l'insistance peut-être, mais l'insistance vaut seulement si on prend la peine de se décaler d'un rien, comme si on voulait épuiser le monde en épuisant ses combinaisons, et s'en tirer à bon compte.

La paranoïa du prédateur fait voyager, mais ne rajeunit personne : pour la baleine, c'est le golfe Persique et puis le golfe du Mexique, l'impression d'ubiquité à chaque apparition mais la fatigue réelle, une autre façon de s'épuiser en suivant jusqu'à son terme une idée fixe. Chaque jour avec plus de mollesse, plus de langueur, presque de la tendresse, bientôt peut-être la lassitude, la baleine capture – elle capture son Achab, cette fois le bon, cette fois encore le faux, elle le recrache aussitôt, la satisfaction de vaincre se combine intimement avec la certitude de se tromper. Personne n'y voit une leçon de l'existence (les échecs resteront longtemps des objets indéchiffrables) : ni la baleine, ni le pseudo Achab, avalé, refusé, passé en un instant de la capture à l'abandon. (Achab et Moby Dick ont ceci en commun : les échecs ne leur servent pas de leçon (ou bien alors, en suivant quels détours ? par quel tunnel de ver de sable les échecs passeraient de l'échec idiot à l'échec père-de-tous-les-enseignements ? quelle contrition, quelle autoanalyse de type freudien ? ou bien un long micmac d'hypocrite. Achab, du fond de ses multiples échecs, comme un proscrit, en est venu à cette idée : faire de l'échec une leçon positive suppose des contorsions plus douloureuses que l'échec lui-même). Pour lui comme pour elle, les échecs, ceux de la chasse en tout cas, sont de petits monolithes, ils peuvent avoir la beauté du galet, aucune de ses qualités immédiates, ni la douceur ni les reflets, ils sont seulement indépendants les uns des autres, oubliés, dérisoires, muets et froids, impénétrables, ingrats, macabres, et une fois redéposés à terre ils sont un signe d'abandon.)

La paranoïa de la proie, on connaît, elle a ses nomenclatures, elle a aussi ses chefs-d'œuvre (il n'y a pas que le Christianisme, il devrait exister aussi un Génie de la Paranoïa) : le principe de persécution, les pièges reconnus partout, la surveillance permanente, l'adversité disséminée pour être miniaturisée et se rendre à la fois efficace et imperceptible, l'universalité du complot mais la présence d'une cible unique appelée "moi", l'extrême raffinement des mécanismes, parfois restaurés par la victime elle-même, ou bien améliorés, la traduction de toute chose en preuve, paranoïa étant un département des études sémiologiques. La paranoïa du prédateur, c'est autre chose : la certitude d'avoir affaire à une proie lâche et incompétente, sabotant tous les pièges dans lesquels elle tombe, et le reste du temps larvaire, velléitaire, jamais prête au combat, prête selon des critères sauvages, en appelant toujours à une certaine morale pour justifier l'hypocrisie (et quand la morale ne convient plus, on en appelle à l'éthique). La paranoïa du prédateur regrette le mimétisme de la proie, elle le regrette et le redoute, elle le dénonce chaque fois que possible, elle le voit évidemment partout, là où il est, là où il n'est pas, la même tache brune sur fond brun, elle considère le mimétisme animal comme une infraction lâche aux Conventions de Genève ; elle craint le recours à l'Habeas Corpus, elle a peur de ces cadavres de proies plus virulents que les corps en vie, elle se demande quel piège l'attend une fois qu'elle aura triomphé.

Le chat à propos d'Achab

La férocité du chat à l'affût, mais profondément calme, presque endormi : c'est du moins à ça qu'il voudrait ressembler : l'idée de griffes rétractiles, le désir de posséder la rétractilité en plus des griffes : ne pas l'acquérir, l'avoir depuis toujours.

Paranoïa du prédateur (suite)

Entièrement libérée de la peur, elle pourrait ne pas être folle, ni irrationnelle, et du coup, joyeusement, avec fierté, pourrait se défaire de toutes les accusations portées contre la paranoïa en général : la paranoïa du prédateur a tout pour être sereine (sérénité ne veut pas dire fadeur ni irénisme – imaginez la paranoïa irénique, imaginez-la courtoise, avec des manières vieille France), son calme est un gage supplémentaire de méticulosité, de calculs plus retors, d'hostilité débarrassée de la haine et donc respectable, comme le serait un ouvrage difficile, peu aimable, gardien d'une richesse enclose derrière des caractères noirs. Le prédateur ne fuit pas, il se précipite quand même, sa course passe parfois pour la relecture, dans un autre style, de la course de sa proie (quiconque marche immédiatement derrière un fuyard interprète sa façon de courir, supposant parfois, si la chasse lui en laisse l'occasion, la fuite de la proie comme une forme inverse de lecture : lecture par anticipation du cheminement du prédateur (mais ne compliquons pas tout[1])).

La paranoïa du prédateur a les qualités de la paranoïa traditionnelle de la proie, à en croire du moins les notes tremblées écrites le soir par un capitaine (pour tromper ses tentatives d'écrire un *Comment échapper à la Baleine blanche*) : elle a l'acuité et la permanence, elle nomme sans cesse, elle invente les noms pour le plaisir de nommer, elle aime les nomenclatures, elle aime inconditionnellement les livres ressemblant à des dictionnaires, elle aime ce qui se dissimule et cherche comme un impossible bonheur (ou impossible clef) le moyen de dévoiler tout en conservant à la chose dévoilée toutes les grâces de sa dissimulation (le véritable paranoïaque ne met pas au jour des vérités cachées, il évoque rhétoriquement la dissimulation de la vérité, ce qui n'est pas tout à fait le même travail[2]). Chez le prédateur paranoïaque, la crainte ne compte pour rien, elle s'efface pour laisser la place à d'autres peurs plus ordinaires, superflues, comme la peur de s'y prendre mal – ou bien, elle disparaît pour de bon,

---

1. Mieux vaut entendre ça qu'être sourd.
2. Il parle du masque pendant des jours, inspiré, panégyrique, en promettant de parler enfin du visage en dessous – il serait bien embêté de le faire : d'ailleurs, quand un paranoïaque en vient par inadvertance à parler de vérité, il le fait, c'est son habitude, avec des mots utilisés pour traiter des mensonges.

métamorphosée en désir d'aboutir; alors la paranoïa du prédateur peut conjecturer, aussi longtemps qu'elle veut.

La paranoïa de la proie est faite de prudence, obsédée par ses traces, la paranoïa du prédateur est faite de projets et de plans : elle a le loisir pour elle, les hostilités dépendent de ses mises au point, elle n'envisage pas une hostilité permanente, elle se donne du temps – la paranoïa du prédateur doit trouver par quelle denrée remplacer la menace : elle trouve, parce qu'elle est une grande trouveuse, c'est alors un appétit de justice, archaïsé au point de ressembler aux très antiques soifs de vengeance, une forme d'appétit dont on retrouve la trace dans des livres de zoologie comparée; la paranoïa du prédateur s'appuie sur des livres de stratégie pour se perpétuer, pour se donner une contenance nouvelle; elle se laisse volontiers confondre avec l'ambition artiste sous prétexte qu'elle ébauche des motifs et prétend voir l'œuvre accomplie là où il n'y a encore rien[1] – on dit qu'en s'avançant sur le terrain de ses chasses, elle laisse des traces livrées ensuite à sa propre interprétation; c'est dire si elle aussi a peur de s'ennuyer.

La ville comme machine à être partout à la fois

Une machine à être partout à la fois, une vaste machine – quoi donc? la ville: le vieil Achab en était arrivé à cette conclusion après six mois de séjour comme rescapé, comme survivant et comme marin prodigue-de-retour, il ne l'a jamais réfutée depuis. Avec l'âge, quand lui revient le sentiment d'être traqué (il déduit la crainte d'être poursuivi

---

1. La lande de Macbeth sans les sorcières, bon débarras.

d'après son ancien enthousiasme (son ex-joie) de chasseur, en le retroussant – de la même façon, s'il en a la patience, il dessine la proie d'après le visage du prédateur), il espère bien que la ville deviendra pour de bon cette satanée machine à être partout à la fois : il ne s'en plaindra pas, il ne s'en privera pas non plus, Achab se fera petit et rond, sphérique, comme le petit pois ; il imitera la bille qu'il a vue tant de fois rouler à contresens sur le tour chiffré de la roulette.

Le vieux capitaine fait le constat de sa longévité[1]

Si on ajoute *rancune increvable* à *vengeance inassouvie* on [1962] obtient l'une de ces longévités acariâtres de vieillard capable après cent ans de conserver un ongle, un au moins, pour le planter dans l'œil de son ennemi, en guise d'au revoir – mais la rancune n'explique pas tout : quand le capitaine Achab constate une fois de plus au réveil puis au réveil suivant sa présence au monde[2], il ne peut pas mettre sa survie sur le compte du seul désir de vengeance, ni d'une santé de fer, l'héritage d'un ancêtre chevalier et d'une aïeule irlandaise – sa propre distraction, peut-être ? l'incapacité de mourir comme une maladresse de paysan à la ville qui ne sait pas se tenir droit et prend les salles de bal pour des granges hautes de plafond ? "Il y a autre chose", dit une voix située entre diseuse de bonne aventure et buveur avisé au comptoir du café, et ça n'est pas une hypothèse si audacieuse : il y a *toujours* autre chose – alors, pendant des jours[3], Achab promène son "il y a autre chose" dans les rues de la ville, on

---

1. Pas trop tôt.
2. Selon ses propres mots, à ne pas prendre au sérieux.
3. Pendant des jours – sur un air de *Pinocchio*.

croirait le voir promener son analyse de sang, serrée contre sa poitrine, pour le moment indéchiffrable mais déjà remplie des chiffres de son salut ou bien de sa condamnation, si vous voyez ce que je veux dire.

(Ou bien, c'est sa jambe de bois : Achab s'y est appuyé si souvent, avec les années elle est devenue son dernier bien : cette stabilité d'objet, la dureté neutre inconsciente de la chose, le moral égal, jamais de sautes d'humeur, etc., au point qu'il espère devenir un jour un appendice à sa fausse jambe comme il était devenu l'ornement de sa rancune.)

L'implacable et ridicule difficulté de mourir

Ça lui semble maintenant, avec le recul, si facile de mourir à l'âge de l'adolescence, un peu avant, un peu après : vous savez, les paris de petit romantique, la chair faible, les métamorphoses triviales, chaque changement associé à un événement du jour comme à des rencontres fortuites, d'après quoi on se met à penser à la mort, au fond, comme à une métamorphose mineure, une de plus. Il y a là beaucoup d'audace sans le moindre risque, de la pose, ce qu'il faut de pose pour vivre, de la naïveté, elle aussi nécessaire, la négligence de toute chose, précieuse, imprécieuse, grave ou sordide, et de soi dans la catégorie des choses pêle-mêle ; il y a la présomption associée à l'ignorance, la certitude d'avoir trop de temps devant soi, une terreur de l'ennui, que la vieillesse ne viendra pas corriger ni absoudre, une frivolité dépendant de la souplesse du corps dans certaines de ses parties, et qu'on ne pourra plus reconstituer plus tard, des cérémonies faussement païennes, faussement sataniques, faussement tout y compris faussement fausses à un âge où le

timbre de la voix lui-même n'est pas encore le bon, le goût
de l'expérience sous une forme encore mal réfléchie, trop
peu de méditations et alors, quand on médite, l'impression
d'éplucher pour rien un grain de raisin, le goût des dispro-
portions, l'héroïsme passant en dernier recours par le refus
des absurdes cérémonies de l'existence, le refus de la pulsion
de vie.

À quinze ans, à dix-huit, et même vingt-six, Achab se
serait donné la mort avec une facilité naturelle (pas la
facilité du Virtuose épuisé par l'Exercice), comme il avait
inventé le moyen de se donner entière satisfaction, sous
l'égide maladive du prince Hamlet, d'un simple coup de
poignard ; il aurait enjambé des passerelles, il aurait trouvé
des poisons fulgurants, il aurait eu le temps (on est vif à cet
âge) d'en apprécier le goût et de le trouver nouveau avant de
s'effondrer, il aurait confronté des bolides, soit de face, soit à
l'intérieur, il aurait su spontanément comment on convertit
un véhicule en appareil de mort, il aurait rassemblé assez de
charisme et de force de conviction pour provoquer en duel
des hommes de sa conscription, les mêmes, aussi obscurs,
aussi brillants. Le duel, si facilement levé, un bouquet de
fleurs à la main, cueillies en route, en comptant sur l'été ; la
mort serait venue sans mal, pas besoin de subir des agonies
de vingt-huit jours en récitant Alexandre Pouchkine, et en
s'accrochant à des oreillers de famille : non, immédiatement
(de cette immédiateté de l'adolescence, précisément, sur un
lit de fruits précoces), en plein milieu du pré, parce qu'il
fallait un pré, le coquelicot à la boutonnière, ce qui se fait
de mieux dans le genre chez de jeunes soldats de la France
de 1830 par exemple – le soupir à l'ami, une lettre pour la
vieille mère déjà collée au corps, et le regard pour l'infini

bleu pâle, au ciel, dont on ne saura jamais rien[1]. Et si le duel ne prend pas, restent la chute et toutes ses variations : suivant tant de postures, entre le haut et le bas, depuis l'ange et Pégase jusqu'au sac de plâtre qui blanchit là où il s'écrase.

Oh, pas de problème, on pourrait mourir comme on éternue, la volonté ne va pas à l'encontre d'une mort fulgurante, on en a vu à dix-huit ans traverser la fenêtre pour le plaisir de traverser la fenêtre, faisant coïncider, sans le vouloir ? en le voulant ? spontanément quoi qu'il en soit, le saut par la fenêtre avec l'interruption définitive d'une vie passée à regarder des rideaux. À quarante, à cinquante[2], on a beau dire, l'inspiration n'y est plus toujours, ni le ressort du corps, hier encore si réactif, toute une littérature croit bon de nous rattacher à la vie, comme aussi l'insistance de la famille, symétrique à l'appétit des héritiers – ou l'idée d'une vengeance à accomplir. On devient difficile, on l'est devenu il y a longtemps, sans s'en apercevoir, à la faveur de je ne sais quoi, pour le principe, parce que la vieillesse le dicte résolument aux vieillissants – l'amour-propre de l'adolescent était volage, il pouvait être accapareur mais s'échangeait contre n'importe quoi d'autre, un bonbon, et dans ce bonbon le secret de la mort comme expérience vécue – l'amour-propre d'Achab après soixante-dix ans est plus pondérable, son vieil élan fait de son existence une lourde chose difficile à interrompre, et qui aspire à la pauvre gloire d'avancer. Et même si on le désirait, on ne désire pas aussi efficacement qu'à vingt ans (l'insatisfaction du désir à vingt ans est parfois plus fertile que l'accomplissement à soixante), même si on le voulait, on ne se donnerait pas la mort en

---

1. Ou : qui ne nous le rend pas.
2. Contre toute statistique.

criant ciseaux : les veines sont devenues épaisses ; elles ont leur susceptibilité, elles veulent avoir la dureté des vieux bronzes qu'on admire dans les musées ouverts le matin jusqu'à midi.

S'il avait vingt ans, sur-le-champ, ou le combustible d'un jeune homme de vingt ans, il n'aurait pas de mal à mourir, ce serait de l'ordre du feu d'artifice, il le ferait d'autant plus volontiers, en dansant, qu'il aurait la conviction de se relever demain, un triomphe de plus et les amitiés de Lazare distribuées aux vivants – maintenant, il aurait beau fermer les fenêtres, les volets, remonter les draps jusqu'au menton, voir la bougie fondre, deviner dans le noir l'odeur de la mèche éteinte, attendre qu'un doigt lui montre une porte par où passer – rien n'arriverait, les événements (quels événements ?) n'auraient plus la faculté d'advenir comme ils l'avaient il y a un demi-siècle (et ils ne s'en privaient pas, dix ou douze fois par jour), pas de doigt ni de porte, il faudrait rallumer la bougie, reprendre la cérémonie du lever là où on l'avait interrompue, se dire bonjour dans le miroir de la salle de bains et puis accomplir ses devoirs.

Mort et vie du capitaine

Le capitaine de retour dans la bonne ville de New York augmentée d'encore un million d'âmes se dit parfois que retrancher la mort à l'existence c'est lui retirer le tragique pour lui laisser le sordide parfois rigolo (pas toujours), sordide de boîte de thon à l'huile, sordide des semaines qui se suivent – après avoir fui le tragique, comme l'héroïsme, comme tout l'océan pompeux, et la baleine, pompeuse elle aussi, il se demande s'il ne lui faudrait pas maintenant (l'heure est venue) une toute petite dose de terrible pour en finir avec cette ridicule longévité : mourir enfin, par politesse. (De fait, il se cache, il aurait un peu honte de survivre à ses voisins, d'être dans cette posture inenviable du vieillard en babiche (ou tendu de cordes en boyau), conçu solide pour enterrer tout le monde : rien de tel pour attirer l'antipathie – alors, il triche, il fait comme Zsa Zsa Gabor, il retranche dix années à sa vie, il efface au coton-tige et à l'eau de Javel la date de sa naissance sur ses papiers d'identité.)

Cervantès a eu la bonté de faire mourir le chevalier Quichotte au dernier chapitre du deuxième volume, cinq cents pages après lui avoir fait prononcer la belle réplique "il est donc vrai qu'il y a une histoire sur moi ?", faussement naïf pour l'occasion – soixante-dix ans plus tard, son traducteur François Filleau de Saint-Martin n'a pas cette mansuétude : il ne fait pas mourir Quichotte, il ne lui accorde aucune forme douce littéraire de mort, il laisse l'hidalgo hidalguer seul au-delà de la dernière page, sur fond blanc. Selon un spécialiste de Shakespeare, Hamlet non plus n'a pas succombé au poison, ce qui suppose (connaissant Hamlet) l'errance au Danemark d'un homme plus pâle que ses fantômes, assommant à force de rester comme l'eau stagne sur les lieux de ses tourments. Quand il est devenu conteur de lui-même à Broadway puis à Hollywood, le capitaine a eu la présence d'esprit de se faire disparaître avec la baleine, un bel ensemble, beau bouquet final, ou gerbe, de gueule de monstre et de mort du héros – mais il a fallu qu'un petit malin de scénariste, du même tonneau que ce François Filleau, trouve plus judicieux d'en faire un rescapé.

Du jour au lendemain, Achab le capitaine, comme personnage, comme sujet, comme robinet d'histoires marines, est devenu rentable : par quel miracle ? une licence poétique, ou un engouement imprévu, celui de la foule, *qual piuma al vento* – et tout ça bien sûr sans prévenir le capitaine lui-même : Achab ne touchant pas un sou des royalties engendrées par Achab capitaine de feuilleton. Maintenant qu'il est de retour sur la côte est, qu'il s'est fait dérober en douce ses idées, son personnage et tous ses synopsis, baleine comprise (il avait mal lu les contrats, il en a signé soixante-dix, le soixante et onzième était un piège tendu, avec au centre de la feuille le chiffre 500 dollars – on affole les âmes simples par de toutes petites sommes), il est à peine conscient du travail de quinze scénaristes, nuit et jour, pour le cinéma, pour la télévision, autour d'une table, le perpétuant. *Les Aventures du capitaine Jethro* (il a fallu changer son nom) se prolongent sur treize épisodes, puis à nouveau treize à la saison suivante, la baleine échappe aux chasseurs une demi-douzaine de fois, le capitaine frôle autant de morts, il accoste des pays merveilleux et des pays hostiles ; au cours de la troisième saison, une idylle se noue entre lui et la fille d'un armateur, elle s'interrompt au treizième épisode quand le capitaine met soudain le cap sur Bornéo où on raconte qu'un père jésuite archéologue a retrouvé l'os de sa jambe (il cherchait celui, n'importe lequel, de saint François-Xavier). Et ça continue – le vieil Achab désespère de lire un jour dans un entrefilet l'annonce de la fin des feuilletons, il fait le ratio du succès de son personnage et de l'absence de droits d'auteur, il en tire un chiffre astronomique à la mesure, selon lui, de sa malchance, de sa pauvreté, de son incapacité à marchander, et la mesure enfin de l'ironie du sort – comme si le sort avait su un jour être autrement qu'ironique. (Il fixe des limites à sa jalousie, pour ne pas se sublimer dans l'échec, façon de sauver son honneur : d'accord, l'usurpateur Jethro interprété par un comédien de seconde classe à la Universal connaît la gloire non achabéenne, il a épousé plusieurs Jézabel, qui sont plusieurs Salomé d'Hollywood, et sa piscine est plus profonde que la mer du Japon[1]. mais il faut lui reconnaître de la vigueur : il a encore assez d'énergie pour se perpétuer, soutenu par vingt coscénaristes, sa vaillance force le respect : on se demande où il trouve le matin l'énergie pour combattre une pieuvre pour la millième fois[2].)

(Au début du siècle, Carl Laemmle patron de la Universal débauche une jeune actrice connue jusqu'ici sous le nom générique de la *Biograph Girl* (une clause d'anonymat : les acteurs étaient des à-plats de blanc et de noir) – Laemmle veut la prendre sous contrat, il en tirera des bénéfices, il fait paraître dans les journaux l'annonce de sa mort, il laisse passer une semaine puis il publie un démenti, dans les mêmes pages ; il en profite pour délivrer au monde entier (le monde entier des spectateurs) son nom de Florence Lawrence ; il annonce sa réapparition, comme ressuscitée après trois jours de flottement, dans un quartier de Saint Louis, à telle heure, à tel coin de rue ; des milliers de curieux se rassemblent pour assister au beau miracle ou pour constater de plus près en le touchant presque à quel point il est vraisemblable, pas moins extraordinaire ; la première star vient de voir le jour, elle débute aussitôt, elle rapporte à Laemmle l'argent convenu par ses oracles et les contrats ; elle se donne la mort quelques années plus tard, rattrapée finalement par une autre de ces prophéties lancées au hasard.)

Séquelles et séquelles aux séquelles : le vieil Achab suit ses aventures de très loin, à la télévision, il préfère les mots croisés des journaux, il est sûr de ne pas y faire de mauvaises

---

1. La fosse des îles Sandwich.
2. "Alors je suis immortel et sur terre et sur mer."

rencontres, à moins d'y écrire le nom de Moby Dick à l'horizontale et le sien à la verticale, le petit *c* de la chance ou de la catastrophe à l'endroit où ils se croisent ; il sait que l'autre Achab rebaptisé Jethro continue de s'agiter pour le maintenir en vie artificiellement : une poche de sérum, parcimonieuse et fidèle jusqu'au dernier jour – mais ses mariages, ses remariages, ses robinsonnades, son acharnement et ses clapotis ne le concernent plus.

*Achab bénéficie du sursis accordé à Londres au détective
Sherlock Holmes, soutenu par des lettres d'admirateurs,
défendu par des courtiers, aimé par les enfants
et leurs grands-mères – jusqu'à la reine d'Angleterre,
qui donnera l'ordre à son sujet Arthur Conan Doyle
de ramener Sherlock à la vie*

On imagine mal la haine de Conan Doyle pour sa créature. Sherlock Holmes était raide, sec, il était mercurien, mais il était acerbe, il avait bien peu d'appétence, le catalogue de ses dégoûts était vaste et minutieux ; il s'inoculait des poisons sans en souffrir, il maîtrisait le sanskrit et la viole de gambe ; s'il l'avait voulu, mais il ne le voulait pas, il aurait pu collectionner des dames en Angleterre, et quelques filles, ou même des femmes mariées, et l'Écosse après l'Angleterre ; chaque fois qu'Arthur Conan Doyle croisait un cordonnier, c'était pour s'entendre demander des nouvelles de l'homme au violon ingrat – le faire mourir huit cents mètres plus bas au fond d'un gouffre, ça a dû être pour lui une joie sans pareille (jamais recommencée depuis). Une partie de plaisir, suivie de grandes vacances, mais une erreur de dramaturge et la faute la plus grave à l'égard de l'argent (parce que

Sherlock faisait vendre du papier : renoncer à exploiter un filon, ça ne se pardonne pas) – il a eu l'air finaud, dix ans plus tard, quand il lui a fallu faire ressurgir du gouffre de Reichenbach en Suisse son joli mort à casquette : et bricoler à son intention un mélange de complot, de miracle, de désinvolte machination, etc., pour justifier la mort et le retour à la vie. Sherlock Holmes devait sourire en écoutant Arthur le Pathétique s'expliquer devant son éditeur – oh, ce sourire de Sherlock, le sourire assassin en présence du brave homme ridicule, quand il se liquéfie en s'efforçant de ne rien perdre de son élégance. (Justifier la résurrection de Sherlock Holmes, c'était en somme ni plus ni moins boiteux que l'enchaînement des déductions habituelles, depuis *brin de tabac* jusqu'à *coupable idéal* en passant par *figurine hindoue*.)

Achab et le baron de Münchhausen – leçons de mortalité

Parmi les immortels, il y a les chanceux, les oubliés, les sauvés par erreur, il y a les hommes et les femmes entraînés dans l'inverse d'une danse macabre et qui continuent encore aujourd'hui de tourner dans le sens contraire des aiguilles d'une montre ; il y a les planqués, les sursitaires à la peau d'écorce de bouleau, qui perdurent en faisant de leur éternité une forme de pardon ou d'immunité privée, il y a les pactisants, faustiens, méphistophéliques, les petits marchandeurs de la survie bradant des morceaux d'eux-mêmes contre des morceaux d'éternité ; il y a les espiègles, il y a les revendeurs d'identité, il y a des survivants clandestins profitant du passeport d'un autre ; il y a des imams, des rois et des empereurs maintenus en vie par leurs partisans, il y a les embaumés prêts à reprendre le collier, il y a aussi des malheureux espérant la mort avec impatience : leur déception profonde mais dérisoire (une déception de boulevard) quand ils ouvrent la porte pendant les douze coups de minuit à un marchand d'aspirateurs – il y a ceux qui se cachent dans le lit d'un voisin, ceux qui se mettent à genoux pour supplier, ou soudoient le bourreau, ou s'en vont revivre aux antipodes, il y a Roland et Quichotte capables de surmonter leur propre mort et qu'on ne s'étonne plus de croiser à cheval, et Münchhausen, le baron, assez malin pour se situer entre la réalité de sa vie de baron et l'autre réalité de sa vie de personnage.

Il se relève de ses morts mieux que n'importe qui d'autre : la mort depuis la montgolfière, la mort turquerie à la Mozart, et même un soir le *bonne nuit* de la femme fatale – à chaque fois, après un arrêt du cœur d'une demi-seconde, interprété comme un claquement de langue du cavalier à son cheval, le baron fait preuve d'une vitalité renouvelée, inventive, moqueuse sans se cacher à l'égard des circonstances : une vitalité si entière qu'elle prétend être autonome, indépendante de toute vie antérieure. Ses survivances sont esquive et résurrection, mais une résurrection sans rien de la pompe du christianisme – elles sont parfois l'entêtement de la mule refusant d'admettre l'évidence : le baron, qui a fréquenté des jésuites et a connu Humboldt, sait aussi comment on argumente : il a su plusieurs fois, en variant les chemins, convaincre la mort qu'elle avait tort, et lui, le vivant, raison. On l'a vu se relever d'un incendie, épousseter ses épaules, se frotter les yeux et la bouche pour y dessiner trois cercles blancs, et repartir en souriant, trouvant le moyen de faire de la cendre un parement argenté, et puisant aux dernières flammes de son bûcher de quoi rallumer sa pipe : sa pipe alors vivante et ironique, brandie nonchalamment mais fière comme si elle s'apprêtait à faire le relais, ardente toujours, entre cet incendie et le prochain. On l'a vu dans les rues de Vienne, de Londres et de Moscou un siècle après sa mort officielle, un peu désuet peut-être, étonné par les rigueurs de l'hiver moderne, mais en vie, les couleurs automnales de la nicotine dans la moustache.

(Comment survivre à son état civil ? avec élégance, pas de trophée, pas de danse, pas de charivari sous les fenêtres des héritiers spoliés ; une discrétion de spectre de Henry James, épousseteur de bibliothèque, méditant sur les deux côtés de l'existence.) (Le regard que porte le baron de Münchhausen sur un avis de décès officiel : le même regard sur le poil de la barbe du prophète Mahomet exposé à Topkapi, grossi trente-cinq fois par une loupe à la Sherlock Holmes : la loupe permet de constater la réalité des choses réelles, elle ne met pas en doute le petit poil, elle semble douter en revanche des yeux et de la foi des curieux qui se penchent.)

Des jeunes gens ambitieux, d'autres ravis d'être qui ils sont, d'autres orgueilleux par principe, et d'autres plus âgés, bourgmestres, archevêques, margraves, duc du duché, sont allés frapper à la porte du baron de Münchhausen, l'un après l'autre, l'archevêque un dimanche, l'étudiant en droit un lundi, discrètement, en profitant de la pluie pour se cacher sous un imperméable, ou au crépuscule en regardant par-dessus l'épaule. Ils voient en Münchhausen un descendant des rois thaumaturges, par les soubrettes : ils comptent bien l'amadouer pour recevoir en échange des conseils en résurrection – ils n'attendent pas une leçon de choses à la Montaigne ou à la Boèce, ils ne veulent pas ces nectars noirs, ils se contenteront de tuyaux : la résurrection doit bien être une affaire de ruse de briquet ou de trappe, le tour de la carte forcée, ou bien ce sera un onguent, le jus de la treille de Priape, ou tout comme, ou les fausses ligatures qui permettront un jour à Houdini ses évasions spectaculaires. Ce qu'ils veulent, la plupart du temps, c'est ce mélange de pommade cantharide, de laissez-passer du prince, et de mot de passe à glisser au concierge.

Münchhausen n'aime pas ces manières, mais son münch-hausenisme le rend généreux par devoir : il délivre, il superpose faux et vrais conseils, parce qu'il a appris en fréquentant les meilleurs médecins à alterner médicament actif et placebo – il renarre ses dix-sept résurrections, il s'attribue le miracle, il réveillerait Lazare et tous les morts lazaréens d'un seul éternuement, il pourrait devenir le chef d'orchestre de la Résurrection des Corps Glorieux, à lui tout seul, prenant Dieu de court, debout devant le cimetière des Innocents avec sa baguette de Toscanini. Il raconte comment il a réchappé aux naufrages, à la foudre, à trois autres boulets de canon, à charge pour ses auditeurs de tirer une leçon de récits qui n'en contiennent pas. Tout juste s'il s'engage à expliquer comment, chez les Turcs en guerre, il a recousu pendant toute une nuit, avec un fil volé au turban du Pacha, interminable fil, sa tête décapitée d'un coup de sabre (c'était pure inadvertance, le Grand Turc s'était excusé) : Münchhausen conteur interrompt son récit de raccommodage quand il aborde le seuil d'une invraisem-blance méta-münchhausenienne, et quand il risque de voir ses exploits confondus avec des pages de vies de saints : il s'en voudrait de plagier un saint du calendrier.

Si (plusieurs si successifs) Münchhausen maître du retour à la vie (inventeur d'un clystère comme un saxophone permettant de faire rentrer à nouveau l'âme dans la dépouille du mort), si Münchhausen est encore en vie à l'époque où le capitaine traîne ses savates dans les rues de New York, et si (voilà le deuxième) le capitaine trouve le moyen de lui rendre visite, ce n'est pas pour lui demander des conseils en immortalité – au contraire (Achab aime beaucoup ces "au contraire" quand ils arrivent au cours d'une argumentation) : pour demander humblement, en bon voisin, des secrets de mort imparable. Il lui confie pour l'attendrir ses malheurs de personnage de fable itératif, répétitif, multiplié cent fois, reconduit d'une année sur l'autre ; le baron devrait comprendre cette immortalité de figure de livre, d'abord euphorisante, puis routinière, puis pénible, comme une charge héréditaire, il a connu ça lui aussi : les premiers temps, on en profite, on est le pionnier de toute chose, et puis rapidement la présence de soi à soi devient assommante.

Alors, oui, si tout cela a lieu, le baron délivre ses conseils, ils sont allusifs et allégoriques, ils ressemblent au *pourtant et pourtant* du poème d'Issa et au *ici très loin où nul ne peut me voir, je penserai à des choses*, de Saigyō, écrit il y a des siècles ; comptant sur la distraction du capitaine, sur sa difficulté à suivre Issa et Saigyō, Münchhausen glisse son dernier conseil, le seul bon, d'une trivialité d'arracheur de dents, avant de reprendre ses allusions et ses allégories – il se lève pour reconduire son visiteur et termine sur l'histoire du jésuite, du dominicain et de la fille de joie debout devant la porte du Paradis (Achab n'a pas retenu la chute). (Comme le baron n'est pas disponible, le vieux capitaine devra se tourner vers un autre voisin, qui lui parlera en vain de corde de pendu, puis il ira chercher à l'angle de la 128e Rue sous une lanterne chinoise le contraire d'un aphrodisiaque.)

Comment survivre münchhausennement (formule)

(Comment survivre münchhausennement à sa mort : parvenir au bout de la branche d'un arbre de la jungle indienne, autrement dit au bout du chemin de sa fuite, se retourner, faire face à un tigre, n'importe lequel pourvu qu'il tienne la route d'un point de vue romanesque, tenter de le raisonner, mettre un terme à ces tentatives déplacées (pas si ridicules : diplomates), admirer dans l'œil du tigre sa tigresque sauvagerie, sa détermination, et quelque chose, en plus petit, comme sa gourmandise, accepter les joies de la nature (une fois n'est pas coutume), et se laisser dévorer après un cri étouffé comparable à la petite plainte poussée parfois du plus profond sommeil – et après ça, raconter son histoire depuis le commencement, du bout de la branche d'arbre jusqu'au cri étouffé, tout en faisant comprendre que la mort du fuyard sur sa branche et le récit du survivant devant des auditeurs éblouis se suivent sans rupture, pas même celle de la branche. Au petit homme sceptique assis au milieu des auditeurs (il y en a toujours un) posant la question de la vraisemblance, Münchhausen a beau jeu (comme on dit) d'avancer l'argument d'autorité : selon quoi il est le conteur, il a décidé seul de la couleur du tigre, des circonstances de sa mort, et de la présence parmi ses invités du petit homme sceptique.)

Achab et les procès en plagiat

Achab n'a jamais été le mieux placé pour observer les changements d'époques (déjà surpris certains matins de voir [1965] les fleurs de cerisier remplacer la neige de Noël, ou bien le contraire) : il laisse volontiers à d'autres le soin (l'honneur) de proclamer le changement d'époque à voix haute sur un ton de commentateur et d'oracle immédiat, ou mieux encore (honneur plus grand) le faire venir en le disant, d'une voix d'obstétricien sévère : ils sont alors malins, lucides, experts, ils ont l'inquiétude de la vigie et le charme qui va avec, ils se veulent rassurants mais pas trop, ils témoignent d'une douleur intime, elle est leur propriété, les temps nouveaux se font connaître à travers elle de la même façon que la pluie se signale par les rhumatismes de certains vieux triés sur le volet – ils s'excusent d'être extralucides et nous pardonnent notre aveuglement de bonshommes de coton ; ils ressemblent à l'Indien sur le piton rocheux à l'écoute des siècles : leur joie est telle qu'ils recommencent le lendemain : un autre jour, un autre changement d'époque.

Du coup, quand le hublot des télévisions est apparu, dans les grandes maisons d'abord, puis les petites, le vieil Achab n'y a vu qu'une variante de l'aquarium, sans imaginer la légion des artistes et des journalistes, des électriciens, des ingénieurs, des acrobates, des hommes du cirque, des candidats, des marchands de miel et des conteurs, piaffant tous, de l'autre côté (l'autre côté de la vitre) : c'était encore une lanterne grise protégée par un verre épais, avec des alternances de lueurs et d'ombres ne faisant pas honneur aux figures qu'elle est censée retransmettre – il avait beaucoup de mal à féliciter les ingénieurs, même en rassemblant toute son indulgence : une cathode, un jet d'électrons, un champ électrique, un peu de phosphorescence, ça ne pourrait jamais remplacer un bol de gruau.

Il ne l'a pas vu venir et pourtant le voilà, le jour où Achab et sa jambe de bois empruntée à Long John Silver, son harpon

à Nanouk du Grand Nord, est devenu le héros d'un feuilleton à mille suites – il n'y est pour rien, il n'en touche aucun
dividende, le petit *c* de copyright dans son cercle est pour lui
un poinçon énigmatique, une boule de Noël intempestive,
accolée à certains noms, pour le seul plaisir de réjouir l'œil en
faisant suivre une lettre d'une autre lettre. Il n'est d'ailleurs
pas entièrement certain de se reconnaître dans cet Achab ou
du moins cette image d'Achab, aperçue pour la première
fois dans la vitrine d'un marchand de téléviseurs : il a eu
beau superposer son reflet à ce portrait flou et changeant,
il n'est jamais parvenu à une conclusion ferme, qui l'aurait
confirmé, et outragé par la même occasion (il est rentré chez
lui, rapportant dans sa chambre le doute (toujours le même),
une pointe de vanité, et l'impression d'avoir été volé par un
plus riche que lui). Il entend raconter des histoires, il les
retrouve dans les journaux : certains individus plus procéduriers que lui engagent un avocat parce qu'ils se sentent
spoliés de leur moi, rien de moins ; ils croient reconnaître
leur visage et des fragments de leur biographie, les moins
épiques, dans la scène d'un film à deux millions d'entrées, et
du coup, ils attaquent en justice, on ne sait trop qui, pourvu
qu'on attaque et remporte des victoires contre des machines
dévastatrices ; l'avocat s'en va relire à Chicago les anciens
procès faisant jurisprudence : des histoires de messieurs
Smith réclamant leur part de dividendes, une grosse part,
sous prétexte qu'ils se sont reconnus entièrement, du dedans
et du dehors, dans le personnage de Robin des Bois, ou
celui de Zorro, quand il porte son masque et quand il le
retire. Beaucoup de procès, très peu d'élus, presque aucun :
les déboutés repartent ruinés, voilà pour eux, dans leur
désert, où ils appliqueront loin des juges une justice privée,
bien meilleure, preuve que ce pays sourit aux hommes

entreprenants – d'autres, plus procéduriers ou plus ressemblants, obtiennent un agrément à plusieurs centaines de
dollars : on les paye pour en finir, pour les voir rentrer chez
eux, ils prennent ça pour un adoubement : et depuis ce jour,
quand Robin des Bois réapparaît à la télévision sous les traits
d'Errol Flynn, ils s'y reconnaissent, mais sans rancœur, de
frère jumeau à frère jumeau.

(Achab aurait pu à son tour tenter le procès pour plagiat
en déroulant des pages de journal intime et tous ses scénarios
à différentes étapes ; il n'a pas osé, il a bien fait, on ne l'aurait
pas cru, son maigre glossaire de marin perdu avec les années
n'aurait pas supporté l'examen.)

De la routine (ou Les Paisibles Entrefaites
du capitaine Achab)

[1967] (Pendant ce temps, comme on l'écrit dans les feuilletons,
Achab presse des oranges, se fait cuire un œuf, hésite entre
le souvenir et l'oubli, il continue de découvrir l'intérieur de
la ville, il en reconstitue le plan de mémoire, il tente d'en
déduire la psychologie des hommes, ou plutôt leur humour,
il continue de fréquenter des bars juché sur un tabouret le
nez au-dessus d'une tarte au citron, la même depuis toujours
– plus il s'éternise, plus il a l'air d'un mortel comme les
autres (peut-être une question d'habitude).)

Comment Achab le très Vieux parvient à être de son temps

Il fait son devoir : il est de son temps, il est un voisin
convivial, capable de connivences : il pourrait parler de

l'énergie fossile, des immenses réserves et leur amenui-
sement, des encyclopédies et de la conspuation de toutes les
encyclopédies, des *Protocoles des Sages de Sion*, des conspi-
rateurs, des conspirationnistes et des anticonspiration-
nistes, d'un champignon gigantesque dressé à l'ouverture
du septième sceau, des cures de désintoxication, des prisons
de Cuba, du nombril de la chanteuse comparé à ses cordes
vocales ; il pourrait parler ensuite de la publicité et de la
différence entre mauvais et bon gras, si subtile, que seuls les
malins connaissent : à eux le bon gras, aux autres le mauvais,
tiré d'un bœuf ou d'un tas de graines, mal filtré, mélangé à
du suif, celui d'un autre bœuf – le bon gras lustre la peau,
comme paraît-il l'huile de bourrache, le mauvais oblige à
marcher en canard. Il parle des évangélistes à la télévision,
des hommes qui ont vu Jésus l'avant-veille et rencontrent des
anges, savent où se sont réfugiées les tribus perdues d'Israël,
évoquent le Livre des morts et la révélation dans un désert,
et refont le décompte des sept jours de la Création – et sur
les mêmes écrans, beaucoup plus tard le soir, des filles nues
aux jambes ouvertes faisant fleurir les grandes lèvres puis
agenouillées sur un sol de moquette dans l'attente qu'un
garçon musclé aux cheveux très courts et aux testicules
glabres secoue son sexe suffisamment longtemps pour verser
un dernier reste de semence sur leur visage mimant alors,
du mieux possible, à cet instant (affaire de synchronisation),
une sorte de reconnaissance – pas tout à fait l'orgasme, une
reconnaissance comparable à rien, détachée comme une tête
souriante détachée de son corps, et du coup amnésique.

Il parle des défilés de mode, des vitrines de Noël, des
femmes mannequins toujours plus dépouillées, d'un poids
que nous avons en partage mais voulons leur épargner, pour
voir, sait-on jamais, si une telle impondérabilité est viable,

et si elle nous aide à être heureux; il parle de ces femmes mannequins, les épaules derrière, le bassin devant, mais pas trop large, devant seulement, pour faire voleter des épaules au bassin des voiles dessinés dans le plus grand secret par un artiste de la chose-vêtement, maintenant assis quelque part, à côté du défilé, tangent à la ligne partie des épaules pour toucher l'os iliaque. Ces maigreurs posées en équilibre sur un fil délimitant un monde de richesses inconcevables (inconcevables à tel point, on se demande comment elles peuvent encore passer d'un portefeuille à l'autre), il les compare au contraire de la maigreur, à l'obésité du pauvre: qui marche les jambes écartées, se déforme les chevilles avec les vertèbres, sans jamais s'arrêter de manger (il continue, au contraire, pour entretenir sa malédiction planfureuse sans espérer une quelconque satiété: tout le monde n'est pas le Minotaure, et renoncer, il y a tant d'occasions de le faire, tant de prêtres pour nous l'ordonner ou de médecins pour l'enseigner, ou la vie elle-même, qui passe son temps à dire c'est fini).

Il parle de la gratuité, enchantement des pauvres – à côté de quoi, les faux enchantements des *Mille Nuits* sont honnêteté et franchise, hospitalité et absence de volonté de nuire. Bien sûr parmi ces pauvres, certains, parfois les mêmes, savent s'accrocher à la valeur, au sou qui est un sou qui est un sou: admettre les lois de l'économie selon quoi l'argent mesure le temps de travail, c'est déjà montrer à quel point on s'empresse de bien faire: ils comprennent l'algèbre, ils respectent des règles simples, enfantines, trouvant le moyen pendant ce temps-là de se sentir malins, pas seulement obéissants, maîtres du jeu, et même coupables à la longue: la spoliation est leur affaire. Ils passent de compréhension en compréhension comme si c'était de piège en piège, et choisissent de mettre le pied précisément dans le piège, preuve de leur habileté : se font gruger pour faire la preuve qu'ils ont saisi les règles de l'offre et la demande – moins idiots qu'on ne pensait. (Bon nombre de riches ont oublié par quelle chimie la fierté peut se tenir chez le pauvre au cœur même de l'obéissance ; ils l'ont oublié mais savent s'y prendre comme s'ils le savaient toujours, pas besoin pour eux d'en passer par la théorie ou la question posée à des oracles pour parvenir à leurs fins : c'est sans réfléchir qu'ils donnent aux pauvres périodiquement l'occasion d'éprouver cette fierté d'obéir : elle est alors neuve et atavique à la fois, on dirait un caillou rond et blanc transmis depuis le premier domestique au temps d'Assur, devant quoi on s'extasie encore une fois.)

Le travail est élevé au rang de vertu par des rentiers, mieux placés pour le faire, de même l'éloge de l'équité est entonné par celui qui a reçu un héritage et jouit alors du point de vue de Xerxès en haut de sa colline plongeant sur les batailles ; d'autres généreux mécènes, intelligents et judicieux, dans un costume de fondateur de fondation, mettent au point des concours (les concours, ils adorent ça) pour célébrer une fois de plus le "que le meilleur gagne", sur un grand air sportif : à partir du moment où suffisamment de pauvres bougres (le pauvre bougre est nombreux par essence) croient à ce "que le meilleur gagne", alors la vertu Égalité existe, point de convergence de leur faveur, la chose est accomplie, la vertu est là, l'univers s'augmente d'un bienfait, et une poignée de roublards peuvent remporter la mise en usant de passe-droits sans craindre d'assassiner l'Égalité – s'ils la malmènent, les légions de pauvres bougres sur une même ligne, chacun son tour, chacun sa place, seront là pour la défendre. (Il faut compter sur le malchanceux pour perpétuer l'idée de hasard équitable, sur le client floué mille fois pour perpétuer l'idée de saine concurrence, sur les escroqués pour prouver la vertu de l'offre et de la demande, sur les perdants pour garantir l'honnêteté des jurys (leur défaite en est la preuve dernière) – on peut y voir une forme d'harmonie naturelle : on rassemble chaque année assez de pauvres pour faire ensemble l'éloge de la richesse, et celui à qui on a volé sa place rentre chez lui pour écrire une apologie des files d'attente.)

Il parle des supermarchés, non pas supermarchés immenses, ils le sont tous par nécessité, l'abondance doit toujours repousser les murs pour s'affirmer surabondance et conjurer dans le même temps la crainte de la pénurie, qui est une intuition, la prophétie de la nostalgie – à chaque annonce d'un gisement sur le point de se tarir (ils sont de toute nature : nickel, poissons, thon rouge, hélium, huiles lourdes), un magasin de dix-sept kilomètres carrés ouvre ses portes au bord d'une route, même une route désertique : on trouvera là-dedans, il faut le croire, des tarifs calculés avec justesse dans le but de célébrer non pas un contrat, mais la fraternité même : l'humanité s'embrassant, se congratulant, grâce au commerce (il faut se faire à cette idée vertigineuse : dans ce magasin grand comme trois cents funérariums bâtis les uns contre les autres, chaque petite chose, la chose sachet de cacahuètes, la chose paquet de café, la chose bocal de piments au vinaigre contient en elle-même et sur son étiquette la preuve (pas seulement la preuve : le catalyseur) de l'amour universel par l'offre et la demande ; la preuve qu'elle marche pour de bon, cette mécanique absurde : oui, l'accumulation des égoïsmes finit par engendrer une entente collective, la concorde d'ici (le sachet de cacahuètes) jusqu'au-delà du fleuve Indus). Il fallait résolument le croire – et convaincu, apaisé, on finit par l'admettre, attendri par le sachet, les couleurs, la lumière diffusée depuis des plafonds eux-mêmes hospitaliers, on ne peut pas appeler ça lumière zénithale, mais pas loin, et par la musique, et surtout par l'assurance de trouver toujours derrière le sachet de cacahuètes un autre sachet, derrière cet autre, un autre, signe de générosité, signe de la permanence veillant jour et nuit dans un monde de finitude. Pour notre bienfait, allez, notre bonheur, des mains de lutins glissent les cacahuètes une à une dans un sachet stérile : la frénésie obéissante des farfadets du père Noël d'après les dessins de Walt Disney sert d'explication à ce qui remplit nos étagères – plus rarement de métaphore.

L'entente universelle se célèbre là, dans ce magasin étalé sur des kilomètres, avec des anges qui ont des blouses bleues ou rouges, un badge sur la blouse, et annoncent la somme à payer, d'autant plus angéliques que, de cette somme, ils ne touchent rien : pureté et honnêteté préservées de part et d'autre.

Il parle de gastronomie : l'idéal de vitesse, ce n'est pas un ordre donné par les automobiles aux cuisiniers, c'est un corollaire de l'esprit à la doctrine pragmatique : être efficace, arriver à ses fins, concentrer toutes ses forces logiques et morales comme un regard envieux sur les conséquences, voilà ce qui conduit l'homme d'aujourd'hui à déglutir plus rapidement son morceau de nourriture : et ce morceau, à son tour, pour parvenir plus rapidement, a pris au fil du temps une forme ronde et glissante ; il s'offre comme bouchée avant la bouchée, il devance la morsure, mou par anticipation, il vise directement, verticalement, l'estomac, son but, sans toucher les parois de l'œsophage – ce serait les outrager. Certains habitants des vieux terroirs de langueur et d'inefficacité continuent de mâcher longuement, et ils remâchent, tirant Dieu sait quel suc, parlant de saveur pendant qu'ils mâchent, comparant la pointe de sel à la touche de vanille : ils n'ont pas l'air de craindre d'user jusqu'à la gencive leurs

molaires à force d'évaluer les mérites de la note florale
– grand bien leur fasse, ces simagrées de salle à manger les
rendent sympathiques sur un mode désuet, c'est tout le
charme des pays encore sur la voie de la décadence, mais
douce, on le sait bien : s'enivrent, dansent *Le Beau Danube*,
conservent des quarts de truffe dans un bocal, caressent la
poussière d'un clos-tartempion comme s'ils la regrettaient
d'avance, pleurent longuement la disparition du papier,
relisent les dernières pages si mélancoliques du prince de
Ligne privé de ses jardins, et cherchent auprès des fournisseurs des boyaux de mouton pour instruments anciens. Ici,
c'est tout le contraire : la restauration au volant, depuis un
guichet jusqu'à l'intérieur d'une automobile, compte sur la
rapidité : pour se montrer poli envers le client venu glisser
quelque chose dans son œsophage, il convient de court-
circuiter toute idée de cuisson : directement de la commande
à la digestion sans passer par l'étape de la gastronomie.

Il faut manger là en prenant l'air de faire étape : les
comptoirs de la restauration se trouvent toujours au bord
de la route, soit pour tenir compte d'une réalité pionnière
et nomade, une réalité de pèlerins, soit pour l'entretenir,
comme légende s'efforçant de rester jeune – c'est alors un
vieil idéal adapté à d'autres circonstances : on mange appuyé
sur un rebord, le regard jamais loin de l'automobile, la sienne,
faisant face à la manière placide, éternelle et patiente d'une
vache de l'autre côté de la barrière ; et le steak lui-même
semble relié à l'automobile comme l'automobile ne lâche
pas le steak d'une semelle.

Agonie d'Achab – hypothèses

Soyons optimiste, son dernier jour finira bien par arriver – ce sera de la mesquinerie, et du hasard, encore une fois l'accident des accidents, la contingence pure, et Achab, mourant sous des insignes à peine déchiffrables n'appartenant à aucun ordre ni Église, pourra dire aux témoins (les survivants) "je le savais": il a toujours porté son attention sur l'accidentel, il a toujours pensé les hommes davantage sensibles aux accidents qu'à Dieu sait[1] quel destin (ne parlons pas d'essence), et selon lui (toujours les bras croisés serrés autour d'un oreiller de plume), celui qui mettra au point une science du fortuit en saura long sur notre univers. Le capitaine aurait pu faire honneur encore six cents ans à sa bonne santé de patriarche de la Bible, alors on aurait dit de lui "comme un chêne", ou plutôt "comme la stèle d'Hammourabi", il aurait fini par atteindre des âges incomparables: une fois évoqués Hérode et Abraham et les crocodiles sacrés et les archevêques embaumés de Sicile saisis dans une fausse éternité de cire et de bitume, il n'y aurait plus rien à dire, d'ailleurs Abraham d'un côté, les momies chrétiennes de l'autre retourneraient chez eux, en tant qu'image, d'où ils étaient venus, laissant au vieux capitaine l'idée seulement de figures inaccessibles (quand on a comparé un vieillard comme lui à Hérode, à un vieux mur d'enceinte et au dernier des cachalots, il ne nous reste rien de l'idée de vieillesse, rien de l'âge, rien du temps, encore moins – on doit alors restituer Hérode et le cachalot intacts au monde: vierges de notre compréhension).

---

1. *Sic.*

Peut-être un os de poule en travers de la gorge – quoi qu'il en soit, l'agonie du capitaine, sa jambe déposée à côté de lui, en équilibre, l'épée de Caton ou le souvenir de sa jeunesse ; il contemple le plafond, il considère pour la énième fois quelques mètres carrés de plâtre blanc, comme, tout compte fait, son paysage le plus familier, le plus constant, loin devant les vagues, et loin aussi devant les champs de blé d'Inde ; il se souvient du temps où contre cette même surface, disons une surface semblable, se projetait la figure de Richard III, plus tard celle de la baleine blanche : ton sur ton, elle n'avait pas de mal à se dessiner au plafond, il suffisait d'accepter le plafond tel quel (les nuits passées sans dormir, les yeux ouverts, libres d'accès, sont favorables à ce type d'apparition – Achab l'avait remarqué : c'est au petit jour que l'insomnie ressemble le plus à une chasse à la baleine).

Agonie d'Achab – autres hypothèses

Achab est devenu le contraire du capitaine : il est blanc et à l'horizontale, il est sans un cri, il n'a plus d'ordre à donner depuis longtemps, il n'a plus vu un coquillage, il a un linge sur le front, il se tient désormais loin de lui-même, il n'a plus de cap, il ignore volontairement le sens de ce mot, il veut apprécier pour la dernière fois l'idiote mais si agréable immobilité de son lit, sans parasites, il perçoit des parfums de paille au lieu de l'odeur du merlan, ça le rassure, il se pense victorieux. C'est l'heure où le médecin ne peut plus rien pour lui, sinon faire son anatomie parlée puis écrite, établir un catalogue pas très épais à quoi le corps du capitaine sera tenu de ressembler (alors la maladie, la mort, en passant par les termes de la médecine, seront les derniers liens d'un homme seul avec le reste du genre humain : comme le cancer fait passer sans cesse du particulier à l'universel) : une dernière fois, il a appliqué son stéthoscope, il a entendu une voix lointaine, le souffle du cœur ou des poumons, comparant le souffle au silence de la chambre, il a considéré la poitrine du vieux capitaine comme une caisse déjà creuse, pas même un coffre, au bout de son tuyau de caoutchouc ; il a vu un enchevêtrement de veines noires le long des os, il a admis l'apparence de solidité comme la preuve de la plus extrême faiblesse – la dernière.

En toute logique, il ne devrait pas y avoir de prêtre à son chevet, un ichtyologue à la rigueur, l'un de ces spécialistes en cétologie qu'il invoquait à divers moments périlleux de son existence (quand il ratait l'animal par exemple et ressentait soudain un furieux désir de théorie : elle seule sait transformer une gueule ouverte de cachalot en gueule fermée). Toute la mécréance d'Achab devrait faire fuir l'extrême-onction, ou la réfuter si elle a lieu : autour d'un moribond aussi exclu-sivement païen, rien que les insignes de la matérialité, de la mortalité de l'âme, de l'absence de salut et de signifi-cation, et l'absurde distribué par petites doses aux êtres et aux choses, pour se rendre supportable. Si le prêtre arrive, c'est par effraction, de surcroît, la nuit, parce qu'il a entendu parler d'un médecin, de sa visite, des cachets inutiles (du sucre mêlé à de l'amidon) mais bien réels et présents sur une table de chevet, pour faire passer granuleusement un homme de vie à, eh bien, disons trépas ; le petit Dieu au bout de son crucifix, passant aussi pour Jésus souffrant la Souffrance, ne reconnaît pas Achab, pas plus qu'Achab ne peut reconnaître ce Jésus-là (et s'il le reconnaissait, ce serait une rencontre exclusivement intellectuelle, cognitive pour mieux dire, pas du tout la lumière de la foi de la dernière minute – quelque

chose comme le fameux *Doctor Livingstone, I presume?*).
Pour nous, vu de l'extérieur, et pour l'Histoire Malmenée du
Capitaine, ça pourrait être un prêtre de l'Église catholique,
venu avec un enfant de chœur, chasuble, étole, manipule,
cordon d'aube, un surplis, et son visage fin tendu vers la
brebis, la pauvre – pour le capitaine, l'ombre devant ses
yeux un confident neutre, comme l'ont été tant de fois ces
hommes et ces femmes voisins de tabouret au bar, devant
un verre de bière : quelqu'un à qui parler, dépositaire sans
malice, oublieux, pressé d'enfouir ces histoires sous d'autres
souvenirs plus importants, par exemple des souvenirs de
jambes nues au cinématographe. Ce serait, à ce moment-là,
dans cette chambre, la dernière version de sa chasse à la
baleine : dite à mi-voix par un amnésique à un indifférent,
elle pourrait tenir en peu de mots, parce que le temps presse,
elle irait brièvement du début à la fin, presque immobile,
comme si aller du début à la fin c'était cette fois renforcer
au crayon le même point au même endroit de la page – les
deux mots non pas d'un appel à la miséricorde (pourquoi
m'as-tu fourré dans ce pétrin ?) mais du genre et de l'espèce
d'un mammifère marin.

Fred Astaire dans le rôle du capitaine Achab

Show time[1] : c'est le moment où Achab cesse d'être wagnérien, il est chorégraphique, il descend du ragtime, Boris
Karloff et lui n'ont plus rien en commun : Fitzgerald envisage
de confier son rôle au jeune Fred Astaire, un homme taillé
dans une baleine de jupon : le swing, enfin le swing, la

---

1. *Ricercare con obbligo di cantare.*

baguette à la Gene Krupa sur le cercle de la caisse claire, et une manière si aérienne de s'appuyer sur une fausse jambe (on en reparlera).

Fitzgerald est mort avant de porter cette idée aux hommes du studio, mais l'hypothèse d'un capitaine Achab à une seule jambe entièrement chorégraphié par un professionnel des claquettes a fait le tour, passant par la fenêtre ouverte, jusqu'à un bureau, puis un autre, celui du chef. Pendant des semaines, on a vu Fred Astaire habillé en capitaine s'exercer devant un grand miroir, en remontant toutes les dix minutes le ressort du phonographe ; l'achabéisme, du coup, peut devenir tout ceci, un trac de jeune homme avant le bal, les esquives d'Errol Flynn ou de Tyrone Power, l'art de marcher comme on danse et comme on se bat en duel avec les épées les plus fines, des rayons argentés qui ont des sons de fourchette contre une flûte à champagne (et l'instant d'après, le bruit d'une hache) ; l'achabéisme devient la joie contrôlée, l'exultation dans l'idée d'une victoire imminente, l'oubli de toutes les contraintes, l'acceptation du monde comme ensemble de décors et de composition musicale, comme chef-d'œuvre temporaire des artisans de la MGM, et comme reprise des vieux succès.

Achab découvre le livre

Dans l'une des versions des *Voyages du Capitaine*[1], la baleine blanche ne met pas un terme à son acharnement ni à son existence, Achab survit, son combat d'un instant est révélation, surprise, désillusion, apaisement de fortune ;

---

1. La présente.

le capitaine voit se lever le jour d'après le combat, ni vainqueur ni vaincu, prenant place dans un maintenant confortable mais un peu mou, un maintenant de sable mêlé d'eau où le pied s'enfonce, peut-être durablement. Il s'est détaché de la baleine (le "chacun son destin" et le "voilà pour elle" de l'Ancien Testament), il a survécu et depuis il chemine, il prend de l'âge, il trouve un emploi et le perd, puis un autre, il passe de garçon d'ascenseur à groom et de groom à cordonnier, plus les années filent et plus le capitaine s'éloigne du capitaine, l'oubli naturel s'ajoute au reniement volontaire de soi, par élégance et par veulerie ; il raconte ses mésaventures comme s'il parlait d'un autre, il gagne des amitiés d'un soir, un petit public changeant, il monnaye ses histoires ou tente de le faire à Broadway puis à Hollywood, il se fait berner de cent manières différentes et ces cent manières sont cent shows parmi tous ceux du show-business ; il renonce au cinéma, il reboucle ses valises, il fait le trajet sur un boulet de canon entre Los Angeles et l'aéroport de Newark, il ne veut plus savoir comment on serre une voile ni comment on écrit un troisième acte ; il reçoit une retraite misérable, elle lui permet de se nourrir de verres de lait et de sandwichs ronds en pain mou ; il se promène pour donner une forme à son emploi du temps (une forme d'aller et de retour), jusqu'au jour où il découvre dans une librairie du nord de la ville un exemplaire du livre d'Herman Melville : sur la couverture, une baleinière soulevée par une nageoire caudale, une douzaine d'hommes comme douze anchois secoués dans une poêle à frire.

    L'image d'une queue de baleine sur une couverture de livre [1972] l'attire (il y a quelques années, elle aurait été un repoussoir), son attirance est curiosité et méfiance : le capitaine hésite comme souvent entre la joie simple des coïncidences (joie aussi des ressemblances) et la crainte de voir dans cette extrémité de nageoire le début d'un mauvais présage. Si la librairie existe, si le livre défraîchi dans la librairie se montre, en vitrine ou sur une table, si le vieil Achab a le courage de l'ouvrir et si le libraire (un monsieur dans l'ombre qui déballe des cartons et se demande où trouver de la place) accorde à son client tout le temps nécessaire pour lire – alors Achab peut faire l'inventaire des autres ressemblances, en plus de cette queue immense de cachalot et des douze hommes-anchois : il retrace les lettres de son nom, il reconnaît les éléments du *Pequod*, il se perd par moments, il ne s'y retrouve plus, il prend du recul, il laisse aller l'histoire d'un autre, puis il rattrape sa piste, il retombe sur le capitaine Achab, l'autre, celui du livre, réapparu au chapitre 28, ressorti de sa cabine le temps de faire le coq et le paon, mais le paon noir, croisement de peacock et de cormoran.

(Tournant les pages, il reconnaît le forgeron, le cambusier, le bœuf salé, la mélasse, Willoughby, Sibbald, les livres de Lacépède, la baleine à tête d'enclume, la baleine macro-céphalus, le marsouin hourra, il croit se retrouver là-dedans, en terrain familier, mais d'une familiarité qui lui échappe, comme si ces marins du livre et lui ex-capitaine en ville acceptaient des retrouvailles mais refusaient de se serrer dans les bras : se donner des accolades qui, après un bon gros siècle d'absence, sans une lettre, sans un coup de téléphone, n'ont plus beaucoup de sens – il reconnaît la sonde de Malacca, le sapin ciguë, l'Almanach du Massachusetts, le Dismal Swamp, le Périple d'Other, le *It's an old Saxon word, it occurs once in Shakespeare*, le cachalot de Cuvier qui ressemble à une courge, les baleines peintes sur les enseignes des marchands d'huile et qui ressemblent à Richard III, l'admirable histoire de Persée et d'Andromède, les bricks frétés de poix et de soufre, les cendres de Gomorrhe et le sang de Thomas Becket dans la cathédrale de Cantorbéry; il reconnaît l'arrêté municipal de la Société Chinoise pour la Répression de l'Envie de se Mêler des Affaires des Autres, il se souvient l'avoir vu quelque part, en avoir entendu parler un jour, par un forgeron, ou en avoir parlé au forgeron, l'un ou l'autre; il reconnaît le dernier grizzli dans le Missouri colonisé, les dormeurs comparés à des faucilles abandonnées de l'année dernière, il se demande s'il découvre à l'instant ces faucilles abandonnées, ou s'il les a déjà rencontrées il y a un siècle de ça quelque part, s'il a vu des dormeurs et si l'image absurde d'une faucille lui est venue à ce moment-là, s'il a osé la comparaison, s'il l'a confiée à un petit mousse, si elle est devenue proverbiale et se retrouve dans ces pages, naturellement, sans autre explication que la présence d'à peu près toute chose dans ce livre; il reconnaît le ressac du commerce, l'après-midi de Sabbat, rêveuse, le fléau de payer, les maraudeurs du Paradis terrestre, le gilet en ventre d'alose, l'indigestion de chaussons aux pommes, la sordidité considérée comme l'état permanent de l'homme, les conjectures lapones, la tête de la baleine traversée d'une idée importante, les palpitations délirantes, les Parques imprésarios, l'ébauche d'une ébauche, et l'histoire de l'homme heureux de chanceler sous les mots les plus pesants du dictionnaire.)

Bien évidemment, dans ces circonstances (qui sont des hypothèses, mais crédibles), Achab en prend et en laisse, il se méfie des miroirs tavelés, il s'est fait piéger trop souvent par des ventres de bouteilles vides lui renvoyant son portrait étiré, semé d'épines (on aurait cru celui d'un poisson fugu pris de panique): il se demande s'il doit s'identifier à cet Achab du gaillard d'arrière apparu pour la première fois au chapitre 28 ou s'il doit garder ses distances de peur de se laisser entraîner dans des histoires mauvaises. Il le retrouve au chapitre 44 jaillissant de sa cabine comme s'il sortait d'un lit en fer, il l'aperçoit une autre fois chapitre 91 penché par-dessus bord (aussitôt disparu), une autre fois chapitre 99 en train de faire les cent pas dans un périmètre limité – et une ou deux fois encore, à peine plus, déterminé à s'identifier aux longues absences plutôt qu'à ces apparitions éloignées l'une de l'autre.

L'impression de s'être encore fait spolier : un autre gougnafier lui a soutiré ses aventures de baleine et en a fait ce livre pour s'assurer des vieux jours tranquilles dans trois maisons de campagne, une en Virginie, une dans le Dorset, une à Bornéo. (De son point de vue de retraité à la maigre pension (un bortsch plus souvent de mouton que de bœuf), ces trois maisons sont un inexplicable miracle, ou une inexplicable escroquerie, mais une inexplicable fortune, comparée à sa pauvreté.) S'il n'y avait que ça, l'impression de se faire berner, Achab lecteur glisserait le vieux bouquin dans la corbeille, prêt à rembourser le libraire au prix du neuf – mais il y a autre chose : l'envie de surprendre encore les rares épiphanies d'Achab quand elles ont lieu, d'assister à son mutisme de prêtre de mystère païen embarrassé par la lumière du jour, puis voir comment il marche, tenter de déduire de quel pied il boite, ne trouver nulle part la réponse, pas plus qu'il ne trouverait la réponse à la question du sexe de la baleine. S'il met de côté l'irritation, il éprouve même un certain plaisir à voir les marins grimper dans les voiles, du moment que lui n'y grimpe pas, de la gourmandise quand un second mange sa viande rouge, de la perplexité quand il est question de Pythagore et ses métempsycoses, et une étonnante nostalgie, sans objet précis, d'un temps qu'il n'est pas sûr d'avoir connu, réveillée à la lecture d'une phrase où une heure se compare à une feuille d'or battue jusqu'aux confins des siècles – nostalgie allant à la rencontre de la vieille rancune, pour procéder aux retrouvailles. (Le voilà sur le bord de s'attendrir, ce qui ne serait digne d'aucun des deux capitaines – heureusement, en dépit de sa mélancolie, le lecteur conserve sa dignité : il verse sur une page lui appartenant au nom d'un obscur droit d'auteur le sable qui sert à sécher l'encre : le sable de son esprit critique.)

Sans doute à cause du sable, vient le moment de se livrer au jeu des comparaisons : Achab compare sa façon à la sienne, son chapeau au sien, son aisance d'acrobate, son talent de bonimenteur ; il se juge plus souple, mais moins habile, plus enthousiaste, moins constant. En tournant les pages du dernier chapitre, 135, un peu avant de lire ces allusions à l'errante *Rachel*, à Ixion, aux rouleaux de la mer vieux de cinq mille ans, il constate (il s'y attendait) que l'autre capitaine choisit de se jeter à l'eau avec la baleine, et d'y mourir : la mort emphatique au lieu de la survie faite d'une longue suite d'anecdotes. Est-ce qu'il le jalouse ? non s'il tient compte de sa cabine trop étroite – oui s'il le trouve élégant et héroïque, portant mieux le chapeau, mieux le compas, et le sextant au bout de son nez. Surtout, il n'aime pas l'idée d'un usurpateur se montrant sur la place avec la candeur du marin authentique : lui qui a fait tant d'efforts et a pris tant de risques pour inventer son personnage de capitaine, il se laisserait dépasser par un de ces marchands d'authenticité ? (Est-ce que l'opinion publique ne va pas le désigner lui comme la pâle copie de l'autre, en comparant leurs mérites : avec quelle preuve alors défendre son honneur ? avec son anonymat de chômeur rayé des registres et son chandail pouilleux ? comment plaider la valeur de son moi quand on a une chemise rapiécée et vingt-sept cartes d'identité rangées dans une boîte ?)

Il paraît que Nicolas Gogol l'Inquiet, au lendemain de la publication d'un recueil déplorable (quelques poèmes assassinés), a couru trois jours dans Saint-Pétersbourg d'une librairie à l'autre pour racheter ses exemplaires et les brûler dans le feu du poêle : que plus personne n'en parle (ce genre d'autodafé allait devenir une coutume). Trois jours aussi pour notre capitaine, moins de roubles en poche mais une inquiétude comparable, et le tour des librairies et des bibliothèques de New York à des milliers de kilomètres de Saint-Pétersbourg pour racheter tous les exemplaires de ce Melville usurpateur et les donner à manger à son chat – il veut dire par là : les éparpiller dans le vide-ordures. C'est un soulagement de courte durée : l'inquiétude se réveille dès le lendemain, pas besoin d'anathème pour se sentir menacé, il suffit de se tenir seul dans sa cuisine entouré d'un million d'Achab de papier, plus épiques que lui, prêts à lui faire honte. Il rassemble la monnaie de sa retraite, économise sur des parts de tarte au citron, rachète un livre chaque fois qu'il en trouve un, n'en trouve pas tant que ça, se rassure en se disant les exemplaires ne sont peut-être pas si nombreux, peut-être mille, peut-être moins, un peuple dérisoire comme les bataillons de Gettysburg après la guerre, allégés de tous les hommes morts : l'autre Achab s'est raréfié, il se sent seul lui aussi, réfugié sur un territoire de plus en plus restreint, obligé de grimper dans la nacelle tout en haut du mât de hune pour y prendre toute la mesure de notre solitude. Quinze exemplaires, puis six, puis un seul, le dernier, comme la dernière copie de *L'Arche de Noé* de Giordano Bruno tombée d'une poche dans l'eau de la Méditerranée – et à bord du dernier livre, un capitaine circonspect (il ne fait plus le fier), conscient de sa fin prochaine, baleine ou pas baleine.

Dans cette version de l'histoire, Achab rachète solennellement son dernier exemplaire ; sa solennité n'est pas
pesante, mais allégée, frivolisée par toutes les circonstances,
le matin clair et froid d'hiver à l'approche de midi, les allées
et venues de travailleurs, les conversations et la désinvolture
brodée par ces conversations avec élégance, les gargouillements d'estomac, les rengaines à la radio, les histoires en
trois cases dessinées à la dernière page d'un journal – il
l'achète, il se défait d'un seul dollar, mais cette fois il ne
le jette pas pour alimenter le brasero improvisé dans une
poubelle par trois ermites, il le conserve sous son bras, plus
tard sous son oreiller ; il mesure ses scrupules et sa gêne,
il le tient à portée de main, il y cherche certains jours les
signes d'une fraternité possible, d'une communauté de
destin, et donc l'ébauche d'une solidarité entre naufragés,
une empathie de capitaine à capitaine et baleine à baleine,
et calmar à calmar. (Il y souligne des mots pour passer le
temps, se promettant de leur trouver une signification plus
tard – par exemple *silence pyramidal*, au chapitre 79, et dix
lignes plus loin l'expression *Égypte de chaque homme*, qu'il
s'agirait de déchiffrer.)

Exit Melville

On sait que Melville retourne en Angleterre, cette fois sur
le tard, le tard melvillien, longtemps après avoir fait paraître
tous les livres qu'il s'était donné la peine d'écrire pour des
raisons inconnues – autrement dit une fois riche de tous ses
échecs, avec, qui sait, suffisamment d'ironie ou de sarcasme
ou d'espièglerie de jeune garçon pour appeler cette somme
d'échecs un capital, et le placer, comme on dit, pour le jour

où il se décidera à recommencer. Traîne la patte à son tour, reconnaît la rue en pente qui mène jusqu'aux docks, le quartier de la rive sud où avait brûlé le Globe : il n'est plus tout jeune, rien ne lui a été épargné, il se promène du côté du port après toutes ces années à faire l'imbécile contrôleur des douanes – mais il ne veut pas se pencher sur un passé de fonctionnaire, tant qu'à faire : un passé de prosateur, même vaincu et bafoué, ça lui semble plus juste, plus honnête, et il le prévoit plus agréable, il pense plier une feuille en deux et prie pour être l'une des moitiés posée sur l'autre, exactement. À son âge, pas besoin d'être malade pour être mal en point, tousser est presque une preuve de bonne santé, le dynamisme de ceux qui sont encore en vie et en délivrent des preuves à toute heure dans un crachoir – mais est-ce qu'il y a encore des crachoirs ? S'il se tient assis à une table et laisse la mousse de sa bière s'estomper entièrement, sans y poser les lèvres, et s'il devient en même temps que sa bière une pinte pâle sans plus aucune effervescence, il a des chances de finir là, sur place, réconcilié avec rien – le bois de la table, peut-être ?

Iago

Des années avant de se lancer à la poursuite d'une baleine, il s'était initié à la rancune dans le rôle de Iago : une rancune sécrétée dans une chambre noire, mesurée, mise au point comme un piège de ficelles et de herses. Le temps d'apprendre ses tirades par cœur, de choisir ou d'inventer (tirée de nulle part) la chevelure de Iago, le temps de lui trouver les six boutons de sa chemise, puis de dessiner ses sourcils, et Achab comédien se vantait de connaître Iago mieux que Iago si

Iago avait été une créature vivante – un peu plus et Iago lui-même serait venu demander au comédien Achab des leçons de maintien, comme Napoléon auprès de Talma. (Dans l'une des versions des souvenirs d'Achab confiés par le capitaine à quelques-uns de ses marins, on trouve cette scène, précisément celle-là : la *Visite du véritable Iago au comédien dans son rôle pour apprendre auprès de lui qui il est, ses pensées profondes, ses désirs, et peut-être même (pendant qu'on y est) un petit bout de son destin.* Ce Iago, c'était en vérité un Argentin égaré à Londres où il transportait du fromage de Cheddar sur une charrette à bras ; il a vu son nom sur une affiche, il a voulu se reconnaître en chemise et barbu sur la scène jusqu'au dernier acte, il est revenu plusieurs fois s'applaudir et se conspuer, il s'est retrouvé entièrement dans ce mélange de faiblesse, de malice, d'intelligence fine, d'habileté de jongleur et de désir de nuire, il est allé voir le jeune comédien Achab, dans sa loge, après s'être longuement frotté les semelles à son paillasson. Ses marins l'écoutent raconter jusqu'au bout ; certains voient dans cette histoire l'imitation d'une blague ancienne usée jusqu'à la trame, d'autres jurent sur le manche de leur rame l'avoir déjà entendue, avec deux fois le fourbe Volpone dans les deux rôles de Iago.)

Rebondissements d'Achab

Ce qu'il voudrait à présent, c'est soit le repos sans histoire du retraité, son vaisseau entre deux accoudoirs, l'horizon par la fenêtre coupé en deux, pas de courses jusqu'aux îles Sandwich (peu importe lesquelles) mais à deux coins de rue pour y acheter du pastrami – soit l'interruption de toute chose et de lui-même, elle aussi sans histoire, une mort ne méritant pas même un entrefilet dans le bulletin paroissial : une noisette avalée de travers, la noisette coup de théâtre. Pendant qu'il espère entre ses accoudoirs, treize scénaristes en équipe continuent chaque jour (sauf le dimanche, et encore) d'inventer pour lui, c'est-à-dire pour son double, des péripéties : glissent sous son pied une peau de banane ou un tapis volant, lui font retrouver dans le voisinage un ami d'enfance ou un ennemi juré, ou un certain Phil qui est l'un et l'autre à la fois. Ils lancent des idées sur la table, la plupart seront perdues, ils le savaient, ils ont des tiroirs grands ouverts et des poubelles plus grandes encore, abondantes en creux (l'abîme selon Démocrite, où la Vérité s'enfouit toujours) ; ils proposent des péripéties, des aventures dans un sens puis dans le sens contraire, ils lui font ouvrir et refermer des portes, ils font naître trois personnages et les abolissent à regret avant la fin de la matinée, ils empruntent à *Maciste en enfer* et à *Fantômas* ; comme ils savent les tiroirs et la poubelle ouverts, hospitaliers, ils comptent sur une certaine immunité : ici, ils peuvent supposer n'importe quoi. Mais au bout du compte, ils perpétuent le capitaine, c'est Jethro ou Achab, la différence n'est pas remarquable le mal est fait de la même façon ; le vieil ex-capitaine est obligé de subir de rebondissement en rebondissement la reconduction des jours de la semaine.

(Achab familiarisé avec les téléviseurs, pas trop tôt, sait d'expérience que toute manœuvre est routinière : il regarde son personnage de capitaine à la toute fin de l'épisode 32, au-dessus du vide, accroché à la corniche du 107ᵉ étage, d'un seul doigt, l'index, et cet index prêt à flancher – il le verra dans une semaine (il sait d'avance, à ce jeu-là on est prophète spontanément) à l'épisode 33, sain et sauf, rétabli d'un haussement d'épaules : sauver sa peau étant, sous la loi des feuilletons, affaire de désinvolture[1].)

À propos d'un tableau exposé dans l'Auberge du Souffleur, devenu noir avec les années

[1851] Les visites systématiques à la toile du Spouter Inn[2], un tableau probablement de l'espèce de la croûte sympathique, croûte de la main des hommes, si méticuleusement recouverte de poussière et de cendre, de fumée, et de la vapeur nourrissante venue de la cuisine, où l'on fait la friture – et si sombre maintenant que son sujet (admettons l'existence d'un sujet) disparaît sous des formes et des couleurs contradictoires. Des esthètes et même des connaisseurs sont venus là pour le seul plaisir[3] de voir comment un sujet s'efforce de disparaître, d'estompement en estompement (ou au contraire, d'ajouts successifs) : le savoir-faire du peintre combiné à la belle indifférence d'auberge, au je-m'enfoutisme des fumeurs de pipe et de cigare, au souverain laisser-faire, et l'autre souverain graillon de la cuisine, tout cela déposé sur la surface de la toile, touche après touche.

L'obscurcissement de la toile du Spouter Inn, disent les connaisseurs, est un don de la fidélité des buveurs, le don de la fumée des cigares au papier peint, chaque jour,

---

1. C'était déjà le cas – la même corniche, l'index, le précipice, le haussement d'épaules – au temps de Dick Tracy, des multiples Zorros et des autres, quand les feuilletons étaien. en noir et blanc projetés dans des salles communes. Savoir si Dick Tracy enchaîne assommé, dans un bolide à flanc de falaise va s'en sortir d'ici quinze jours n'est pas u. suspense insoutenable ; il n'y a pas d'anges gardiens, il y a des trucs.
2. New Bedford, 41° 38′ 8″ Nord, 70° 55′ 22″ Ouest.
3. Il s'agit aussi d'un enseignement.

avec constance – retrouver le sujet nettement dessiné sous
l'épaisseur de cendre et de graisse demande de passer encore
une fois par la routine, la même et une autre : le retour de
l'habitué sur les lieux de ses habitudes, la porte de l'auberge
ouverte et fermée, le salut à tous prononcé dans une langue
commune, et qui se renouvelle en se reconfirmant chaque
jour – la visite au tableau, la visite au Spouter Inn, les
mêmes gestes pour les deux visites, la patience, assez de
temps devant soi et d'indulgence pour amadouer un tableau
devenu pas très causant à force de s'assombrir, aucune précipitation, surtout pas précipitation d'expert, le refus de juger
le coup de pinceau avant d'avoir pesé le pour et le contre, la
présentation de soi et de sa bonne tête à la toile, exactement
comme on présente la toile aux experts, un vis-à-vis loyal ;
la confiance progressive née d'une certaine routine de chose
et d'être humain, sans attendre le miracle de l'aube mais
avec l'espoir que l'œil finira cette fois encore par s'habituer
au noir, parce qu'il a su s'habituer toujours aux chambres
plongées dans la nuit.

Des habitués, qu'on ne distingue pas des connaisseurs,
sont venus à l'Auberge du Souffleur, ils ont pris cette peine,
en buvant de la stout pour être ton sur ton ; ils ont regardé
le tableau, ils ont laissé venir à eux les figures sombres,
attendant qu'elles se détachent, ils ont laissé passer les heures
pour voir la lumière, de l'est puis de l'ouest, souligner de
très anciens coups de brosse ; ils ont deviné le profil d'un
visage ou celui d'un bateau, mais sans le dire, sans en être
sûrs, se souvenant des yeux peints à la proue des navires de
Rome pour conjurer le mauvais sort, des yeux penchés mais
grands ouverts de tragédien – ils sont parfois parvenus à une
conclusion, qu'ils ont confiée "comme un morceau de sucre
à la bière noire".

Traité sur l'Éternité (petit)[1]

Pourquoi le prétendu (le *call-me*) Ishmael affirme avoir écrit un (je le cite) *petit traité sur l'Éternité*? et pourquoi cette désinvolture, une annonce en passant, l'air de di.. les traités lui tombent au printemps juteux au mê.. ..oment que les cerises (ou en septembre les mirabel.. s)? pourquoi cet adjectif *petit* contenant à coup sûr une gra..deur de philosophe amateur (un peu paresseux – René Descartes, par exemple: il ne jugeait pas toujours utile de publier son livre, ni même l'écrire, à quoi bon? il a déjà été pensé). Et puis, ce *call-me* Ishmael postulé par Herman call-me Melville, quand a-t-il trouvé le temps d'écrire sa petite œuvre? comment un marin concilie temps libre pour l'écriture et éternité du sujet d'étude? quelle farce ou quelle combine de tire-au-flanc lui permet d'articuler la maigreur d'une vie humaine, la brièveté des jours fériés, la petitesse d'un livre avec la chose insondable: parce qu'à y bien réfléchir, Tristram Shandy ne nous contredira pas, une éternité est nécessaire pour épuiser le sujet de l'Éternité – si ça se trouve, il s'agit de la même. Et à quoi il pouvait ressembler, ce petit traité? une méditation sur la métempsycose, comparée aux épissures? une étude hermétique sur la doctrine de Pythagore? ou un portrait du capitaine en Increvable, "immortel sur terre et sur mer"? ou une thèse de cétologie démontrant non seulement l'omniprésence mais l'éternité des baleines, à cause de leurs poumons remarquables, du spermaceti et du gras dans quoi elles se

---

1. "Tandis que j'écrivais un petit traité sur l'Éternité" – chapitre 85.

conservent (le gras, le froid, le sel, l'absence d'air, rien de tel pour se rendre immarcescible[1]).

Le Traité sur l'Éternité n'est pas vraiment un traité sur l'Éternité – voilà comment on présente l'hypothèse de la manière la plus brutale (un résumé désobligeant à l'égard des subtilités de la pensée) : en vérité, c'est une chronique de l'existence du capitaine au cours de ses dernières années sur la terre sèche, écrite en le suivant de loin, jour après jour, mètre après mètre, dans un carnet, attentif au pied humain comme à celui qui ne l'est pas ; si le traité est désinvolte, c'est en raison de cette apparence de journal intime, qui collecte les données de la trivialité, fait preuve de l'attention parfois désinvolte elle aussi des poètes objectivistes (la gravité fera sa place quelque part dans la désinvolture). N'importe quel traité sur l'Éternité digne de ce nom, accompli avec sérieux, Augustin et Thomas d'Aquin, ou Max Planck et Blumenberg, avec un peu de Karl Barth, d'ampleur théologienne et de philologie, embrasserait l'Éternité entière, quitte à y perdre des plumes – malin ou paresseux, ou paresseux et donc malin, *call-me* Ishmael a choisi, lui, d'évoquer l'Éternité par ses échantillons, l'éternité d'un seul monsieur, en rien distingué des autres, dans le cadre strict de sa vie quotidienne. (Il aurait pu tomber plus mal – la fausse éternité d'un faux mystique, la plus fausse encore éternité d'un embaumé sur la place Rouge, riche en formol et en gomina, la fausse éternité du grand artiste, dans ses œuvres et en lui-même, ou l'éternité des vieux crooners du nihilisme, qui s'obstinent (les plus suicidaires, les plus obstinés) – il

---

1. "Il n'est pas surprenant que certains baleiniers aient poussé plus loin leurs superstitions, déclarant Moby Dick non seulement omniprésent mais immortel (car l'immortalité n'est que l'ubiquité dans le temps)" – chapitre 41.

y a aussi l'immortalité assortie d'impunité des sénateurs à
vie, centenaires au palazzo de Rome, toujours là au réveil
de leurs collègues, comme le dinosaure de Monterroso,
pour assister et déplorer (le cours du monde au jour d'aujourd'hui).)

Il y avait Jean-Henri Fabre penché sur des hannetons; il
faut imaginer *call-me* Ishmael au pied de l'immeuble où se
perpétue sans toujours y prendre garde le vieux capitaine; il
faut se le figurer vingt mètres derrière lui dans la rue, quand
ils marchent: une pudeur d'agent double, prudent et voyeur,
la fidélité de l'imprésario à son client, unis pour toujours,
les vertus troubadouresques de l'amoureux champion de sa
dame mais les vices de l'importun et du surveillant de grand
magasin, en civil; et la minutie, la procédure, la certitude
de venir à bout (de quoi – de toute chose) en passant d'un
degré à l'autre le long d'une suite discrète de nombres.
Avec le temps, la familiarité de l'espion se promenant vingt
mètres derrière son client est d'autant plus profonde et
sincère (disons circonstanciée) qu'elle est muette, respectueuse, attentive, sans en perdre une miette, au courant
de l'intime et de l'extime, compilatrice des habitudes, les
petites, celles de la semaine, celles du dimanche, les contre-
habitudes devenues habitudes secondes – une amitié d'agent
de filature, qui saurait parfaitement, la nuit, de retour chez
lui, les yeux fermés, d'un seul geste sur une page, faire le
portrait du capitaine, le fusain s'il y a du fusain, et à défaut
le stylo plume qui a servi le matin à noter l'heure exacte du
petit déjeuner. Le portrait est instantané et brusque (il doit
l'être – une ébauche, mais personne n'y touchera plus), on
dirait le geste du colérique repoussant son médicament, mais
il n'a rien d'injuste, il fait honneur: le capitaine se résume
en deux traits noirs superposés, l'un plus incliné que l'autre;

c'est une encoche, il est entièrement dedans; le réduire à si peu de chose n'était pas lui faire injure, lui-même s'y reconnaîtrait, un portrait en pied, ou sa dernière signature après l'extrême-onction au bas d'un testament (le stylo[1] du signataire doit faire le lien, très délicat, entre la gravité définitive du testament, fixé par un notaire, et la frivolité du moribond: son je-m'en-foutisme d'un autre monde).

Call-me Ishmael: il emboîte le pas, il se tient en retrait, il assume prudence respectueuse et hypocrisie de *peeping Tom* parasite; il rassemble les éléments toujours plus réduits et plus dérisoires d'un traité sur l'Éternité; il ne le perd jamais de vue, il use ses semelles: il s'adapte à son rythme, s'il le faut il regarde ailleurs (combien de fois en une semaine il refait le nœud de son lacet); à la fin de la journée, de l'année et de son existence, il a dans les pattes les milliers de kilomètres parcourus jour après jour par le vieux capitaine – et non seulement le nombre, mais le dessin exact, chacune de ses promenades aussitôt raccomplie. Quand il oublie les chapitres de son Petit Traité, parce que ses pages se défont, il devient sans le savoir une sorte de compagnon lointain et détaché, s'effaçant en cas de grabuge, mais aussi bien disposé à prêter main-forte, comme le diront les faits divers: le brave type qu'on a vu secourir l'estropié au passage piéton, c'était peut-être Ishmael Mendesky, en costume d'Arlequin – et l'approximative âme sœur remplaçant tant bien que mal la mule de Sancho et Sancho sur la mule, c'était peut-être lui également.

---

1. La main crénelée.

Achab nous enterrera tous

Sa jambe de bois imputrescible, et lui, sur cette jambe, imputrescible tout autant, fixé sur le Pôle, collectionneur de toutes les formes d'immutabilité abstraite et concrète : cet Achab nous enterrera tous : il le fera pour de bon, ça ne sera pas un proverbe, mais la plus franche, la plus simple des réalités, constatée par lui seul survivant au-dessus des mottes de terre parsemées des fragments de Yorick. Il sera seul debout parmi tant de gisants, il détonnera, il fera saillie hors d'un monde défunt, il aura l'air un peu niquedouille d'un étendard, d'un jalon ou d'un mât de cocagne, orné de beaux jambons ; il se demandera alors s'il doit prononcer une oraison collective, une seule pour tout le monde, ou bien prendre sa pioche, assumer dans la solitude une sagesse bougonne / désenchantée / primesautière / pragmatique de fossoyeur.

Achab nous enterrera tous : et la baleine, il prendra un malin plaisir à l'inhumer dans le sable, tout le contraire de son cher océan : ce sera une plaisanterie élevée au rang titanesque, il faudra peiner sept mois pour dégager un trou de taille suffisante – mais pour remporter cette victoire, Achab se tuerait à la tâche. On ne le croyait pas forcément de ce type d'hommes nés pour réchapper à tout (la chance des canailles, ou une habileté de danseur faisant un pas de côté au bon moment), n'empêche, il a surmonté son naufrage et sa dernière bataille, il faut l'imaginer en train d'organiser les funérailles du monde entier : une fois seul, il règne et se désole, il ressemble à Sardanapale. Il ne nous regarde pas de haut, le jugement du fossoyeur ne saurait jamais être très élevé, il lui arrive même assez souvent de se trouver dedans la tombe jusqu'au menton et d'avoir un point de vue de menton au ras du sol : l'humilité volontiers rigolarde, ouverte sur le néant, mais aussi attentive à des détails observés de très près, en pleine terre, un escargot par exemple, l'insignifiance et la haute complexité géométrique de l'escargot. Il triomphe peut-être, il pourrait même jubiler, lui seul héritier de la faculté de rire à l'aplomb des tombes ouvertes – pendant qu'il marche sur les plates-bandes, il se demande quelle attitude doit observer le dernier survivant de tous, quelles génuflexions, quels protocoles, quels chants funèbres de marins, quel pot d'adieu en plus solennel – il ne sait pas. Il croit bien découvrir le propre de l'homme dans cette ignorance : l'incapacité, depuis toujours, de savoir comment s'y prendre.

Le dernier survivant n'a pas de modèle : libre d'improviser, selon ses talents d'amateur, jonglage, claquettes, requiem interprété à l'orgue d'église, s'il en reste un en état de marche, ou simple méditation kantienne accomplie à petits pas sur des chemins de terre. Rien ni personne ne pourra dire si Achab en Dernier Survivant réussit son interprétation : s'il est digne d'une tâche incommensurable, s'il n'ajoute pas la faute de goût à un commencement d'orgueil – imaginez, le paysage est hiératique, il est égyptien, avec tout ce qu'il faut de funèbre, l'heure est aux bilans, ou au moins à l'énonciation d'une devise qui fera mouche pour l'éternité dépourvue d'hommes : au milieu de tout cela, le capitaine est ridicule.

Au survivant le droit d'éteindre les lumières, tout l'espace disponible pour y étaler son cabotinage d'acteur en mal d'audience, comme une inondation, soi-même recouvrant le monde (et Achab, on le sait, peut être cabotin : Orson Welles dans son rôle se tiendrait au-dessous de la vérité).

Le droit aussi de distinguer, à sa droite, la mouise, à sa gauche, la chance puis se promettre de cheminer dans ce monde désert a la façon d'un récitant, comptable des choses vivantes et mortes et des faits accomplis, observateur, sans désolation ; il fera la dernière annonce, il prononcera d'ultimes paroles, reste à savoir lesquelles, il trouvera le moyen de s'escamoter ; il ne sait pas encore comment.

Une lettre de Cole Porter à Alan Broderick

[1934]   Les choses (je n'ai pas le temps de te préciser quelles choses ; il faudrait écrire un catalogue, il se superposerait au monde lui-même – je préfère te laisser puiser dans tes propres listes et donner à *choses* le sens qui te paraîtra le bon quand tu liras cette lettre) – les choses changent parfois très vite à Broadway : hier soir, Howard Lindsay, excité comme s'il avait trouvé un billet de loterie gagnant à la place de son ticket de vestiaire et nerveux comme s'il fuyait les hommes de Lucky Luciano, était encore en train de secouer tout le monde, moi le premier, mais aussi Guy Bolton, Wodehouse, Russel Crouse et je ne sais qui d'autre, pour monter son fameux *There She Blows* – l'histoire d'un capitaine fou à la poursuite d'un cachalot (j'imagine Fitzgerald courant après son vieux succès). Ce matin, plus question de baleine blanche, on ne s'en plaindra pas, *There She Blows* est devenu *Anything Goes*, ça me permet de sauver toutes mes rimes, *prose, studios, gigolos*, et la plupart des mots venus se glisser entre les rimes en profitant de mon indulgence. Howard Lindsay est toujours aussi excité, il faut dire, les délais sont courts, la première à Boston est pour bientôt et le livret est vide à part un vague canevas d'ennemi public numéro 1 embarqué clandestinement sur un transatlantique entre New York et Londres – pour ce qui me concerne, je suis tranquille, je lègue tant que ça dure mon corps à la tranquillité, je laisse venir, les mains posées sur les touches, je m'amuse à faire marcher des mélodies à trois temps sur des mesures à quatre, un peu boiteuses (et quand je dis *je laisse venir*, je ne parle pas d'inspiration mais du prochain coup de fil d'Howard et son prochain changement d'idée). Aucune inquiétude ici, *There She Blows* ou *Anything Goes*, mes couplets restent valables, comme *And there's no cure like travel / to help you unravel / the worries of living today* – ou bien *A sailor's life is supposed to be / a hell of a lot of fun, / yes, but when you're a sailor, / take it from me, / you work like a son of a gun*[1].

Ça fonctionnait très bien avec l'histoire de la baleine, ça prendra place l'air de rien dans cette histoire encore confuse d'ennemi public – et je te parie mon Empire State Building contre ton cheval de retour[2] que ma chanson du vieux marin s'adapterait à n'importe quelle autre situation, je veux dire n'importe quel livret : c'est tout le charme de Broadway, accorder tout avec n'importe quoi, dans l'urgence, pour le plaisir d'essayer des accouplements et puis de dire *cela est bon* (P. G. Wodehouse a raison de dire (il le répète à tout bout de champ) le bon Dieu au moment de créer le monde a dû être interrompu avant la fin par un coup de fil, laissant les choses en plan – encore les choses, satanées choses).

---

1. *Our gallant captain has told the staff / it's time for killing the fatted calf / as he's throwing a party on behalf of public enemy number one.*
2. *Horse-and-buggy* – traduction approximative.

De l'avantage d'être une épave

Il y a eu des heures de gloire pour les baleines, ces heures ont été distribuées au jugé sur des surfaces immenses, au point qu'on a pu dire : beaucoup de ces heures, ou de cette gloire, se sont perdues ; elles n'étaient pas uniquement un combat de poissons contre marins pour se disputer des flacons d'huile, mais des images, une incarnation de l'abondance et de la rareté, légendaires toutes les deux, encore saisissantes des années plus tard, au point que deux ou trois de ces baleines prises isolément auraient pu remplacer le Seigneur pendant les rassemblements du dimanche, entre les murs de bois blanc du temple (certains pasteurs rouvraient d'ailleurs leur Testament à la page de Jonas pour ranimer l'attention des fidèles, renouveler leur foi en faisant un détour par le monde animal ; d'autres s'interdisaient de le faire, passant loin du chapitre *Jonas*, soit avant, soit après, tout sauf lui, de peur précisément de voir le gros poisson remporter la vedette). Et l'heure de gloire a passé, ou bien elle s'est mêlée de lassitude, sous le coup de la routine, ou bien (c'est plus probable) la gloire a perdu de sa vigueur, elle s'est donnée à d'autres, par exemple à Rudolph Valentino et tous les héros interprétés par Valentino avant de mourir à trente ans d'un trou à l'estomac. Reste le souvenir de la gloire, sa signification s'amenuise en même temps que celle de l'épopée, toujours plus approximative et paresseuse (ce qu'on sait de l'épopée dans les couloirs d'un aquarium municipal) ; les baleines se raréfient, pour de bon cette fois, le désir d'être extraordinaire n'y est pour rien, elles ne sont pas plus précieuses, elles ne se sacrifient pas pour la notoriété, elles s'absconsent par désœuvrement et sont un moment du grand ennui océanique.

Toute compassion écologique, philoanimalière, philocétacéenne n'y peut rien, la baleine morte sombre rapidement dans l'oubli, personne ne s'étonne à l'idée de voir des créatures réputées pour leur gigantisme disparaître sans laisser de trace – personne ne s'inquiète non plus de savoir comment elles s'éparpillent : devenir poussière, c'est bien beau, c'est vite dit, c'est une formule de funérailles qui attend notre approbation, mais tomber en poussière quand on a été baleine, c'est autre chose : le prodige chrétien de la résurrection des corps ne suffit pas, il faut y mettre du sien. Il suffit de leur prêter un psychisme, pas forcément une psychologie de vedette ex-grand-duc du music-hall : les baleines souffrent de disparaître aussi minablement, dans un peu d'eau trouble – elles préféreraient à tout prendre avoir le sort d'une épave au lieu du destin d'un mammifère marin livré, très docile, à la mort : l'épave durable, enviable, désirable d'une caravelle, magnifique en elle-même et pour elle-même, riche aussi de son contenu, de tout ce que les hommes ont bien voulu y mettre au temps où elle flottait, riche aussi de son naufrage, naufrage comme histoire terrible et répétable à l'infini, comme drame humain venant s'ajouter aux collections royales (des petits-neveux de princes de Gênes sombrent parfois avec le navire), comme catastrophe diplomatique (les cadeaux au roi engloutis, et des excuses longues à dire), comme superbes pertes pour des financiers dont on parlera encore longtemps (et qui donnent lieu à des remboursements plus magnifiques encore), comme moment d'une bataille navale, comme épisode pittoresque (encore le pittoresque) de l'histoire des corsaires, comme énigme technique, enfin comme pur et simple escamotage de cargaisons précieuses (le cargo *Henry Stanley* de la compagnie Elder Dempster Lines, 5 036 tonnes, coulé en 1942 par 40° 35′ 17″ Nord et

39° 40′ 32″ Ouest, contenait trois boîtes de diamants : elles scintillent encore quelque part, sur place et dans les livres qui en parlent).

Être une épave : s'amoindrir, certes, se faire oublier, perdre délicatement de sa substance par petits morceaux qui s'en vont se confondre avec le plancton (pure magnanimité : concession aux cycles de vie et de mort qui nous barbent la plupart du temps), se gorger d'eau, y voir une conséquence du grand âge, donner l'hospitalité à des animalcules dont on n'avait pas idée, se laisser peupler, devenir un habitacle passif de bout en bout, passif toute la sainte journée, apprendre à reconnaître les hippocampes et les hydres, qui sont d'imparfaites méduses – avec un peu de chance susciter l'intérêt des chercheurs, vrais historiens poètes, curieux de savoir à quoi ressemble le bois des voyages de Cortés, ou amateurs pilleurs de trésors, qui se donneront un air aventurier. Tout, sauf devenir un cadavre de baleine : c'est le point de vue de la vieille Moby Dick, fatiguée d'être Moby Dick : elle voudrait alors avoir le culot de se présenter aux hommes comme le vestige magnifique d'un naufrage ; au lieu d'avoir seulement pitié, ils seront admiratifs, ils chausseront des palmes pour lui rendre hommage en respirant à travers un tuyau, ils verront les boiseries et chercheront les louis d'or.

Elle aura la promesse d'être renflouée : après des années d'occultation, risquant l'oubli absolu, revenir à la surface – et alors réapparaître, non plus comme une vague menace blanchâtre tombée en désuétude mais comme une merveille de la technique du xvɪᵉ siècle, temps des membrures, des chantiers navals, des armadas imbattables, de la solidité en pleine mer contredite par la tempête – et temps des moines embarqués qui priaient sous l'orage et bivouaquaient sur des marsouins. On ne se penchera pas sur des chairs

nauséabondes, ce sera beaucoup plus beau, une préoccupation concertée d'orfèvres et de menuisiers, ce sera un musée
à ciel ouvert, tiré des grands fonds par une grue accrochée
à la terre – une prouesse de docker, une gourmandise pour
les conservateurs, un spectacle pour les enfants et la fierté,
inévitable celle-là, des pouvoirs publics. (Parmi ces épaves,
le *San Juan* de 120 tonnes, échoué vers le canal de Bahama
en 1586 ; le *Queen*, échoué en 1800 au large du Salvador ; le
Stangarfoli, une belle pièce viking coulée vers 1189 au large
du Groenland – et peut-être le *Pequod*, s'il avait bien voulu
lui aussi disparaître par une trappe à la fin du dernier acte : il
reposerait, lui sans ses hommes, dispersant au fil des saisons
sa cargaison d'huile précieuse[1].)

Dernier voyage de la baleine

On regarde passer la baleine abrutie par un repas trop   [1910-1977]
long, le ventre rempli d'usurpateurs (les témoins les entendent se plaindre, ou plaisanter, ou débattre, et chanter à
plusieurs voix – ou bien ils n'entendent rien du tout, et ces
rumeurs sont affaire de ventriloques). Elle s'avance depuis
les îles Sandwich du Pacifique vers la mer de Chine orientale,
où on l'a vue tourner en rond, puis nage quelque part entre
Taïwan et les Philippines, vers le nord de la Malaisie, passe
de justesse entre Java et Sumatra, après quoi on la voit
réapparaître, toujours placide, au large du cap de Bonne-

---

1. On voit parfois dix-sept cachalots échoués sur le sable, à savoir un suicidaire
authentique suivi de seize qui ne l'étaient pas mais prenaient sa pulsion de mort pour la
fougue du prophète en route droit sur l'embouchure du Paradis, et ses buffets à volonté –
on les admire, on en fait le tour, en majesté ; bientôt on se bouchera le nez, on ira cacher
loin des cadavres, entre quatre murs, notre honte d'avoir remplacé si vite l'admiration
et le chagrin par le dégoût.

Espérance, et ensuite plus au nord du côté de l'île Sainte-Hélène, puis devant l'embouchure du río de la Plata, après un brusque changement de cap, presque un détour, un oubli à réparer ou l'idée soudaine d'un salut à donner en urgence à une vieille connaissance ; puis c'est le Cap-Vert, les Canaries, les Açores ; on l'aperçoit une dernière fois, à moins de la confondre avec une autre, de la même taille, la même couleur, devant Sandy Hook, la tête tournée vers le fleuve Hudson. Sur la route de Sandwich à Hudson elle semble ralentir d'heure en heure, toujours sur le point de s'arrêter là où elle se trouve, pas un mille de plus, lassée d'avaler toute cette eau, on la comprend ; mais elle se déplace encore, vaille que vaille, on ne la retrouve jamais le lendemain là où elle soufflait la veille son souffle ornemental, mélancolique par anticipation, comme sont mélancoliques les préparatifs aux adieux (plus que les adieux mêmes).

Épilogue

Pour remonter jusqu'au vieux capitaine, la baleine ou ce qui reste d'elle compte à son tour déchiffrer des signes de pistes : elle se dit, il n'y a pas de raison, le capitaine a lui aussi ses saisons, ses courants, ses chemins privilégiés à la surface du globe ; lui aussi est sensible aux marées, les grandes et les petites, aux légères variations du temps, il se dirige de préférence là où il trouvera, il en est sûr, ses trois repas ; elle traque la silhouette, le bout de son chapeau, puis son manteau, puis son seul soulier voisin d'un pic de violoncelle ; elle remonte plusieurs pistes comme celle menant de l'expéditeur au destinataire, aussi appelée voie postale, ou celle menant d'une imprimerie à un seuil de

maison, appelée aussi piste de l'abonnement au journal
local ; elle remonte des rumeurs de bouche à oreille, apprend
à retracer le capitaine à quelques mots dans les conversations – elle le reconnaît, pas si facile, confondre est si vite
arrivé : Achab fait contraste, mais une fois son exubérance,
son satanisme, ses excès de solitaire et son absolutisme mis
de côté, il est un monsieur Tout-le-Monde. Elle aborde
des lieux fréquentés par les hommes de son espèce, ce qui
pourrait s'appeler son biotope : l'histoire ancienne, les faits
divers d'aujourd'hui, ou des oracles à vérifier le temps venu
racontent entre autres événements extraordinaires l'entrée
d'une baleine à New York par le fleuve Hudson, ou l'East
River – après tout, on a trouvé des baleines grises jusqu'à
Londres, des espadons sous le pont de l'Alma quand la
rivière était haute, et parfois des alligators – maintenant,
les pôles magnétiques sont bouleversés, l'air chaud contrarie
l'air froid, masses immenses contre masses immenses, le
courant du Golfe pousse jusqu'à Thulé pour la redécouvrir
une dernière fois, les hommes au lieu de porter le deuil de
la calotte glaciaire se réjouissent à l'idée de percer enfin à
peu de frais le légendaire passage du Nord-Ouest : alors,
n'est-ce pas, l'anomalie devenue normale, d'autres cachalots
viennent s'échouer sur des plages, l'air de s'endormir du
sommeil du monstre face à un public de baigneurs désem-
parés ; des orques noir et blanc, elles aussi, s'époumonent,
"au son des cornes de brume" ; un cachalot vieux comme
le plus vieux des séquoias d'Amérique, ou la plus vieille de
ses avenues, remonte l'Hudson péniblement : allégorie du
retour aux sources, du retour au bercail, résigné et pantelant,
du déboussolement de toute chose, de l'encombrement de
nos chemins, et prophétie d'un événement quelconque,
terrible ou libérateur, comme sous le règne de Jules César

la naissance d'un veau à deux têtes : une tête optimiste, une tête pessimiste.

Alors (une prophétie toujours : non réalisée au moment d'être dite, et au moment où elle se réalise, réalisée parce qu'elle a été dite un jour) : d'où il se trouve, son grabat de vieux célibataire, le capitaine entendra l'appel (personne ne sait comment) de la baleine, la sienne, aucune autre, à travers un ensemble de rumeurs confuses venues d'en haut, d'à côté et d'en bas, parfois des chants, parfois des vitres brisées, un orchestre symphonique, Charles Ives et ses fanfares, le Super Bowl commenté en vitesse par celui qui en est le témoin pour d'autres témoins restés chez eux, et une version de *Make 'em Laugh* imitée de *Be a Clown* sur un vieux tourne-disque, qui finira tôt ou tard par se boucler sur elle-même – l'appel viendra par la fenêtre ouverte, il faudra le distinguer des sirènes, le capitaine pensera d'abord entendre un marchand de journaux venu sous sa chambre pour lui seul et pour son voisinage annoncer une nouvelle sensationnelle, pas la dernière, un assassinat de président, un de plus, devant la foule ; et alors, ce sera magnifique, ça devra l'être, on fera tout pour, Achab le premier, comme la marche d'Abraham Lincoln vers sa destinée ou celle d'Humphrey Bogart vers un ultime rendez-vous (ou bien Gary Cooper, dans le silence, sous le soleil) ; il y aura dans chacun de ses gestes l'idée, chorégraphiée, dessinée, d'une vocation sur le point de s'accomplir, non pas triomphe mais résignation, ponctualité de celui à qui on a fixé un rendez-vous : la véritable sérénité du moribond étant non pas accomplissement d'on ne sait quelle prouesse jusqu'alors impossible mais étonnante adéquation de soi à soi (naturelle, tout compte fait, malgré l'artificialité criante : tant de mensonges pour finalement être qui nous sommes) – l'identité de soi à soi, d'ici à ici, de maintenant à maintenant, de l'amour à l'objet d'amour et du piéton au décor qui l'entoure, idiotement.

Achab se lève, "en direction du chant de la baleine" – différentes odeurs de soupe à chaque étage de l'immeuble, par les escaliers et par les couloirs, la napolitaine, la romaine, la hongroise et la polonaise, et l'*Irish stew*; ensuite, l'air du dehors, à peine moins parfumé, puis une promenade de vieux monsieur en direction de la rive à l'heure où tout le monde rappelle les siens pour se mettre à table. Il remonte le courant sans ardeur ni agressivité de tous ceux répondant à la cloche du repas du soir: pour beaucoup, de très jeunes enfants portant, plus large et haute qu'eux-mêmes, une batte de baseball, et plus large encore un gant où pourrait tenir une famille entière; il croise aussi des hommes, satisfaits, demi-satisfaits, d'avoir pu dire en buvant une bière à d'autres hommes le fond de leur pensée du jour, qui ne révisait pas le monde, pas cette fois-là, mais au moins la journée, en guise d'épilogue. Chacun, au lieu de rentrer à la maison, pourrait assister à la promenade du vieil Achab jusqu'à l'Hudson ou l'East River, et alors ce serait une procession au lieu d'une promenade, il y aurait à coup sûr cette solennité nonchalante en usage dans ces vieux quartiers, pas ailleurs, on se découvrirait à son passage, sans bien savoir s'il s'agit de funérailles ou du père de la mariée: voilà encore l'un de ces moments d'incertitude, quand quelques noms nous échappent, quand on ne voit que des demi-figures, et quand le commencement, la fin nous manquent, où il est impossible de choisir entre le deuil et le ravissement, l'expectative tenant lieu alors de moyen terme nous oblige à nous tenir un peu plus attentifs, différemment; le qui-vive désinvolte, sans urgence mais curieux, de ceux qui ne savent pas vraiment (combien de fois nous avons tendu le cou pour tenter d'apercevoir un événement derrière une forêt de curieux qui eux aussi tendaient le cou ? quand la foule est dispersée, les faits sont accomplis et les acteurs dissous dans l'air léger).

On se découvre quand même, Achab avance, les chapeaux tombent et les innocents les plus jeunes tirent sur la jambe du pantalon pour demander au père de famille, tout en haut, une explication qui ne vient pas. Ou bien, on ne voit rien, il n'y a pas de procession, Achab chemine dans l'indifférence, cette si douce, si tendre indifférence de la ville (il l'attendait sans la connaître, il l'a approuvée comme Dieu approuvait son *fiat lux*, et maintenant, il le sait, il la regrettera : elle peut être cruelle, mais combien de fois réconfortante ?) : il s'avance, les autres s'avancent, et chacun sa direction ; s'il y a un témoin, un seul, il ne saura rien dire le lendemain sinon la promenade du voisin à l'heure habituelle de sa petite promenade, ce vieux monsieur à une seule jambe soi-disant assez vieux pour avoir pu rencontrer Thomas Jefferson : il tenait dans ses mains les Œuvres complètes de William Shakespeare dans une édition anglaise bon marché, il les a posées sur la rive, avant de se noyer. Sur la rive, de fait, un vieux bouquin, des annotations, désormais pour personne, le "demain et puis demain et puis demain" souligné deux fois, deux fois aussi le "des mots, des mots, des mots", comme s'il s'agissait à peu près de la même chose, une réminiscence à dix ans d'intervalle, laissée telle quelle ; et dans le fleuve, un chapeau, un chapeau romanesque, dans un geste d'adieu à chaque vaguelette qui passe en dessous, tant pis ou tant mieux si l'adieu se répète et se contredit à force de recommencer – c'est aussi le chapeau lancé depuis les gradins sur la scène pour féliciter une diva (Nancy Storace), où il rejoint des fleurs, et le tableau d'un reste de naufrage longtemps après le naufrage, et longtemps après la tempête : mais tout le monde le sait, il n'y a pas de place dans l'Hudson pour mettre en scène les tempêtes du répertoire. À côté du chapeau, aucun noyé, quoi qu'on en dise ; on aurait beau draguer le fleuve, on n'en tirerait que des vieilles bottes et mille autres chapeaux, preuves de mille autres jours écoulés : le fleuve révèle ce qu'il peut, "il rend ce qu'on lui a confié" – de fait, personne ne trouvera le vieux capitaine, ni sa dépouille, Achab ayant pris soin de partir plus élégamment : sa dernière patience, qui est une bonne volonté, il l'a mise au service de ces retrouvailles, remplaçant une vengeance hors d'âge, de la baleine et de lui-même – la patience a fini par payer bien mieux que la rancune, il faut croire, Moby Dick et le vieux capitaine se retrouvent à l'endroit précis où se rejoignent leurs souvenirs, leurs appréhensions et l'idée maladroite qu'ils se font l'un de l'autre ; la baleine pense au capitaine, elle l'espère après l'avoir si longtemps maudit, elle le rejoint pour éprouver une forme de réconciliation, surtout pour en finir, pour mettre un terme aux aventures (il faut bien un jour arrêter de vivre des péripéties) – le capitaine a de l'eau jusqu'à la ceinture, il se résout à se défaire de la jambe de bois, il voit s'ouvrir devant lui une gueule immense, il fait tout pour qu'elle soit immense, il lui a donné assez de noms, assez de lui-même pour ça, il exorciserait un démon pour qu'elle s'ouvre davantage, il sait pouvoir entrer par là, droit devant, et là-dedans tenir bon jusqu'aux siècles des siècles ; rien de plus logique, tout bien réfléchi, rien de plus intime, l'adéquation du capitaine Achab à la gueule ouverte de son poisson, le reste ne nous regarde pas, l'histoire est faite d'éloignements – à nous à présent d'avoir des projets de revanches inventives, d'y mêler des souvenirs et des appréhensions, et des malentendus nés d'une lecture hâtive ; à nous de boiter sur une jambe, de garder le silence, et n'en penser pas moins.

TABLE DES MATIÈRES

Achab témoin de l'anxiété profonde et de l'esbroufe salutaire. Gargouillements d'estomac et leitmotive wagnériens. Des éléments imperceptibles rapportés de la scène. De l'avantage d'observer Hamlet par la tranche.

"bord de l'aile du renoncement". La besace pendouillait, elle ne pendouille plus.

Composition : Entrelignes (64).
Achevé d'imprimer par CPI Firmin Didot,
à Mesnil-sur-l'Estrée, en novembre 2015.
Dépôt légal : novembre 2015
1er Dépôt légal : juin 2015.
Numéro d'imprimeur : 132045.

ISBN : 978-2-07-014995-7/Imprimé en France

298735